宅建士一発合格!シリーズ

2025

日建学院

どこでも!学ぶ宅建士 基本テキスト

はじめに

本書は、**累計合格者数・12万人超**を輩出してきた日建学院の**合格指導**ノウハウを結集させた、「**宅建士 一発合格！シリーズ**」の柱となる**基本テキスト**です。

宅建本試験で**よく出題される**重要テーマを、読みやすい文体や豊富なイラスト・見やすい図解を駆使し、**初学者から受験経験者の方までどなたでも**スムーズに理解できるように、やさしく解説しました。

直近の「令和６年度本試験」まで含んだ**過去の出題内容**をきっちり分析し、**令和７年度の宅建本試験**における出題予想ポイント**を徹底カバー**していますので、独学の方でも、合格レベル**にスムーズに到達できる、**得点に直結**した学習**を行うことができます。

本書とあわせて、シリーズ中の各アイテムに取り組んで、知識の「インプット」と「アウトプット」を効率的に行い、合格力**をしっかり養成**しましょう！

受験生の皆さんが、本書をフル活用して、令和７年度の宅建本試験に**みごと**合格されますことを、講師一同、心から祈念しています。

2024年10月

日建学院／宅建講座講師室

● 法改正・統計情報等のご案内 ●

本書は、令和６年10月１日現在施行中の法令および令和７年４月１日までに施行されることが判明している法令に基づいて、編集されています。

本書編集時点以後に発生しました法改正および最新の統計情報等につきましては、弊社ホームページ内でご案内いたします（2025年８月末日頃公開予定）。

HPにアクセス！ https://www.kskpub.com ➡ おしらせ（訂正・追録）

本書の利用法

▶ 優先＆効率学習のための『重要ランク』&『イントロダクション』

令和７年度宅建本試験に向けた学習対策として、「重要度」を４段階で表示しました。高い順から、**S**（特に重要）、**A**（重要）、**B**（できれば押さえておきたい）、**C**（余裕があったらチャレンジ）としています。
冒頭の２行には、その章で学ぶ内容を端的に集約しました。

第６章 媒介契約等の規制

重要ランク **S**

媒介とは「売主・買主間のマッチング業務」のこと。
ここからはいっぱい出題されるよ！

❶ 誇大広告等の禁止

H26.29.30.R2⑽⑿～6

宅建業者は、その業務に関して広告をするときは、次の表中の❶～❽の８項目について、**著しく**事実に相違する表示や、実際のものよりも**著しく**優良であり、または有利であると人を誤認させるような表示をしてはなりません。

[誇大広告等の禁止の対象となる８項目]

宅地・建物の	❶ 所在（地番等） ❷ 規模（地積・床面積等） ❸ 形質（地目・構造・生活施設の整備状況等）
現在または将来の	❹ 利用の制限（公法、私法上の制限） ❺ 環境（周囲の町並み等） ❻ 交通その他の利便（駅までの所要時間等）
代金・借賃等の	❼ 対価の額・支払方法
代金・交換差金に関する	❽ 金銭の貸借のあっせん（ローン条件等）

罰則
誇大広告等の禁止の規定に違反した場合、６ヵ月以下の懲役、100万円以下の罰金、またはこれが併科されます。

実際には存在しない・販売する意思のない物件などを掲載することや、不利益な事項をわざと表示しないことによって誤認させる場合も、おとり広告として、誇大広告にあたるんだよ。

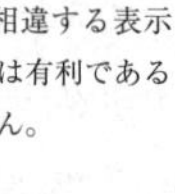

▶ ひと目でわかる！『出題年度』

過去12年間の出題履歴を表示しています。また、直近の「**令和６年度本試験**」は、わかりやすい赤文字ですので、ねらわれるポイントの把握に役立ちます。なお、「⑽」はＲ２・３年度の10月試験、「⑿」は同12月試験を示しています。

▶ “ニャカ先生”の『ひとことコメント』

特に注意したい箇所や複雑な内容をわかりやすくフォローする“日建学院講師・ニャカ先生”によるミニ講義です。

▶ 学習をフォロー！ 多彩な『アイコン』

解説本文を理解するための手助けとなり、知識に深みを持たせる**付加情報**を、欄外で詳細に収載しました。

用語解説	難しい法律用語などを、やさしく記述しています。
判例	宅建本試験でよく出題される判例を取り上げています。
注意	うっかりすると間違えたり、勘違いしやすい要注意ポイントです。
プラスα	押さえておけば、理解度がぐっと上がる事項です。
重要	**絶対に押さえておきたい**最重要ポイントです。
比較整理	類似の内容について、比べながら理解するためのアドバイスです。
発展	余裕を見て確認したい、**応用的で難しい内容**を含むテーマです。
罰則	罰則の適用についての詳細コメントです。

第2編 宅建業法

要点整理 誇大広告等の禁止

●著しく事実に相違する表示、または実際のものよりも著しく優良・有利であると誤認させる表示をしてはならない。

●実際の被害の有無を問わず、表示すること自体が宅建業法違反となる。

▶ ポイントを確実に把握！ 『要点整理』

合格するために不可欠な「重要ポイントの総まとめ」です。本試験の直前期の集中確認は、効果てきめんです!!

❷ 広告の開始時期・契約締結時期の制

「こんなおウチができますよ」って
聞いてたのに……。

用語解説
権原：
ある行為をすることを正当化する法律上の原因。

プラスα
Cが、さらに善意の第三者に土地を譲渡した場合、Bと善意の第三者とでは対抗関係に立つため、先に登記を備えたほうが勝ちます。

宅建業者は、宅地の造成や建物の建築工事の完了前（未完成物件）については、工事着工前に必要な「開発許可」や「建築確認」等の**法令に基づく許可等**を受けた後でなければ、その物件に関する**広告**を行うことができません。

また、許可等を受ける前は、原則として、**契約を締結**する

発展コラム 指定流通機構（REINS）

（通称「レインズ」: Real Estate Information Network Systemの各頭文字

「指定流通機構」とは，国土交通大臣が指定した不動産情報機構のこ
です。各宅建業者が依頼を受けた物件を中央のホストコンピューターに
録し，これを各宅建業者の端末にフィードバックすることにより，依頼
受けた物件の情報提供の場を広げ，安全かつ迅速な不動産取引を実現さ
ることを目的としたシステムです。

▶ 知識をレベルUP！ 『発展コラム』

発展・**応用的な内容**についてのコラムです。**やや高度な内容**ですので、後からじっくり読んで、知識を底上げしましょう。

「令和７年度　宅建本試験」ガイダンス

「宅地建物取引士資格試験」とは

宅地建物取引業の免許を受けるためには、事務所ごとに、従業員の１／５以上の割合で、専任の宅地建物取引士を設置しなければなりません。そのため、宅地建物取引業者は、余裕をもって宅地建物取引士を確保する必要に迫られており、宅地建物取引士の資格は、不動産業界に欠かすことのできないものとなっています。

また、宅建試験の出題科目である民法や建築基準法・税法といった各種の法律は、ビジネス実務やスキルアップに幅広く役立つ知識ですので、多くの企業で「社員に保有してもらいたい資格」の上位にランクされています。

このような背景から、宅建試験は、令和６年度現在で、30万人を超える申込者数となっています。そして合格者の多くは、手にした資格を日々の業務に、また、就職活動の武器や、さらに上位資格取得の足がかりとするなど、ご自分の人生設計に上手に活かしています。

宅建本試験の概要

宅建本試験の出題・その内容等

宅建本試験は、「**宅地建物取引業に関する実用的な知識**」を有するかどうかを判定することを目的として行われています。

試験の具体的な内容等は、次のとおりです。

●出題内容

出題内容は、次の❶～❼です。出題の根拠は、毎年４月１日現在施行中の法令となります＊1。

❶　土地の形質・地積・地目・種別、建物の形質・構造・種別
❷　土地・建物についての権利・権利の変動に関する法令
❸　土地・建物についての法令上の制限
❹　宅地・建物についての税に関する法令
❺　宅地・建物の需給に関する法令・実務
❻　宅地・建物の価格の評定
❼　宅地建物取引業法・同法の関係法令＊2

なお、登録講習＊3を修了し、その修了試験の合格から３年以内に行われる試験を受ける方（登録講習修了者）の場合は、上記の❶と❺の分野から出題される**計５問**が免除されます（５問免除）。

＊１：本書は、令和６年10月１日現在施行中の法令および令和７年４月１日までに施行されることが判明している法令に基づいて編集されています。本書編集時点以後に発生しました法改正等につきましては、ホームページ（https://www.kskpub.com ➡ **お知らせ(訂正・追録)**）内でご確認いただけます。

＊２：「**❼　宅地建物取引業法・同法の関係法令**」には、「特定住宅瑕疵担保責任の履行の確保等に関する法律」（住宅瑕疵担保履行法）が含まれます。

＊３：宅建試験には、宅建業の従事者が、国土交通大臣の登録を受けた登録講習機関が行う「登録講習」を修了すれば、例年、本試験50問中の「**問46～問50**」の５問が免除されるという、宅建業従事者の方にとってはメリットの高い制度があります。
なお、日建学院も登録講習機関のひとつです。

●試験形式

４肢択一、**50問**（登録講習修了者は**45問**）のマークシート方式です。

●**受験資格**

年齢・学歴・国籍等の受験資格による制限はなく、誰でも受験できます。

●**受験料**

8,200円

●**試験実施機関**

（一財）不動産適正取引推進機構

〒105-0001　東京都港区虎ノ門３-８-21　第33森ビル３Ｆ

Tel：03-3435-8181

参考・12年間の本試験結果・合格基準点

直近12年間（平成25年度～令和６年度）・計14回の本試験実施の結果は、次のとおりです。合格率はおおむね15～17％前後、合格基準点は31点～38点で、年度ごとに、かなり難易度にバラつきがあることがわかります。

年　度	申込者数	受験者数	合格者数	合格率	合　格 基準点
H25年度	234,586人	186,304人	28,470人	15.3%	33点
H26年度	238,343人	192,029人	33,670人	17.5%	32点
H27年度	243,199人	194,926人	30,028人	15.4%	**31点**
H28年度	245,742人	198,463人	30,589人	15.4%	35点
H29年度	258,511人	209,354人	32,644人	15.6%	35点
H30年度	265,444人	213,993人	33,360人	15.6%	37点
R元年度	276,019人	220,797人	37,481人	17.0%	35点
R２年度（10月）	204,163人	168,989人	29,728人	17.6%	**38点**
R２年度（12月）	55,121人	35,261人	4,610人	13.1%	36点
R３年度（10月）	256,704人	209,749人	37,579人	17.9%	34点
R３年度（12月）	39,814人	24,965人	3,892人	15.6%	34点
R４年度	283,856人	226,048人	38,525人	17.0%	36点
R５年度	289,096人	233,276人	40,025人	17.2%	36点
R６年度	**301,336人**	**241,054人**	－	－	－

次の内容は、試験実施機関である（一財）不動産適正取引推進機構が令和６年６月に公表した「令和６年度本試験の受験申込案内」の概要です。

令和６年度宅建本試験・概要

●**受験申込み受付**

●**インターネット申込み**：
令和６年７月１日（月）～７月31日（水）23時59分まで

●**郵送申込み**：令和６年７月１日（月）～７月16日（火）まで

●**試験日**：令和６年10月20日（日）
13：00～15：00（２時間）
＊「登録講習修了者」は「13:10～15:00」（１時間50分）

●**合格発表日**：令和６年11月26日（火）

なお、令和７年度本試験の詳細については、例年６月上旬に公表される実施公告を、必ずご確認ください。

学習アドバイス

合格ラインは、過去の合格基準点の推移からみれば「35・36点前後」が目安といえます。それでは、その目標点を確保できる「学習方法」について、考えてみましょう。

❶　学習計画を立てよう

一般的に、**初学者が合格する実力**を得るのに必要な学習時間は、約300時間が目安といわれていますが、単純に、**毎日２時間**ずつ学習して**５ヵ月間**ほどが必要な計算です。

まずは、本試験当日までの学習期間を冷静に分析しましょう。

例えば、現在の仕事の内容や環境では、毎日２時間の学習をずっと持続させるのは難しくても、これからの調整次第で、「９月になれば１日に３時間学習できる」状況をつくれるかもしれません。

このように、一人ひとり異なる事情のもとで、合格に不可欠な「約300時間」というトータルの学習時間をいかに確保できるか、できるだけ具体的にイメージしてください。

これができれば、合格に一歩近づいたと考えていただいてOKです。

少し学習を進めていけば、例えば本書の１章分を読み通して、その箇所に対応する過去問を学習するのに必要な時間など、自分なりの学習ペースがつかめてきます。その時点で、具体的な学習計画を立てましょう。

また、学習計画には、短期的なチェックポイントが欠かせません。できれば、２週間に１回ずつ、学習の進捗度をチェックして、万一学習の遅れが生じていたら、早いうちに軌道修正しましょう。

❷　丁寧に学習しよう

本書の「具体例」や図表を活用して、ひとつひとつ丁寧に理解していく学習を心がけましょう。

最初は、ムリに覚えようとしなくても大丈夫です。より具体的に事例がイメージできれば、本試験で受験生の多くが悩む「応用問題」が出題されたときにも、得点できるコツをつかめます。

❸　ポイントを絞って覚えよう

限られた学習時間の中では、１点でも多くとれるよう、工夫が必要です。本書の『要点整理』は、得点に直結しやすいポイントをギュッと集めた“合格ラインに最短距離で到達するためのエッセンス”です。

まずはここから、覚えていきましょう。

❹ 「過去問」を解こう

宅建試験の内容は、その多くが過去に出題されたテーマの再出題（“**焼き直し**”）です。つまり、過去問に習熟することが合格への近道です。

本書で吸収した知識をアウトプットに活かすために、日建学院「宅建士 一発合格！シリーズ」の姉妹本『**テーマ別 過去問題集**』や『**年度別本試験問題集**』『**チャレンジ！ 重要一問一答**』などの問題集をあわせて利用し、もし理解の及ばない箇所が出てきたら、本書に立ち戻って知識の再確認をする、というように、本シリーズの各アイテムを上手にフル活用してください。

❺ 絶対に合格しよう！

「頑張ったのに合格できなかった」と、多くの受験生があと１、２点の差で涙をのんでいます。

それでは、どのような勉強法が合格できて、逆にどのような勉強法だと失敗しやすいのか、例を挙げてみます。

【合格に必ず結びつく勉強法】

- 具体的にイメージで理解する
- 図表を書きながらしっかり整理する
- 合格に直結する重要テーマから優先学習する
- 重要ポイントを繰り返し学習する
- 毎日コツコツ学習を継続する

【失敗しやすい勉強法】

- 理解しないで、とにかく**丸暗記**
- 図・表などを書くのが面倒で**後回し**にする
- 「繰り返し学習」を**怠る**

令和７年度本試験の合格発表の時に笑顔でいられるように、『絶対合格しよう』という強い気持ちで、**宅建本試験日まで頑張りましょう！**

目　次

＊４段階の「重要ランク」：S（特に重要）～C（余裕があったらチャレンジ）＊

第１編　権　利　関　係

Contents

Contents

第2編　宅　建　業　法

Contents

読者特典

本書の「電子版」（PDF）
無料ダウンロードサービス

❶ 当サービスは、下記弊社URL、もしくは
右のQRコードよりご利用いただけます。 ➡

⬇

https://www.kskpub.com/news/n106586.html

❷ アクセス後、次の「パスワード」を入力してダウンロードのうえ
ご利用ください。

➡ **5992259636**

❸ 当サービスのご利用期限：2025年10月19日（日）

[注意事項]

＊ 本サービスのご利用は、本書をご購入いただいた方に限ります。
＊ ダウンロードいただける内容は、「印刷不可」のものとなります。

第1編

権利関係

権利関係は、実は宅建試験の範囲の中で、最も“ドラマチック”な分野です。お年寄りや未成年者を保護する制度や、欠陥住宅の購入者がとるべき対応、果ては死亡した場合の相続の方法というように、テーマごとに登場人物が多彩なドラマを展開します。

それらを具体的にイメージしながら、学習を進めていきましょう。

第１編　権利関係

❶ 本試験の傾向分析と対策

■12年間（H25～R6・計14回）の出題実績

（★の数は出題数。３問以上の出題は「★★」の表記で統一しています）

章 ＼ 出題年度	H25	H26	H27	H28	H29	H30	R元	R２(10月)	R２(12月)	R３(10月)	R３(12月)	R４	R５	R６
1　制限行為能力者	★	★		★						★	★	★	★	★
2　意思表示	★		★	★		★	★	★	★		★			★
3　代　理		★			★	★	★		★		★			★
4　時　効		★	★		★	★	★	★	★★			★	★	
5　不動産物権変動				★	★★	★	★				★	★	★	★
6　物権関係	★		★		★★	★		★	★★		★	★	★	★
7　抵当権	★★	★	★★	★	★	★	★				★	★	★	
8　保証・連帯保証	★		★					★★						
9　連帯債務					★					★				
10　債権譲渡		★		★		★				★				
11　債務不履行と契約の解除		★	★★	★	★			★	★★	★				★
12　弁済・相殺	★			★		★	★						★	
13　売　買		★		★	★★		★	★	★	★★	★			★
14　賃貸借	★★	★	★★	★★	★	★	★	★★	★★	★★	★	★★	★	★
15　委任・請負・その他の契約		★	★		★★		★	★★		★		★	★	★
16　不法行為	★	★		★★			★		★	★				★
17　相　続	★	★	★	★	★★	★	★	★	★	★★	★	★	★★	★
18　借地借家法①借地関係	★	★		★	★	★	★	★	★	★	★	★	★	★
19　借地借家法②借家関係	★	★	★★	★	★	★	★	★	★	★	★	★	★	★
20　区分所有法	★	★	★	★	★	★	★	★	★	★	★	★	★	★
21　不動産登記法	★	★	★	★	★	★	★	★	★	★	★	★	★	★

平成25年度～令和６年度・12年間の本試験の出題内容を本編に沿って分類すると、左の表のようになります。
なお、複合問題（複数の分野にまたがる出題）があるため、実際の出題数とは一致しない場合があります。

出題の傾向分析・得点目標

権利関係での出題数は、**計14問**で、**民法10問**、**特別法**（借地借家法・区分所有法・不動産登記法）**4問**という内訳です。また、民法では、平均すると、「総則・物権（担保物権を含む）」と「債権・相続」の出題数は、おおむね半々となっています。

学習すべき範囲が最も広く、また、難度も高いため、出題傾向を十分に分析して、**やることを充分に絞り込んで学習したい分野**です。
ここでの学習に手間取ると、本試験での得点対策としてより重要な他の分野の学習がおろそかになってしまいますので、学習すべき量はあくまで「**全体の１／４程度**」というイメージをもつのがよいでしょう。

権利関係での学習方法は、**応用力を要する問題**に対応できるよう、「**理由を考えながら学習を進める**」という点に尽きます。

得点目標は、民法で**10問中７問**、借地借家法等の特別法関連で**4問中３問**、合計**14問中10問**以上です。

以下、主要な各テーマの“**攻略ポイント**”を見ていきましょう。

●民法総則
意思表示・代理は、**出題頻度も高く、正答率も高い項目**です。
内容的にもまんべんなく出題されていますから、マトを絞りすぎないで、条文レベルの知識はもちろんのこと、重要判例もしっかりマスターしておく必要があります。

一方、**制限行為能力者・時効**は、出題頻度こそ前者と比べれば低いですが、やはり**正答率が比較的高い項目**です。特に、**制限行為能力者**では**未成年者**と**成年被後見人**にウェイトを置いて、学習するとよいでしょう。

●物権

物権では、**不動産物権変動**と**抵当権**からの出題頻度が圧倒的ですが、この２項目は**難問が多く出題**されるため、**正答率も低く**なっています。合格することだけを考えれば、基本的事項の学習にとどめて、深入りしないことが大切です。

その他では、**共有**と**相隣関係**が大切です。この２項目は**正答率が高く**、出題された際には**手堅く得点**しておきたい箇所ですので、しっかり学習しましょう。

●債権・相続（特に近年の法改正が多い分野）

債権は、学習範囲が広く、難度の高い項目も多いため、**優先順位**を決めて学習したい箇所です。

出題頻度と正答率を勘案すると、最優先項目は、**売買**をベースとした**債務不履行・契約の解除・契約不適合（担保）責任**、そして、**賃貸借**です。

また、次に**保証・連帯債務**、**不法行為**と続きますが、当初はあまり手を広げず、まずは最優先項目に集中して取り組みましょう。

なお、**相続**に関しては、**法定相続**と**遺言関係**のどちらも、しっかり学習しておく必要があります。

●借地借家法

借地１問・借家１問と、**毎年**のように**２問**出題されています。

まずは、出題頻度の高い**存続期間・更新・対抗要件**等を学習した後、**定期借地権**、**定期建物賃貸借**といった頻出項目をマスターしましょう。

●区分所有法

毎年１問出題されていますが、深追いしてはならない科目です。

管理者・規約・集会といった、**区分所有建物の管理面で問題**となる項目を、最優先に学習しましょう。

●不動産登記法

不動産登記法も、毎年１問の出題のため、**深追いは禁物**です。

権利に関する登記と**表示に関する登記**の特徴や、権利に関する登記のうち、**所有権保存登記・仮登記**といった項目に集中しましょう。

❷ 総論・全体構造と学習法

「権利関係」とは

宅建試験の出題範囲のひとつに、「**土地及び建物についての権利及び権利の変動に関する法令に関すること**」という科目があります。

具体的には、**民法**、及び**特別法**である借地借家法・区分所有法・不動産登記法で、宅建受験界では、これらを「**権利関係**」と呼んでいます。

「民法」とは何か

民法は、**市民の間に発生したトラブルを解決する際の判断基準**です。

例えば、4,000万円相当の価値がある土地を所有する地主Aさんが、悪徳開発業者Bにだまされて、その土地を2,000万円で売る**契約**をしてしまった、というような場合、Aさんは裁判所に訴えて、救済（契約の取消し）を求めることができます。

そして裁判所は、BがAさんをだまして契約をしたという事実を確認した場合は、次の条文に基づいて、「AさんはBとの間の売買契約を取り消せる」という判決を下します。

> **【民法 第96条第1項】**
> **詐欺（さぎ）又は強迫（きょうはく）による意思表示は、取り消すことができる。**

このように、**民法**は、**紛争を解決**する際に、裁判所がよりどころにする「**モノサシ**」といえるのです。

「契約」を理解しよう

それでは、「売主Aさんと買主Bさんが家屋の売買契約を締結する」という場面を想定しましょう。

この売買契約の成立によって、AさんはBさんに対して、建物を引き渡す義務を負う代わりに、代金を支払うよう請求できる権利（**代金請求権**）を手に入れます。

その一方で、BさんもAさんに対して、代金を支払う義務を負う代わりに、建物を引き渡すよう請求できる権利（**建物引渡請求権**）を手に入れます。

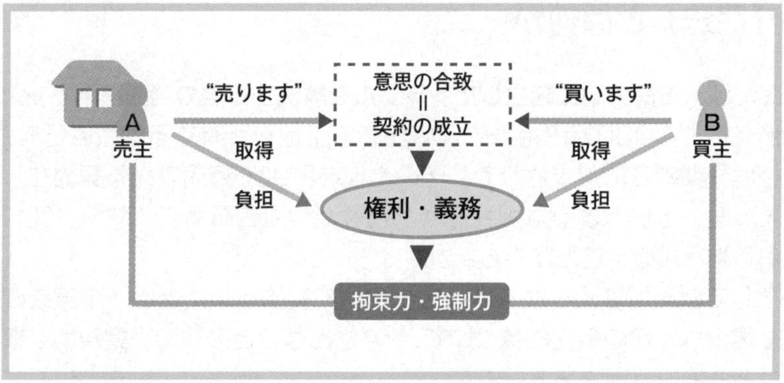

そうして発生したお互いの権利を大事にするために、Aさん・Bさんは、好き勝手に契約をなかったことにすることはできません。契約を無視すると、契約違反（**債務不履行**）として、相手方から損害賠償を請求されたり、裁判所の判決によって、契約の内容を実現するよう命ぜられることがあります。

このように、契約はいったん成立すると、当事者を拘束する力をもち、また、裁判所によって"強制的に"契約の内容を実現させることも可能となるのです。

「特約」「判例」とは何か

民法は、全部で1,050もの条文がありますが、宅建試験では、そのすべてから出題されるわけではありません。しかも、条文そのものからだけではなく、**特約の効力**や**判例**などからも出題されます。

当事者が法律の規定と違う取り決めなどをしたときの約束事を、**特約**といいます。民法では、**特約**は、**原則として有効ですが**、「すべて有効」となるわけではなく、「**強行規定**」に反するものは**無効**となります。

なお、**強行規定**とは、**強制的に法律の規定**を適用させるためのルールであり、**特約に優先**します。一方、**任意規定**とは、当事者が**特約**をしたときは、その特約が、**法律の規定に優先**するものをいいます。

例えば、民法の規定のうち、「**債権**」の規定の多くは、任意規定です。

そして、**判例**とは、裁判所が具体的な事件を解決するために出してきた判決のうち、おおむね**法解釈として定着**しているものをいいます。

条文に規定がなかったり、その条文の規定の解釈に争いがある場合には、判例が解決のルールとなります。

「特別法」とは何か

特別法とは、「**ある特定の場合に民法に優先して適用される法律**」のことです。

例えば、不動産の賃貸借においては、特別法である借地借家法の規定が優先適用されます。そのため、民法の賃貸借の規定は、借地借家法が規定していない部分についてのみ、補充的に適用されるにすぎません。

また、**区分所有法**（建物の区分所有等に関する法律）は、分譲マンションの権利関係において優先適用される特別法であり、**不動産登記法**は、民法によって定められた権利関係が具体的に外から見えるようにするための手段である、登記手続について定めた特別法です。

権利関係を攻略するために

「権利関係」を学ぶことは、「宅建業法」や、「法令上の制限」といった**他の分野の法律を理解するための基礎**となります。

❶　法律の趣旨をしっかり理解しよう

例えば、債務不履行と不法行為という２つの制度のどちらにも「損害賠償」という同じ言葉が出てきます。**単に丸暗記しても意味がない**ので、それぞれの制度がどのような目的を持つのか、そしてどのように異なるのかを、**理解**することが重要です。

❷　図を描こう

面倒がらずに
図を描こう!!

例えば「ＡのＢに対する債務について、ＣがＡの連帯保証人となるとともに、Ａの所有地にＢの抵当権を設定し……」という本試験の出題を見て、すぐに図を描きながら考えられるようになるためには、**普段からの練習**が必要です。

まず、本書の図を参考に、学習する際には、自分で図を描いてみましょう。特に過去問題を解くときには、なるべく図を描きながら解くように心がけましょう。

❸ “深追い” に注意!!

美味しそうで、
つい……。

権利関係は、ネタがてんこ盛りなので、**得点しにくい難問**が、毎年**数問は必ず出題**されています。

本試験までの学習時間は、限られています。

権利関係については、「**ムリをせず、トコトン深追いするのはやめる**」という方針をとることが、**合格**するための**効率的な学習法**といえるでしょう。

第1章 制限行為能力者

「社会的な弱者をどうやって保護するか」が、一番重要なテーマだよ！

重要ランク A

1 意思能力

R3(10).6

「物を買ったらお金を払わなければならない」というように、自分がすること（行為）について**正常な判断**ができる力を、**意思能力**といいます。

例えば、ひどく泥酔した友人に「キミの貯金を全部ちょうだい」と頼んだら、うなずいて「OK！」と快諾しました。

しかし、こんな話をまともに取り扱うのは妥当ではないので、「**意思能力がない状態でした法律行為**は、最初から**無効**」と扱われます。

「**無効**」とよく似た言葉に、「**取消し**」があるよね。でも、取消しは「**後からなかったことにする**」仕組みで、逆にいえば「**取り消すまでは有効**」なんだよ。だから、「無効」とは違うんだ。

ニャカ先生のひとこと

❷ 制限行為能力者制度

意思能力に欠けている人が締結した契約は、**無効**です。契約の無効を主張するには、「契約した当時は意思能力がなかった」と証明することが必要なのですが、それはとても大変です。

そこで、そもそも判断能力が不十分と考えられる人を「**制限行為能力者**」とし、「制限行為能力者は契約の取消しができる」として、**一律に保護**するルールが設けられています。

具体的には、あらかじめ**家庭裁判所**から「制限行為能力者である」とする**審判**を受けておけば、財産などが保護される仕組みになっています。

制限行為能力者には、**❶未成年者**、**❷成年被後見人**、**❸被保佐人**、**❹被補助人**、の４種類があり、それぞれ「**保護者**」が付けられています。

[制限行為能力者とその保護者]

種　類	定　義	保護者
❶　未成年者	18歳に満たない者	親権者 未成年後見人
❷　成年被後見人	精神上の障害により事理(じり)を弁識する「**能力を欠く常況(じょうきょう)**」にあるため、家庭裁判所から**後見開始**の審判を受けた者	成年後見人
❸　被保佐人	精神上の障害により事理を弁識する「**能力が著しく不十分**」として、家庭裁判所から**保佐開始**の審判を受けた者	保佐人
❹　被補助人	精神上の障害により事理を弁識する「**能力が不十分**」として、家庭裁判所から**補助開始**の審判を受けた者	補助人

用語解説
行為能力：
１人で確定的に有効な取引を行うことができる能力のことをいい、この能力が欠けている・足りない人が、制限行為能力者です。

プラスα
未成年者・成年被後見人の保護者である**親権者**や**成年後見人**等は、「法律上代理権を有すると定められた者」という意味で、法定代理人といいます。

成年被後見人・被保佐人・被補助人の区分は行為能力のレベルの違いによるもので、イメージはこんな感じだよ。

［行為能力］

3 制限行為能力者と保護者

注 意
例えば、ローンの返済がまだ残っている住宅の贈与を受けるような「**負担付き贈与**」は、契約取消しの対象となります。

1　未成年者

H25.28.R3⑽.4.5.6

未成年者とは、**18歳未満の者**のことです。未成年者が保護者の同意を得ないで契約をした場合、**未成年者**本人または**保護者**は、契約を取り消すことができます。

取消しがされると、契約は**最初にさかのぼって無効**となるんだ。

ただし、次の3つの行為だけは、未成年者本人が**単独で行うことができます**。そして、その**取消しを主張することができません**。

① プレゼントをもらうなど、**単にトクするだけの行為**
② お小遣いのように、親（法定代理人）から**許可された財産の処分**
③ 「不動産業をやっていい」というように、親から**許可された営業に関する行為**

要点整理　未成年者

- **未成年者**が法定代理人の同意を得ずに行った法律行為は、原則として、**取り消す**ことができる。

2　成年被後見人

H26.28.R3(12)

重度の認知症の患者のように**判断能力が欠けている者**は、**家庭裁判所の審判**によって**成年被後見人**となり、その財産を保護するために、**成年後見人**という**保護者**が付けられます。

ボク達
守られているんだよ！
保護者がいるから、
絶対安心だね!!

成年被後見人が行う契約は、日用品の購入その他の日常生活に関する行為を除いて、保護者が代理してすることになり、**単独でした契約**は**取消し**ができます。

また、成年後見人には同意権がありませんので、たとえ**保護者の同意**を得て契約しても、契約の**取消し**は可能です。

なぜなら、「本人がその内容をきちんと理解して、保護者が同意したとおりに契約した」とは限らないからです。

要点整理　成年被後見人

- 成年被後見人は、日用品の購入その他日常生活に関する行為を除いて、**単独**で**契約ができない**。
- **保護者の同意**を得て契約をしても、**取消し**ができる。

3　被保佐人

H28

被保佐人とは、「**2　成年被後見人**」ほど重度でないものの、**判断能力が著しく不十分**な者として**家庭裁判所の審判**を受けた者です。

被保佐人は、原則として、単独で契約ができます。これに対して、**保佐人**という**保護者の同意**が必要とされるのは、不動産の売買などの「**一定の重要な行為**」に限られます。そして、もし保佐人の同意を得ずに行った場合は、契約の取消しができます。

プラスα
「一定の重要な行為」は、次のものです。
- 不動産の売買
- 借金
- 保証人となる
- 相続の承認・放棄、遺産の分割をする
- 建物の新築をする
- 土地は５年・建物は３年を超える期間の賃貸借をする

等

4　被補助人

H28

被補助人とは、「軽度の認知症などによって**判断力が不十分**」として、上記**２・３**と同様に、**家庭裁判所の審判**を受けた者です。

被補助人は、家庭裁判所による審判で定められる**特定の行為**（「**3**」の「**一定の重要な行為**」**の一部**）をする場合のみ、**保護者**である**補助人の同意**が必要とされ、その他の行為は**単独**ですることができます。

要点整理　被保佐人・被補助人

- 被保佐人は、原則として単独で契約ができるが、不動産の売買等「一定の重要な行為」については、保佐人の同意を得なければならない。
- 被補助人は、原則として単独で契約ができるが、家庭裁判所によって定められた「特定の行為」については、補助人の同意を得なければならない。

4 制限行為能力者の保護者の権限

H26.R3⑽.4.5

制限行為能力者の保護者には、**❶同意権**、**❷取消権**、**❸追認権**、**❹代理権**が認められています。

❶ 同意権	事前に『やっていい』と同意する権限
❷ 取消権	『なかったことにしましょう』と後から**取り消す**権限
❸ 追認権	『よいでしょう』と後から**認める**権限
❹ 代理権	**本人の代わり**に契約できる権限

プラスα
制限行為能力を理由に取消権を主張できるのは、本人と保護者の双方です。

注意
いったん❸の「追認」をした場合、以後は**取消し**ができません。

要点整理　制限行為能力者の保護者の権限

○＝認められる、×＝認められない
△＝家庭裁判所の審判があった場合のみに認められる

種　類	保護者	❶同意権	❷取消権	❸追認権	❹代理権
未成年者	親権者等	○	○	○	○
成年被後見人	成年後見人	×	○	○	○
被保佐人	保佐人	○	○	○	△
被補助人	補助人	△	△	△	△

成年被後見人の保護者には、同意権が認められていないんだ。なぜなら、成年被後見人は、たとえ保護者から同意を得ても、それを理解して同意のとおりに行動することが期待できないからだよ。

なお、保護者である**成年後見人**が、成年被後見人が**居住している**不動産の**売却・賃貸・抵当権の設定**等の**処分**をする場合は、**家庭裁判所の許可**を得なければなりません。

このことは、「保佐人」や「補助人」の場合でも、同様だよ。

5 制限行為能力者の詐術

H28

★プラスα
単に未成年者であることを黙秘していただけでは、詐術にあたりません。

例えば、未成年者が、大人のふりをして、親の同意なしにゲームソフトを中古ショップに売る場合のように、制限行為能力者が「自分が行為能力者である」と他人を信じさせるための**詐術**（ウソ）を用いたときは、その行為の取消しができません。

ウソをついた者を保護する必要はないからです。

6 制限行為能力者と善意の第三者との関係

制限行為能力を理由とする取消しは、**第三者**に**対抗**（**主張**）することができます。その第三者が、たとえ**善意**・**無過失**であっても**同様**です。

例えば、未成年者Aが、自己所有の土地を単独でBに売却し、Bがその土地を、Aが未成年者であることを落ち度なく知らないCに転売した後に、Aが契約を取り消しました。

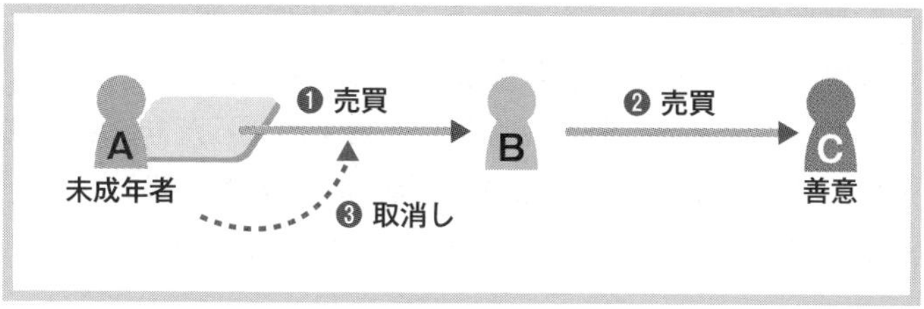

Aの取消しによって、AB間の契約は、最初にさかのぼって無効になります。そして、Aは、たとえ第三者Cが、事情を知らず（**善意**）、知らないことに落ち度がない（**無過失**）場合であっても、「土地を返して」と請求できます。

Aに土地を返すことになってしまったCは、Bに対しては、契約を解除したうえで代金返還などの請求ができるんだよ。

第2章 意思表示

重要ランク S

問題がある契約でも、スムーズに“なかったこと”にできる仕組みがあるんだ。

1 意思表示

意思表示とは、**契約の成立**などを目的として、**自分の意思**を**相手方に表示**することです。

売買契約は、当事者である売主・買主の「売ります」「買います」という**意思表示の合致**で有効に成立します。しかし、肝心の意思表示が、詐欺や強迫によるものだったり、意思表示をした人自身に大きな勘違いがあった、などの場合に、それを普通に「有効」とするのは妥当ではありません。

そこで、民法は、当事者の意思表示に**問題があった場合**に対応する方法を、いくつか定めています。

2 詐欺・強迫

H28.29.30.R元.6

1　意思表示の取消し

詐欺・強迫による意思表示は、取消しができます。

だまされた人（＝詐欺された人）やおどされた人（＝強迫された人）に、いったんした契約を「そのまま守れ」と言うのは、非常に酷です。例えば、土地を相場より著しく安い値段で引き渡さなければならないとしたら、大損です。

そこで、被害者保護のために、詐欺や強迫による意思表示は、**取消しができる**とされ、取消しをすれば、そのような契約は、**最初からなかった**ことになります。

重要
取消しをすると、最初にさかのぼって無効となります。

インチキ壺を返して
代金を取り返せるよ！

2 「第三者」との関係

① 詐欺された（だまされた）場合

詐欺による意思表示の取消しは、**善意・無過失の第三者**に**対抗**できません。

例えば、BがAをだまして、Aの土地を極端に安く買って、**善意・無過失**のCに転売しました。

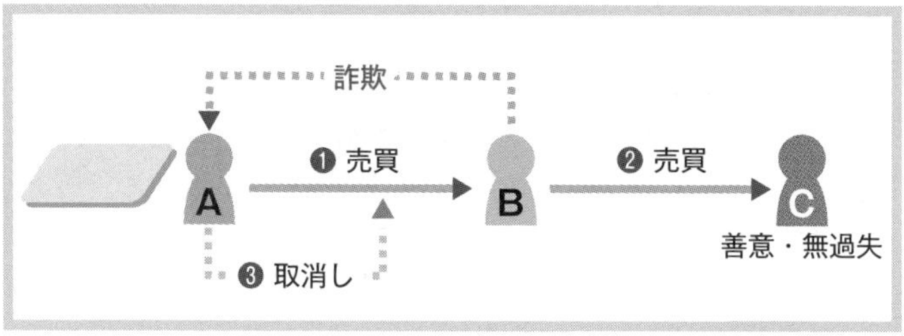

Aは、詐欺によってこの土地の売買契約を取り消しても、AがBにだまされていたことを落ち度なく知らないCに対しては、「契約を取り消したのでその土地を返して」ということは主張できません。

だまされたAも保護されるべきだけど、善意・無過失の第三者Cは、Aよりもっと保護される必要があるからだね。

用語解説

●対抗：
既に効力の生じた法律関係を**当事者以外の第三者**に主張する（効力を及ぼす）こと。それができる状態を「**対抗力を有する**」といいます。

●善意：
ある事実を「単に」知らないこと。

●悪意：
ある事実を「単に」知っていること。

●過失：
うっかりしていて落ち度がある・不注意があること。
➡過失がある場合を「有過失」、ない場合を「無過失」という。

●善意・無過失：
ある**事実**を知らず、しかも**知らないことについて**落ち度がないこと。

法律では、こんなふうに「**普通とは**全く異なる**意味**」で使われる用語が多いことに注意してね！

②　強迫された（おどされた）場合

「**①　詐欺された場合**」に対して、強迫による取消しは、**常に第三者に対抗**できます。

強迫された人は、詐欺された人と違って、落ち度はありません。そこで、強迫の場合は、被害者の保護が優先され、たとえ第三者が善意・無過失でも、**取消しを対抗**できるのです。

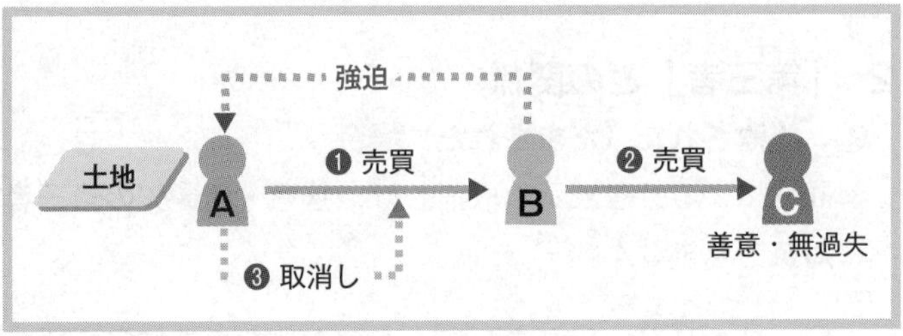

したがって、Aは、善意・無過失の第三者Cに対して、その土地を返すように請求できます。

「善意・無過失の第三者を保護するかどうか」という点で、詐欺と強迫では大きく違うことに注意してね！

要点整理　詐欺・強迫

- 詐欺・強迫によって行った意思表示は、取消しができる。
- 詐欺による取消しは、善意・無過失の第三者に対抗できない。
- 強迫による取消しは、善意・無過失の第三者にも対抗できる。

3　第三者による詐欺・強迫

Aが自宅を、①契約の相手方ではない第三者Cに詐欺された、②第三者Cの強迫を受けた、という2つの場合で、Bが、その家をDに転売したときを、それぞれ考えてみましょう。

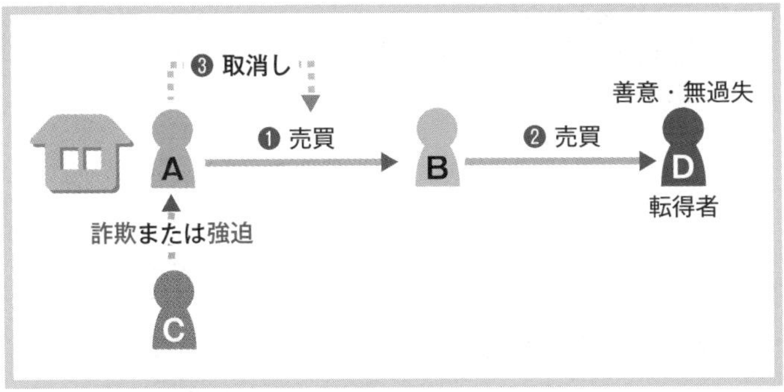

①　第三者Cが詐欺をした場合

Aは、相手方Bが**詐欺の事実を知っている**（悪意）、または**知らないことに落ち度がある**（有過失）の場合に**限って**、Bとの契約を取り消すことができます（＝当事者の関係）。

しかし、D（転得者）が善意・無過失であれば、Dに対して取消しを対抗できません（＝第三者との関係）。

②　第三者Cが強迫をした場合

Aは、**相手方Bの善意・悪意（過失の有無）にかかわらず**、Bとの契約を取り消すことができます（＝当事者の関係）。

そして、Dの善意・悪意にかかわらず、Dに対しては、取消しを対抗できます（＝第三者との関係）。

つまり、①**詐欺**の場合は、AがDから家を取り戻すことができるのはB・D両方とも悪意または有過失のケースに限られるのに対して、②**強迫**の場合は、B・Dの善意・悪意や過失の有無を問わない、ということなんだよ。

要点整理 第三者による詐欺・強迫

●**第三者による詐欺**
相手方が悪意または有過失の場合に限り、取り消すことができる。

●**第三者による強迫**
相手方の善意・悪意（過失の有無）にかかわらず、取り消すことができる。

3 錯　誤

H25.28.30.R元.2⑽⑿

1　意思表示の取消し

錯誤とは、**言い間違い**や**カン違い**のことです。

錯誤がある状態で行われた意思表示は、**取消し**ができます。ただし、取り消せるのは、次の①②**のどちらかの「錯誤」**があって、かつ、その錯誤が**法律行為の目的と取引上の社会通念に照らして重要**である場合に**限ります**。

①　意思表示に対応する意思を欠く錯誤

「A土地を売るつもりが、間違ってB土地を売ってしまった」というように、表示と本心にズレがある場合です。

②　表意者が法律行為の基礎とした事情（動機）について、その認識が真実に反する錯誤

「今この土地を売れば税金が免除される」と勘違いして、土地の売買契約をしたように、表示と動機にズレがある場合です。

ただし、取消しが認められるのは、**動機**（税金が免除されるから売る）が、**明示**または**黙示**によって**相手方に表示**されていたときに限られます。

なお、錯誤した本人に**重過失**があるときは、原則として取消しができません。

しかし、**相手方**が、次の①②の場合は、**例外**として、取消しが認められます。

① **本人が陥っていた錯誤**について**悪意または重過失だった**

② **同一の錯誤**に陥っていた

2 「第三者」との関係

錯誤による意思表示の取消しは、**善意・無過失の第三者**に**対抗**できません。

錯誤による取消しが「善意・無過失の第三者」に対抗できないことは、「詐欺の場合」と同様だよ。

要点整理　錯誤による取消しの要件

- 次の「錯誤」に基づくものであること
  - ❶ 意思表示に対応する意思を欠く錯誤
  - ❷ 表意者が法律行為の基礎とした事情（動機）についてその認識が真実に反する錯誤（ただし、動機が法律行為の基礎とされていることが表示されている場合に限る）
- 錯誤が法律行為の目的および取引上の社会通念に照らして重要なものであるとき
- 表意者に重大な過失がないこと
- 錯誤による取消しは、**善意・無過失の第三者**に**対抗できない**。

④ 虚偽表示

H27.30

重要
虚偽表示は「無効」ですから、「取消し」とは異なり、**最初から効力が生じません**。

虚偽表示とは、相手方と示し合わせた（お互いにわかっている）ウソのことです。

虚偽表示は、そもそも**無効**です。そして、虚偽表示の無効は、**善意の第三者に対抗できません**。

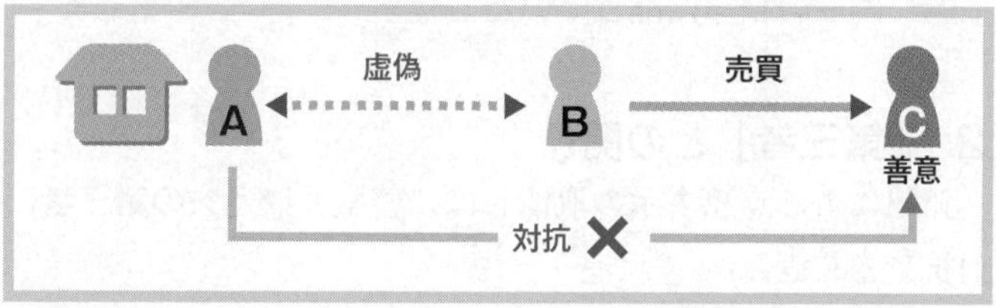

例えば、Aが、金融機関による自宅の差押えを逃れるため、友人Bとウソの売買契約を結んで、家の名義をBに移転しても、その契約自体は無効です。

しかし、友人Bが、自分に名義があることをいいことに、事情を知らないCにその家を転売した場合、Aは、**虚偽表示の無効**を主張して、**善意**のCに対して、その家を返すように**請求できません**。

判例
虚偽表示の場合の第三者Cは、たとえ過失があっても、また、登記を備えていなくても、善意であれば保護されます。

虚偽表示の場合、第三者は「善意」でありさえすればよく、たとえ「有過失」でも保護されるんだ。

「詐欺・錯誤」では、善意だけでなく「無過失」が必要だったことと比べて、覚えておいてね！

第三者からさらに家を譲り受けた者（転得者）がある場合を考えてみよう。
虚偽表示をしたＡは、転得者に対して無効を主張することができるかな？

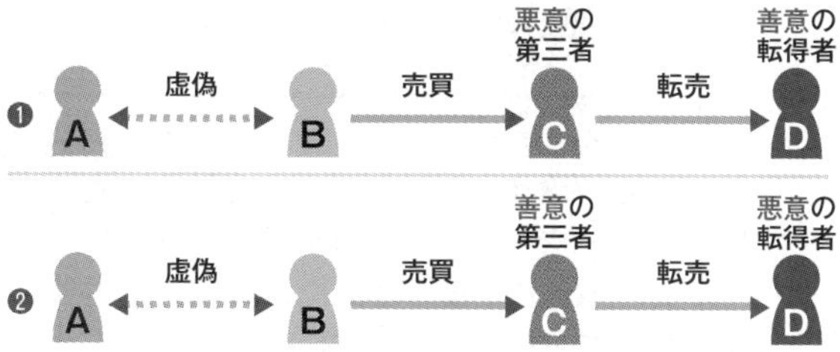

❶❷のどちらの場合も、転得者Ｄは保護されるというのが判例なんだ。

つまり、第三者と転得者の『どちらか片方でも善意』であれば転得者は保護され、転得者からＡが家を取り返すことができるのは、Ａ～Ｄの全員が悪意の場合のみ、となるんだよ。

要点整理　虚偽表示

- 虚偽表示による契約は、無効。
- 虚偽表示による無効は、善意の第三者に対抗できない。

5 心裡留保

プラスα
宅建業者・宅建士が「冗談で行われた不動産取引」について善意・無過失であるケースは想定しにくいため、本試験では「**悪意または有過失で無効**」となる場合が、多く出題されます。

心裡留保とは、相手方と**示し合わせていないウソや冗談**のことで、**原則として有効**です。

自分の意思表示が真意でないことを自覚している表意者を保護する必要性はほとんどないよね。
それに対して、世の中のみんなが安心して取引をすることができるように、相手方や第三者は、ちゃんと保護する必要があるからだよ。

しかし、相手方が**悪意**または**有過失**（ウソ・冗談を相手方が知っていた、または、知らないことに落ち度がある）の場合は、「**無効**」となります。

例えば、2,000万円の土地を「100万円で売るよ」と冗談でもちかけた場合、相手方が過失なく信じていたのであれば、自分が言ったとおり、100万円で売らなければなりません。

しかし、相手方が「その話は**冗談**だ」と**わかっていた場合**は、**無効**です。

虚偽表示の場合と同様に、心裡留保による無効は「**善意の第三者**」に**対抗できない**んだ。

要点整理 心裡留保

- 相手方が**悪意または有過失**であれば、心裡留保は**無効**。
- 心裡留保の無効は、**善意の第三者**に対抗することができない。

6 公序良俗違反の法律行為

R6

公の秩序または善良の風俗に反する契約は、公序良俗違反として、**当然に無効**です。

例えば、人殺しを依頼して、その見返りに土地を譲るような違法な契約は、保護する必要が全くありませんので、誰に対しても、**一律に無効**です。

要点整理 意思表示のまとめ

「当事者間・第三者との間」の意思表示

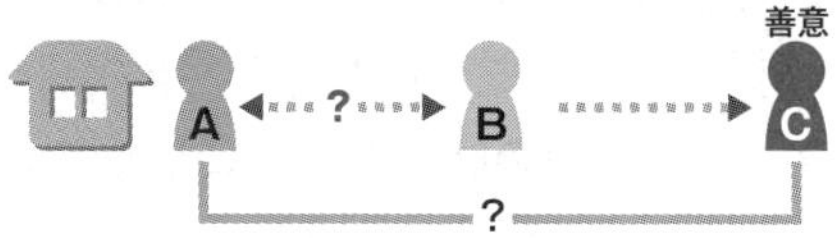

❶ ＡＢ間の意思表示の効果は無効か、取消しか？
❷ Ａは善意の第三者Ｃに対抗できるか？

(〇＝できる、✕＝できない)

❶ AB間		❷ Aは善意のCに	注　意　点
詐　欺	取消し	対抗 ✕ (無過失の場合に限る)	第三者詐欺は、相手方Bが悪意または有過失の場合のみ取り消せる
強　迫	取消し	対抗 〇	——
錯　誤	取消し	対抗 ✕ (無過失の場合に限る)	Aに重過失があるときは、原則として、取消しを主張できない
虚偽表示	無　効	対抗 ✕	第三者Cは、善意であれば、過失があっても、未登記でも、保護される
心裡留保	有　効	対抗 ✕ (注：無効の場合)	相手方Bが悪意または有過失の場合は無効

7 無効と取消し、追認

H29

1　無効と取消し

まぎわらしい「**無効**」と「**取消し**」の違いを、ここでしっかり整理しておこうね。

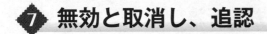

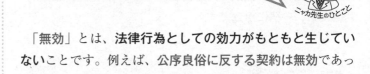

「無効」とは、**法律行為としての効力がもともと生じていない**ことです。例えば、**公序良俗に反する契約は無効**であって、そもそも「取消し」は問題になりません。

これに対して「**取消し**」とは、いったん有効に成立した契約を、**契約時にさかのぼって無効**にすることをいいます。

例えば、詐欺された場合、契約自体は有効ですが、取消しによって、契約時にさかのぼって、はじめて無効となります。

2　取消権者

① **行為能力の制限**による取消しができるのは、制限行為能力者**本人**または**保護者等**に**限られます**。

② **錯誤・詐欺・強迫による取消し**ができるのは、**表意者等**に**限られます**。なお、「表意者保護」のための規定ですので、相手方からの取消しはできません。

3　取消権の時効消滅

取消権は、次の場合に、時効によって消滅します。

①「追認することができる時」から5年間行使しない場合

- 制限行為能力者が**行為能力者**となったとき
- だまされた者が**詐欺の事実を知った**とき
- 強迫された者が**強迫から逃れた**とき　　等

② ある行為をした時から20年を経過した場合

★プラスα
例えば、未成年者は、成年に達した（＝行為能力者になった）後**5年間**は、取消権を行使できます。

4　追認

①　取消しができる行為の追認

例えば、詐欺による契約は取り消すことができます。しかし、「だまされてした契約だけど、実は、それは自分にとって好都合！」という場合は、その契約を**追認**（**後から認めること**）することができます。

なお、追認すると、契約は**初めにさかのぼって確定的に有効**となり、それ以降は取消しができません。

比較整理
後出する「無権代理」（**➡第3章❺**）の追認は、「取消しができる行為の追認」と、効果の点で同様です。

②　法定追認

本人による追認の意思表示がなくても、「追認した」とみなされる一定の行為を、**法定追認**といいます。

例えば、「未成年者が無断でバイクを買ったけど、親が代金を支払った」という場合は、常識で考えれば、「親は子供の契約を認めたから代金を払った」と判断するのが妥当だよね。

③　無効な行為の追認

「そもそも無効な行為」は、追認できません。ただし、本人が無効であることを承知のうえで追認したときは、「追認の時に新たな契約をした」と扱われます。

したがって、**追認した時から将来に向かって**、その契約は**有効**となります。

第3章 代理

重要ランク S

契約を代わりにやってもらえる代理の仕組みって便利だけど、実は“リスク”もけっこうあるんだ。

❶ 代理とは

H29

代理とは、契約などの法律行為を、本人以外の人が、**本人の代わりにやってあげる仕組み**のことです。

例えば、買主Ａが売主Ｂと、Ｂの家を購入する契約をした場合、売主Ｂは**家を引き渡す義務**を負い、代わりに買主Ａは**代金を支払う義務**を負います。

しかし、「**代理**」を利用して、代理人Ｃが買主Ａの代わりに契約すると、契約の効果は、買主Ａに**直接帰属**します。

つまり、**代理人Ｃが売主Ｂと契約**をしたにもかかわらず、法的には、**買主Ａ**が、売主Ｂに対して代金の**支払義務**を負い、それと引き換えに、家の引渡しを**請求する権利**を手に入れたことになるのです。

要するに、実際には代理人が結んだ契約でも、「本人が自ら結んだ」のと同じことになるんだね。
複雑な取引社会では、こんな“代理**の仕組み**”は、極めて便利で重要なんだよ。

ニャカ先生のひとこと

2 代理人の契約（代理行為）

H26.30

1　顕名（けんめい）

代理の仕組みが有効に働く（効果が帰属する）には、代理人が契約をする際に、「私は**本人Aの代理人であるB**です」と**明示する必要**があります。これを**顕名**といいます。

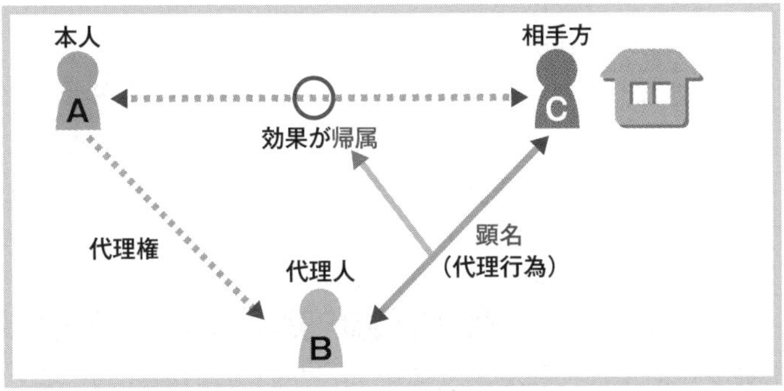

そして、**顕名がない場合**で、相手方が**善意・無過失**のときは、**代理人自身が当事者**とみなされ、代理人と相手方の間で**契約が成立**することになります。

その一方で、同じように顕名がなくても、相手方が**悪意**または**有過失**（**代理人であることを知っている**、または**知ることができた**場合）であれば、顕名があったのと同様に、本人と相手方との間で、**有効に契約が成立**します。

要点整理　顕　名

- 顕名がない ➡ 代理人自身が契約当事者とみなされる
- 例外 ➡ 相手方が悪意または有過失の場合

プラスα
「みなす」では、反対である事実を証明（**反証**）してもそれが認められないのに対して、「推定する」（P.109、145参照）では、反証によってくつがえる点が異なります。

第3章　代理

プラスα
特定の法律行為をすることを委託された代理人がその行為をしたときは、本人は自ら知っていた、または過失によって知らなかった事情について、代理人が知らなかったことを主張できません。
例えば、だまされていることを代理人は知らなかったが、**本人は知っていた**ような場合、本人は、詐欺による取消しができません。

2　代理行為の錯誤・詐欺・強迫等

代理人によって契約した場合、「錯誤または詐欺や強迫があったかどうか・善意か悪意か」といった判断は、契約をした**代理人を基準**として考えます。

しかし、**取消権**などは、法的効果が帰属する**本人が取得**します。

例えば、代理人が相手方にだまされて契約をすると、**本人**は、詐欺を理由に契約を取り消すことができます。

この場合、代理人は、売主・買主といった契約当事者ではありませんから、だまされた代理人は、原則として、取消しを主張することができません。

要点整理　代理行為の錯誤・詐欺・強迫等

- 契約に錯誤・詐欺・強迫等などがあったかどうかは、**代理人を基準**として判断する。
- 代理行為に詐欺等があれば、取消しは本人が主張できる。

3　代理人の行為能力

H26.30

未成年者のような**制限行為能力者**でも、代理人になることは**可能**です。代理人の契約から生じる権利や義務はすべて本人に帰属し、代理人はリスクを負うことがないからです。

この場合、本人は、代理人が制限行為能力者であることを理由に、代理人が行った契約を取り消すことはできません。

例えば、本人がリスクを承知で未成年者に代理権を与え、未成年者の契約によって損をしても、自業自得ということだね。

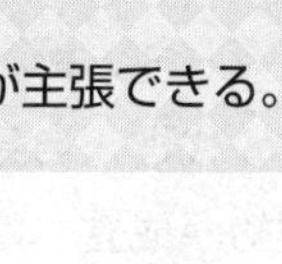

ただし、制限行為能力者が「他の制限行為能力者の法定代理人としてした行為」は例外となり、取消しができます。

例えば、子供の親が精神病などで被保佐人となってしまったような場合は、その親が子の代理人として行った契約は、例外的に取り消しができるということなんだ。

そうしないと、子供が不利な契約で損害を受けてしまうからね。

要点整理　代理人の能力

- **代理人の制限行為能力を理由に、本人は、原則として、代理行為の取消しはできない。**

3 代理権

H26.30.R2(10)

1　任意代理と法定代理

委任契約などによって、本人から代理権を与えられた代理人を**任意代理人**といい、任意代理人の代理権の範囲は、本人から委託された事項に限定されるのが原則です。

これに対して、未成年者の保護者のように、法律の規定などによって代理権が与えられた代理人を、**法定代理人**といいます。

法定代理人の**代理権の範囲**は、法律で定められているんだ。

2　権限の定めがない代理人の権限　発展

代理権の範囲が決められていない（権限の定めがない）、または不明確の場合、代理人の権限は、本人に不利益を与えない管理行為（**保存行為**・財産の性質を変更しない範囲の**利用・改良行為**）に限定されます。

[権限の定めがない代理人の代理権の範囲]

行為の種類		例
保存行為	財産の現状を維持する行為	雨漏りの修繕等
利用行為	財産を利用して収益を図る行為	短期の賃貸等
改良行為	財産の価値を増加する行為	インターネットなどの設備の設置等

3　代理権の濫用（らんよう）　H30.R2(12).3(12).6

★プラスα
例えば、代理人が、本人の土地を相手方に売却する契約をしたが、実は売上代金を着服するつもりだった、というようなケースです。

代理権の濫用とは、代理人が、**自己または第三者の利益を図る目的**で、**代理権の範囲内の行為**をすることです。

「代理権の範囲内」の行為ですので、原則、**有効**です。しかし、相手方が**目的**を**知っていた**（**悪意**）、または**知ることができた**（**有過失**）場合は、本人を保護するため、その行為は、代理権を有しない者がした行為（**無権代理行為**）とみなされ、**無効**となります。

4　自己契約・双方代理の禁止　H30.R2(12)

⚠注意
代理人と本人の利益が相反する行為については、自己契約や双方代理と同じように無権代理となります。ただし、本人があらかじめ許諾した行為は除きます。

例えば、Aから、家の購入について代理権を受けたBが、取引の相手方自身となって、B所有の家を売りつけるようなケースを、❶**自己契約**といいます。

また、売買契約の売主Aと買主Cの双方からBが代理権を与えられるような場合を、❷**双方代理**といいます。

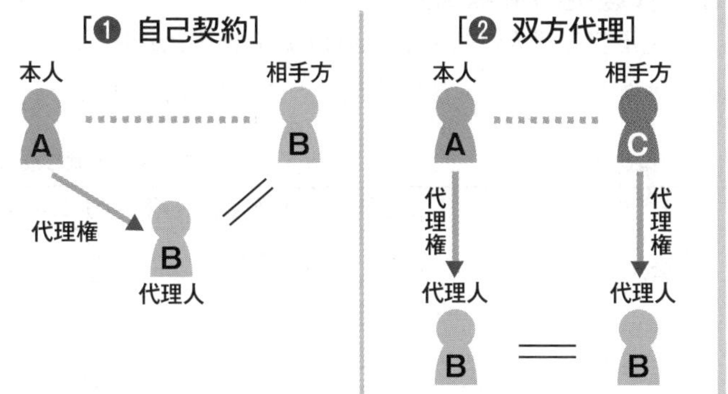

代理人が、自ら相手方となって契約を締結する場合

同一人が、当事者双方の代理人となって契約を締結する場合

このような❶**自己契約**や❷**双方代理**は禁止され、行った場合は、**無権代理行為として無効**となります。

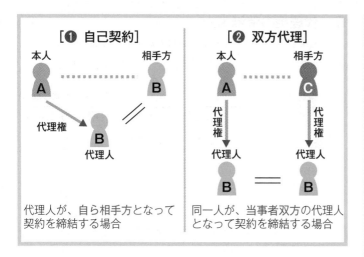

ただし、あらかじめ**本人**（双方代理の場合は売主・買主の両方）**の許諾**がある場合や、**単なる債務の履行**は、例外として、行うことが**可能**です。

また、例えば、売主・買主の**両方から依頼**を受けて**登記申請手続を代理**するようなケースは、新たに当事者に権利義務が発生することはないため、**有効**です。

要点整理　自己契約と双方代理

- 自己契約・双方代理は、**無権代理**となる
- 例外：●**本人の許諾**がある場合
  　　　●登記の申請など、本人に**不利益**とならない行為

5　代理権の消滅事由

本人及び代理人に次の❶～❸のような事情が生じた場合、任意代理人の代理権や法定代理人の代理権は消滅します。

★プラスα

本人は損害の発生を予見できるので、制限行為能力者をあえて代理人に選任するのは自由です。
しかし、本人が行為能力者を代理人に選任した後、その代理人が後見開始の審判を受けた場合は、本人に不測の損害が生じるおそれがあります。
そこで、選任後に代理人が後見開始の審判を受けると、その代理権は消滅します。

[代理権の消滅]　（○＝消滅する、×＝消滅しない）

		❶死亡	❷破産	❸後見開始の審判
任意代理	本人	○	○	×
	代理人	○	○	○
法定代理	本人	○	×	×
	代理人	○	○	○

●いずれも、**本人が後見開始の審判**を受けても、代理権は消滅しないんだ。

●**法定代理人**は、本人が破産手続開始の決定を受けても、代理権を失わないことには注意してね。

④ 復代理

H29

代理人がさらに選任した代理人を、**復代理人**といいます。

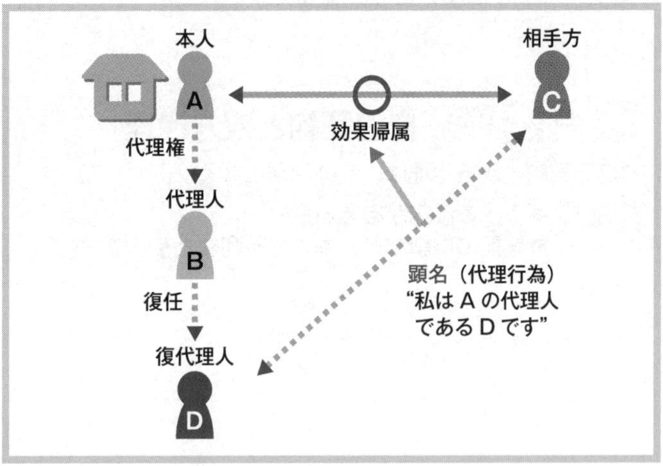

例えば、左の図であれば、成年被後見人Ａ所有の家の処分について、法定代理人Ｂが不動産業者Ｄに代理権を与えた場合では、不動産業者Ｄが復代理人となり、Ｄが行った契約の効果は、**成年被後見人Ａ本人**に**直接帰属**します。

1　復代理人の代理権

前の図でいえば、復代理人Ｄの代理権は、代理人Ｂの代理権に基づいているため、その**範囲を超えることができません**（つまり、「代理権の範囲内のもの」となります）。

したがって、代理人Ｂの**代理権が消滅**すれば、原則として、**復代理人Ｄ**の代理権も同時に**消滅**します。

注意
代理人の代理権は、復代理人を選任しても消滅しません。

2　復代理人の選任

任意代理人は、**本人の許諾**がある場合か、**やむを得ない事由**がある場合に**限って**、**復代理人を選任**できます。

一方、法定代理人は、自己の責任において、いつでも復代理人を選任できます。ただし、**やむを得ない事由**によって復代理人を選任した場合は、その**選任・監督の過失について**のみ、責任を負えば足ります。

要点整理　復代理

	復任権の存否	復代理人の行為に対する代理人の責任
任意代理	原則：復任できない 例外：復任できる場合 ❶本人の許諾があるとき ❷やむを得ない事由があるとき	（「一般の債務不履行責任」と同じ）
法定代理	いつでも復任できる	原則：全責任を負う 例外：やむを得ない事由により選任したときは、選任・監督上の責任のみを負う

5 無権代理

H26.R元.2(12).3(12)

例えば、家の管理について代理権を与えたのに、代理人がその家を売却してしまったというように、代理権がないのに代理行為をした場合を、**無権代理**といいます。

もちろん、代理権がないのですから、無権代理人の行為の効果は、原則として、**本人に帰属しません**。

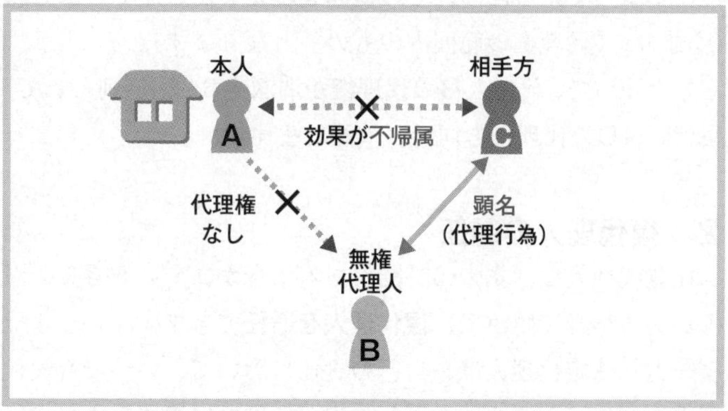

そして、このような無権代理が行われた場合、本人や相手方は、次の**1**・**2**の権利を行使することができます。

1 本人の権利

① 追認

無権代理行為であっても、本人が「自分に有利になる」と思うときは、無権代理行為を**追認**して、有効な契約とすることができます。

追認すると、**契約の時に**「**さかのぼって**」、本人に効果が帰属します。

② 追認の拒絶

本人は、無権代理行為の追認を拒絶することができます。そして、追認を拒絶すると、本人に効果が帰属しないことが確定します。

注意
追認した時から新たに効果が生じるのではありません。

プラスα
追認は、相手方または無権代理人のどちらに対してもすることができます。ただし、無権代理人に対して追認したときは、相手方が追認の事実を知るまでは、相手方に対して追認の効果を主張できません。

2　相手方の権利

本人の追認または追認拒絶があるまで、相手方は、不安定な立場に置かれます。そのため、相手方は、次の権利を行使することができます。

①　催告権

相手方は、本人に対して「追認するか追認拒絶するか、確答をしてください」と**催告**することができます。

その催告に本人が確答しない場合は、「追認を拒絶した」とみなすことで、相手方の立場を確定させることになります。

「単に催告できる」権限だから、悪意の相手方にも認められていることに注意してね。

②　取消権

無権代理であると知らなかった(**善意の**)**相手方**は、**本人の追認があるまで**は、その契約の**取消し**ができます。

取消しによって、無権代理は確定的に無効となります。

注 意
本人の追認があった後は、取り消すことはできません。

③　無権代理人への責任追及

無権代理について、**善意・無過失**の相手方は、無権代理人に対して、契約の履行を請求したり、損害賠償を請求したりすることができます。

なお、無権代理人が自分に代理権がないことを知っていた（**悪意**の）場合は、**相手方**は、自分に**過失があっても、請求**できます。

ただし、無権代理人が未成年者のような制限行為能力者であるときは、保護しなければならないから、履行・損害賠償の請求のような責任追及ができないんだ。

第3章 代理

要点整理 無権代理の相手方の権利

（○＝相手方ができるもの、×＝できないもの）

	相手方が悪意	相手方が善意	
		過失あり	過失なし
本人に対する催告権	○	○	○
取消権	×	○	○
無権代理人への責任追及	×	×※	○

※：無権代理人が悪意の場合は、過失があっても可

3　無権代理と相続

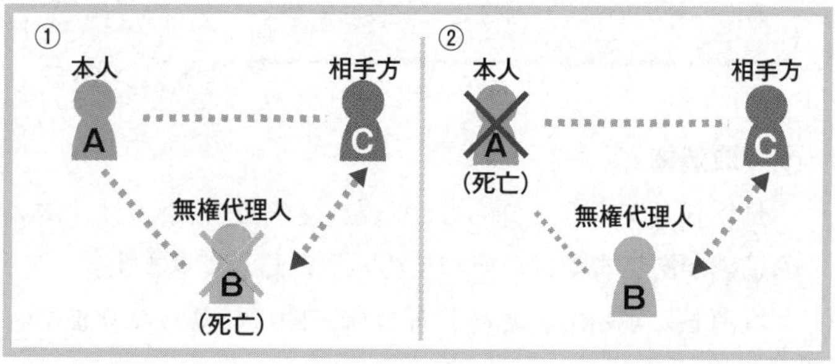

判例
無権代理人が履行または損害賠償責任を負う場合で本人が相続したときは、本人は、追認を拒絶しても、責任を免れることはできません。

判例
無権代理人が、本人を他の相続人とともに共同相続した場合については、他の共同相続人全員が共同で追認しない限り、無権代理行為は有効とはなりません。

①　本人が無権代理人を相続した場合（無権代理人が死亡）

相続により、本人Aは、無権代理人Bの地位を引き継ぎますが、これによって無権代理行為が当然に有効になるのではなく、Aは、**追認**を**拒絶**できます。

②　無権代理人が本人を単独相続した場合（本人が死亡）

無権代理人Bは、本人Aの地位を引き継ぎますが、Bが、本人Aの地位によって追認を拒絶することは、信義則上**許されません**。

つまり、**無権代理**は**有効**です。

6 表見代理

H26.R2(12).3(12)

無権代理行為であっても、外からは**いかにも代理権がある**ように見えて、しかも相手方が代理権があると**信じるのにムリがない状況**の場合に、「**有効な代理行為**が行われた」ことと同様に扱って契約を有効にする仕組みが、**表見代理**です。

> 例えば、すでに会社を退職した人が、今でもその会社の従業員であるかのように装って、取引先と売買契約をし、代金を着服して逃走してしまった場合だね。
>
> その人を従業員であると過失がなく信頼した取引先は、表見代理を主張して、会社に対して契約の履行を求めることができるんだよ。

つまり、表見代理は、代理権があると信じて取引をした**相手方**を、**本人の犠牲のもとに保護**する制度といえます。

本人側の帰責事由 ＋ **相手方の保護されるべき事由** ＝ **本人に効果帰属**

したがって、むやみに本人に対して犠牲を強いるわけにはいきませんので、本人に非難されるべき事情（**帰責事由**）があり、かつ、相手方に保護に値する事情（**善意・無過失**）があって、はじめて成立します。

この点について、表見代理が成立する場合は、次の❶～❸に限定されます。

<table>
<tr><th>本人側の帰責事由</th><th>相手方の保護事由</th></tr>
<tr><td>❶ 代理権授与を表示
［例］白紙委任状を発行し、代理権を与えたと見える状況を作った</td><td rowspan="3">無権代理行為について善意・無過失であること</td></tr>
<tr><td>❷ 権限外の行為
［例］抵当権設定の代理権を与えたのに、売却されてしまった</td></tr>
<tr><td>❸ 代理権消滅後の行為
［例］代理人が破産し代理権が消滅したにもかかわらず、代理行為をした</td></tr>
</table>

- 「代理権が消滅した後に権限外の行為をした」というように、本人側の帰責事由が重なるケースでも、表見代理は成立するんだ。
- 表見代理も広い意味では無権代理なので、表見代理が成立する場合でも、相手方は、無権代理人の責任を追及するという選択ができるんだよ。

要点整理　「無権代理」の流れ

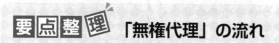

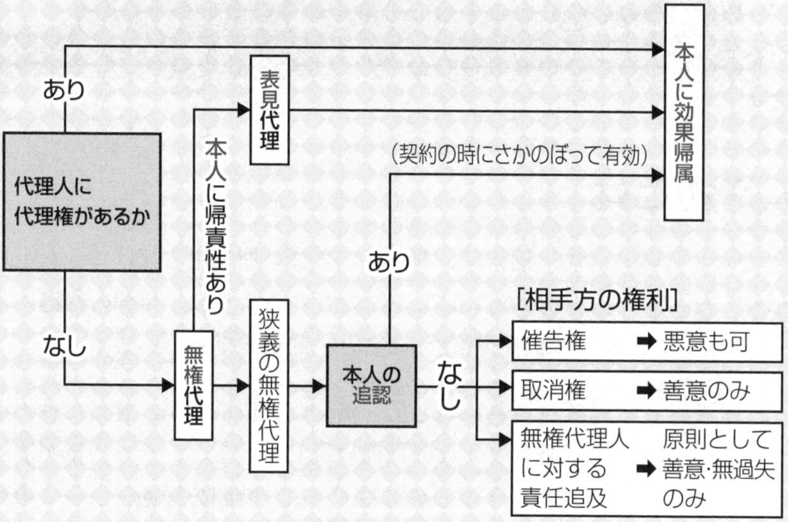

第4章 時　効

重要ランク A

権利を取得できたり、逆に権利を消滅させせるための仕組みだよ。

1 時効とは

★プラスα
「時」間の経過によって法的な「効」力が変わる（発生・消滅する）ので、「時効」といいます。

① 例えば、親の代から長い間使用し続けてきた土地が自分のものになることがあるように、**時間の経過**によって**権利が発生**することを**取得時効**といいます。

② これに対して、例えば、債権者が、貸した金の返済を催促せずに長期間放置していると、その債権が消滅してしまうことがあるように、**時間の経過**によって**権利が消滅**することを、**消滅時効**といいます。

2 所有権の取得時効

H26.27.R2⑽.4.5

所有権の取得時効は、「**所有の意思**」をもって、**平穏**に、かつ、**公然**と「**一定期間**」、**他人の物**を「**占有**」することで成立します。

1　「所有の意思」

「自分が所有者である」という意思のことで、その意思の有無は、権利の性質によって**客観的に判断**されます。

例えば、マンションを賃借している**賃借人**には、第三者から見て**所有の意思が認められない**ので、たとえ本人が所有の意思を持っていたとしても、何年経っても所有権を時効取得することはできないんだ。

2　「一定の期間」

取得時効に必要な期間は**20年**ですが、**占有を始めた時**（起算日）に自分の所有物であると**過失なく信じていれば**（善意・無過失）、**10年**で成立します。

3　「占有」

占有とは、物を**事実上所持**していることです。しかし、必ずしも自分自身で所持（＝直接占有）する必要はなく、賃貸借契約により賃借人に占有させるように、他人に所持させることで**間接的に占有**（＝間接占有）することもできます。

プラスα

時効取得できる権利には、所有権のほか、地上権・地役権・不動産賃借権等があります。
例えば、賃借権を有しないのに、賃借人であるかのように賃料を支払うなど「賃借の意思」に基づいて一定期間不動産を占有すると、**不動産賃借権**を時効取得できます。

注意

「占有を始めた時」のみを考えましょう。たとえ途中で悪意または有過失となっても、占有開始時に**善意無過失**であれば、10年で時効が完成します。

プラスα

一筆の土地の一部についても、取得時効は成立します。例えば、自分の敷地境界線をまちがえて、建物を隣地にはみ出して建築してしまった場合に、はみ出た部分については、取得時効の成立が認められます。

例えば、Bは賃借人のCを通じて間接的に家を占有しているから、一定期間を経過すれば、Cではなく、Bが、家の所有権を時効で取得するんだ。

4　占有の承継

占有期間中に不動産を売却したり、相続が発生したりして、占有者が変わる場合があります。この場合で占有を引き継いだ承継人は、自らの意思で、**自分の占有のみ**を主張することも、**自分**の占有と**前の持ち主**（前主）の占有を**合わせて主張**することもできます。

しかし、前主の占有を合わせて主張するときは、**前主の瑕疵（悪意であること等）も承継**します。

[具体例－❶]

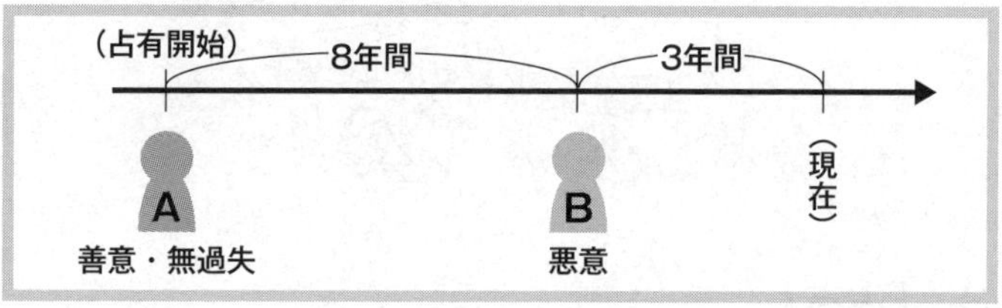

Bは、B自身の占有（3年）にAの占有（8年）を合わせて主張すれば、Aの**善意・無過失**も承継しますので、合計「11年」の占有となり、10年を超えているため時効取得ができます。

プラスα

右の❶のBのように占有を承継する者には、特定承継人（物件の買主等）の場合と、一般承継人（相続人等）の場合があります。

注意

取得時効が10年で成立する「**善意・無過失**」とは、自分の所有物であると過失なく信じていたことをいい、「悪意」とは、自分の所有物ではないと知っていたことをいいます。

［具体例－❷］

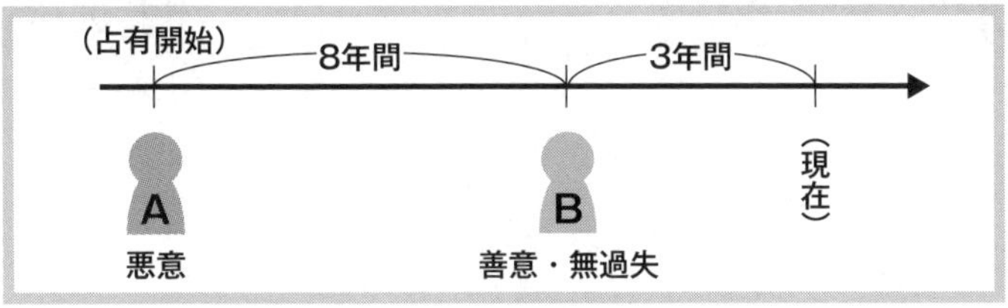

Bは、B自身の占有（3年）にAの占有（8年）を合わせて主張すると、**Aの悪意も承継**するため、20年の占有が必要となり、**あと9年間**占有を続けないと時効取得できません。

しかし、B自身の占有（3年）だけを主張する場合は、さらに7年占有を続ければ、**善意・無過失で10年**の占有となるため、時効取得できます。

要点整理　所有権の取得時効

❶　所有の意思をもって平穏に、かつ、公然と占有すること

❷　占有の開始時に善意・無過失であれば10年、それ以外なら20年占有を継続すること

- 占有開始時に善意・無過失であれば、後に悪意となっても、10年で時効取得できる。
- 他人に賃貸するなどの間接占有により、本人は所有権を時効取得できる。
- 占有を承継した者は、前主の占有期間と自己の占有期間を合わせて主張できる。ただし、前主が悪意だと、占有の開始時に悪意だったこととなる。

③ 消滅時効の成立要件

H26.R2(10)

時効なんて
期待しないで
キチンと払おうよ～

用語解説

債権：
特定の人に対して特定の物や金銭等を請求できる権利のことで、この権利を有する者を**債権者**といい、債権者に対して義務を負う者を**債務者**といいます。

不動産の売買契約をした売主が有する**代金請求権**のような**債権**は、債権者が「**1　権利を行使できる時**」から「**2　一定期間**」、その権利を行使しないと、時効によって**消滅**します。

1　「権利を行使できる時」

権利を行使できる時とは、**時効の起算日**のことです。

①　例えば「7月1日に借金を返済する」というように確定期限がある場合は、その「期限が到来した時」、つまり7月1日です。

②　一方、返還期限を定めないで本を貸した場合は、いつでも返還請求ができるため、その本を貸した日、つまり、**債権が成立した日**が、「**権利を行使できる時**」となります。

[権利を行使できる時]

債権の種類	時効の起算日
確定期限・ 不確定期限のある債権	期限が到来した日
期限の定めのない債権	債権が成立した日

2 「一定期間」

消滅時効の完成に必要な期間は、①債権者が権利を行使することができることを**知った時から5年**、または、②権利を**行使できる時から10年**（**人の生命または身体**の侵害の場合は**20年**）です。

ただし、地上権・地役権などは、20年で消滅時効にかかります。

[消滅時効の期間]

権利の種類	期　　間
債権（原則）	5年または10年＊
地上権・地役権等	20年

＊：人の生命または身体の侵害の場合は20年

なお、裁判が確定して権利の内容が確定すると、判決確定の日から10年間の時効期間になります。

所有権は、物を自由に支配できる権利で、その物を放置したままにするのも所有権行使の方法の1つといえるから、所有権は**消滅時効にかかること**がないんだよ。

4 取得時効・消滅時効の共通ルール　H29.30.R元.2(12)

1　時効の完成猶予・更新

時効の完成猶予とは、一定の事由が生じている間は時効が完成しないことです。また、**時効の更新**とは、一定の事由が生じた場合に、時効が新たに進行を開始することです。

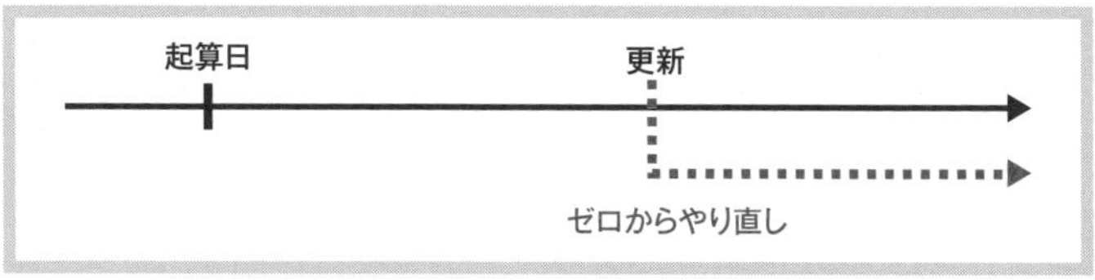

⚠注意
訴えが却下・取下げとなった場合は、時効は更新しません。

★プラスα
「裁判上の請求」のほかに、支払督促、和解・調停、破産手続参加・再生手続参加・更生手続参加なども同様の扱いとなります。

①　裁判上の請求（訴えの提起）等

裁判上の請求等をした場合、その**裁判等が終了するまでの間**は、**時効は完成しません**（**時効の完成猶予**）。

そして、確定判決等によって権利が確定した場合、時効は、**裁判等が終了した時**から**新たに進行を始めます**（**時効の更新**）。

②　催告（裁判外の請求）

単に内容証明郵便で**履行等を請求**（**催告**といいます）した場合、そのときから6ヵ月を経過するまでの間は、**時効**は**完成しません**（**時効の完成猶予**）。

なお、催告によって猶予されている間に行った2度目以降の催告は、時効の完成猶予の効力を有しません。

★プラスα
被保佐人や被補助人が、保佐人や補助人の**同意を得ないで承認**をした場合も、時効の更新の効力が生じます。

③　承認

承認とは、**債務者が債権者の権利の存在を認めること**をいいます。なお、債務者が、このような意思表示をしなくても、利息を支払ったり、債務の一部を弁済すると、債務全部を承認したとみなされ、時効は**更新**します。

2　時効完成の効力

時効完成の効力は、完成した時点ではなく、時効の期間を数え始めた時点である**起算日にさかのぼって**生じます。

★プラスα
抵当権付きの土地について、取得時効が完成すると、抵当権の制限を伴わない完全な土地所有権を取得できます。

例えば、取得時効の場合であれば、占有の開始時から所有者だったことになり、消滅時効であれば、初めから債務を負っていなかったことになるんだ。

だから、売買代金債権が時効で消滅すると、起算日以降に発生した利息も、原則として消滅するんだよ。

3　時効の援用

H30.R2⑿

取得時効や消滅時効は、時効期間の経過によって当然に生ずるのではなく、当事者による**援用（主張）**があって、**初めて効力**が生じます。

そして、**時効を援用**できる者（援用権者）は、**当事者**（消滅時効では、時効によって**正当な利益を有する者**を含む）です。

特に、次の者が「時効の援用権を有する」ことに、注意しましょう。

- 保証人
- 連帯保証人
- 物上保証人
- 抵当不動産の第三取得者

例えば、他人の債務を担保するため**自己所有の不動産に抵当権を設定した者**（物上保証人）は、その債務の消滅時効を援用して、抵当権の消滅を主張することができるんだ。

なお、援用権者は、時効の効力が生ずる**起算日**を選択して、時効完成の時期を早めたり遅らせたりすることは**できません**。

用語解説

援用：
取得時効の成立や消滅時効の成立によって、時効の利益を受ける旨の意思を表明すること。

判例

消滅時効が完成していたのを知らずに債務を弁済した者は、あとから時効を援用できません。したがって、弁済した金銭を取り戻すことができません。

注 意

時効完成前の放棄を認めると、例えば、貸金契約などでは必ず事前に時効の利益を放棄する特約が入れられると想定され、結果的に債務者の利益を害し、時効制度を否定することになるからです。

4　時効の利益の放棄

時効が完成した場合であっても、その時効の利益を放棄することができます。ただし、時効が完成する**前**に放棄することはできません。

要点整理　時効の援用等

援　用	●援用して、初めて時効の効果が発生する ●保証人・物上保証人・第三取得者も援用できる ●消滅時効の完成を知らずにいったん弁済すると、もはや援用できなくなる
効　果	時効は起算日にさかのぼって効力を生じる
放　棄	時効完成前には、時効の利益を放棄できない

発展コラム　条件・期限・期間

H30.R2(12).4

Column

●停止条件と解除条件

ある条件が成就すれば「効力が発生」する場合を、停止条件といいます。

これに対して、ある条件が成就すれば「効力が消滅」する場合を、解除条件といいます。

●条件付き権利の侵害

条件付契約の当事者は、条件の成否未定の間は、その契約を一方的に解除することはできず、また、条件の成就によって生じる相手方の利益を侵害することはできません。**条件付きの権利を侵害した者**は、賠償責任**を負います。**

例えば、合格したらお祝いにプレゼントすると約束した者が、合格されては困ると、合格のジャマをした場合のように、条件の成就により不利益を受ける者が、**故意にその条件の成就を妨げる**と、相手方は、条件を成就したものとみなすことができます。

一方で、利益を受ける当事者が不正に条件を成就させたときは、相手方は、その条件が成就しなかったものとみなすことができます。例えば、カンニングで試験に合格した場合などです。

なお、条件の成否未定の間における当事者の権利・義務は、通常の権利・義務と同様に、**処分**・**相続**・**保存**、または**担保**とすることができます。

合格すれば、だよ！

●期限

期限とは、「4月末日までに申込みをする」というように、**将来確実に発生する事実**をいい、確実に発生するが、その**時期が定かでないもの**を、特に不確定期限といいます。

また、借金をしている人は返済期限まで返済を拒否できますが、これを期限の利益といいます。期限の利益を放棄して、即時に借金を返済することもできますが、その場合、期限までの利息をもらえるという相手方の利益を一方的に害することはできませんから、原則として、利息全額をつける必要があります。

●期間

「日・週・月」などで「**期間**」を定める場合は、「暦」（カレンダー）のとおりとなります。そして、期間をカウントする場合は、最初の日を算入しないのが原則です（初日不算入）。

第5章 不動産物権変動

重要ランク S

「登記は対抗要件」という言葉の意味を、しっかり理解しよう！

1 物権変動と対抗要件

H28.29.R元.3(12).6

1 物権変動とは

物権変動とは、所有権が移転したり、抵当権が発生したりというように、**物権の発生**や**移転**、その**消滅**をいい、原則、当事者間の**意思表示**の**合致**の**み**で効力が生じます。

例えば、土地の売買契約の場合では、**売主と買主の合意のみ**で、**土地の所有権が買主に移転**します。

ただし、このような物権変動を当事者以外の**第三者に主張**するためには、登記などの「**対抗要件**」が必要となります。

プラスα
所有権のほか、抵当権・賃借権などの権利も、対抗要件が問題となります。

ボクが先に買ったのに…。

2 当事者と第三者

例えば、次の図のように、Aが、自己所有の土地の売買契約をBと締結した後、同一の土地につき、さらにAがCと売買契約を締結しました（**二重譲渡**）。

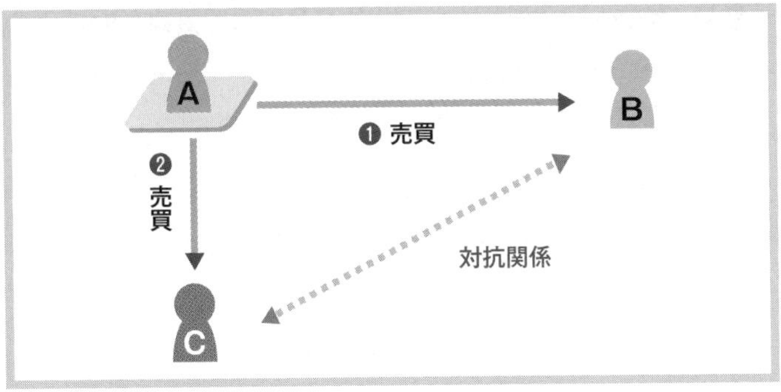

①　当事者

AとB、AとCはいずれも、売主と買主という「**契約当事者の関係**」に立つため、買主B・買主Cは、売主Aに対しては、**契約**だけを根拠に、土地の所有権を主張できます。

この場合、契約の相手方に対して権利を主張するのに、**登記は不要**です（売主Aに登記があっても、買主B・Cは、Aに対して権利を主張できます）。

②　第三者

一方、買主Bと買主Cは、どちらかが売主Aから所有権を確定的に取得すれば、他方は所有権を取得することができません。このような関係を「**対抗関係**」といい、この場合、先に「**登記**」をしたほうがもう一方に優先します。

つまり、**第三者**に権利を主張するには、対抗要件である**登記**が必要です。

そして、「悪意」の**第三者に対抗**するにも、**登記が必要**です。

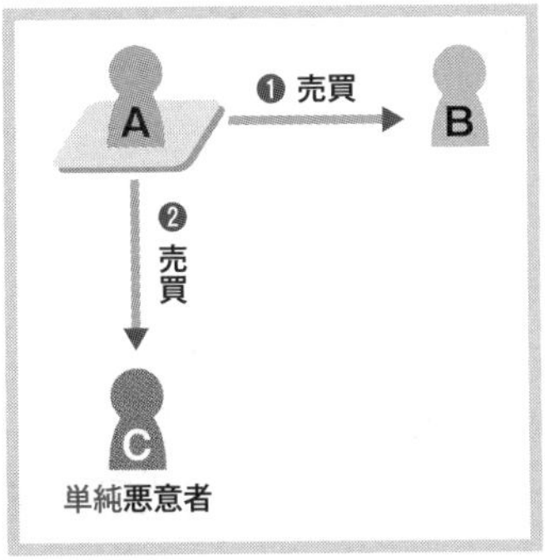

例えば、Aの土地を買ったBがまだ登記を移転していないことを知りながら、Aから同じ土地を二重に購入したC（**単純悪意者**）が

⚠注 意
なお、売主Aが死亡してCが相続した場合、相手方Bにとっては相続人Cも「当事者」ですので、Bは**登記がなくても**、Cに対して土地の所有権を主張できます。
なぜなら、相続人Cは、売主Aの権利・義務をそのまま引き継ぐからです。

登場したケースです。この場合、どちらが最終的に所有者となるのかは自由競争の範囲といえるので、BとCでは、**先に登記**をしたほうが**優先**します。

これに対して「A➡B➡C」と**順番に土地が譲渡**された場合は、この土地の現在の所有者は、Cのみです。この場合、Aは、「以前この土地の所有者（前主）であった」にすぎません。したがって、CとAは**対抗関係に立たない**ため、Cは、Aに対して、**登記がなくても**、この土地の所有権を**主張できます**。

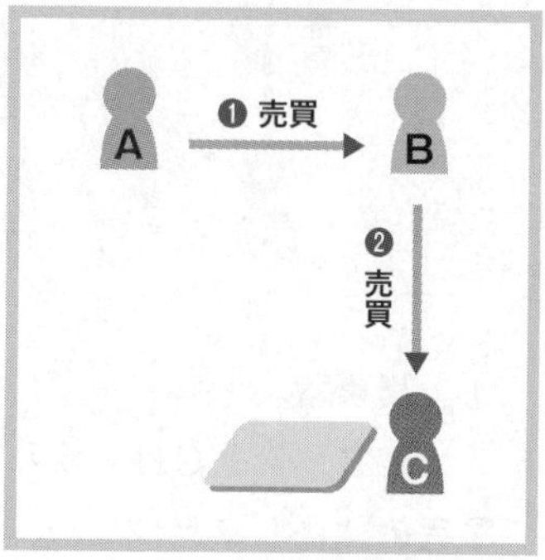

❷ 登記がなくても対抗できる第三者 H28.R元.3⑿.4

第三者に自己の権利を主張するためには、**登記**が必要とされるのが原則ですが、その例外として、次の**1**～**3**の場合は、**登記が不要**です。

1　背信的悪意者

第三者が信義誠実の原則に違反するような**「背信的悪意者」**のときは、**登記がなくても対抗**できます。

例えば、Aが、土地をBとCに二重に譲渡しましたが、Cが、次の①～③のような**背信的悪意者**である場合には、Bは、**登記がなくても**所有権をCに**対抗**できます。

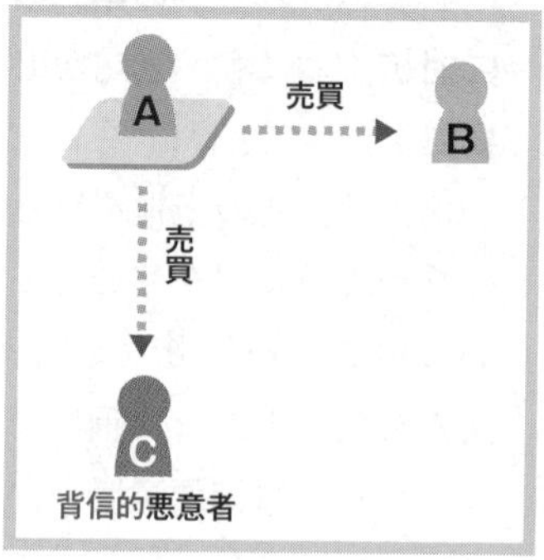

プラスα
背信的悪意者からの転得者は、自身が背信的悪意者でなければ、登記を備えれば「第三者」として所有権を対抗できます。

［背信的悪意者の例］

① 詐欺・強迫などによりBの登記の申請を妨げて、自分が先に登記した場合のC
② Bから登記の申請を依頼された後、AからA所有地を買い受け、自分が先に登記したC
③ Bがまだ登記を備えていないことに乗じて、Bに高値で売りつけて不当な利益を得る目的でAをそそのかし、AからAの所有地を買い受けて登記をしたC

2　不法占拠者

正当な権原もないのに目的物を占有している**不法占拠者**に対して明渡し請求をする場合、**登記は不要**です。

用語解説
権原：
ある行為をすることを正当化する法律上の原因。

3　無権利者（虚偽表示の場合）

なんら**権原がない第三者**には、登記がなくても権利を**対抗**できます。

例えば、Aが、Bに土地を売却した後、同一の土地をCに仮装譲渡した場合、AC間の契約は、虚偽表示により無効です。そのため、Cは無権利者となり、Bは**登記がなく**ても、無権利者のCに所有権を**対抗**できます。

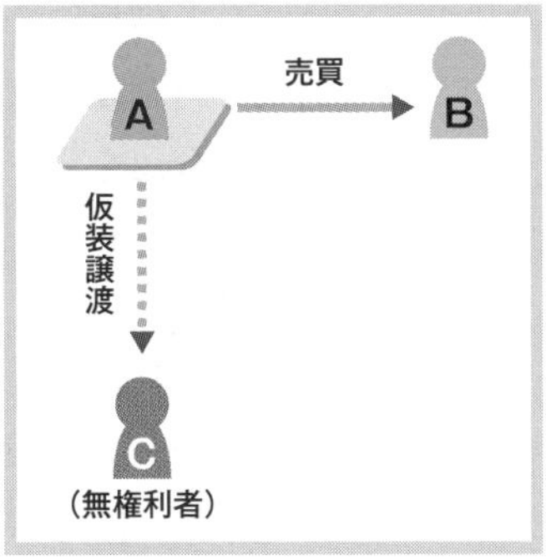

プラスα
Cが、さらに善意の第三者に土地を譲渡した場合、Bと善意の第三者とでは対抗関係に立つため、先に登記を備えたほうが勝ちます。

要点整理　登記がなくても対抗できる第三者

- 背信的悪意者
- 不法占拠者・無権利者

｝対抗するには、登記は不要

❸ 契約の取消し・契約の解除・時効と「第三者との関係」

1　取消し前の第三者

H28

相手方にだまされて契約をした場合は、その契約を取り消すことができますが、善意・無過失の第三者には対抗することができません（前出「**第2章❷詐欺・強迫**」参照）。

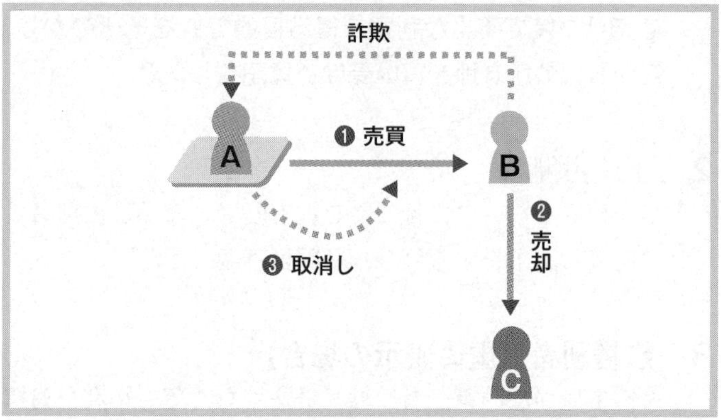

例えば、上の図で、Aの土地が「A➡B➡C」と譲渡された場合、Aは、Bとの契約を詐欺を理由に取り消しても、Cが善意・無過失であれば、取消しを対抗できません。

この場合、Cは登記を備えていなくても保護されます。

2　取消し後の第三者

だまされて契約をした者が取消しをした場合、**取消し後**に権利を取得した者とは「**二重譲渡と類似した関係**」になり、対抗関係に立つため、**登記の有無**によって**優劣が決まります**。

注意
取消しによるBからAへの所有権の復帰と、BからCへの所有権の移転は、Bからの「二重譲渡」と同様に考えることができます。

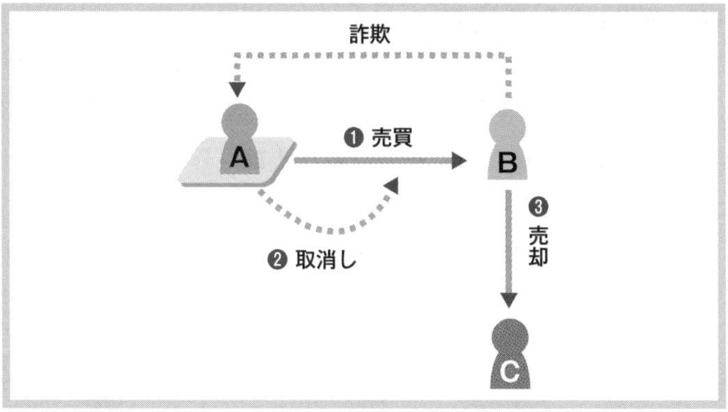

例えば、BがAをだましてAの土地の売買契約を締結したため、Aが、詐欺を理由にこの契約を取り消しましたが、Bが、Aの取消し後にその土地をCに売却した場合、Aと取消し後の第三者Cでは、**先に登記をしたほうが優先**します。

3　解除前の第三者

契約を解除しても、第三者の権利を害することはできません。ただし、第三者が保護されるには**登記**を備えていることが必要です。

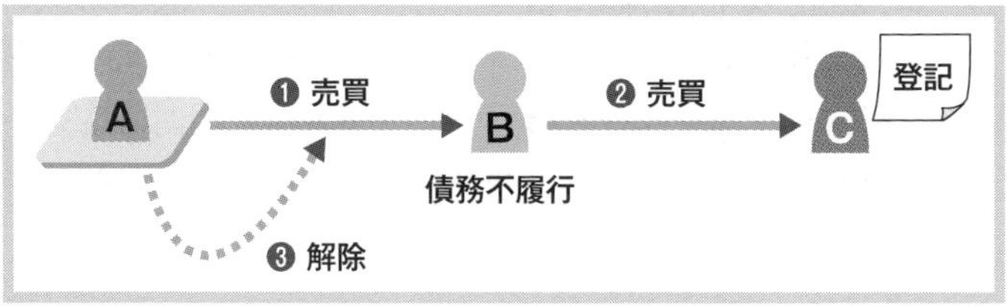

例えば、上の図で、Aの土地が「A➡B➡C」と譲渡された後、AB間の売買契約が、Bの債務不履行を理由にAによって解除された場合、Aは、登記を備えた第三者Cに対して、土地の返還請求をすることができません。

プラスα
解除前の第三者Cに登記が備わっているかどうかだけで決まり、Cの善意・悪意を問いません。

4　解除後の第三者

契約を解除した者と、その**解除後**に権利を取得した者との関係は、「**二重譲渡と類似した関係**」になり、対抗関係に立つため、**登記の有無**によって**優劣が決まります**。

なぜなら、解除によるBからAへの所有権の復帰と、BからCへの所有権の移転は、Bからの「二重譲渡」と同様に考えることができるからです。

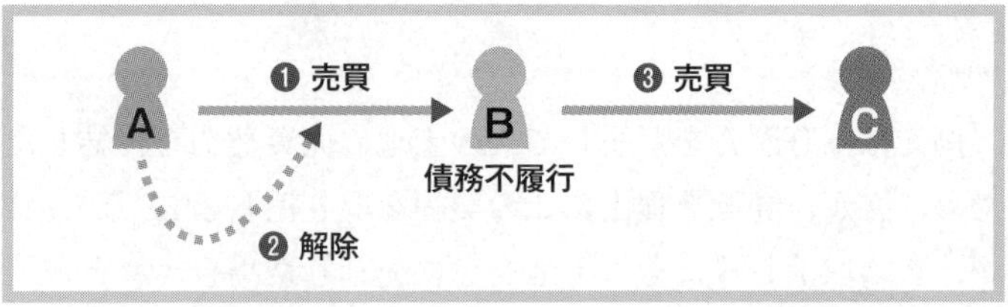

★プラスα
解除の場合、解除「前」の場合も、解除「後」の場合も、結果的に、第三者Cは登記があれば保護されます。

例えば、AとBがA所有地の売買契約を締結し、その後Bが代金を支払わないのでAが契約を解除したが、Bが、Aの解除後に、その不動産をCに売却してしまった場合、AC間では、**先に登記をしたほうが優先**します。

5　時効完成前の第三者

R元.3(12).4.5

★プラスα
取得時効により土地を奪われるCと土地を取得することになるBは、「権利を失う者と権利を得る者」という当事者間の関係になります。

時効により所有権を取得した者と、**時効完成前**に元の所有者から所有権を譲り受けた者とは、当事者同様の関係に立つため、**登記がなくても**土地の**時効取得を対抗**することができます。

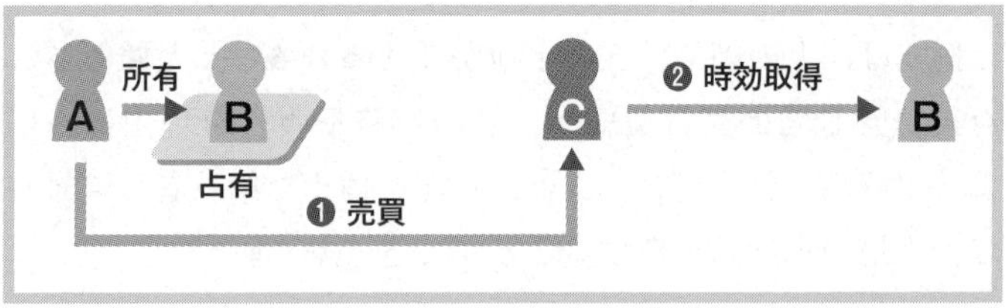

例えば、Aの所有地をBが占有していたところ、AがCにその所有地を売却した後に、Bが当該土地を時効取得した場合、Bは、登記がなくてもCに優先します。

6　時効完成後の第三者

時効により所有権を取得した者と、その**時効完成後**に元の所有者から所有権を譲り受けた者は、「**二重譲渡**と類似した関係」に立つため、対抗関係となり、**登記の有無**で**優劣**が決まります。

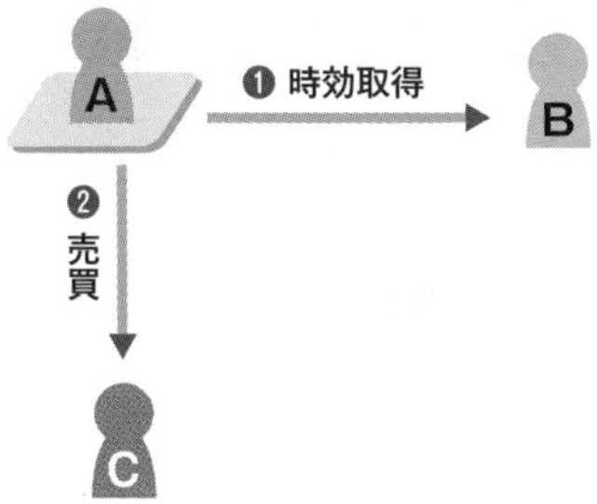

例えば、Aの土地をBが時効取得した後に、Aが当該土地をCに売却した場合、BC間では、**先に登記をしたほうが優先**します。

注意
AからBへの時効による所有権の移転と、AからCへの売買による所有権の移転を、Aからの二重譲渡と同じように考えることができるからです。

要点整理　「第三者」のまとめ

●本人と、「取消し後・解除後・時効完成後の第三者」との関係は、先に登記を備えたものが優先する。

	取消し・解除・時効完成「前」の第三者	取消し・解除・時効完成「後」の第三者
詐欺による取消し	善意・無過失	登記
解除	登記	登記
時効	登記不要	登記

④ 相続と登記

H30.R3(12)

1　共同相続と第三者

Aが死亡し、Aの所有する土地を相続人のBとCが各1／2の割合で相続したにもかかわらず、Cがその土地の全部をDに売却し、移転登記をした場合、Bは、自分が相続した1／2の割合については、**登記がなくてもDに対抗**できます。

注 意
相続による権利の承継は、遺産の分割によるものかどうかにかかわらず、**法定相続分を超える部分**については、登記その他の対抗要件を備えなければ、第三者に対抗することができません。

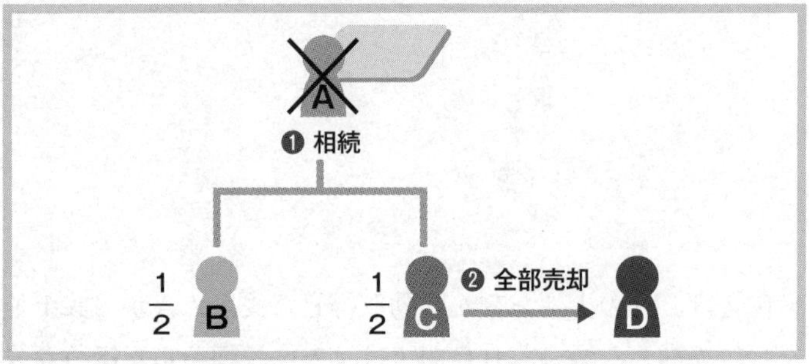

Cは、Bが相続した1／2の割合については**無権利者**にすぎず、Cから譲り受けたDも、Bの割合については**無権利者**にすぎないからです。

2　遺産分割協議後の第三者

Aが死亡し、相続人のBとCがAの所有する土地についてBの単独所有とする遺産分割協議がされたにもかかわらず、その後Cが、当該土地の全部をDに売却した場合、Cの法定相続分については、Bと、**遺産分割協議の後**に取得したDは、**登記の有無**によって**優劣**が決まります。

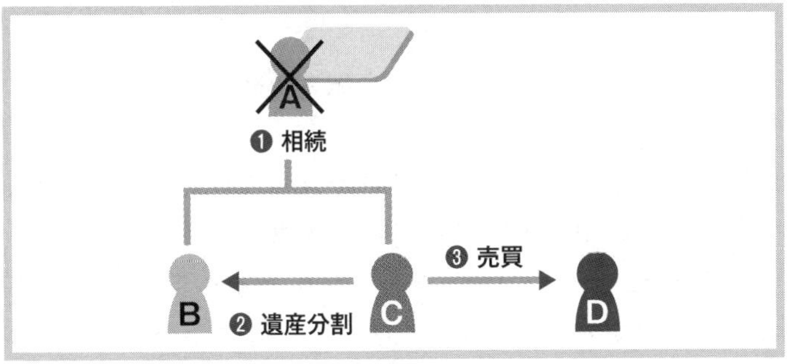

なお、Bの法定相続分は、当然にBが取得します。

要点整理　相続と登記

- 共同相続人の1人が、自己の持分を超えて第三者に相続財産を処分した場合、他の共同相続人は、登記がなくても、自己の持分を対抗できる。
- 遺産分割によって法定相続分を超える権利を取得した相続人は、その登記をしなければ、**遺産分割後**に権利を取得した第三者に対抗できない。

注意
Cの相続分である1／2の割合については、CからBへの遺産分割による移転と、CからDへの譲渡を、Cからの二重譲渡と同じように考えます。

第6章 物権関係

重要ランク B

1つの物をみんなで所有するのが「共有」、隣家との調整が「相隣関係」。この2つが特に重要だよ！

1 共 有

H29.R2(12)

プラスα
持分の割合は原則として共有者が合意で定めますが、持分の割合が**不明**のときは、相等しい（均等）**と推定**されます。

「**共有**」とは、1つの所有権を**数人が割合的に所有**することです。例えば、1棟の別荘を2人以上で共同所有するような場合、別荘を「**共有物**」、それぞれの所有者を「**共有者**」、共有者の有する権利を「**持分**（もちぶん）」といいます。

持分とは、全体に対する割合であり、例えば、2人で同じ割合で共有する場合は「それぞれ**1／2ずつの持分を有する**」といいます。

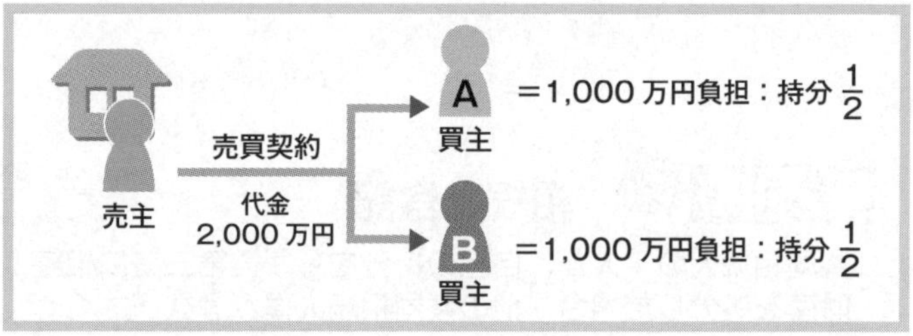

1 共有物の使用

H29

各共有者は、**持分の割合**に従い、共有物**全部を使用・収益**することができます。

例えば、AとBが、別荘を持分各1／2の割合で共有する場合、1年のうち、それぞれ6ヵ月ずつ別荘の全部を使用できます。

もしAが、1年間1人で全部を使用する場合は、Bに対して、**自己の持分を超える使用の対価を償還**する義務を負います。

なお、AとBは、**善良な管理者の注意義務**（善管注意義務）をもって、共有物を使用しなければなりません。

2　共有物の保存・利用・変更行為　H29.R2(12).6

共有者が共有物を修繕したり、第三者に賃貸または売却したりする場合、「他の共有者の同意が必要かどうか」が問題になります。

①　共有物の保存行為

保存行為とは共有物の現状を維持する行為です。保存行為は、共有者全体の利益になるため、各共有者が**単独**で行うことができます。

以下、それぞれ具体例を見てみようね。

[保存行為の具体例]
- 別荘の日常的な修繕行為
- 別荘を**不法に占拠している者**に対する明渡し請求

寝心地のいい家
だったのに……。

②　共有物の利用・改良行為

利用・改良行為とは、共有物の性質を変更しない範囲で利用または改良をすることで、各共有者の**持分の価格の過半数**の同意で行うことができます。

[利用・改良行為の具体例]
- 共有物の管理者の選任・解任
- 短期賃貸借　①山林：10年以内
  ②山林以外の土地：５年以内
  ③建物：３年以内

★プラスα
不法占拠者に対する**損害賠償**は、それぞれの**持分に応じて請求**すべきであり、各共有者は、自分の持分の割合を超えて請求することはできません。

★プラスα
共有物を使用する共有者に特別な影響を及ぼす場合は、その者の許可が必要です。

⚠注意
借地借家法の適用がある「賃借権」は、更新の可能性があるため、原則として「短期賃貸借」に該当しません。
しかし、「更新がない定期建物賃貸借」は該当します。

第6章　物権関係

③　共有物の変更・処分行為

変更・処分行為とは、**変更**（その形状・効用の著しい変更を伴わない「**軽微変更**」を**除く**）したり、共有物全部を**処分**することで、**共有者全員の同意**が必要です。

プラスα
形状・効用の著しい変更を伴わない**軽微変更**の場合は、過半数の同意で足ります。

プラスα
「形状・効用の著しい変更を伴わない軽微変更」を除く**共用部分の変更**は、一般に「重大変更」といいます。

［変更・処分行為の具体例］
- 共有の田畑を宅地にする行為
- 別荘を売却したり、別荘に抵当権を設定する行為

要点整理　共有物の保存・利用・変更行為

行　為	要　件
①　保存	単独
②　利用・改良、軽微変更	持分の価格の過半数
③　重大変更、処分	全員の同意

④　共有物の管理者

共有物の管理者は、共有物の管理（保存・利用・改良）行為をすることができます。ただし、共有者の**全員の同意**を得なければ、共有物に**変更**（**軽微変更**を**除く**）を加えることはできません。

3　持分の処分　H29

持分は、共有者が単独で有する権利ですので、各共有者は、自己の有する**持分**を**自由に処分**（**売却**）したり、**抵当権を設定**することができます。

判例
共有者が、他の共有者の合意を得ずに共有物全部を第三者に売却しても、その売買契約は無効ではなく、他の共有者の持分については「他人物売買」として処理されます。

全員の同意が必要となる「共有物全部の処分」と区別してね。

4　持分の放棄

H29.R2⑿

共有者の１人がその持分を放棄した場合、その持分は、持分の割合に応じて**他の共有者**のものとなります。

例えば、Ａ・Ｂ・Ｃが持分を１／３ずつ有するとき、Ｃがその持分を放棄すると、Ａ・Ｂの持分はそれぞれ増加して１／２ずつになります。

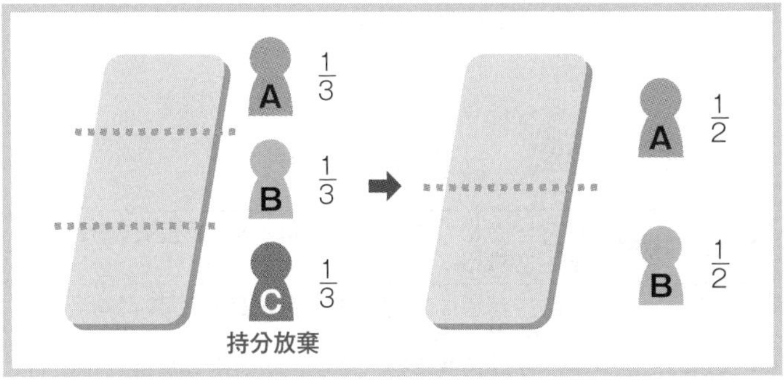

プラスα
Cが相続人なしに死亡し、特別縁故者に対する財産分与もなされないときも、同様の結論となります。なお、相続人がいる場合は、持分も相続されます。

5　共有物の分割

共有物の**分割**とは、**共有関係を解消**することです。

共有者は、**いつでも他の共有者に分割を請求**できます。ただし、**5年以内**の期間を定めて、**分割をしない旨の特約**をすることもできます。

共有者は、分割の協議をしても協議が調わないとき、または協議ができないときは、その分割を裁判所に請求することができます。

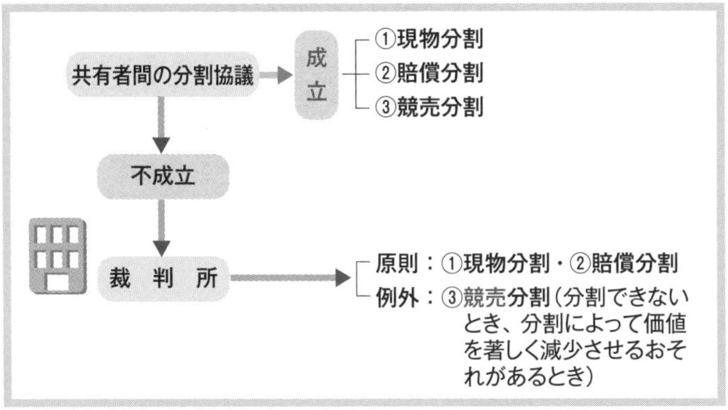

プラスα
分割しない旨の契約の期間は５年以内に限られますが、**5年以内の期間**で、さらに更新することができます。

用語解説
●**現物分割**：
物理的に分割する方法
●**賠償分割**：
１人の共有者が持分のすべてを他の共有者から買い取る方法
●**競売分割**：
競売で得た売却代金を分割する方法

6　共有物の管理費用

各共有者は、その持分に応じて、共有物の管理費用を支払う義務を負います。ですから、共有者の1人が、その費用全部を支払ったときは、他の共有者に請求できます。

共有者が**1年以内**に管理費の支払義務を履行しないときは、他の共有者は、共有関係を解消するために、相当の償金を支払い、その者の持分を取得できます。

要点整理　共有のまとめ

持分の割合	持分の定めがなく、または不明の場合、均等と推定される
共有物の使用等	●各共有者は、持分の割合に応じて共有物全部を使用できる ●保存行為➡単独（修理、妨害排除など） ●利用・改良行為➡**持分の価格の過半数の同意**（賃貸借契約の解除・軽微変更など） ●変更・処分行為➡**全員の同意**（全部売却・改築・重大変更など）
持分の処分	各共有者は単独で、自己の持分を自由に処分できる
持分の帰属	共有者が持分を放棄した場合、または相続人なく死亡し、特別縁故者に対する財産分与もなされない場合、その持分は他の共有者に帰属する
対外的関係	●共有物返還請求・妨害排除請求 ➡単独で全部請求できる ●不法行為者に対する損害賠償請求 ➡自己の持分の範囲で請求できる
分　割	●現物分割・賠償分割・競売分割の３方法 ●原則：現物分割・賠償分割 ●例外：競売分割 ●各共有者は、いつでも自由に分割請求できる。ただし、５年以内の期間を定めて不分割特約をしたときは、この限りでない ●分割について共有者間に協議が調わない場合 ➡分割を裁判所に請求できる

❷ 相隣関係

H25.29.R2⑽.3⑿.5

所有権は、法令の制限内で、所有物を自由に使用・収益・処分することができます。このように自由な所有権が隣り合う場合、自由であるがゆえに多々トラブルが生じます。

そこで、隣り合う所有権（**相隣関係**）を調整するために、次のような規定が設けられています。

1　竹木（ちくぼく）の枝の切除・根の切取り

土地の所有者は、隣地の竹木の枝が境界線を越えるときは、竹木の所有者に、その枝を切除させることができます（**切除の催告**）。

ただし、次の場合は、**土地の所有者**は、**自ら枝を切除**することができます。

① 竹木の所有者に対して切除の催告をしたにもかかわらず、所有者が相当期間内に切除しない場合
② 竹木の所有者が不明の場合
③ 急迫の事情がある場合

一方、隣地の竹木の根が境界線を越えるときは、土地の所有者は、催告することなく、その根を切り取ることができます。

枝も根っこも
ジャマなのに…。

2　境界線付近の建築の制限等

建物を築造するときは、境界線から**50cm以上**の距離を保たなければなりません。また、境界線より１ｍ未満の距離において他人の宅地を見通すことのできる窓やベランダなどを設ける者は、**目隠し**を付けなければなりません。

3　隣地の使用請求　R5

土地の所有者は、次の目的のために必要な範囲内で、**隣地**を使用することができます。

① **境界付近における障壁・建物等の築造・収去・修繕**
② **境界標等の調査・測量**
③ **境界を越えてきた枝の切取り**

ただし、隣地の使用に際しては、隣地使用者の**損害が最も少ない日時・場所・方法**を選ばなければならず、隣地使用者は、損害を受けた場合、その**償金を請求**できます。

なお、**住家**については、その**居住者の承諾**がなければ、立ち入ることはできません。

4　境界標の設置　R3(12)

土地の所有者は、隣地の所有者と共同の費用で、境界標を設けることができます。

境界標の設置及び保存の費用は、相隣者が**等しい割合で負担**します。ただし、測量の費用は、土地の**広狭**（こうきょう）**に応じて負担**します。

プラスα
- 相隣者の片方は、共有の障壁の高さを増すことができます。この場合に、他方の相隣者の**承諾**を得る必要はありません。
- 境界線上に設けた障壁は、境界線上に設けた境界標・囲障・溝・堀とともに、相隣者の共有に属すると推定されます。

5　公道に至るための他の土地の通行権 H25.29.R2⑽.5

①　原則

ある土地が、他の土地に囲まれて公道に通じないときは、その土地（袋地）の所有者は、公道に出るため、その土地を囲んでいる他の土地を通行することができます。

ただし、**通行の場所**及び**方法**は、**通行権者のために必要**で、**かつ**、その土地を囲んでいる他の土地のために**最も損害の少ないもの**を選ぶ必要があり、通行権者は、通行地の損害に対して、**償金**を支払う必要があります。

また、このとき、通行権者は、必要があれば、通路を開設できます。

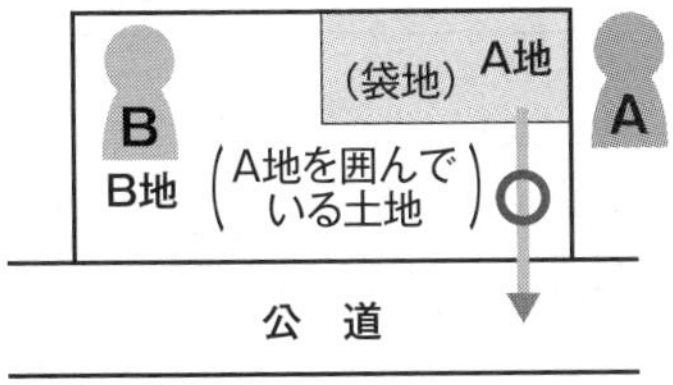

- A地の所有者は、公道に出るため、B地を通行することができます。
- 通行の方法及び場所は、A地の所有者にとって必要で、かつB地のために最も損害の少ないものを選ばなければなりません。
- A地の所有者は、必要があれば通路を開設することができます。
- A地の所有者は、通行によってB地の所有者に損害を与えるときは、B地の所有者に償金を払わなければなりません。

プラスα
諸事情を考慮して、自動車による通行権が認められることもあります。

プラスα
袋地の所有者の通行権は、袋地の所有者に当然に認められる権利ですから、袋地の所有権移転登記が完了していない場合でも認められます。

② **分割・譲渡によって袋地が生じた場合**

土地の分割または一部譲渡により、公道に通じない土地（袋地）が生じたときは、その土地の所有者は、公道に出るため、**他の分割者等の所有地のみ**を通行できます。

この場合は、償金を支払う必要はありません。

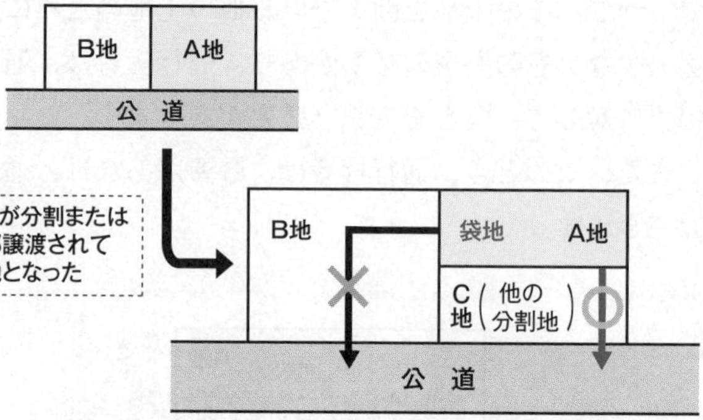

●袋地Aの所有者は、C地のみを通行することができ、償金を払う必要はありません。

6　ライフラインの設備の設置権

土地の所有者は、他人の土地に設備を設置し、または他人が所有する設備を使用しなければ電気・ガス・水道水などライフラインの継続的給付を受けることができない場合は、**必要な範囲内**で、他人の土地に設備を**設置**し、または他人が所有する設備を**使用**できます。

① 他人の土地に設備を設置する者は、その**土地に生じた損害**に対して、原則として**償金**を支払わなければなりません。

② ただし、その損害が**土地の分割**によって生じた場合は、償金の**支払は不要**です。

③ 地役権 発展

H25.R2(12)

1　地役権とは

例えば、Aさんが、自分の土地に川から水を引き入れるため、Bさんの土地に水路を設けたりするなど、土地の所有者が**自分の土地の利用価値を増す**ために**他人の土地を利用**する権利を、**地役権**といいます。

この場合で、地役権が設定される他人の土地を**承役地**、地役権により利用価値の増す自己の土地を**要役地**といいます。

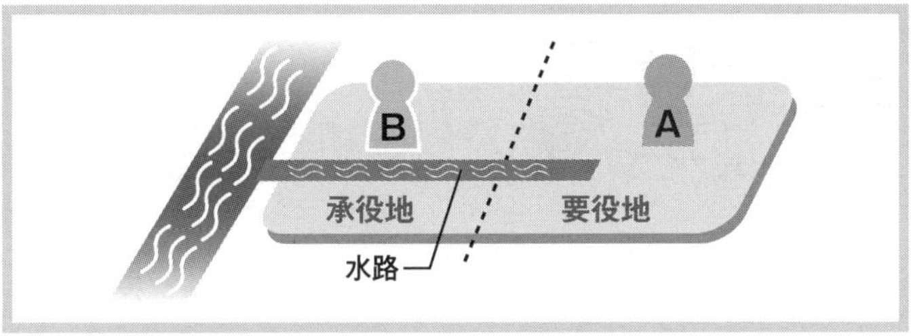

2　地役権の時効取得

地役権は、**継続的に行使**され、かつ、**外形上認識**することができるものに限り、**時効取得**できます。

なお、通行地役権の場合では、通路の開設が、要役地の所有者によって行われなければ、「継続」とはいえません。

第7章 抵当権

重要ランク A

貸したお金を「確実に返してもらう」ための手段だよ！

1 抵当権とは

H26.29

★プラスα
「抵当権者＝債権者」「抵当権設定者＝不動産の所有者」です。
なお、「抵当権設定者＝債務者のみ」とは限らないことに、注意が必要です。

AがBに1,000万円を貸し付けて、B所有の土地にAの抵当権を設定する契約を締結した場合、Aを**抵当権者**、Bを**抵当権設定者**といいます。

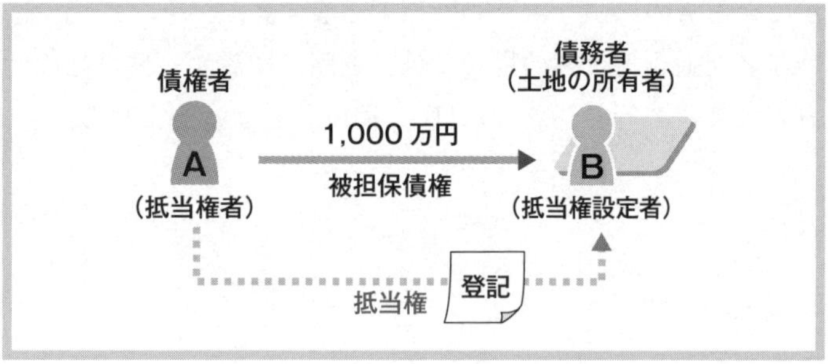

返済期限が到来しても、Bが1,000万円を返済しないとき、Aは、抵当権に基づいて土地を競売（けいばい）し、競売代金から他の債権者に優先して1,000万円を回収することができます。

この1,000万円の債権のことを、抵当権によって**担保されている**（守られている）ので、**被担保債権**といいます。

一方、抵当権設定者は、競売されない限り、抵当権設定後も引き続き、目的物を**使用・収益・処分**することが**可能**です。

抵当権設定者は、目的物を**今までどおり**使用できるし、それを他人に賃貸することも売却することもできるんだ。この点はとても重要だよ！

2 抵当権の成立と対抗要件

H26.29.R4

抵当権は、不動産の占有を移転することなく、債権者と不動産の所有者との**契約のみで成立**します。

しかし、抵当権者が、不動産の競売代金から**優先弁済**を受ける権利を、他の債権者や抵当不動産の買主などの**第三者に対抗**するには、**抵当権が登記**されていることが必要です。

注意
抵当権は、所有権のほか、地上権等に対しても設定することができますが、不動産賃借権には設定することはできません。

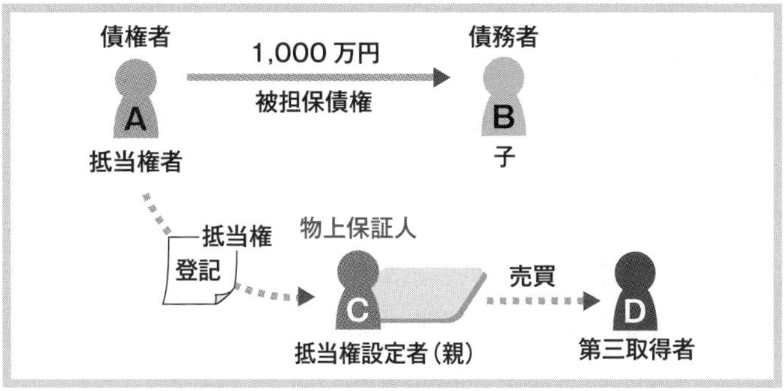

例えば、AのBに対する1,000万円の債権を担保するために、Bの親Cが所有する土地に抵当権を設定・登記した場合、Cがその土地を第三者Dに売却しても、Aは、Bが期日に1,000万円を返済しないときは、Dの土地を**競売**し、1,000万円を回収することができます。

「親C」のように、他人の債務のために**自分の不動産に抵当権**を設定する者を物上保証人といい、Dのように、**抵当不動産を購入**した者を、第三取得者というんだ。

③ 抵当権の性質

H25.28.R3(12)

⚠注意
抵当権は、現在はまだ発生していなくても、将来発生する一定の特定された債権（**将来債権**）を、被担保債権とすることができます。

抵当権の性質のうち、次の４つが重要です。

1　付従性

抵当権は債権を担保することが目的ですから、担保される債権（被担保債権）が成立しなければ、抵当権も成立しません。

被担保債権が弁済や時効などで**消滅**すれば、抵当権も**自動的に消滅**します。

2　随伴性

被担保債権が譲渡されれば、抵当権も**一緒に移転**しますので、被担保債権の譲受人は、同時に抵当権も取得します。

3　不可分性

抵当権者は、被担保債権について債権全額の弁済が行われるまで、目的となっている**不動産全体**について、**権利を行使**できます。

例えば、被担保債権の半額が弁済されても、抵当権は半分にならず、従来どおり、目的物全部に効力が及びます。

4　物上代位性

抵当不動産が売却、賃貸、滅失または損傷されたことによって、それぞれ代金、**賃料**、**保険金**などの金銭等が生じた場合、抵当権の効力は、これらについても及びます。

ただし、抵当権者がこれらの金銭等から優先弁済を受けるためには、抵当権設定者に「**払い渡される前に**」、**抵当権者自ら**、その**請求権**の「**差押え**」をすることが必要です。

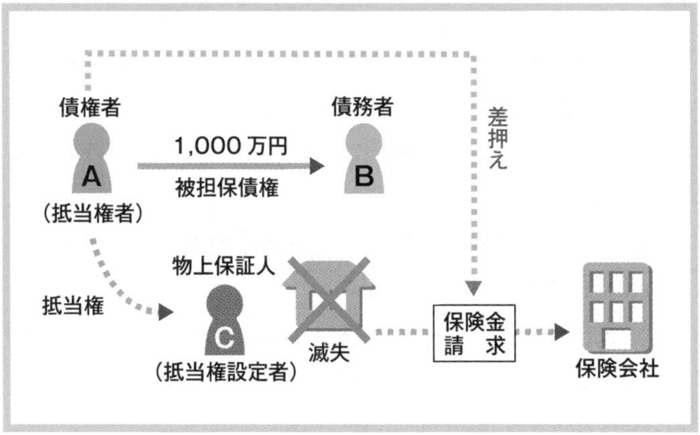

例えば、上の図でいえば、Cの抵当不動産が火災で焼失して、Cが、保険会社に対して保険金請求権を取得した場合、抵当権者Aは、この保険金がCに「**支払われる前**に」「**差押えをする**」ことによって、抵当権の効力を主張できます。

プラスα
保険金が払い渡されてCの財産に混ざってしまうと、どの財産が物上代位の対象か、わからなくなってしまうからです。

判例　**物上代位**は試験でよく出るポイントなんだ。過去には、次のような判例が出題されているよ。

❶　抵当不動産が賃貸されていて、賃料債権に物上代位できる場合、賃料債権が第三者に譲渡されて対抗要件が備わった後でも、第三者が実際に弁済を受ける前なら、抵当権者は、物上代位権を行使してその賃料債権を差し押さえることができるんだ。

❷　抵当不動産が賃貸されている場合で、抵当権者が物上代位によって賃料債権を差し押さえた後、賃貸借契約が終了し、賃借人が建物を明け渡したときには、抵当権者は、賃料債権について敷金が充当された残額についてのみ、物上代位できるにすぎないんだ。敷金の充当のほうが、抵当権より優先されるからだよ。

❹ 抵当権の効力の及ぶ範囲

H25.27.28

「抵当権の効力の及ぶ範囲」は、次のとおりです。

例えば、建物を競売するときには、「その建物に備え付けられた家具なども一緒に競売できるのか」が問題になるんだね。

用語解説
従物：
主物に従属してその効用を助ける独立の物をいいます。例えば、ガソリンスタンドに設けられている地下タンク、洗車機等は、ガソリンスタンド用建物の**従物**と扱われます。
果実：
例えば、畑から収穫できる作物を天然**果実**、家屋を賃貸して得られる賃料を法定**果実**といいます。

① 土地と建物は**別個の不動産**であるため、**一方に設定**された抵当権の効力は、**他方には及びません**。

② 建物に設定された抵当権の効力は、畳・建具などの**従物**にも及びます。

③ 借地上の建物に設定された抵当権の効力は、**借地権**にも及びます。

④ 被担保債権について不履行があったときは、**不履行後に生じた抵当不動産の果実**に対しても、抵当権の効力が及びます。

❺ 被担保債権の範囲

H29

抵当権により担保される債権の範囲について、利息・損害金は、満期となった**最後の２年分**についてのみ、とされます。

これは、**後順位抵当権者**などの**他の債権者等を保護**するためです。したがって、他に債権者等がいない場合は、最後の**２年分**に**制限されません**。

利息や損害金が具体的に何年分発生しているか、といった事情は、当事者しかわからないよね。

だから、無制限に認めると他の債権者等が１円も配当を受けられなくなってしまうおそれがあるから、２年分に制限されているんだ。

要点整理 抵当権の効力の及ぶ範囲

土地・建物	いずれか一方に設定された抵当権は、他方には及ばない
従　物	建物に設定された抵当権の効力は、畳・建具などの従物にも及ぶ
従たる権利	借地上の建物に設定された抵当権の効力は、借地権にも及ぶ
被担保債権の範囲	●元本・２年分の利息と遅延損害金等 ●なお、後順位抵当権者等がいないときは、２年分に制限されない

6 抵当権の順位と順位の変更

H25.28

同一の不動産には数個の抵当権を設定することができ、それらの抵当権の順位は、**登記の前後**で決定されます。競売代金の配当は、この順位に従います。

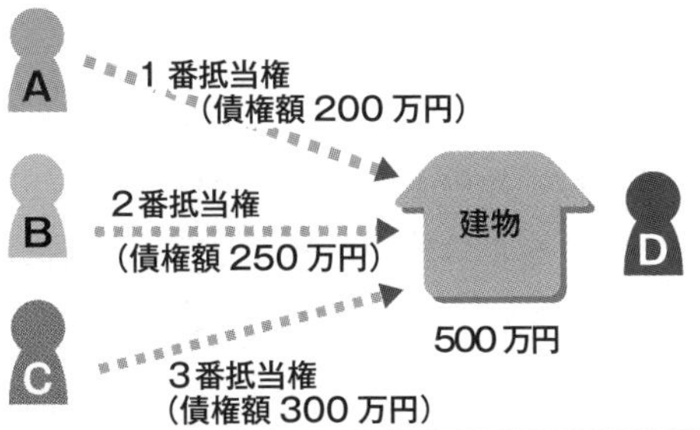

注：Cは、建物の競売代金から 50 万円の配当を受けられるだけで、残額 250 万円の回収はできません。

例えば、上の図で、抵当権設定者Ｄの抵当不動産の競売代金が500万円であれば、Ａは200万円、Ｂは250万円、Ｃは残りの50万円の配当を受けることになります（なお、Ｃの残額250万円は、無担保債権として残ります）。

用語解説

配当：
一定のルールに従って、競売代金の割り当てを受けること。

注意

図のように、すでに抵当不動産の価額では、各債権者が債権全額の回収ができないケースでも、この不動産を目的に、さらに抵当権を設定することは自由です。

プラスα
抵当権者は、同一の債務者に対する他の抵当権者に対して、抵当権の**順位**を譲渡または放棄することもできます。

先順位の抵当権が弁済等で消滅すると、後順位の抵当権の順位が当然に繰り上がることになる。これを順位上昇の原則っていうんだ。

また、前の図の例でいえば、Cを１番、Aを３番とする抵当権の順位の変更をする場合、A・B・Cの合意と利害関係者の承諾が必要で、**登記**することによって、その効力が生じるんだ。

ちなみに、順位の変更について、債務者（D）や抵当権設定者の同意を得る必要はないから、Dの同意は不要だよ。

7 共同抵当

同一債権の担保として数個の不動産の上に設定された抵当権を、**共同抵当**といいます。

例えば、AがBに対する2,000万円の債権を担保するため、B所有の土地と建物の**両方**に**抵当権を設定**するような場合です。

8 法定地上権

H28.30

土地と建物は別個の不動産ですから、一戸建ての不動産でも、土地のみ、または建物のみに、それぞれ抵当権を設定することができます。しかし、土地・建物の一方のみが競売されると、土地と建物の所有者が別々になり、建物の所有者は土地の不法占拠者になってしまいます。

注意
ただし、土地と建物に「**共同抵当権**」を設定して、建物を再築した場合は、原則として、法定地上権は成立しません。

そこで、このような場合でも、建物を取り壊さなくても済むようにするため、次の３つの条件をすべて**満たす**場合には、**法律上当然**に、建物所有者には**地上権**が与えられます。

これを、**法定地上権**といいます。

①　抵当権を設定したときに、土地の上に建物があった
②　抵当権を設定したときに、土地と建物の所有者が同一
③　競売により、土地と建物の所有者が別人になった

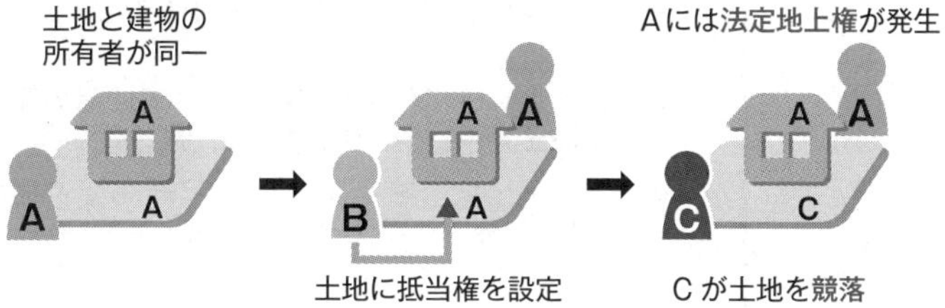

法定地上権の成立には、「**抵当権設定**時に**土地の上に建物**があり、**両方の所有者が同一人**」ということが大前提となるんだ。

法定地上権の成立に関しては判例がたくさんあるんだけど、この大前提をクリアしている限り、「基本的に法定地上権は成立する」と考えていいんだよ。

要点整理　法定地上権の成立要件

法定地上権の成立には、次の３要件のすべてが必要。

❶ 抵当権設定当時、土地の上に建物があること
❷ 抵当権設定当時、土地と建物の所有者が同一
❸ 競売により、土地と建物の所有者がそれぞれ別人になったこと

9 一括競売

H27.R4

更地に抵当権を設定した後、その更地（さらち）に**建物が築造**されたときは、法定地上権は成立しません。

そのため、万一、抵当権の実行によって土地が競売されると、建物は取り壊さなければならないのが原則ですが、このような社会・経済上の不利益を避けるため、抵当権者は、土地と建物を**一緒に競売**することができます。

ただし、抵当権者は、土地だけに抵当権を有しているため、**優先弁済**を受けることができるのは、**土地の代価についてのみ**です。建物の競売代金は、所有者に返還しなければなりません。

つまり、ポイントは次のようになるんだよ。

- 先に土地の上に建物が存在していて、その後に抵当権設定 ➡「法定地上権」の問題
- 先に土地に抵当権が設定されていて、その後に建物を建築 ➡「一括競売」の問題

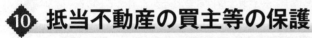

⑩ 抵当不動産の買主等の保護

H27.28.R4

抵当不動産は、抵当権設定者が自由に売却することができますが、もし売却後に抵当権が実行されてしまうと、抵当不動産の買主は所有権を失うことになります。そこで、次のように、抵当不動産の買主等を保護するルールがあります。

1　第三者の弁済

抵当不動産の買主である第三取得者は、弁済について正当な利益を有する第三者として、債務者に代わって債務を弁済することで、抵当権を消滅させることができます。

2　代価弁済

抵当不動産の買主である第三取得者が、抵当権者の請求に応じて、その代価（**代金**）を抵当権者に支払うと、抵当権が消滅します。

3　抵当権消滅請求

①　抵当権消滅請求とは

抵当不動産の買主である**第三取得者**は、自分が**適当と考えた金額**を抵当権者に提供し、**抵当権の消滅を請求**することができます。

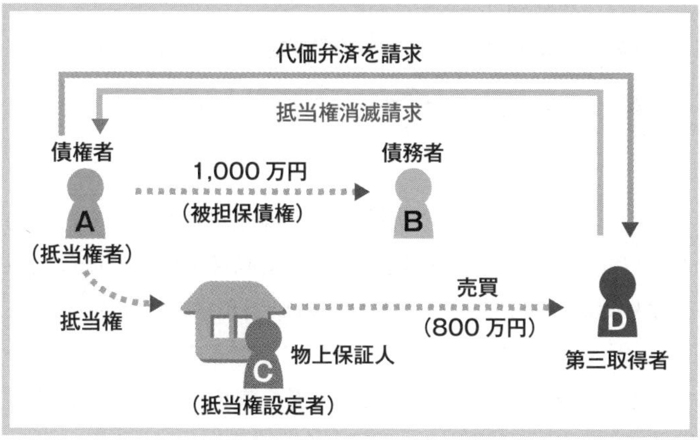

上の図でいうと、代価弁済は、抵当権者Aが主導権を握って代金（800万円）を請求するものなんだけど、抵当権消滅請求は、第三取得者Dが主導権を握って、任意の金額を提供するものなんだ。同じような抵当権を消滅させる手続でも、その２つはそれぞれ方向が反対なんだね。

②　抵当権消滅請求の手続　発展

抵当不動産の第三取得者は、抵当権の実行としての競売による**差押えの効力が発生する前**に、抵当権消滅請求をしなければなりません。

抵当権消滅請求は、登記をした各債権者に対し、一定の事項を記載した書面を送付しなければならず、各債権者は、この書面の送付を受けてから**２ヵ月以内**に**抵当権を実行**して**競売の申立て**をしないときは、抵当権消滅請求を**承諾**したとみなされます。

比較整理

主たる債務者、保証人またはこれらの承継人は、本来の債務を弁済する義務を負うため、抵当権消滅請求をすることができません。

プラスα

抵当不動産の買主は、抵当権消滅請求の手続が終わるまで、売主に対して代金の支払を拒絶することができます。

⑪ 抵当不動産の借主の保護

R3(12).4

不動産に設定された抵当権と賃借権の優劣は、民法の一般原則に従い、どちらが**先**に**対抗要件を備えたか**で決まります。

	[先]		[後から]	
❶	抵当権の登記	➡	賃借権の登記	……抵当権が優先
❷	賃借権の登記	➡	抵当権の登記	……賃借権が優先

プラスα
❷のケースで抵当権が実行されても、賃借人は、買受人に賃借権を対抗することができます。

❶のケースで抵当権の実行による競売が行われると、賃借人は買受人に賃借権を対抗できず、不動産を直ちに明け渡さなければなりません。しかし、この原則が常に適用されると、誰も安心して抵当不動産を借りることができません。

そこで、先に**登記された抵当権者全員の同意**を得て、その**同意を得た旨を登記**しておけば、後から登記した賃借権であっても、抵当権に対抗でき、万一競売が行われても、買受人に賃借権を対抗することができます。

さらに、❶の賃借権が「建物」を目的とする場合は、たとえ同意の登記がなくても、抵当権の実行による競売の際、買受人が所有権を取得した時から6ヵ月間は、**建物の引渡しを拒否できる**んだ（**引渡し猶予制度**）。

なお、これは、アパートなどからの即時退去を求められる賃借人を保護する規定なので、土地には適用されないことに注意してね！

要点整理 抵当権に対抗できる賃借権

対抗関係で負けている賃借権であっても、次の３つの要件がすべてそろえば、抵当権に対抗することができる。

❶ 賃借権の登記があること
❷ 先に登記された抵当権者全員の同意があること
❸ 上記❷の同意の登記があること

⑫ 根抵当権

H26

1　根抵当権とは

根抵当権とは、**一定の範囲で発生する不特定の債権**について、「**最大限ここまで担保**する」と定めた「**極度額**」の範囲で、**一括して担保**するタイプの抵当権です。

例えば、販売店Aが問屋Bから商品を後払いで仕入れる場合のように、一定の範囲で継続的に債権の発生や消滅が繰り返される場合、その都度、抵当権の設定登記や抹消登記を繰り返すのは、面倒ですし、登記費用もかかります。

そこで、**極度額**を決めたうえで、1個の根抵当権を設定することで、多数の債権を一括して担保できるようにしています。

限度額が
気になるなぁ……。

重要

根抵当権は、不特定の債権を一括して担保しますが、その債権の発生原因は「AB間の○○に関する商取引」というように、ある程度特定されていることが必要です。
例えば、「AB間で今後発生する一切の債権を担保する」というような設定（**包括根抵当**）はできません。

注意

根抵当権は、極度額の範囲内であれば、利息も2年分に限られず、無制限に担保されます。しかし、極度額を超える分についてはまったく担保されません。

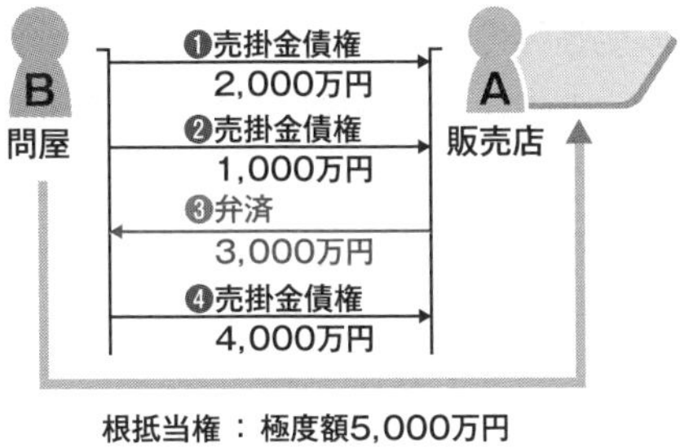

❶・❷の債権が❸の弁済で消滅しても、根抵当権は消滅せず、さらに❹という債権が発生すれば、❹が根抵当権によって担保されることになるんだ。

例えば、クレジットカードのリボ払いをしている人も、こんなふうに債権の発生・消滅を繰り返してるってことなんだね。

2　根抵当権のポイント

①　優先弁済の範囲

根抵当権者は、確定した元本、利息その他の損害賠償などの全部について、**極度額を限度**として、その根抵当権を行使できます。

②　債権譲渡

元本の**確定前**に、根抵当権者から債権を取得した者は、その債権につき**根抵当権を行使することができません**（随伴性がない）。

③　元本の確定

債権の発生・消滅が繰り返されている場合、一定の時期に、根抵当権で担保すべき元本の債権額を確定することを、**元本の確定**といいます。

元本が確定した後の根抵当権は、その時点以降に発生する債権を担保することはできなくなり、性質的には普通の抵当権と同様になります。

④　極度額の変更

根抵当権の極度額の変更は、利害関係を有する者の承諾を得なければ、することができません。

なお、承諾を得れば、**元本の確定の前後を問わず変更**することができます。

⑤　被担保債権の範囲等の変更

元本の確定前は、被担保債権の範囲や債務者を変更することができます。また、これらの変更には、後順位抵当権者その他の利害関係者の承諾は必要ありません。

注意

例えば、1億円の不動産に極度額4,000万円の根抵当権を設定したのに、想定したほどの取引がない場合、もし1,000万円で元本確定をすると、その不動産の残りの担保価値は6,000万円から9,000万円に増えます。このように資産価値の幅を広げる場合にも、**元本の確定**が用いられます。

プラスα

元本確定期日の定めがないときは、根抵当権設定者は、設定時から３年が経過すれば、元本確定請求ができます。

［元本確定前・後の被担保債権に関する変更］

（○＝できる、×＝できない）

	変更可能な時期		利害関係人の承諾 （例：後順位抵当権者等）
	元　本 確定前	元　本 確定後	
債権範囲の変更	○	×	不要
元本確定期日の変更	○	×	
極度額の変更	○	○	必要

要点整理　根抵当権

- 根抵当権者は、確定した元本、利息などについて、極度額を限度として、その根抵当権を行使できる。
- 利害関係を有する者の承諾を得れば、極度額を変更することができる。
- 元本の確定前は、利害関係を有する者の承諾なしに、被担保債権の範囲・債務者の範囲を変更することができる。
- 元本の確定前に被担保債権が譲渡された場合、その譲渡された債権を取得した者は、根抵当権を行使できない。

⑬ その他の担保物権 発展

H25.29

注意
留置権者は、担保権の実行として留置物を競売にかけることはできません。

1　留置権

H25

建物の賃借人は、本来は賃貸人が負担すべき建物の修繕費用（必要費）を支出した場合、契約終了後も家屋の明渡しを拒絶することによって、修繕費用の支払を賃貸人に促すことができます。

このように、他人の物を占有している者が、その**物に関して生じた債権**を有している場合に、その債権の弁済を受けるまで、目的物を**留置できる**（目的物の返還を拒絶することができる）**権利**を**留置権**といいます。

プラスα
留置権と先取特権は、ある事実があれば、設定契約をすることがなくても、当然に発生するため、**法定担保物権**といいます。対して抵当権と質権は、当事者の設定契約によって発生しますので、約定**担保物権**といいます。

2　先取特権（さきどりとっけん）

先取特権とは、**法律で定める一定の債権**を担保するため、目的物に**当然に発生する担保物権**です。

極端な話だけど、例えば、どんなに困窮していても、身内が亡くなった場合は、葬儀をあげたいと思うよね。
そこで葬儀費用については、法律が先取特権を認めていて、これがあるから、葬儀屋さんは、困窮している人からの葬儀の依頼を安心して受けることができるようになっているんだよ。

先取特権のポイントは、次のとおりです。

①　不動産賃貸の先取特権

例えば、建物の賃貸人の先取特権により、賃料など賃借人の債務に関し、賃借人がその建物に備え付けた動産について存在し、賃料不払いがあった場合は、その動産を売却して債権を回収することができます。

②　不動産売買の先取特権

例えば、土地の売買の際、代金を分割払いと定めたとき、売主は、代金の全額の支払が終わるまで、その土地に対して先取特権を有します。

③　物上代位

先取特権には、抵当権と同様に物上代位性が認められ、その目的物の売却・賃貸・滅失・損傷によって債務者が受けるべき金銭その他の物に対しても、行使することができます。ただし、先取特権者は、その払渡しまたは引渡しの前に差押えをしなければなりません。

3　質権　H29

債権者が、債権の担保として、債務者や第三者から受け取った物を、債権者が占有し、弁済がないときには換価（かんか）（お金に換えること）して、その代金から優先弁済を受けるのが質権です。

質権設定契約は、合意だけでは効力が生じず、**目的物**を債権者に**引き渡す**ことによって**効力**を生じます。

お願いします～
これでお金を貸してください！

プラスα
質権は、不動産のほか、動産や債権に対しても設定することができます。

プラスα
不動産質権の存続期間は10年を超えることができません。これより長い期間を定めても、10年となります。

第8章 保証・連帯保証

重要ランク A

保証人になるって怖いってイメージ…ただの「保証」と「連帯保証」って、どう違うの？？

1 保証債務とは

R2(10)

用語解説
電磁的記録：
電子的方式・磁気的方式その他人の知覚によっては認識できない方式で作られる記録のこと。電子計算機による情報処理の用に供される。

保証債務は、**債権者と保証人との書面による契約**によって、その効力が生じます。

例えば、AがBに1,000万円を貸すにあたり、AとCとの間で、「Bが弁済できないときはCが肩代わりをする」という趣旨の契約を、**書面**（**電磁的記録**を含む）**で締結**することによって、CはAに対して保証債務を負うことになります。

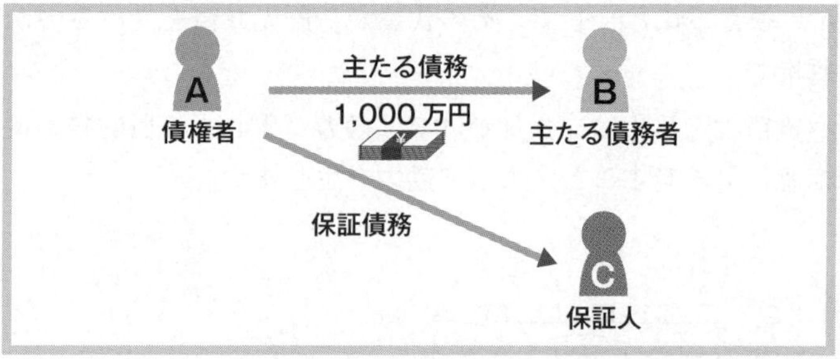

なお、債務者Bは保証契約の当事者ではありませんから、**Bが反対**しても、**債権者A**と**保証人C**は、**有効に保証契約を締結**することができます。

一般的には、債務者から依頼されて保証人となるように思われているけど、このように、保証契約は債権者と保証人との、書面による契約によって効力が生じるんだ。

なお、**保証の対象となる債務者**を「主たる債務者」、**その債務**を「主たる債務」と呼ぶ点にも注意しておこう。

ニャカ先生のひとこと

② 保証人の要件

保証人になるには、何の資格も必要とされません。

債権者さえよければ、無資力であっても、また、制限行為能力者であっても、保証人になることができます。

ただし、**債務者が保証人を立てる義務を負っている場合**は、保証人は、**弁済の資力**があり、かつ、**行為能力者**でなければなりません。そして、もし、保証人が弁済の資力を失った場合、債権者は、新たな保証人を立てるよう請求できます。

⚠注意
制限行為能力者も保証人となれますが、例えば、被保佐人が保証契約を締結する場合は、保佐人の同意が必要です。

③ 債権者の情報提供義務

1　主たる債務の履行状況

保証人が主たる債務者の委託を受けて保証をした場合において、**保証人からの請求**があったときは、債権者は、保証人に対し、遅滞なく、次の**情報を提供**しなければなりません。

① 主たる債務の元本
② 主たる債務に関する利息、違約金、損害賠償その他その債務に従たる全てのものについての不履行の有無・残額、そのうち弁済期が到来しているものの額

2　主たる債務者が期限の利益を喪失した場合の通知義務

保証が**個人保証**である場合、主たる債務者が**期限の利益を喪失**したときは、債権者は、その利益の喪失を**知った時から2ヵ月以内**に、保証人に対し、その旨を**通知**しなければなりません。

プラスα
例えば、分割払いの債務の1回分の支払を怠ったため、事前の約束どおり、残りの回の分も一括して支払わねばならなくなった場合が挙げられます。

保証人は、主たる債務者がどんな状況にあるかを知らないと、**予期しない損害**を被ってしまうことがあるから、保証人の保護のために、債権者に対しては一定の情報を**提供する義務**を課したんだ。

4 保証債務の範囲

R2(10)

① 保証債務には、特約のない限り、元本のほか、主たる債務に関する利息・違約金・損害賠償などが含まれていますが、保証債務が主たる債務より重くなることはありません。

② 保証契約締結後、主たる債務が重くなっても、保証人の負担は重くなりません。

ただし、保証債務は、主たる債務とは別個の債務ですので、保証債務それ自体の履行を確実にする目的で、**保証債務だけ**について、**違約金や損害賠償額の予定**をすることができます。

5 保証債務の性質

H25.R2(10)

プラスα
保証人は、主たる債務者が主張することができる抗弁で債権者に対抗できます。例えば、主たる債務者が相殺、取消し、解除ができるときは、保証人は、その限度で、債権者に対して債務の履行を拒むことができます。

保証債務の性質のうち、次の３つが重要です。

1 付従性

主たる債務がなければ保証債務は成立せず、主たる債務が弁済や時効により消滅すると、保証債務も自動的に消滅します。

また、主たる債務者に生じた事由の効力は、**原則**として、**保証人にも及びます**が、保証人に生じた事由の効力は、原則として、主たる債務者には及びません。

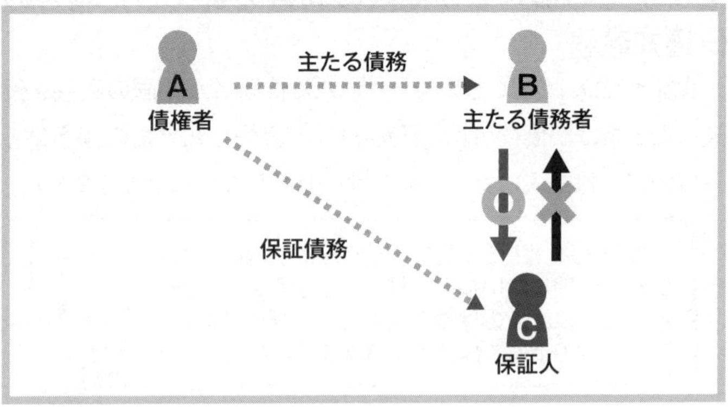

前の図でいえば、主たる債務者Bが債務を承認すると、保証人Cの消滅時効も同時に更新しますが、保証人Cが債務を承認しても、主たる債務者Bの時効は更新しません。

この「付従性」の理解が、保証債務の最大のポイントだね。

- 主たる債務と保証債務は「主・従」の関係にあるから、主について生じた事柄は、従にも及ぶのだけど、従について生じた事柄は、主には影響を及ぼさないんだ。
- ただし、主たる債務が増額されても、保証債務が増額されるわけではないよ。主たる債務者の都合で、保証人の債務が無限に増えたら困るからね。

2　随伴性

主たる債務が債権譲渡などにより他に移転した場合には、保証債務もこれに伴って移転します。

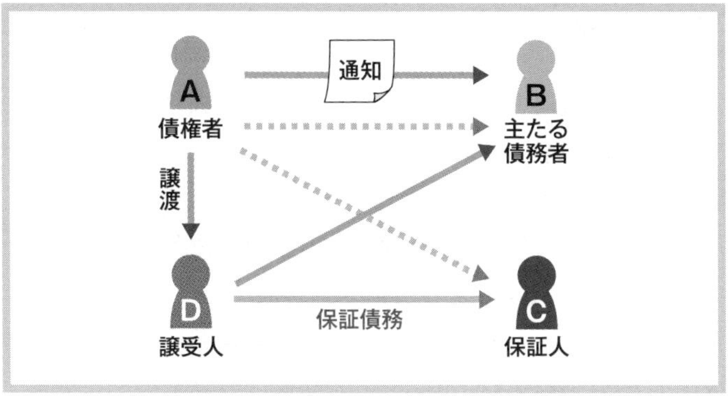

例えば、AがBに対して有する債権をCが保証している場合に、AがDに債権を譲渡し、その旨の通知をBに対して行うと、DはCに対し、保証債務の履行を請求できます。

3　補充性

比較整理
後出「❽連帯保証」には補充性がないため、催告・検索の両抗弁権は認められません。

債権者から履行の請求を受けた場合、保証人は、自分より先に、まず、**主たる債務者に催告する**ように請求できます。これを**催告の抗弁権**といいます。

また、保証人は、履行の請求を受けた場合、主たる債務者に弁済の資力があり、しかも強制執行が容易な財産であることを証明すれば、まず**主たる債務者の財産**について**強制執行**するように主張できます。これを**検索の抗弁権**といいます。

6 共同保証

比較整理
後出「❽連帯保証」には、分別の利益がありません。

１つの主たる債務について数人の保証人がいる場合を、**共同保証**といいます。共同保証の場合、各保証人は、主たる債務を保証人の頭数で等しく分けた額についてのみ、保証債務を負担します（**分別**（ぶんべつ）**の利益**といいます）。

7 保証人の求償権

R2⑽

用語解説
求償：
損害賠償や償還を求めること。要するに「立て替えたお金を返してください」と請求することです。
負担部分：
各保証人が最終的に負担（支出）すべき額のこと。

保証人が債務を履行したとき、その保証人は、主たる債務者に対して「肩代わりした金額を返してくれ」と**求償**することができます。

また、保証人が複数いる場合に、主たる債務者に代わって**弁済**した保証人は、主たる債務者の資力が十分でない場合に、他の共同保証人に対しても、その**負担部分**に応じて**求償**することができます。弁済をした保証人だけに損失を負担させるのは不公平だからです。

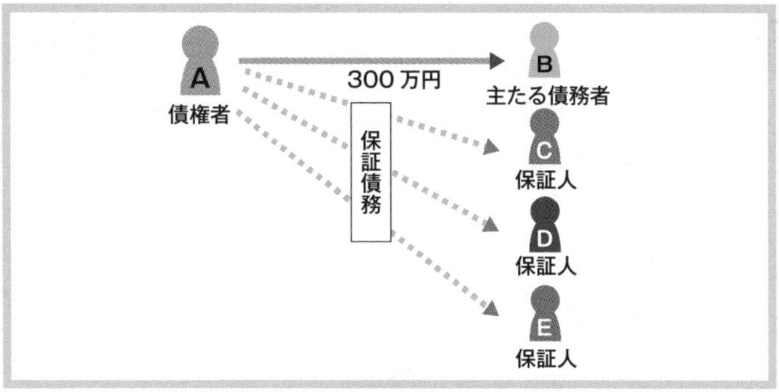

上の図で、C・D・Eの保証債務は、300万円を３人で割った100万円ずつです（分別の利益）。この場合、CがAに300万円を弁済すると、CはBに300万円を求償できるほか、D・Eに対して各100万円ずつの求償をすることができます。

要点整理　保証

- 保証契約は、債権者と保証人との契約であり、書面でしなければ、効力を生じない。
- 主たる債務者について生じた事由は、保証人にもその効力が及ぶ。これに対し、保証人について生じた事由は、弁済その他債務が消滅する事由を除き、主たる債務者にその効力を及ぼさない。
- 保証債務を履行した保証人は、主たる債務者に対し求償権を取得する。
- 主たる債務者に代わって弁済した保証人は、他の共同保証人に対し、その負担部分に応じて求償することができる。

プラスα
求償の範囲には、弁済等のあった日以後の法定利息や費用その他の損害の賠償が含まれます。

8 連帯保証

R2(10)

★プラスα
催告・検索の抗弁権や分別の利益がないことから、連帯保証は、債権者にとってとても都合がいいため、実務上の保証はほとんどが連帯保証といっても過言ではありません。

保証人が、主たる債務者と連帯して保証債務を負担することを、**連帯保証**といいます。

★プラスα
連帯保証人に対する履行の請求は、主たる債務者には効力が及びません。

いわば、債権者がより債権を回収しやすくするために、**「いきなりすべての保証人に対して全額の請求ができる」**ことを認めたものです。

例えば、「債権者Aが、Bに対する300万円の債権を担保するため、C・Dと連帯保証契約を締結し、Eとは普通保証契約を締結した」としましょう。

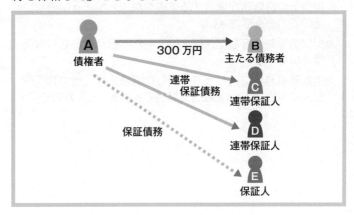

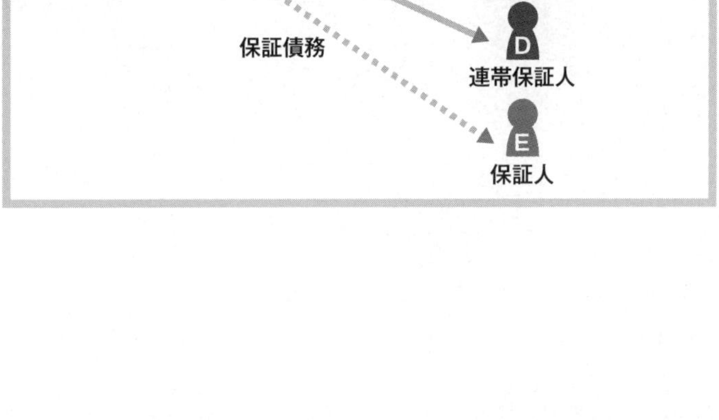

連帯保証人C・Dは、それぞれ300万円全額について保証債務を負担し（**分別の利益がありません**）、債権者Aから請求された場合、直ちに300万円全額を支払わなければなりません（**催告・検索の抗弁権がありません**）。

プラスα
普通の保証人Eには、催告・検索の抗弁権があり、分別の利益もあるため、Eの保証債務は、300万円の1／3で100万円となります。

要点整理　普通保証と連帯保証の差異

	普通保証	連帯保証
催告・検索の抗弁権、分別の利益	ある	ない

9 個人根保証　発展

R2(10)

一定の範囲に属する**不特定の債務**を主たる債務とする保証契約（**根保証契約**）であって、保証人が**法人でない**ものを、**個人根保証契約**といいます。

個人根保証契約は、**極度額**を定めなければ、**効力を生じません**。

注意
極度額が効力を生じるためには、書面または電磁的記録で定める必要があります。

第9章 連帯債務

重要ランク B

連帯債務の場合は、なんと全員が、それぞれ「債務者本人」になるんだ！

1 連帯債務とは

H29

用語解説
連帯債務：
数人の債務者が、同一内容の給付について、各人が独立して全部の弁済をすべき債務を負い、そのうちの１人が債務を弁済すれば、他の債務者も債務を免れる関係のこと。

例えば、Ａ・Ｂ・Ｃの３人がＤから3,000万円で別荘を購入した場合、Ｄは、Ａ・Ｂ・Ｃにそれぞれ1,000万円ずつしか請求できないのが原則です。ですから、１人が支払不能になってしまうと、Ｄは2,000万円しか債権を回収できません。

そこで、債権を確実に回収するために、Ｄが、Ａ・Ｂ・Ｃと「連帯債務の特約」をすると、Ｄは、Ａ・Ｂ・Ｃの**全員に対して**、それぞれ3,000万円**全額の請求**をすることができます。これが、**連帯債務**の仕組みです。

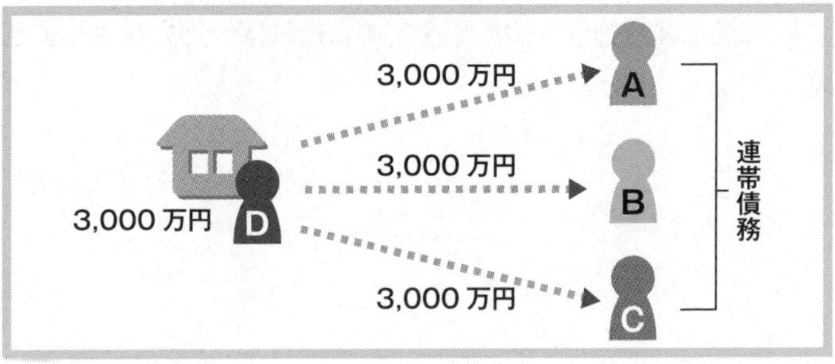

プラスα
連帯債務者中に無資力者（求償に応じて支払のできない者）がいるときは、求償者と他の連帯債務者が負担部分に応じて、その無資力者の分を負担します。

また、Ａ・Ｂ・Ｃの**負担部分**が各1,000万円の場合に、Ａが3,000万円をＤに弁済すれば、他の連帯債務者Ｂ・Ｃは、Ｄに対する債務を免れます。

そして、Ａは、Ｂ・Ｃに対し、負担部分の1,000万円ずつを請求することができます。

これを**求償権の行使**といいます。

負担部分は、あくまでも連帯債務者間の約束だから、債権者は、負担部分とは無関係に、各連帯債務者に対し債権全額の行使ができる点に注意！

ニャカ先生のひとこと

2 連帯債務者の1人に生じた事由の効力 H29.R3⑽

1　相対的効力の原則

連帯債務であっても、各債務者の債務はそれぞれ独立したものですから、連帯債務者の１人に生じた出来事は、原則として、**他の連帯債務者に効力が及びません**。

このことを、**相対的効力の原則**といいます。

ボ、ボクたち
連帯してるんだよね…

“イチ抜けた”は
ダメ～！

例えば、Aが債務を承認して消滅時効が更新しても、他の連帯債務者B・Cの消滅時効は更新しません。また、債権者Dが、Bに対して請求しても、A・Cに請求の効力は生じません。

プラスα
連帯債務者の１人について、法律行為の無効または取消しの原因があっても、他の連帯債務者の債務は有効です。

注意
連帯債務者の１人に対して「**履行の請求**」「免除」を行っても、他の連帯債務者には効力が及びません。

重要
原則は相対的効力であり、例外が絶対的効力です。ですから、例外の**絶対的効力**だけをしっかり覚えて、「あとは相対的効力」と考えましょう。

2　絶対的効力

連帯債務者の**１人**が**債務全額を弁済**すると、他の連帯債務者の債務も**消滅**します。

このように、他の連帯債務者に影響を与える事由を、**絶対的効力**または**絶対効**といいます。

> 債権者が、よりお金の取り立てをしやすくなるように、また、債務者ができるだけ簡単にお金の支払を済ませられるようにすることが目的だよ！

これには、**弁済**のほかに、次の①～③があります。

① 更改（旧債務を消滅させ、新債務を成立させること）

連帯債務者の１人と債権者との間に更改があったときは、債権は全ての債務者のために消滅します。

② 混同（債権者・債務者の地位が同一人に帰すること）

例えば、連帯債務者の１人が債権者を単独相続すると、混同が生じます。そして、混同によって、その連帯債務者は弁済したとみなされ、他の連帯債務者も債務を免れます。

③ 相殺

連帯債務者の１人が、債権者に有する反対債権で相殺すると、他の連帯債務者も**相殺した額の範囲で債務を免れます**。

また、反対債権を有する連帯債務者が相殺しない場合、他の連帯債務者は、反対債権を有する債務者の**負担部分の**範囲で、**債務の履行を拒む**ことができます。

用語解説
更改：
例えば、代金の支払債務を消滅させ、代わりにマンションの引渡債務を発生させるように、**旧債務を消滅**させるとともに、新たな債務を発生させる契約のこと。

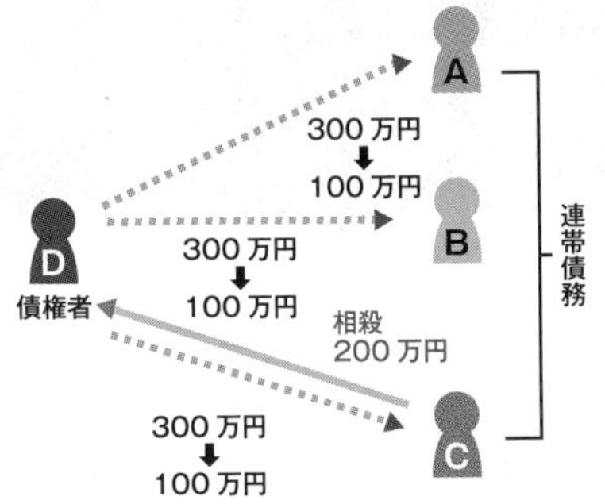

Dに対して200万円の反対債権をもつCが相殺すると、200万円を弁済したのと同じことになるから、A・B・Cの連帯債務の額はそれぞれ100万円となるんだ。

また、Cが自ら相殺しない場合、A・Bは、Cの負担部分の範囲である100万円について債務の履行を拒むことができるんだ。

要点整理　連帯債務

性　質	債権者は、連帯債務者の１人または全員に対し、同時または順次に債務全額を請求できる
絶対効	更改・混同・相殺
相対効（原　則）	請求、支払の猶予・承認（時効更新の効力が生じる）など
求　償	債務を消滅させた者は、各自の負担部分の割合に応じ、他の連帯債務者に求償できる

第10章 債権譲渡

重要ランク B

債権譲渡とは「相手に特定の行為を請求できる権利」を第三者に売却すること。“モノの売買”との違いが重要！

1 債権譲渡とは

H26.28.30.R3(10)

プラスα
たとえ将来発生する債権（将来債権）であっても、譲渡することができます。

例えば、Aが、Bから1年後に返済してもらえる1,000万円の金銭債権を今すぐお金に換えたい場合、その債権を、第三者Cに売却することができます。

このように、債権者（**譲渡人**）と第三者（**譲受人**）との間で行われる「債権を譲渡する行為」を、**債権譲渡**といいます。

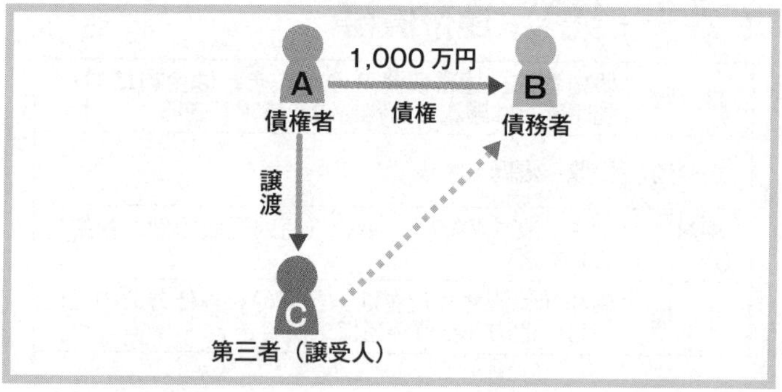

プラスα
債務者は、譲渡制限の意思表示がされた金銭債権が譲渡された場合、債権金額を履行地の供託所に供託できます。

AC間の**債権譲渡は自由**に行うことができ、それについて**債務者Bの承諾**は**不要**です。しかし、Bが、債権者が変わることを望まない場合は、あらかじめAB間で**特約**（**譲渡制限の意思表示**）を結ぶことができます。

そして、この意思表示について**悪意・重過失の第三者**（特約の存在を知っている、または、知らないことについて**重過失がある譲受人**）に対して、**債務者**は、**履行**を**拒むことができます**。

単なる過失ではなく「重過失」が必要であることに注意してね。

要点整理　債権譲渡

- 譲渡人と譲受人との契約で債権を譲渡できる。
- 譲渡制限の意思表示をすれば、その意思表示について悪意・重過失の第三者に対する履行を拒むことができる。

2 債権譲渡の対抗要件

H28.R3(10)

債権譲渡は、**債権者と譲受人との契約**だけで**効力が生じ**、**債務者の承諾は不要**です。

つまり、債務者が知らなくても、債権は有効に移転します。

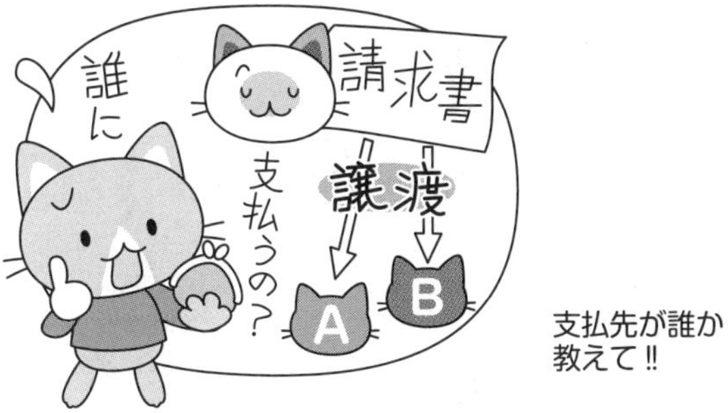

しかし、知らない人がいきなり取立てにきても、債務者は、その人に本当にお金を払ってよいのかどうかわかりません。

そこで、譲受人が債務者に対して債権を行使するには、次の①②の**いずれか**の**対抗要件**を備える必要があります。

① **譲渡人から債務者への債権を譲渡した旨の通知**

② **債務者の承諾（譲渡人・譲受人のどちらに対する承諾でもよい）**

「債権を△△さんから譲り受けた」という**譲受人**からの通知は、ウソの可能性もあるから**信頼できない**よ。だから、**譲渡人からの通知**が必要なんだね。

プラスα
譲渡人が通知をしない場合でも、譲受人は、譲渡人に「代位して」通知できません。しかし、譲受人が、譲渡人の「代理人」となって、債務者に通知することはできます。

第10章　債権譲渡

要点整理 債権譲渡の対抗要件

債務者への対抗要件	通知	譲渡人から債務者への通知
	承諾	債務者から譲渡人または譲受人に対する承諾（どちらでも可）

3 第三者に対する対抗要件

R3(10)

Aが、Bに対する債権を、CとDとに二重に譲渡した場合、C・Dのどちらが、Bに対して「お金を払って」と言えるかが問題になります。

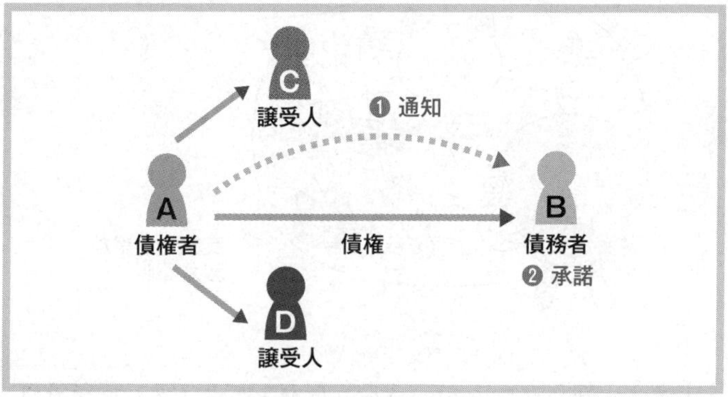

債権がCとDとに二重に譲渡された場合、どちらの譲受人が取り立てることができるかは、内容証明郵便などの**❶確定日付のある通知**、または、**❷確定日付のある承諾**を、CとDのどちらが得たかによって決まります。

① 一方が確定日付のある通知・承諾を有していれば、その者が、債権者として債務者に債務の履行を請求することができます。

② また、どちらの譲渡についても、確定日付のある通知が備えられた場合は、それらが債務者に**先に到達したほう**が勝ちます。この場合、**到達の先後**（せんご）で決まるのであっ

て、**通知自体に記載された確定日付の先後ではない**点に、注意が必要です。

確定日付のある通知が同時に到達した場合には、いずれの譲受人も債務者に債務の履行を請求できるけど、債務者はいずれか一方に支払えば足りるんだ。

結局、先に請求したほうが勝つということだね。

要点整理　債務者以外の第三者への対抗要件

●通知または承諾につき、確定日付のある証書をもって行うことが必要

ケース	効　果
一方のみが確定日付を備えた場合	備えた者が優先する
双方が確定日付を備えた場合	債務者に先に到達したほうが優先する＊1
確定日付のある通知が同時に到達した場合	双方が債務者に請求できる＊2

＊1：確定日付の「日付」の先後は関係しない
＊2：債務者は、いずれか一方に対して支払えば足りる

4 債権譲渡における債務者の抗弁

債務者は、対抗要件を備える時までに譲渡人に対して生じた事由を、譲受人に対抗できます。

例えば、債務者が債権者に債務を弁済した後、債権者が消滅したはずの債権を第三者に譲渡した場合、債務者は、譲受人からの請求を拒むことができます。

また、債務者は、対抗要件を具備する時より前に取得した譲渡人に対する債権による相殺を、譲受人に対抗できます。

第11章 債務不履行と契約の解除

重要ランク A

契約違反されちゃったよ～!!　さて、どんな手を打つことができるの？

1 債務不履行

H26.27.R2(12)

例えば、次の図のように、売主Ａと買主Ｂが建物の売買契約を締結した場合、売主Ａには**代金請求権**、買主Ｂには**建物の引渡し請求権**という債権が、それぞれ発生します。

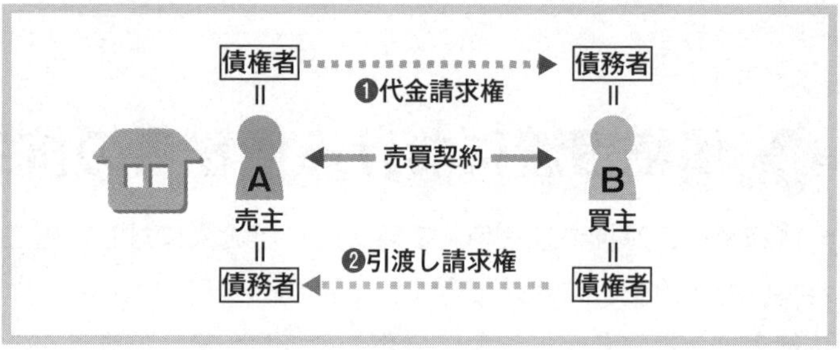

この場合、「**❶代金請求権**」に着目すると売主Ａが債権者で買主Ｂが債務者となり、「**❷建物の引渡し請求権**」に着目すると、買主Ｂが債権者で、売主Ａが債務者になります。

契約した者が、自分の**債務の本旨に従った履行**をしないことを**債務不履行**といいます。そして、片方が債務不履行になると、相手方は**損害賠償の請求**や、**契約の解除**ができます。

このような債務不履行には、主に、次の「**1　履行遅滞**」と「**2　履行不能**」の２種類があります。

1　履行遅滞

R元.2(12).6

契約で決められた期日（**履行期**）に、債務者が債務の本旨に従った履行をしないことを、**履行遅滞**といいます。

債務者が履行遅滞になると、債権者は**損害賠償を請求**（**債務者の責めに帰すべき事由が必要**）できるほか、強制執行や**契約の解除**（帰責性は不要）をすることができます。

債務者が履行遅滞となるのは、次の①②の**条件**がそろった場合です。

① **履行が可能にもかかわらず、履行期が過ぎたこと**
② **同時履行の抗弁権等を主張できない場合であること**

同時履行の抗弁権とは、当事者の債務が同時に履行すべき関係にあるときに、相手方が債務の履行を提供しなければ**自分の債務の履行を拒否**できる権利のことなんだ。
同時履行の抗弁権が主張できるときは、履行しないことに違法性がないから、履行遅滞にならないんだよ。

例えば、下の図で買主Bは、Aが約束の期日である７月１日に建物を引き渡そうとしないときは、代金の支払を拒否しても履行遅滞の責任を負わないんだ。

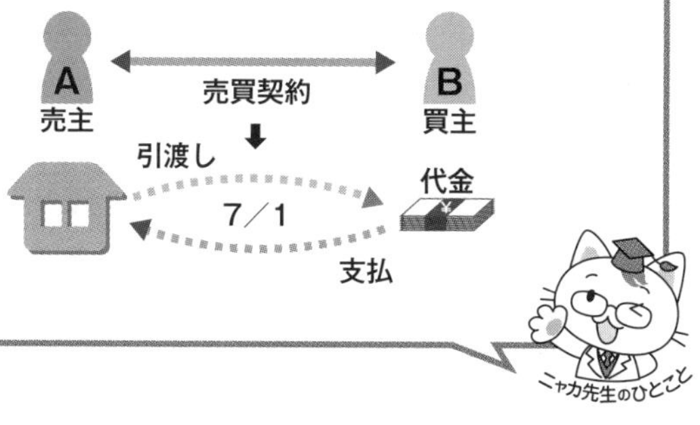

比較整理
損害賠償の請求は、**債務者に帰責性がある場合にのみ**認められますが、一方で、契約の解除には、債務者の帰責性は不要です。

プラスα
[同時履行となるもの]
- 契約が取消し・無効となった、または解除された場合の当事者の原状回復義務
- 弁済と受取証書の交付
- 売買の目的物引渡しと代金支払
- 請負の目的物引渡しと報酬支払

[同時履行とならないもの]
- 弁済と抵当権登記の抹消（弁済が先）
- 賃借家屋の明渡しと敷金の返還（明渡しが先）

2　履行不能

R2(12)

例えば、中古建物の売買契約が成立した後、その建物の所有者である売主の不注意で建物が全焼し、引渡しができなくなってしまった場合のように、債務の履行が不可能になることを**履行不能**といいます。

相手方が履行不能になると、債権者は、**損害賠償の請求**（**債務者の責めに帰すべき事由が必要**）や**契約の解除**（帰責性は不要）ができます。

要点整理　履行遅滞と履行不能

	定　義	効　果	債務者の帰責性
履行遅滞	債務の履行が期日に遅れたこと	損害賠償請求	必　要
		解　除	不　要
履行不能	債務の履行が不可能になったこと	損害賠償請求	必　要
		解　除	不　要

3　損害賠償

H26.27

①　損害賠償の範囲

債権者は、債務不履行によって損害を被った場合で、債務者に帰責性があるときは、原則として金銭で損害賠償を請求することができます。そして、その損害賠償の範囲は、次のとおりです。

ア　原則

通常生じる範囲の損害（**通常損害**）について、**賠償請求**をすることができます。

例えば、住宅の引渡しが遅滞したことによって、買主がやむを得ずアパートを賃借した場合の賃借料等は、通常損害として、当事者があらかじめ予見していなくても請求することができます。

イ　例外

特別の事情によって生じた損害（**特別損害**）は、当事者がその**事情を予見**すべきであったときに**限って、賠償請求**をすることができます。

例えば、転売目的の不動産売買で、売主の引渡しが遅滞したことによって転売価格が下落してしまった場合の下落分等は、特別損害となります。

②　損害賠償額の予定

相手方が債務不履行になったことを理由に損害賠償の請求をするには、原則として、債権者が損害の発生や損害額を証明しなければなりません。

この面倒な手間を省くために、**あらかじめ一定の賠償額の支払について合意**しておくことを、**損害賠償額の予定**といいます。

損害賠償額の予定をしておけば、債権者は、相手方の債務不履行の事実さえ証明すれば、損害の発生や損害額について証明しなくても、予定した金額を請求できます。

たとえ実際の損害額が、予定した金額より小さくても大きくても、当事者は**損害賠償の額を増減できません**。

なお、**違約金**は、**損害賠償額の予定と推定**されます。

要点整理　損害賠償額の予定

意義	●当事者があらかじめ賠償額を定めておくこと ●違約金は**賠償額の予定と推定**される
効果	●損害の発生や損害額の証明は、不要 ●損害額は、常に予定額となる

判例
賠償額の予定が暴利行為として公序良俗違反により無効となる場合、裁判所は、損害賠償額の減額をすることができます。

プラスα
債務不履行に関して債権者にも過失があるとき、裁判所は、損害賠償の責任とその額を定めるにあたって、**債権者の過失を考慮**します。この過失相殺により、予定額は**減額**されることがあります。

4　金銭債務の特則

R2(12)

売買代金の支払債務のように、金銭の支払を目的とする債務を**金銭債務**といいます。**金銭**は**価値そのもの**であって、**誰でも調達が可能**であるという**特殊性**から、次のような**特則**があります。

①　無過失責任

金銭債務の債務者は、故意・過失がなくても、債務不履行責任を負います。

②　常に履行遅滞

金銭債務は履行不能とならずに、常に履行遅滞となります。

③　損害賠償額（遅延損害金）

遅延損害金の額は、遅滞の責任を負った最初の時点の**法定利率**によります。**約定利率**（やくじょう）が法定利率より**高い場合**は、**約定利率**によります。

> **プラスα**
> 法定利率は年３%ですが、３年ごとに見直しがされます。

④　立証責任なし

債権者は、損害賠償の請求をするにあたり、損害の発生及び損害額を証明する必要がありません。

要点整理　金銭債務の４つの特則

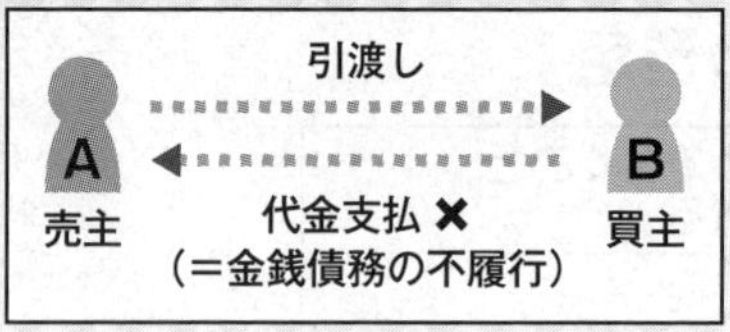

❶　無過失責任
❷　常に履行遅滞
❸　損害賠償額は法定利率
❹　立証責任なし

② 契約の解除

R2(10).3(10)(12)

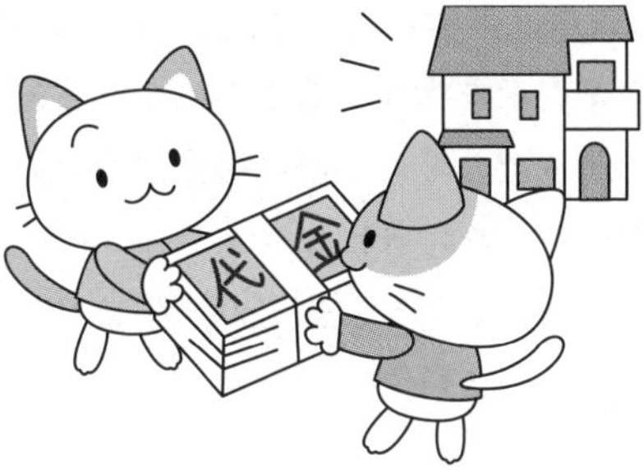

お金は返すから、
おウチを返してね！

1　債務不履行による契約の解除の要件

R2(10).6

①　催告による解除

相手方が債務を履行しない場合、債権者は、**相当の期間**を定めてその**履行の催告**をし、その期間内に**履行がない**ときに**初めて解除**することができます。

ただし、債務の不履行が**軽微**であるときは、解除することが**できません**。

②　催告によらない解除

次の場合、債権者は**催告なし**で、**直ちに解除**できます。

- 債務の**全部の履行が不能**（**履行不能**）
- **債務者**が債務の**全部の履行を拒絶**する意思を明確に表示した
- 債務の一部の履行が不能である場合、または債務者が債務の一部の履行を拒絶する意思を明確に表示した場合に、**残存する部分のみ**では契約をした**目的を達することが不可能**
- 契約の性質または当事者の意思表示により、特定の日時または一定の期間内に履行をしなければ契約をした目的を達することができない場合に、履行のないまま時期を経過した
- 催告をしても契約をした目的を達するのに足りる履行がされる見込みがないことが明らか

判例
不相当に短い期間を定めた催告も「即・無効」となるわけではなく、催告があったときから客観的に相当の期間が経過していれば、解除できます。

注意
債務不履行が、債権者**の責めに帰すべき事由**（帰責事由）によって生じた場合、債権者は、その債務不履行を理由として**契約の解除**をすることができません。

★プラスα
解除の意思表示に条件等を付けることは、原則としてできません。ただし、「1ヵ月以内に履行がないときは、改めて解除の意思表示をしなくても、契約は解除される」というような意思表示をすることは可能です。

2　契約の解除の方法

解除は、相手方に対する**一方的な意思表示のみ**で効力が生じ、**相手方の承諾は不要**です。また、いったん解除をすると、その解除の意思表示を撤回することはできません。

契約当事者が多数の場合、解除の意思表示は**全員から**、または**全員に対して**しなければなりません。

なお、契約を解除しても、損害が発生すれば、**併せて損害賠償請求をすることも可能**です。

3　契約の解除の効果

R3(12)

契約が解除されると、契約は最初からなかったことになります。例えば、次のように、ＡＢ間で建物の売買契約が成立して、Ａは手付を受領し、Ｂは建物の引渡しを受けました。その後、Ｂの残金不払を理由に、Ａが契約を解除した場合は、どうなるのでしょうか。

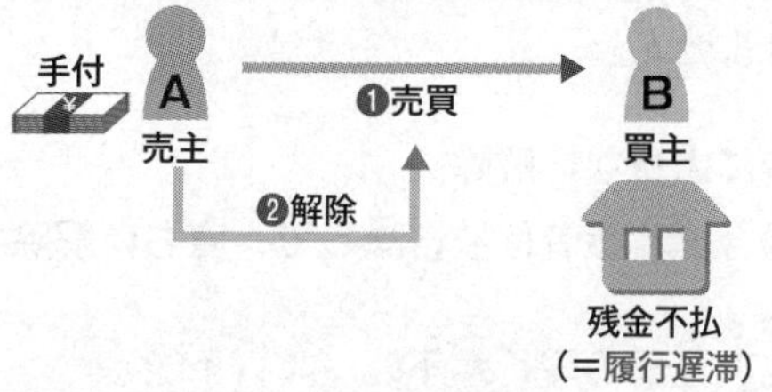

★プラスα
売買の場合とは違って、賃貸借や委任等のように、継続的な契約の解除には、さかのぼる効果はありません。したがって、賃貸借や委任契約を解除すると、将来に向かってのみ効力が生じます。

① Ａは、受領していた**手付**をＢに返還しなければならず、さらに、手付を受領した時からの**利息**も返還しなければなりません。

② これに対して、Ｂは、**建物**をＡに返還しなければならず、さらに建物の引渡しを受けた時以後に生じた**果実**(例えば、その建物を第三者に賃貸することによって得た賃料など）や**使用料相当額**も返還しなければなりません。

この場合、**両者**の返還（**原状回復義務**）は、**同時履行の関係**に立ちます。

要点整理　契約の解除

行使	●解除は、相手方に対する意思表示によって行う（相手方の承諾は不要）
	●解除の意思表示は、撤回することができない
	●当事者が数人いる場合、全員からまたは全員に対してする必要がある
	●契約はさかのぼって消滅する。ただし損害賠償請求は妨げない
効果	●履行前の債務は消滅し、既に履行した部分は同時履行で返還することが必要。 ●受領の時からの利息や受領の時以後に生じた果実・使用料相当額を相互に返還しなければならない

4　契約の解除と第三者との関係

①　契約解除前の第三者

例えば、A所有の土地がA➡B、B➡Cと売却された後、AB間の売買契約を、Bの債務不履行を理由にAが解除しました。

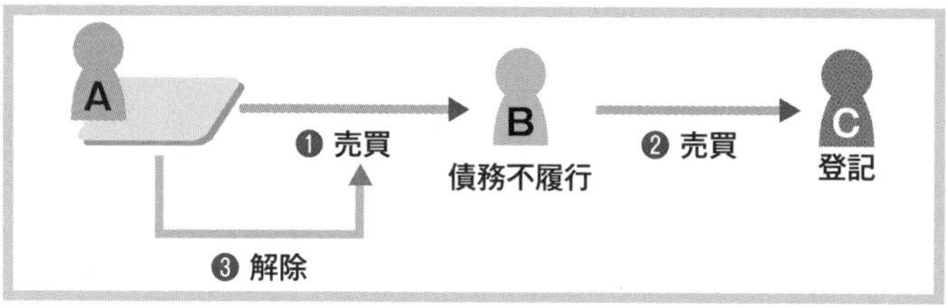

この場合、Aは、**第三者Cの善意・悪意を問わず、Cが登記を備えていれば**、Cに対して土地の返還請求をすることができません。

プラスα
結局、契約の解除のケースでは、**第三者に登記があれば**、解除前の第三者・解除後の第三者のいずれの場合も、第三者の勝ちになります。

②　契約解除後の第三者

例えば、AとBが、Aの所有地の売買契約を締結しましたが、Bの債務不履行を理由にAが契約を解除した場合で、その後Bが、その土地をCに売却しました。

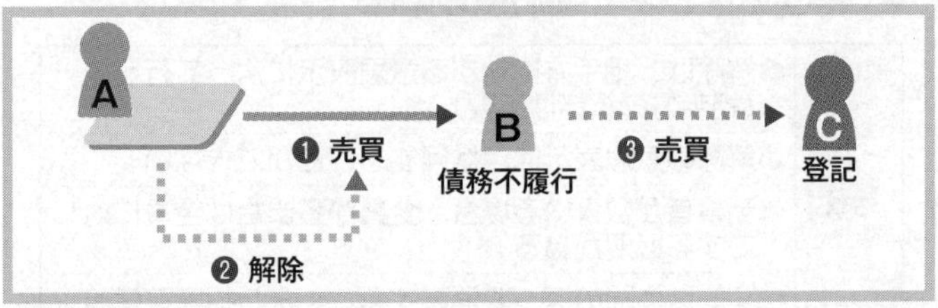

この場合、AとCは、**先に登記を備えたほうが土地の所有権を他方に主張する**ことができます（つまり、対抗関係に立ちます）。

要点整理　契約の解除と第三者

●解除前の第三者
解除によって、登記を備えた第三者の権利を害することはできない（第三者の善意・悪意を問わない）。

●解除後の第三者
解除をした者と解除後の第三者間の優劣は、「登記」の先後で決する（対抗関係に立つ）。

③ 危険負担

R2(10)(12).3(12)

1　原　則

例えば、中古建物の売買契約が成立した後、引渡し前に、地震などの**不可抗力**により建物が**滅失**してしまった場合、**売主と買主の債務はどうなるのか**が、**危険負担**の問題です。

当事者双方の責めに帰することができない事由によって債務を履行することができなくなった場合、債権者は反対給付の履行を拒むことができます。

したがって、建物について売主の引渡し債務が消滅する一方、買主は代金支払債務の履行を拒むことができます。

2　債権者の責めに帰すべき事由がある場合等

一方、買主の責めに帰すべき事由によって、建物の引渡しができなくなったときは、買主は代金支払債務の履行を拒むことができません。

ただし、売主はそれによって得た**利益**を**買主に返還**する必要があります。

プラスα
債務者が履行遅滞に陥った後、天災等の不可抗力により目的物が滅失した場合、債務者は**債務不履行責任**を負います。

第12章 弁済・相殺

重要ランク B

弁済とは、例えば「借金をなくすこと」、相殺とは「簡単にお互いの債務をなくす仕組み」のことだよ！

1 弁 済

H25

★プラスα
債務者は、弁済の提供をすれば、債権者が受領しなくても債務不履行責任を負いません。また、弁済の提供をしたにもかかわらず、債権者に受領を拒否された場合、債務などを消滅させるために供託することができます。

1　弁済・弁済の提供

例えば、「買主が代金を払う」「売主が売った家や宅地を引き渡す」「借金をした人が借金を返済する」というように、**約束したとおり債務を実行すること**を「**弁済**」といいます。

債務者が弁済の提供をして、これを債権者が受領すれば、債権は消滅します。

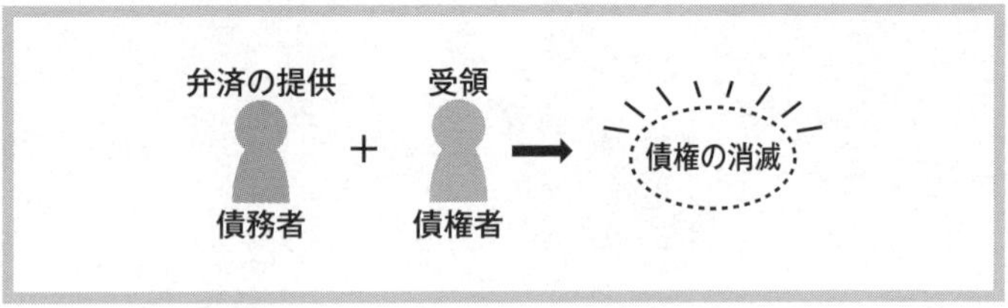

① **弁済の提供**とは、債務者が弁済の準備をして債権者の受領を促すことをいい、**現実の提供**をしなければならないのが原則です。

② ただし、債権者があらかじめ受領を拒絶している場合は、債務者は**口頭の提供**をすれば、それで足ります。

用語解説
口頭の提供：
現実の提供ができるように準備して、その受領を催告すること。

2　代物弁済

例えば、弁済者が、「現金100万円を支払う代わりに、自分の120万円相当のクルマの引渡しをする」と合意した場合のように、弁済者が債権者との間で、**本来の債務の代わりに**「他の物を給付することによって債務を消滅させる」旨の契約をし、**他の物を給付**することを、**代物弁済**といいます。

そして、代物弁済によって、債権は消滅します。

プラスα
代物弁済は**契約**ですから、民法上、本来の給付と代物弁済の給付が同価値である必要はありません。

ただし、代物弁済として給付した物に**不適合**があった場合は、契約不適合責任を負わなければならないことに注意してね。

このように、代物弁済は債権者と弁済者の契約により生じますが、物の引渡しをしない限り、債権は消滅しません。

なお、不動産で代物弁済をする場合は、第三者に対する**対抗要件**を備えるために、**所有権の移転の登記**などを完了しなければ、弁済の効果は生じません。

3　受取証書・債権証書

弁済する者は、受領する者に対して、受取証書（領収書）や債権証書（借用書など）の交付を請求することができます。

① 弁済と受取証書の交付は、同時履行の関係に立ちます。

② 一方で、弁済と債権証書の交付は同時履行の関係に立たず、弁済が先履行となります。

プラスα
弁済をする者は、受取証書の交付に代えて、その内容を記録した電磁的記録の提供を請求できます。ただし、弁済を受領する者に不相当な負担を課するものであるときは、請求ができません。

4　第三者の弁済

H25

弁済は、債務者本人がすべきですが、債務者以外の第三者も、次のように、**弁済することができます**。

①　弁済について正当な利益を有しない第三者

親・兄弟など、**正当な利益を有しない第三者**は、債務者**の意思に反して弁済をすることができません**。ただし、**債務者の意思に反する**ことを債権者が**知らなかった**場合には、有効となります。

また、**正当な利益を有しない第三者**は、債権者の意思に反して**弁済をすることができません**。ただし、その第三者が債務者の委託を受けて弁済する場合に、**債権者**がそのことを**知っていた**ときは、**有効**となります。

判例
借地上の建物の賃借人は、その敷地の地代の弁済について正当な利益を有する者として弁済できます。

②　弁済について正当な利益を有する第三者

物上保証人・第三取得者などの、正当な利益**を有する第三者**は、**債務者・債権者の**意思に反しても弁済することができます。

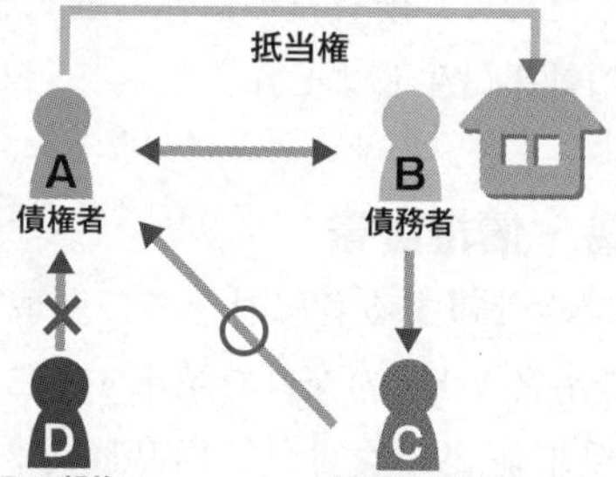

例えば、債務者Bが反対の意思を示していると、弁済につき正当な利益を有しない親族Dは弁済することができないよ。

でも、担保不動産の第三取得者である買主Cは、債務者Bが弁済しないと抵当権の実行により不動産を失ってしまうから、Bの意思に反しても弁済することができるんだ。

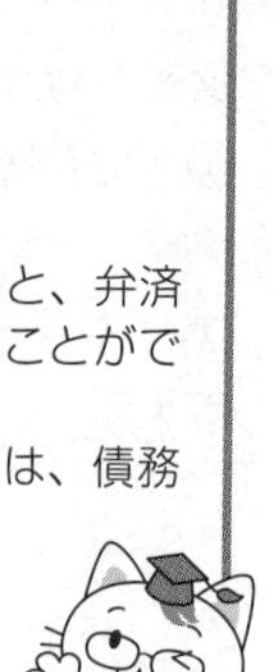

③　弁済による代位

第三者が弁済した場合、その第三者は、債権者が有していた債権を債務者に対して行使できるとともに、その債権を担保していた抵当権等が、第三者に移転することになります。これを**弁済による代位**といいます。

[弁済による代位]

弁済をすることに正当な利益を有しない第三者	債権譲渡の対抗要件（債務者への通知または債務者による承諾）を備えることにより、弁済によって債権者に代位する
弁済をすることに正当な利益を有する第三者	弁済によって、当然に債権者に代位する

5　弁済受領権限のない者に対する弁済　R元

弁済は、債権者に対して行うべきですから、弁済を受領する権限のない者に対して弁済しても、原則として無効です。

ただし、受取証書の持参人など、取引上の社会通念に照らし、**受領権者に外観上見える者**に対して、債務者が、**善意無過失**で弁済した場合、例外として、**弁済は有効**と扱われます。

プラスα
例えば、通帳と印鑑の持参人に対して銀行が善意無過失で預金を払い戻した場合、その持参人が本来の預金者でなくても、銀行の債務は原則として消滅します。

なお、それ以外の者に対する弁済は、例えば、債権者が受領した者から弁済した物を受け取ったなど、債権者が利益を受けた限度でのみ、効力を有します。

6　弁済の充当

債務者が、元本のほか、費用や利息も支払う必要がある場合に、弁済した額がこれらの全額に満たないときは、「**費用➡利息➡元本**」の順に、弁済した金額が充当されます。

2 相殺（そうさい）

H28.30.R5

★プラスα
双方の債権が同種の目的を有すれば、債権額、履行期、履行地が異なっていても相殺することができます。

例えば、A・Bの２人が、お互いに相手方に対して金銭債権を有しているように、**当事者間に同じ種類の債権**が対立している場合、その一方の当事者の**意思表示**だけで、同じ額（対当額）の範囲で債権を消滅させることを、**相殺**といいます。

『相殺します』と**相殺の意思表示**をする者が持っている債権を「**自働債権**」といい、これに対応する相手方の債権を「**受働債権**」といいます。

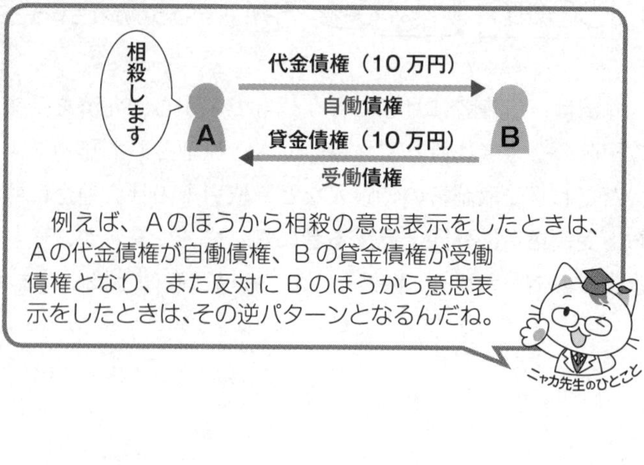

相殺します
代金債権（10万円）
自働債権
A
B
貸金債権（10万円）
受働債権
例えば、Aのほうから相殺の意思表示をしたときは、Aの代金債権が自働債権、Bの貸金債権が受働債権となり、また反対にBのほうから意思表示をしたときは、その逆パターンとなるんだね。
ニャカ先生のひとこと

１　相殺の要件

H30.R5

当事者間に同種の債権が存在している場合、双方の債権の弁済期が到来した時に相殺できるのが原則です。これを**相殺適状**（相殺に適した状態）といいます。

ただし、**自働債権の弁済期が到来**すれば、受働債権の弁済期が到来していなくても、**期限の利益を現実に放棄して**相殺することができます。

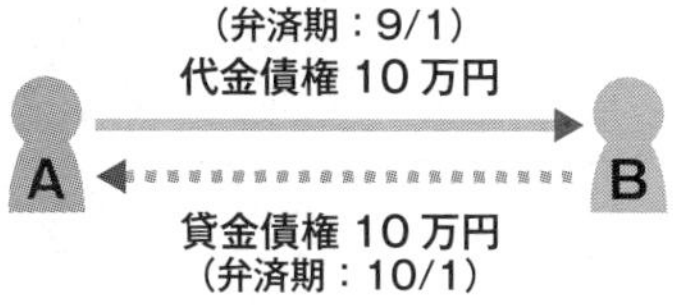

９月１日になればＢの支払期日が到来するので、Ａはその日以降、代金債権を自働債権として相殺することができる。

対して、Ｂは、10月１日にならないとＡの支払期日が到来しないので、貸金債権を自働債権として相殺できるのは、10月１日以降ということになるんだ。

２　相殺の効果

相殺をすると、双方の債権は、**相殺適状が生じた時にさかのぼって**、その**対当額**において**消滅**します。

例えば、両債権の弁済期が10月10日である場合に、10月20日に相殺が行われると、両債権は「10月10日に消滅」したことになります。

3　時効で消滅した債権を自働債権とする相殺　H30

相殺するためには、双方の債権が有効に存在することが前提となります。

ただし、債権が時効によって消滅していても、**消滅する前**に相手方の債権と**相殺適状**になっていた場合は、その消滅した債権を**自働債権**として、**相殺**ができます。

例えば、9月1日に相殺適状になっていた代金債権が10月1日に時効で消滅しても、10月10日に相殺することができるんだ。いったん相殺適状になれば、普通は「その時に決済された」と考えられるからだよ。

4　不法行為等の場面での相殺　H28.30

プラスα
悪意によらない、単なる物損事故のような場合であれば、①②に該当しないので、加害者からの相殺も可能です。

①悪意による不法行為に基づく損害賠償の債務、**②人の生命または身体の侵害による損害賠償の債務**の2種類は、**受働債権**として相殺をすることができません。

不法行為の誘発を防止することや被害者に現実の救済を受けさせるためです。

例えば、AがBにお金を貸していたところ、たまたま誤ってAがBを車ではねて大ケガをさせてしまい、被害者Bが加害者Aに対して、不法行為による損害賠償債権を取得した場合、上記の②にあたるので、加害者であるAからの相殺（損害賠償債権を受働債権とする相殺）は認められません。

しかし、これは、不法行為の被害者を保護するためですから、**被害者**である**Bからの相殺**（**損害賠償債権を自働債権とする相殺**）は、**認められます**。

5　差押えを受けた債権

H30

債権が第三者から差押えを受けた場合、**差押えの時期**により、相殺できるかどうか、**結論が変わります**。

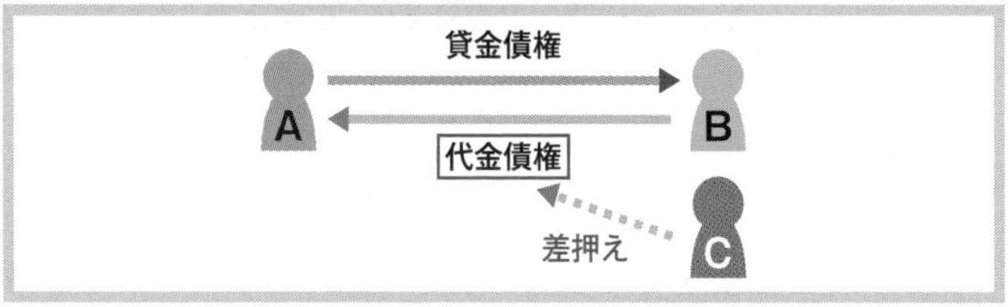

① Bの代金債権をCが差し押さえた場合は、まず、Bは、差押えによって代金債権を行使することができなくなりますから、Bからの相殺はできません。

② そして、Aは、Cの差押えより先に貸金債権を取得していれば、相殺をCに対抗できますが、貸金債権の取得がCの差押えよりも後であれば、原則として、**相殺**をCに**対抗**できません。

既に支払の差止めを受けているからです。

要点整理　相　殺

- 相殺により、双方の債権は、対当額の範囲で、相殺適状の時にさかのぼって消滅する。
- 自働債権の弁済期が到来すれば、受働債権の弁済期が未到来であっても、相殺できる。
- 自働債権が時効消滅しても、時効消滅前に相殺適状に達していれば、消滅した債権を自働債権として相殺できる。
- 悪意による不法行為等によって生じた損害賠償債務を受働債権とする加害者からの相殺はできない。
- 差押え後に取得した債権による相殺は、差押債権者に対抗できない。

プラスα

他人の差押えを受けると、その債権は実質的に凍結されたことになります。
ですので、債務者は債務を弁済することができなくなり、債権者はその債権を処分することができなくなるのです。

プラスα

差押え後に取得した債権が差押え前の原因に基づいて生じたものであるときは、相殺することができます。

第13章 売買

重要ランク S

やっと叶った念願のマイホーム♪　……なのに、欠陥住宅だったら、そんなの許せないよね。

1 手付による解除

R2(10).3(12)

プラスα
証約手付とは、契約をした証拠として交付する手付で、すべての手付は少なくとも証約手付の性質をもちます。また、違約手付とは、債務不履行があった場合の違約金（違約罰）として交付する趣旨の手付です。

プラスα
売主が手付による解除をするためには、買主に対し単に手付の倍額を償還する旨を告げる等では足りず、倍額について『現実の提供』を行うことが必要です。

売買契約を締結するときに、契約の証拠として、買主から売主に対して支払われるお金のことを、**手付**といいます。

手付には、証約（しょうやく）手付、違約手付などさまざまなものがありますが、民法上、**手付**と呼ばれるものは**すべて**、**「解約手付」と推定**されます。

解約手付とは、**相手方が契約の履行に着手**するまで、買主の場合はその**手付を放棄**し、売主の場合はその**倍額を現実に提供**すれば、**理由なしに契約の解除**ができる、という性質をもちます。

したがって、手付による解除が行われた場合、債務不履行の場合と異なり、**損害賠償の問題は生じません**。

❷ 手付による解除のポイント

H29.R2⑽.3⑿

手付解除は、自分が履行に着手していても、相手方が履行に着手していなければ、することができます。つまり、解除の可否は**相手方の履行の着手**の有無で決まります。

履行の着手とは、例えば、売主が移転登記のための測量をしたとか、実際に買主が中間金を支払った、という場合を指し、単に中間金を準備しただけでは履行の着手とはいえないんだ。

[手付解除の可否]　（○＝解除できる、×＝解除できない）

事　　例	A	B
Aは履行に着手したが、Bは履行に着手していない	○	×
Aは履行に着手していないが、Bは履行に着手した	×	○
AもBも、履行に着手していない	○	○
AもBも、履行に着手した	×	×

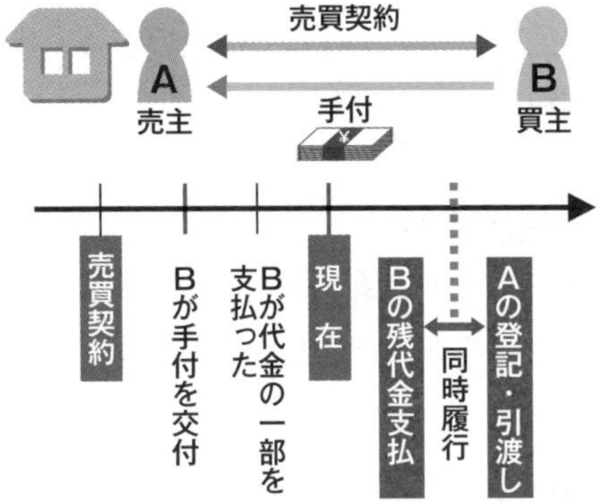

- 「現在」では、Bは、手付を放棄して解除できますが、Aは、Bが履行に着手しているので、手付の倍返しをしても解除できません。
- Bは、手付による解除をした場合、支払った代金の一部（中間金）の返還を求めることができます。

注意

手付の交付がされていても、相手方に債務不履行があれば、これを理由として、契約の解除をすることは可能です。
この場合、手付はまず、いったん原状回復として返還しなければならず、それから手付とは無関係に、債務不履行による損害賠償請求をするという流れになります。

第13章　売買

要点整理 解約手付

手付解除の方法	買主は手付を放棄し、売主は手付の倍額を現実に提供すれば、契約を解除することができる
解除の時期	相手方が履行に着手するまで
効果	●契約は、さかのぼって消滅する ●損害賠償請求はできない

3 契約不適合責任（売主の担保責任）

H26.28.29.R元.2(12).3(10).6

例えば、「マイホームを購入したら欠陥住宅だった」という場合、引き渡されたマイホームは、契約の内容に不適合ということになります。そのため、売主は、買主に対して責任を負わなければなりません。買主は、欠陥がない住宅であることを前提に、売買契約を締結し、代金を支払っているからです。

この場合、買主は、売主に対して**住宅の修補**や**代替物の引渡し・代金の減額**などの請求ができます。

1 買主の追完請求権

引き渡された目的物が種類・品質または数量に関して契約の内容に適合しないときは、買主は売主に対し、次の**請求**をすることができます。

① **目的物の修補**
② **代替物の引渡し**
③ **不足分の引渡しによる履行の追完**

ただし、契約内容の不適合が**買主の責めに帰すべき事由**によるものである場合、**買主**は、このような請求ができません。

プラスα
買主に不相当な負担を課すものでないときは、売主は、買主が請求した方法とは異なる方法によることができます。

2　買主の代金減額請求権

買主が売主に対して、原則として、相当の期間を定めて**1**の履行の追完の催告をし、その期間内に履行の追完がない場合、買主は、**不適合の程度**に応じて**代金の減額を請求**することができます。

しかし、次の場合は、買主は、催告することなく、直ちに代金の減額を請求できます。

① 履行の追完が**不能**であるとき
② 売主が履行の追完を**拒絶する意思を明確に表示**したとき
③ 契約の性質または当事者の意思表示により、特定の日時または一定期間内に履行しなければ**契約の目的を達成することができない**場合で、売主が履行の追完をせずにその時期を経過した場合　　等

ただし、不適合が**買主の責めに帰すべき事由**によるものである場合、**買主**は、**代金の減額**を**請求**できません。

3　買主の損害賠償請求権・契約解除権

上記**1**・**2**の権利は、買主による**債務不履行責任**（➡**第11章❶❷**）の追及を妨げません。

したがって、これにより買主は、**損害賠償の請求**・**契約解除権の行使**をすることができます。

⚠注意
契約の解除をするのに、売主の帰責性は不要です。
これに対して、**損害賠償の請求**をするには、売主の帰責性が必要です。

4　目的物の種類・品質に関する不適合責任の通知期間の制限

R2(12).3(12)

注意
目的物の「数量・権利」に関しては、この「通知期間の制限」はありません。

買主が**目的物の種類・品質の不適合を知った時から1年以内**に売主に対して「**通知**」**しなかった**場合は、履行の追完の請求・代金減額の請求・損害賠償の請求・契約の解除をすることができません。

ただし、**売主**が引渡しの時にその**不適合を知っていた**、または**重大な過失により知らなかった**ときは**除かれます**。

5　権利に関する不適合責任

H29.R3(12)

例えば、次の①②のような場合を、「**権利が契約の内容に適合しない**」といいます。このときにも、買主は、売主に対して、**契約不適合責任を追及**することができます。

プラスα
他人の権利を売買の目的としたときは、売主は、その権利を取得して買主に移転する義務を負います。

① 土地を購入したが、売主にその土地の一部の所有権がなく（一部他人物）、買主がその一部の所有権を取得できなかった場合

② 借地権付きであることを前提に建物を購入したにもかかわらず、借地権が消滅していた場合

これらの場合も、買主は、「**1　追完請求権**」「**2　代金減額請求権**」「**3　損害賠償請求権・契約解除権**」の行使をすることができます。

④ 契約不適合責任についての特約

R元

民法上の契約不適合責任のルールにおいては、当事者の**特約が優先**します。したがって、契約当事者が特約によって**責任を負わない旨**を定めた場合、その**特約は有効**です。

ただし、売主が契約不適合を知っていながら**買主に告げなかった**ときは、責任を負わない特約をしていても、売主は**責任**を免れることができません。

要点整理　売主の契約不適合責任

- 引き渡された目的物が種類、品質・数量に関して契約の内容に適合しないときは、買主は、次の権利を行使することができる。
  - ❶追完請求権（目的物の修補・代替物の引渡し・不足分の引渡しの請求）
  - ❷代金減額請求権
  - ❸損害賠償請求権（売主の帰責性が必要）
  - ❹契約解除権
- ただし、目的物の**種類・品質**の不適合の場合、買主が**知った時から1年以内に売主に通知しないとき**は、原則として、請求できない。

第14章 賃貸借

重要ランク S

「物の貸し・借り」の基本ルールで、借地借家法を理解するのにとっても大事な知識なんだ。

❶ 賃貸借契約とは

例えば、レンタカーやレンタルDVDのように、**お金を払って、物を借りる**ことを**賃貸借契約**といいます。

> 有償であること、つまりお金を払う点が、タダ（無償）で貸し借りをする使用**貸借契約**（➡**第15章❹**）とは違うんだよ。

❷ 賃貸借の存続期間

H26.29.R元

賃貸借の存続期間には上限があり、**50年を超えることができません**。これを超える期間を定めたときは、50年に短縮されます。この期間は更新できますが、**最長で50年**が限度となります。

なお、最短期間の制限はありません。

❸ 賃貸借の解約の申入れと終了

H26.R4

①　期間の定めのある賃貸借

期間の定めのある賃貸借の場合、定めた期間が満了すると、**賃貸借が終了**するのが原則です（更新も可能）。

また、賃借物の全部が滅失その他の事由により使用・収益をすることができなくなった場合も、終了します。

② 期間の定めのない賃貸借

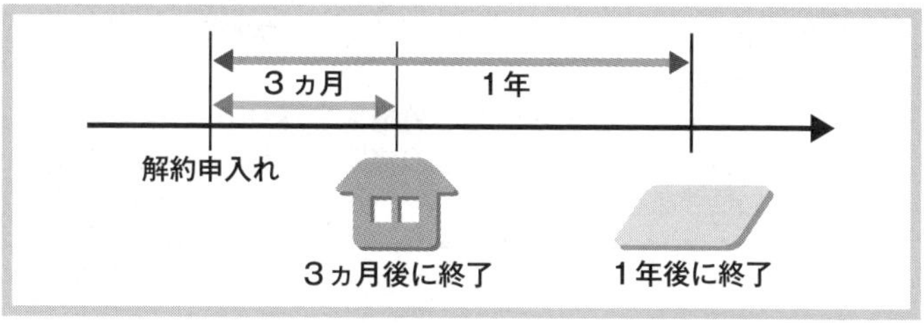

期間の定めのない賃貸借の場合、各当事者は、**いつでも解約の申入れ**をすることができ、土地の賃貸借の場合は解約の申入れの日から**１年**を経過すると、また、建物の賃貸借の場合は解約の申入れの日から**３ヵ月**を経過すると、どちらも**自動的に終了**します。

プラスα
期間を定めた場合でも、契約の**解約権を留保**したときは、「期間の定めのない賃貸借」の場合の解約の申入れの規定が準用されます。

4 不動産賃借権の対抗要件

H26.29.R元.2⑫.3⑫

不動産の賃借人は、**賃借権の登記**をしていれば、その後にその不動産を取得した新所有者に対しても、賃借権を主張することができます。

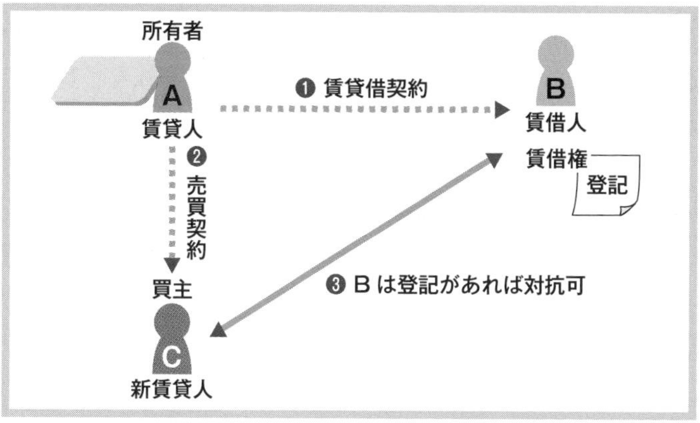

例えば、上の図のように、土地所有者Aが、土地を賃借人Bに賃貸したままCにその土地を譲渡した場合、賃借人Bは、**賃借権の登記**をしていれば、新所有者Cに賃借権を**対抗**できますが、**登記**がなければ、**引渡し**をしなければなりません。

判例
賃借権の登記には、賃貸人の協力が必要ですが、**賃貸人**には、この登記に**協力する義務はありません**。そこで、**借主を保護**するため、後に学習するように、借地借家法で「**対抗要件の特例**」が定められています。

判例
対抗力のある賃借権が設定されている不動産を賃貸人が譲渡する場合、特段の事情がない限り、賃借人の承諾を得る必要はありません。

Bが今までどおりに賃借をする場合、Cが本当に所有者かどうかわからなければ、BはCに安心して賃料を払うことができないよね。

そこで、新しい所有者Cは、賃借人Bに対して賃料を請求するには、所有権の移転の登記を備える必要があるんだ。

要点整理　賃借権の存続期間と対抗要件

存続期間	上限は50年（下限はない）
対抗要件	賃借権の登記（ただし、賃貸人に登記義務なし）

5 賃貸人の地位の移転

R4.5

賃貸借の**対抗要件**を備えた不動産が**譲渡**されたときは、原則として、不動産の「**賃貸人たる地位**」は、**譲受人に移転**します。

ただし、譲受人は、賃貸物である不動産について**所有権の移転の登記**をしなければ、賃貸人たる地位の移転を、**賃借人に対抗**することが**できません**。

なお、その場合でも、不動産の譲渡人・譲受人が、賃貸人たる地位を**譲渡人に留保**する旨、および、その不動産を譲受人が**譲渡人に賃貸する旨の合意**をしたときは、賃貸人たる地位は、**譲受人に移転しません**。

⑥ 賃借人による妨害の停止の請求等

R4

不動産の賃借人は、次の請求を行う場合は、対抗要件を備えなければなりません。

① 不動産の占有を妨害する第三者に対する妨害の停止請求

② 不動産を占有する第三者に対する返還請求

⑦ 賃借物の修繕

H25.27.R2⑿.4.5

アパートの**修繕義務**は、家賃の支払を受けている**賃貸人**が負います。ただし、**賃借人の責めに帰すべき事由**によってその修繕が必要となったときは**除きます**。また、**特約**によって、賃借人の義務とすることもできます。

賃借人は、修繕費など賃貸人が負担しなければならない**必要費**を代わりに支出したときは、**直ちに**、支出額の償還を、賃貸人に請求できます。

また、放置すると使用・収益が不可能となりかねないので、賃借人は、**賃貸人**が行う雨漏りの修繕などの**保存行為**を**拒むことができません**。

これに対して、賃借物の修繕が必要となる次の場合は、賃貸人に代わって、**賃借人**が修繕することができます。

① 賃借人が賃貸人に修繕が必要である旨を通知し、または賃貸人がその旨を知ったにもかかわらず、賃貸人が相当の期間内に必要な修繕をしないとき

② 急迫の事情があるとき

プラスα

賃借人は、改良費などの有益費を支出したときは、賃貸借終了時に、**賃貸人の選択**により支出額または現存増価額のどちらかの償還を、賃貸人に請求できます。

プラスα

賃貸人が、賃借人の意思に反して修繕などの保存行為をするために、賃借した目的を達することができなくなるときは、賃借人は、契約解除ができます。

8 賃借権の譲渡・転貸

賃借人は、**第三者**に、賃借権を**譲渡**（売却）したり、賃借物を**賃貸**（転貸）して、利益を得ることができます。

1　賃借権の譲渡

賃借権の譲渡とは、賃借人が自分の賃借権を**第三者に譲渡**することをいいます。

賃借権が譲渡されると、賃借人は賃貸借関係から離脱し、その後は賃貸人と賃借権の譲受人（新賃借人）との間に、賃貸借関係が移行します。

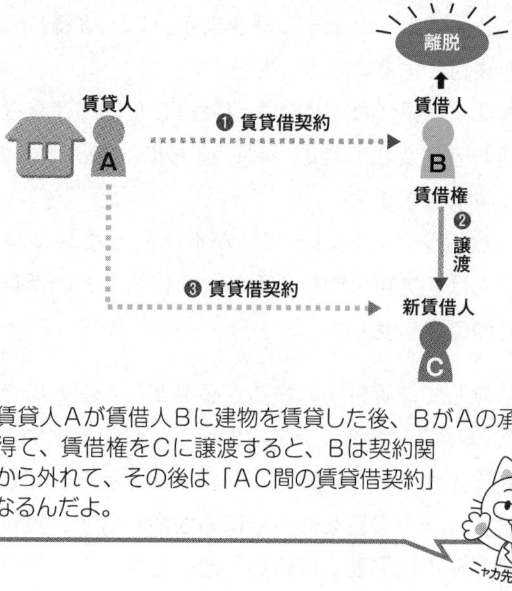

賃貸人Aが賃借人Bに建物を賃貸した後、BがAの承諾を得て、賃借権をCに譲渡すると、Bは契約関係から外れて、その後は「AC間の賃貸借契約」となるんだよ。

2　賃借物の転貸

H28.R2(12)

①　転貸の効果

賃借物の転貸とは、賃借人が賃借物を**第三者に賃貸**（転貸）することをいいます。要するに「**また貸し**」のことです。

賃借物が転貸されると、賃貸人と賃借人との賃貸借関係と並行して、賃借人と第三者（転借人）との間で転貸借契約が成立します。

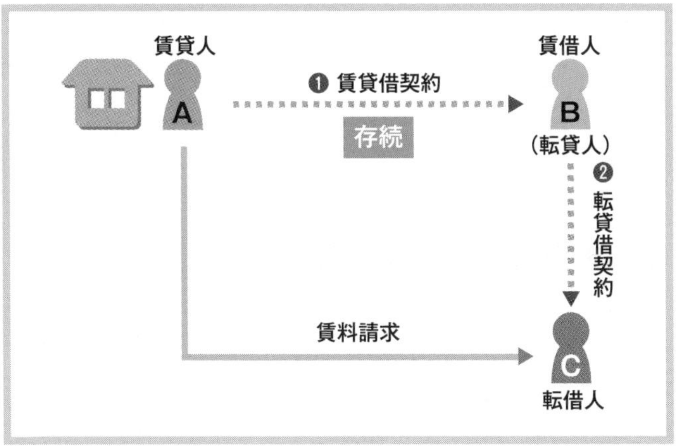

例えば、上の図のように、賃貸人Aが賃借人Bに建物を賃貸した後、BがAの承諾を得て、その建物をCに**転貸**した場合、**AB間の契約は存続**し、重ねて、BC間に**転貸借契約が成立**します。

この場合、Aは、AB間の賃貸借契約で定められた賃料と、BC間の転貸借契約で定められた賃料とを比較し、**少ないほうの額**について、Cに直接に賃料を請求できます。

プラスα
転貸が行われた場合、賃貸人Aと転借人Cとの間に直接の契約関係はありませんが、Cは、Aに対して、Bの債務の範囲を限度として直接に義務を負わなければなりません。

②　賃貸借の終了と転貸

賃貸人は、**賃借人の債務不履行により契約を解除**したことを、**転借人に対抗**することができます。この場合、転借人に支払の機会を与える必要はありません（判例）。

一方で、賃貸人は、賃借人との間で賃貸借を**合意解除**したことを、転借人に対抗できません。ただし、その合意解除の当時、賃貸人が**賃借人の債務不履行による解除権**を有していたときは、**転借人に対抗**できます。

なぜなら、「形式的には合意解除」でも、実態は、債務不履行による解除だからだよ！

3　無断の譲渡・転貸の禁止　H25.27.R3(12).4.6

大家さんは、知らないうちに住人が代わってしまうと困ります。そのため、賃借人は、**賃貸人の承諾を得なければ**、賃借権の譲渡や賃借物の転貸をすることができません。

そして、賃借人が、賃貸人に無断で転貸を行い、第三者に賃借物の使用をさせたときは、賃貸人は、**賃貸借契約の解除ができます**。

ただし、賃借人が、賃借権の譲渡・転貸を**無断**で行っても、賃貸人に対する背信的行為（はいしんてきこうい）と認めるに足りない**特段の事情**があるときは、賃貸人は、契約を**解除できません**。

要点整理　賃借権の譲渡・転貸

- 賃借権の譲渡・転貸には**賃貸人の承諾**が必要。
- 無断転貸等が行われた場合、原則として、賃貸人は賃貸借契約を解除できる。

❾ 原状回復義務

R2⑽.4

大家さん？
ボク？？
どっちが修理する
のかなぁ…。

賃借人は、賃借物を受け取った後に生じた損傷がある場合、賃貸借が終了したときに、損傷を原状に復する義務（**原状回復義務**）を負います。

ただし、その損傷が**賃借人の責めに帰することができない事由**によるものであるときは、賃借人は、原状回復義務を**負いません**。

なお、通常の**使用・収益**によって生じた賃借物の**損耗・経年変化**は除きます。

例えば、賃借人の退去時にトラブルになりやすいアパートの床・壁などの**原状回復**に関しては、トラブル防止のために、国土交通省が具体的な「**ガイドライン**」を示しているよ。

ニャカ先生のひとこと

プラスα
契約内容に反する使用・収益によって生じた損害賠償、及び賃借人が支出した費用の償還は、賃貸人が返還を受けた時から1年以内に請求しなければなりません。

⑩ 敷　金

H27.R2⑽.3⑽.4

敷金とは、不動産の賃貸借契約をするときに、賃料の不払やアパートの修繕が必要となる等の場合に備えて、**あらかじめ賃借人から賃貸人に交付**される金銭のことです。

判例
敷金返還請求権は、目的物の明渡し後に発生しますが、明渡し前でも、敷金返還請求権に質権を設定することができます。また、質権者は未払賃料への充当後の残額にのみ質権を行使できます。

判例
目的物の明渡し前に、敷金返還請求権が差し押さえられても、賃貸人は、未払賃料について敷金から充当することができます。

判例
賃貸借「終了後」に、賃貸人が変更したとき、敷金は、新賃貸人（新所有者）に当然には承継されません。また、旧賃貸人（旧所有者）と新賃貸人（新所有者）との合意のみで譲渡することもできません。

1　敷金返還請求権の発生時期

賃借人は、賃貸人に「先に敷金を返してくれなければ、賃借している物件を返さない」と言うことはできません。

敷金の返還と目的物の明渡しは、同時履行の関係にはなく、敷金返還請求権は、賃借している**目的物を明け渡した時**に、**初めて発生**します（**明渡しが先履行**）。

2　敷金関係の承継

賃貸人や賃借人が変更した場合の敷金の扱いについては、次のように、**変更**するのが**賃貸人**か・**賃借人**かで、結論が異なります。

①「賃貸人」が変更する場合

例えば、賃貸人Aが建物を賃借人Bに賃貸し、Bから敷金を受領した後、Aがその建物を新賃貸人Cに売却した場合、**敷金はCに引き継がれます**。

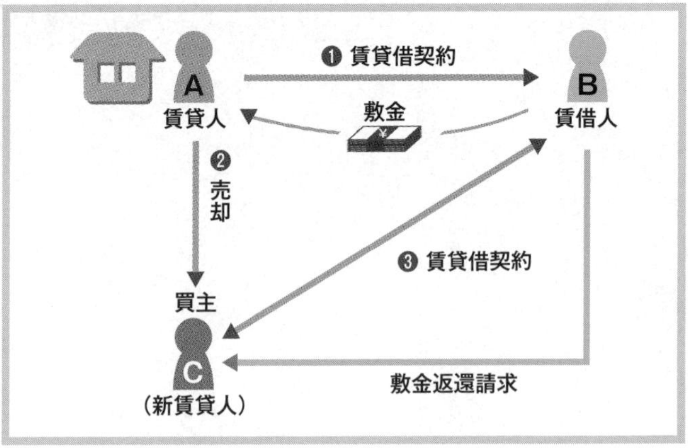

②「賃借人」が変更する場合

例えば、賃貸人Aが賃借人Bに建物を賃貸し、Bから敷金を受領した後、BがAの承諾を得て、賃借権をCに譲渡しても、敷金関係は**Cに引き継がれず**、Bは、Aから直接、敷金の返還を受けることになります。

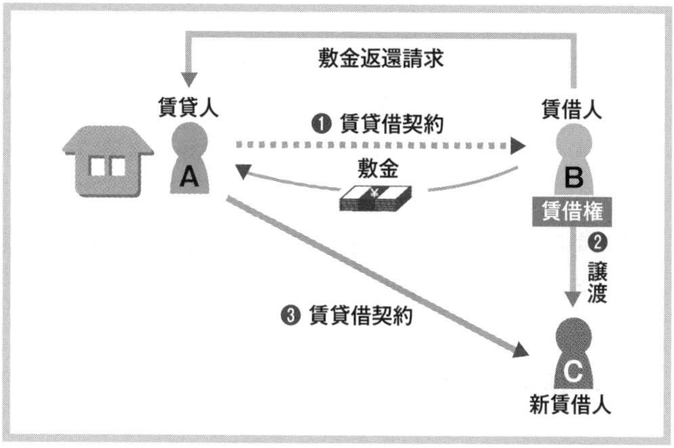

万一借賃を滞納した場合、賃借人からは、敷金から延滞賃料分を充当する旨を、賃貸人に主張することはできないけど、賃貸人は、自ら敷金で充当することができるんだ。敷金は、大家さんが安心して建物を貸すための預り金だからだよ。

要点整理　敷金

敷金返還請求時期	●目的物を明け渡した時に発生する ●敷金返還と目的物明渡しは、明渡しが先履行
敷金の承継	賃貸人の変更 ➡ 承継される
	賃借人の変更 ➡ 承継されない

第14章　賃貸借

第15章 委任・請負・その他の契約

重要ランク B

ここでは、「売買・賃貸借」以外のいろいろな契約を見てみよう。

1 委任契約

R2⑽.3⑽.4.6

例えば、知り合いの弁護士に、自分の土地を誰かに賃貸するよう依頼する場合のように、**法律行為を委託**する契約を、**委任契約**といいます。

委託する者を**委任者**、受託する（委託される）者を**受任者**といいます。

プラスα
マンションや土地の管理を委託するように、**法律行為以外の事務を委任**する場合を準委任といいます。
準委任にも、委任のルールが適用されます。

プラスα
受任者は、事務処理にあたって債務を負担した場合は、委任者に履行させることができます。

1 当事者の権利義務

タダ働きも
何のその！

プラスα
受任者は、**委任者の請求**があるときは、**いつでも**委任事務の処理の状況を報告し、委任が終了した後は、**遅滞なく**、その経過と結果を報告しなければなりません。
また、受任者は、委任事務の処理にあたって受け取った金銭その他の物を、委任者に引き渡さなければなりません。

① 無報酬の原則

委任は“タダ働き”（**無償契約**）が原則です。「**報酬**をもらう」という**特約**がない限り、受任者は報酬を請求できません。

なお、受任者は、報酬の特約がある場合で、**委任が履行の中途で終了**した等のときは、**既に履行した割合に応じて**報酬を請求できます。

②　善管注意義務

受任者は、タダ働きであっても、**善良な管理者としての注意**（善管注意義務）をもって、委任事務を処理しなければなりません。

③　費用前払の原則

受任者は、委任事務を処理するにあたって必要な費用の**前払を請求**できます。また、受任者が事務処理費用を支出したときは、その費用と支出日以後の利息について、委任者に償還を請求できます。

2　委任契約の終了

①　任意解除

当事者は、お互いに、**いつでも**（任意に）委任契約の解除ができます。

ただし、相手方にとって**不利な時期に解除**した場合、及び委任者が受任者の利益（専ら報酬を得ることによるものを除く）も目的とする委任を解除した場合は、やむを得ない事由があるときを除いて、**相手方が被った損害を賠償**しなければなりません。

②　委任契約に特有の終了事由

委任は、委任者・受任者がそれぞれ死亡したときなど、**次の事由**に該当する場合は、**当然に終了**します。

[委任の終了事由]

委任者	死亡・破産手続開始の決定
受任者	死亡・破産手続開始の決定・後見開始の審判

❷ 請負契約

H26.29.R元.5

例えば、工務店に住宅の建築を依頼する場合のように、**請負人**が**仕事を完成**することを約束し、**注文者**はその代わりに**報酬を支払う**ことを約束することを、**請負契約**といいます。

注意
目的物の「完成」と報酬の支払が同時というわけではありません。

1　引渡しと報酬の支払

請負人は、目的物の引渡しと同時に、報酬の支払を請求できます（**同時履行の関係**）。

2　請負人の契約不適合責任（担保責任）

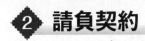

“この曲がり具合が職人芸”って言われてもねえ……。

請負人から引き渡された完成物が種類・品質または数量に関して契約の内容に適合しないとき、注文者は、次の権利を行使することができます。

❶　履行の追完請求権	❷　報酬減額請求権
❸　損害賠償請求権	❹　契約解除権

プラスα
目的物が建物その他土地の工作物でも、解除は可能です。

また、注文者が完成物の種類・品質の不適合を**知った時から1年以内に請負人に通知**をしなかった場合、注文者は、上記❶～❹の**履行の追完の請求・報酬の減額の請求・損害賠償の請求**（請負人の帰責性が必要）・**契約の解除**をすることが**できません**。

ただし、請負人が、引渡しの時にその不適合を**知り**、または**重大な過失によって知らなかった**ときは**除かれます**。

3　契約不適合責任を負わない場合

仕事の目的物の不適合が、**注文者**が提供した**材料の性質**または注文者の与えた**指図**によって生じたときは、**請負人**は契約不適合責任を**負いません**。

ただし、請負人が材料または指図が不適当であることを**知りながら**、それを**告げなかった**場合は、**責任**を免れることはできません。

4　注文者の契約解除権

注文者は、請負人が仕事を**完成しない間**は、**いつでも損害を賠償して契約を解除**することができます。注文者が不要となった仕事を無理に完成させるのはムダだからです。

ただし、請負人は、注文者が受ける**利益の割合**に応じて、**報酬を請求**することができます。

③ 贈与契約

H25.R2(10)

友人の誕生日のお祝いにプレゼントするなど、"タダで物をあげる"ことを約束することを**贈与**といいます。物をあげる人を**贈与者**、もらう人を**受贈者**といいます。

1　贈与者の引渡義務

贈与者は、目的物を贈与の目的として特定した時の状態で引き渡すことを約束したものと推定します。

したがって、プレゼントした時計が壊れていたとしても、贈与者はそのまま引き渡せば足ります。

せっかくもらったんだけど……。

2　定期贈与

生活費を毎月仕送りするような行為を、**定期贈与**といいます。定期贈与の契約は、贈与者または受贈者の死亡によって、効力を失います。

3　書面によらない贈与

R2(10)

軽率な贈与によるトラブルを防ぐため、書面によらない贈与契約は、各当事者が**解除**することができます。ただし、**履行が終了**したときは、**解除することができません**。

例えば、不動産の贈与の場合、引渡しや登記の移転を行うと、履行が終了したとされ、贈与契約の解除ができません。

4　負担付き贈与

R2(10)

生活の面倒をみてもらう代わりに建物を贈与する、というような贈与を**負担付き贈与**といい、この場合、贈与者は負担の限度で担保責任を負い、受贈者が負担義務を怠ったときは、贈与契約を解除できます。

4 使用貸借

H27.R3(10).4

珍種の
「カンガルー猫」

1　意義

貸主が物を引き渡すことを約束し、借主が受け取った物について**無償**で使用・収益をして、契約の終了時に返還することを約束することで成立する契約が、「**使用貸借**」です。

例えば、「田舎から上京して東京の大学に行くことにした場合に、親戚の家で部屋が余っているので、タダで部屋を借りる」といった場合だよ。

使用貸借の重要ポイントは、次の①～④の４点です。

① **不動産の使用貸借**には、**借地借家法**の規定は**適用されません**。
② 使用貸借については、**使用借権を登記する方法がない**ので、対抗力を備える方法がありません。
③ 借主は、貸主の承諾を得なければ、第三者に借用物を使用・収益させることができません。
④ 使用貸借の貸主は、「契約の目的として特定した時の状態で引き渡すと約束した」と**推定**されます。

2　借主の義務

使用貸借における**借主**は、借用物の**通常の必要費**（現状維持に必要な修繕費等）を**負担**しなければなりません。

なお、**特別**の必要費（非常災害による修繕費等）や**有益費**は、**貸主**の負担となります。

3　使用貸借の終了

使用貸借の終了に関するポイントは、次の３点です。

① 当事者が使用貸借の期間を定めた場合は、その期間が満了することによって、契約は終了します。当事者が期間を定めなかった場合で、使用・収益の目的を定めたときは、借主がその目的に従って使用・収益を終えることで、終了します。
② 使用貸借は、**借主の死亡**によって**終了**します。しかし、**貸主の死亡**があっても、**当然には終了しません**。
③ 使用借権は賃借権と異なり、**相続されません**。

4　使用貸借の解除

使用貸借契約の解除に関するポイントは、次の３点です。

① 貸主は、使用貸借の**期間を定めなかった**場合で、契約で定めた目的に従って使用・収益するに**足りる期間を**経過したときは、契約を**解除**できます。

② 当事者が、使用貸借の期間及び使用・収益の**目的を定めなかった**場合、貸主は**いつでも**契約を**解除**できます。

③ **借主**は、**いつでも**契約を**解除**できます。

5 消費貸借 発展

釣って返しま～す！
魚
同じモノを返すから
ちょっと借りるね～

★プラスα
消費貸借を書面で行う場合は、当事者の一方が金銭その他の物を引き渡すことを約し、相手方がその受け取った物と種類・品質及び数量の同じ物をもって返還することを約することで、その効力を生じます（諾成契約）。この「書面でする消費貸借」の借主は、貸主から金銭その他の物を受け取るまで、契約の解除ができます。

借主が、種類・品質及び数量の同じ物を返還することを約束して、貸主から金銭その他の物を受け取ることを「**消費貸借**」といいます。

例えば、友人から１万円を借りて、そのお金を使い、しばらくたってから同額を返すように、ある物を借りて消費し、同じ物を後で返還することです。

なお、「利息等あり」の有償の場合と、「利息等なし」の無償の場合があります。

① 消費貸借契約の目的物について、返還時期を定めなかった場合は、貸主は、相当の期間を定めて返還の催告をすることができます。

② これに対して、借主は、返還時期の定めの有無にかか

わらず、いつでも返還することが可能です。返還時期を定めた場合、借主がそれより前に返還して貸主が損害を受けたときは、借主に対し賠償請求ができます。

消費貸借は、借主が目的物の所有権をいったん取得し、これを消費できる点で、賃貸借や使用貸借とは異なるんだね。

発展コラム　民法上の典型契約

H27.R6

Column

民法が規定する**宅建試験で重要な**典型契約について、おおよそのイメージと法的な性質は次のとおりです。

名　称	おおよそのイメージ	法的な性質
売　買	物を売り買いする	有償・双務・諾成
贈　与	タダで物をあげる	無償・片務・諾成
交　換	物を互いに取り替える	有償・双務・諾成
消費貸借	借りた物を使って、同種・同等・同量の物を返す	有償（無償）・片務・要物（＊）
使用貸借	タダで貸し借りする	無償・片務・諾成
賃貸借	お金を払って貸し借りする	有償・双務・諾成
請　負	頼まれて、物を完成させる	有償・双務・諾成
委　任	代わりに事務を処理する	無償・片務（有償・双務）・諾成

＊：書面によるものは「諾成契約」となる

[法的な性質]

- 「有償」：売買のように、契約の当事者双方が、お互いに対価を給付する関係にあること。
- 「無償」：贈与のように、対価的な給付をしなくてよいこと。
- 「双務」：当事者双方が互いに対価的な債務を負担すること。「片務」：当事者の一方が対価的な債務を負担しないこと。なお、双務契約は、ほとんどの場合有償契約ですが、利息付き金銭消費貸借契約のように、「有償契約であっても片務契約」という例外もあります。
- 「諾成」：当事者の合意だけで成立すること。
- 「要物」：当事者の合意のほか、物の引渡しなどの給付で成立すること。

第16章 不法行為

重要ランク A

「被害者をどう救うのか」という視点が大切だよ！

1 不法行為

H26.28.R元.2(12).3(10).6

治療費を
払って…
ケガさせられた…
なんとかしてよ～!!

重要
損害賠償には精神的損害によるものも含まれ,「慰謝料」と呼ばれます。例えば、被害者が死亡した場合、残された配偶者や子供は慰謝料を請求することができます。なお、**損害賠償請求権**は相続の対象となります。

プラスα
名誉を毀損(きそん)された法人も、損害賠償請求をすることができます。

車の運転手が前方不注意で通行人をケガさせてしまった場合のように、**故意または過失**によって、他人の身体や財産などを侵害し、損害を与える行為を**不法行為**といいます。

不法行為によって損害を受けた被害者は、その加害者に対して、**損害賠償請求**をすることができます。

ただし、バットで殴りかかってきた相手に逆襲して、ケガをさせた場合のように、自分や第三者の利益を防衛するために**やむを得ず加害行為**をしたとき（正当防衛）などは、**不法行為責任を負いません**。

不法行為によって発生した損害賠償請求権については、被害者救済のため、次のような規定がされています。

①　履行遅滞の時期

交通事故のような場合は、事故の時に損害が発生するため、加害者は、**事故（不法行為）の時から履行遅滞**の責任を負います。その結果、被害者は、損害額の賠償と、損害発生時以降の遅延利息の双方を請求できることになります。

②　相殺

被害者の救済を確保するため、**加害者側**からは、①**悪意による不法行為に基づく損害賠償請求権**、および②**人の生命または身体の侵害**による損害賠償の債務を、**受働債権として相殺**することはできません。

しかし、被害者側から、不法行為による損害賠償請求権を**自働債権として相殺**することは**可能**です（➡前出「**第12章❷相殺**」）。

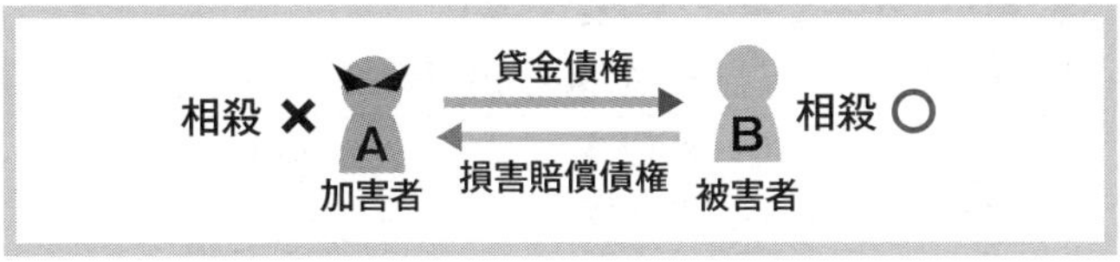

例えば、被害者がたまたま加害者から借金していても、加害者からの相殺は、①②の場合は許されないんだ。
だから、悪意によらない物損事故などの場合は、加害者からの相殺も可能となるんだよ。

なお、被害者側にも過失（落ち度）があった場合は、**裁判所**は、それを**考慮**して損害賠償の額を定めることができます。

これを**過失相殺**といいます。

③　**時効消滅の期間**

速やかなトラブルの解決と、そのために必要となる証拠の確保が困難になってしまうことを避けるため、不法行為による**損害賠償の請求権**は、被害者等が**損害と加害者の両方を知った時から３年（人の生命・身体が害された場合は５年）で消滅**します。

例えば、ひき逃げの被害者は、発生したすべての損害が判明している場合、ひき逃げの犯人を**発見した時**から**５年以内**に損害賠償請求をする必要があります。

なお、たとえ犯人を発見できなくても、事故発生の時（**不法行為の時**）から**20年を経過**すると、損害賠償請求をすることができなくなります。

要点整理　不法行為

[債務不履行と不法行為の損害賠償請求に関する差異]

	債務不履行	不法行為
遅滞の時期	履行の請求を受けた時から遅滞となる	不法行為時から遅滞となる
相　殺	「人の生命・身体の侵害による損害賠償の債務」を受働債権とする（=加害者からの）相殺不可	（左に加えて）悪意による不法行為に基づく損害賠償請求権を受働債権とする（＝加害者からの）相殺はできない
消滅する期　間	●権利を行使できることを知った時から５年 ●権利を行使できる時から10年（人の生命・身体の侵害の場合は20年）	●損害及び加害者を知った時から３年（人の生命・身体の侵害の場合は５年） ●不法行為時から20年

❷ 使用者責任

H25.28.R2⑿

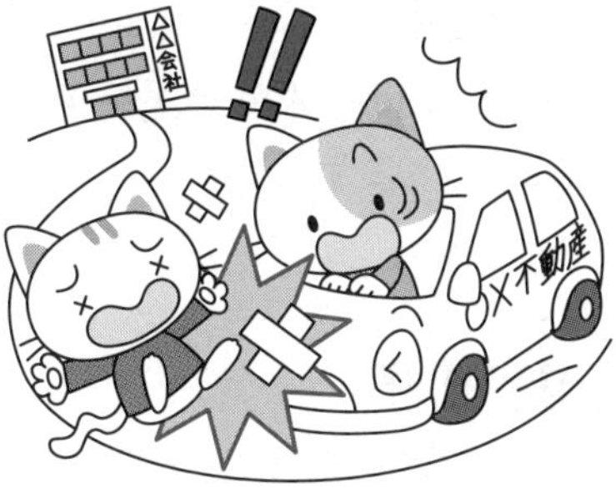

会社のクルマで
事故っちゃった……。

例えば、不動産会社の従業員が、勤務中に顧客のところへ車で向かう途中、通行人をはねて大ケガをさせました。

ケガを負った被害者は、加害者である従業員（**被用者**）だけではなく、**使用者**である不動産会社に対しても損害賠償請求をすることができます。これを**使用者責任**といいます。

つまり、使用者は、**被用者が第三者に与えた損害**について、連帯責任を負うんだね。

ニャカ先生のひとこと

事業のために働く被用者（従業員）によって**利益を得ている使用者**（会社）は、**被用者が行った不法行為**についても責任を負うのが**公平**として、この責任が認められています。

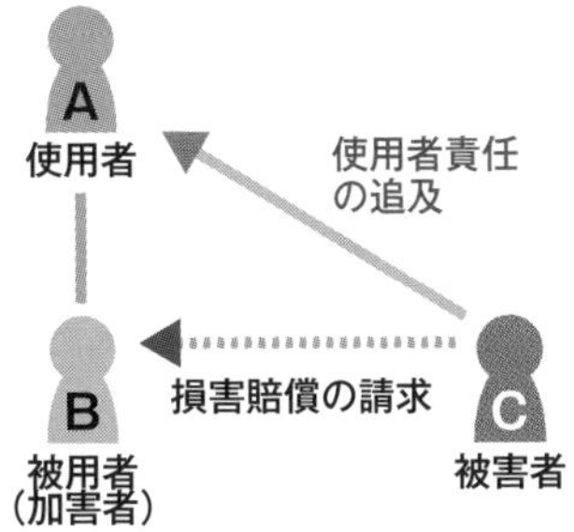

使用者責任によって、被害者Cは、被用者Bと使用者Aの両方に対して、**損害額の全額の賠償**を請求することができるんだ。

このようなルールで、加害者である従業員に損害賠償の費用がない場合でも、被害者を救済するんだよ。

ニャカ先生のひとこと

プラスα
被用者の選任及びその事業の監督に相当の注意をしたとき、使用者はその責任を免れます。

判例
会社名が書かれた車で事故を起こした場合のように、被用者の行為が、行為の外形から客観的に判断して職務の範囲内であると認められるときには、使用者はその責任を負わなければなりません。

プラスα
被用者が使用者の**事業の執行**について第三者に損害を与え、その第三者に対して損害を賠償した場合には、被用者は、**損害の公平な分担**という見地から相当と認められる額について、使用者に対して求償することができます（逆求償）。

なお、使用者Aが被害者Cに対して損害を賠償したときは、いわば「立替払」をしたようなものであるため、Aは、被用者Bに**求償**することができます。

ただし、**損害を公平に分担**するため、求償できるのは、**信義則上相当**と認められる額に限られます。

要点整理　使用者責任

- 被害者は、被用者と使用者の両方に対して、損害額の全額の賠償を請求できる。
- 使用者が被害者に対して損害を賠償したとき、使用者は被用者に求償できる。ただし、求償できるのは、信義則上相当と認められる額に限られる。

3 工作物責任

R3(10)

〇×不動産
〇×不動産
ネコも歩けば
看板に当たる!?

1　工作物責任とは

例えば、ビルの屋上から看板が落ちてきて、下を歩いていた通行人が大ケガをしてしまったとしましょう。その場合、ケガをした被害者は、そのビルの賃借人である占有者やビルの所有者に、損害賠償請求をすることができます。

つまり、**工作物の占有者や所有者**が、その管理の不備の責任を負うことになるのです。それが**工作物責任**です。

2　所有者が負う無過失責任

例えば、AがBに賃貸している建物の外壁が落下して、歩行者Cがケガをしました。

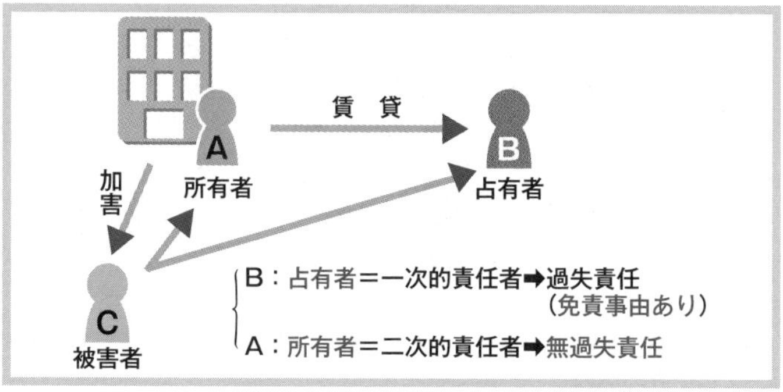

① この場合、建物について発生したトラブルは、まずは一次的に、賃借人である占有者Bが、その責任（**過失責任**）を負わなければなりません。

② ただし、占有者Bが、損害の発生を防止するために必要な注意をして**責任を免れた場合**には、**所有者**Aが、二次的に**賠償責任を負う**ことになります。

この所有者Aの責任は**無過失責任**であり、たとえ必要な注意をしていても**責任を免れることができません**。

用語解説

無過失責任：
故意・過失がなくても（問答無用で）損害賠償をすべきとされる責任のこと。

要点整理　工作物責任

- 一次的には、**占有者**が責任を負う。
- 占有者が、損害の発生を防止するために**必要な注意**をしたときは、二次的に、**所有者**が責任を負う（**無過失責任**）。

④ 共同不法行為

H25.R元

複数の人間が共同して他人に損害を与えることを、**共同不法行為**といいます。

この場合、被害者を可能な限り救済するため、それぞれが**連帯してその損害を賠償**しなければなりません。つまり、**連帯責任**を負います。

そのため被害者は、加害者**それぞれ全員**に対し、受けた損害額の**全額の請求**をすることができます。

要点整理 共同不法行為

- 複数の者が共同して他人に損害を与えた場合、それぞれが連帯して、その損害を賠償する責任を負う。
- 被害者は、加害者側の全員に対し、その損害額の全額の請求をすることができる。

発展コラム 「損害賠償請求」の具体例

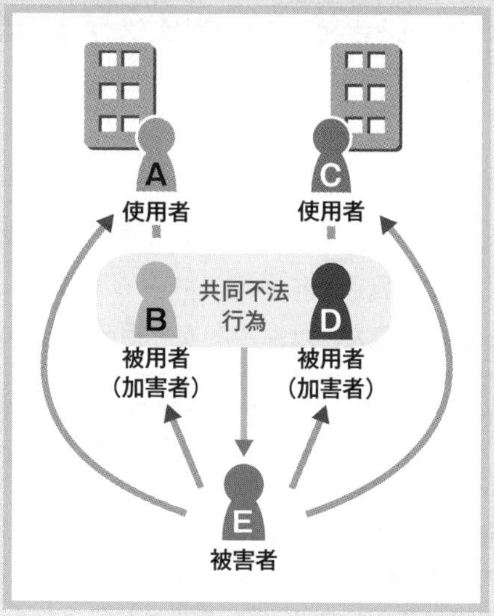

例えば、A不動産会社の従業員Bと、C会社の従業員Dが交通事故を起こし、そこに通行人Eが巻き込まれてしまいました。

① このとき、被害者Eは、まず、**直接の加害者**であるB・Dに対して**損害賠償請求**を行います。
② 次に、B・Dそれぞれの雇い主であるA・Cに対しても、使用者責任として損害賠償請求をすることができます。
③ また、その損害の全額を、A～Dの全員に対して請求することもできます。

つまり、①～③のように、責任を負うべき者の範囲を広げて、被害者の救済を図っているのです。

なお、その求償は、**使用者及び被用者の落ち度**（過失）**の割合**によって決まります。

第17章 相　続

重要ランク S

誰もが避けては通れない相続。法律のルールを知っておくことは大切だよ！

❶ 相続とは

R6

プラスα
胎児にも相続の資格があります。

相続とは、人の死亡によって、死亡した人の**財産上の権利や義務**が、一定の者に**包括的に承継**されることです。

死亡した**本人**を**被相続人**、承継する人を**相続人**といいます。

- 不動産や預金などのプラスの財産だけでなく、借金などのマイナスの財産や、賃貸借契約に基づく賃借人としての地位なども、すべて承継されるよ。
- だけど、代理権や委任契約に基づく受任者としての地位など、**一身専属的な権利**（特定の個人・本人自身だけに帰属する権利）は、承継されないんだ。

ニャカ先生のひとこと

❷ 法定相続

H25.26.29.R2(10)(12).3(10)

プラスα
「遺言」➡後出❻
（P.163）

被相続人の財産は、次の流れに沿って**分配・処分**されます。

❶ 遺言
遺言があれば、最終の意思表示として尊重されるべき遺言に従って財産は分配・処分されます。

⬇

❷ 相続人の合意
遺言がなくても、相続人の合意があれば、その合意によって財産は分配・処分されます。

⬇

❸ 法定相続
遺言がなく、相続人の合意もない場合は、法律の規定に従って財産は分配・処分されます。

1　法定相続人と法定相続分

法律の規定によって定められた相続人を**法定相続人**といい、その者が承継する相続分を**法定相続分**といいます。

配偶者は、**常に法定相続人**となり、配偶者と共に、**子**（第1順位）、**直系尊属**（父母、祖父母等、第2順位）、**兄弟姉妹**（第3順位）が、順位に従って法定相続人となります。

つまり、子がいる場合は、配偶者と子だけが相続し、子がいない場合には、配偶者と直系尊属が相続する。そして、もし、子も直系尊属もいなければ、配偶者と兄弟姉妹が相続することになるんだよ。

各相続人の法定相続分は、❶相続人が**配偶者と子**の場合は**各1／2**、❷**配偶者と直系尊属**の場合は**配偶者が2／3**で**直系尊属が1／3**、❸**配偶者と兄弟姉妹**の場合は**配偶者が3／4**で**兄弟姉妹が1／4**となります。

なお、子、直系尊属がそれぞれ**複数**いる場合は、それぞれの間で**等しく**分けます。兄弟姉妹も、原則は同じです。

以上をまとめると、次のようになります。

［法定相続人と法定相続分］

	法　定　相　続　人	法　定　相　続　分
❶第1順位	配偶者＋子	配偶者　：1／2 子　：1／2
❷第2順位	配偶者＋直系尊属	配偶者　：2／3 直系尊属　：1／3
❸第3順位	配偶者＋兄弟姉妹	配偶者　：3／4 兄弟姉妹　：1／4

注意
離婚した元妻や内縁の妻には、相続資格はありません。

プラスα
養子は、**養子縁組の日**から、嫡出子としての身分を取得します。

注意
ただし、父母の一方のみが同じ兄弟姉妹の相続分は、父母の双方が同じ兄弟姉妹の相続分の1／2となります。

重要
相続財産を**共有**している複数の相続人を共同**相続人**といいますが、後出の「遺産分割」という手続（❺参照）が終わるまでの間、各共同相続人は、相続分に応じて被相続人の**権利・義務を承継**します。

例えば、甲が死亡した場合、配偶者A、子B・Cの相続分はこうなるんだ。

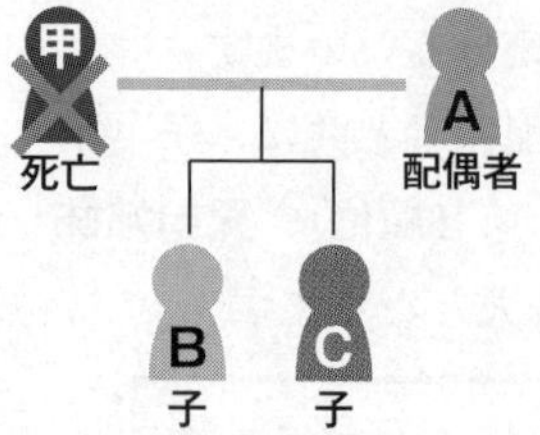

配偶者A　$\frac{1}{2}$

子B：$\frac{1}{2}\times\frac{1}{2}=\frac{1}{4}$

子C：$\frac{1}{2}\times\frac{1}{2}=\frac{1}{4}$

2　代襲相続の場合

相続人となり得る者が、**相続開始前**または**同時に死亡**した場合などに、その者の子が、代わって相続人となることを、**代襲相続**といいます。

なお、死亡のほかに代襲相続が生じるのは、相続人が**相続欠格**となったり、相続人から**廃除**（相続権を剥奪すること）された場合です（次の❸）。

重要
相続放棄をした場合、代襲相続は生じません。

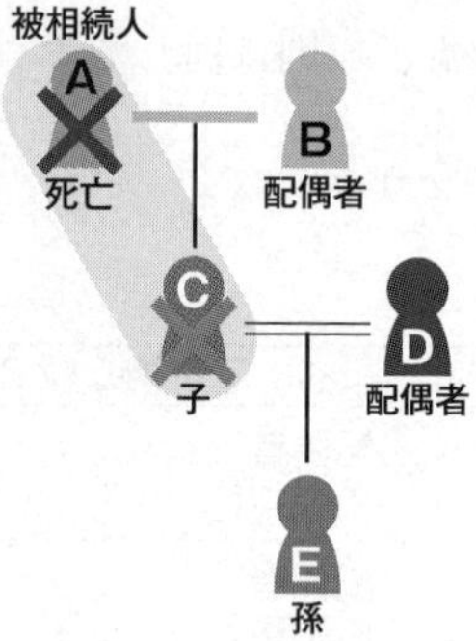

子CがAよりも先に死亡している場合、孫Eは、Cを代襲して、Aを相続することができるよ。

つまり、代襲相続人は、相続人が取得するはずだった相続分を取得するから、Eは$\frac{1}{2}$の相続分を取得することになるんだ。

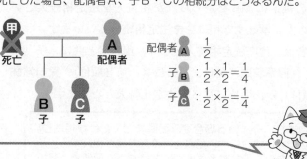

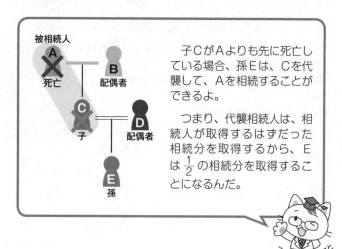

3 相続の欠格・廃除（はいじょ）

H29

相続する資格を失う場合には、①**相続欠格**、②**廃除**、③**相続の放棄**（ほうき）（次の❹）の３つがあります。

注意
相続欠格は、欠格事由に該当すると、**法律上当然**に相続資格を喪失するのに対し、廃除は、**被相続人の請求**によって相続資格を失わせる点で、異なります。

① **相続欠格**

重大な違法行為を行った法定相続人の資格を、法律上**当然に**失わせることです。例えば、被相続人や先順位の相続人を殺害し刑に処せられたり、被相続人の遺言を偽造したようなケースです。

② **廃除**

被相続人に対して虐待・侮辱・著しい非行をした法定相続人に対して、**被相続人の請求**により、相続資格を失わせることです。被相続人は遺言で廃除を行うことができ、また、いつでもその廃除の取消しができます。

③ **相続の放棄**

相続に関する自分の権利や資格・利益などを、**喪失**させることです。

要点整理　法定相続

[法定相続人と法定相続分のまとめ]

	法定相続人	法定相続分
第１順位	配偶者＋子	配偶者　：１／２ 子　：１／２
第２順位	配偶者＋直系尊属	配偶者　：２／３ 直系尊属　：１／３
第３順位	配偶者＋兄弟姉妹	配偶者　：３／４ 兄弟姉妹　：１／４

[代襲相続の要件]

●相続開始前または同時に相続人が死亡していること。

●相続欠格・廃除の場合

注意　相続放棄のときは、代襲相続しない。

④ 相続の承認と放棄

H28.29

相続は、場合によっては多額の借金を背負うことにもなるため、最終的に相続をするか否かは、**相続人の意思**に任されています。

相続人が相続をする場合は、**承認**の意思表示を、また、相続したくない場合は**相続の放棄**の意思表示を、それぞれすることになります。

すまん……
¥50000000!!
この借用証って……
知らなかったよ～!!

> **注意**
> いったん相続の承認・放棄をすると、この期間内でも、撤回できません。
> なお、詐欺・強迫による承認・放棄は、取り消せますが、**家庭裁判所に申述**する必要があります。

> **注意**
> **相続開始前**の承認・放棄は、**認められません**。

1　承認・放棄の期間

相続人は、**自己のために相続の開始があったことを**「**知った時から**」**3ヵ月以内**に、**①単純承認**もしくは**②限定承認**、または相続放棄をしなければなりません。

もし何もせずに、相続開始を知った時から**3ヵ月を経過**すると、**単純承認**をしたとみなされます。

①　単純承認

権利・義務のすべてを相続するもので、財産だけでなく借金も引き継ぎます。

なお、相続財産を処分・隠匿(いんとく)等すると、単純承認したものとみなされます(法定単純承認)。

②　限定承認

「相続によって得た**財産の限度**においてのみ、被相続人の債務を弁済する」という相続の承認を、**限定承認**といいます。

相続人が数人あるときは、**全員が共同してのみ**、することができます。

> 限定承認をすると、プラスの財産の範囲内で借金を返せばよいことになるんだよ。
> だから、1,000 万円の価値がある土地と 1,200 万円の借金が遺されていた場合でも、相続人が損をすることはないんだ。

2　相続の放棄の効果

相続の放棄をすると、相続を全面的に拒否し、初めから相続人でなかったことになります。

したがって、相続人の１人が相続の放棄をすると、その者については**代襲相続は生じません**ので、その者を除いた他の**相続人全員**で、**限定承認**をすることができます。

⚠注意
限定承認・放棄は家庭裁判所に申述する必要があります。

第17章　相続

要点整理　相続の承認と放棄

承認・放棄の期間		相続人が、**相続開始を知った日から、3ヵ月以内**
承　認	単純承認	上記の期間内に承認・放棄の意思表示がなく、または自ら承認したときは、被相続人の権利義務を承継する
	限定承認	上記の期間内に限定承認したときは、相続財産の限度で被相続人の債務を弁済する責任を負う（相続人全員でする必要がある）
放　棄		相続放棄をしたときは、はじめから**相続人でないとみなされる**

5 遺産分割

H29.R元.5

相続人が多数いるときは、土地や建物など相続財産は、いったん相続人全員の**共有財産**となります。これを、例えば、預金は配偶者が、土地は子供がというように、各相続人に**具体的に分配**するのが、**遺産分割**です。

① 特定の遺産を**特定**の相続人に「相続させる」趣旨の遺言があった場合、特段の事情のない限り、被相続人の死亡時に、直ちにその遺産はその相続人に承継されます。

② 遺産分割について、共同相続人の協議が調(ととの)わないとき、各共同相続人は、分割を**家庭裁判所に請求**できます。

③ 被相続人（遺言者）は、遺言で分割の方法を定め、または分割方法を定めることを第三者に委託できます。また、**5年を超えない期間**内で**分割を禁止**できます。

④ **特別受益者の相続分・寄与分**の規定は、原則として、**相続開始時から10年経過後**に行う遺産分割については、**適用されません**。

⑤ 遺産の分割は、**相続開始の時にさかのぼって**その効力を生じます。ただし、第三者の権利を害することはできません。

いろんな種類の
財産が……
ありがたいけど
分けるのが大変！

判例
共同相続された**普通預金債権・通常貯金債権・定期貯金債権**は、いずれも相続開始と同時に当然に相続分に応じて分割されることはなく、**遺産分割の対象**となります。

判例
遺産分割前の**賃料債権**は、**相続分に応じて**分割取得されるため、遺産分割の対象となりません。

判例
相続人は、遺産の分割までの間は、相続開始時に存した金銭を相続財産として保管している他の相続人に対して、自己の相続分に相当する金銭の支払を求めることはできません。

用語解説
特別受益者：
被相続人から遺贈や贈与を受けた共同相続人のこと。
特別受益者の相続分は、本来の相続分から遺贈や贈与の価額を**控除した残額**となります。これに対して、被相続人の財産の維持・増加について特別の寄与をした共同相続人の相続分は、**本来の相続分**に**寄与分を加えた額**となります。

6 遺言（いごん）

H25.27.R3(12)

生存中に、死亡後の**遺産の処分**について決めておくのが**遺言**です。遺言は、民法の定める方式によらなければ、その効力を生じません。

1　遺言できる者

① 未成年者でも、**15歳以上**であれば法定代理人の同意を得ずに、単独で遺言をすることができます。

② 被保佐人・被補助人も、単独で、遺言をすることができます。

③ 成年被後見人は、事理を弁識する能力を回復したときに限り、2人以上の医師の立会いのもとに、単独で遺言をすることができます。

たとえ夫婦であっても、2人以上の者が、同一の証書で遺言することはできないよ。

2　遺言の方式

遺言の普通方式の種類には、①**自筆証書遺言**、②**公正証書遺言**、③**秘密証書遺言**の3つがあります。

① **自筆証書遺言**

その**全文・日付・氏名**を、遺言者**本人が自書**するものです。

② **公正証書遺言**

証人2人以上の立会いのもとで、遺言者本人が遺言の趣旨を**公証人に口述**して、これを公証人が筆記して作成したものです。なお、本人の口述が必要なので、代理人によることはできません。

③ **秘密証書遺言**

遺言の存在を公証人の前で提示して明らかにしつつも、その内容については秘密にできるものです。

プラスα
自筆証書に、**自書によらない財産目録**（パソコンで作成した目録や通帳のコピーなど）を添付することは認められています。ただし、偽造防止のため、財産目録にはページごとに署名押印をしなければなりません。

3　遺言の撤回

遺言者は、いつでも、遺言の方式に従って、遺言の全部または一部を撤回することができます。

この**撤回権の放棄**は、**できません**。

- 前の遺言と後の遺言が抵触するときは、抵触する部分については、後の遺言で、**前の遺言を撤回**したものとみなされるんだ。
- 遺言と、遺言後の生前処分行為が抵触するときも、その遺言を撤回したものとみなされるよ。

4　遺言の効力

遺言は、**遺言者の死亡の時**から、その効力を生じます。

ただし、遺言に停止条件が付いているときは、遺言者の死亡後、その条件が成就した時に効力が生じます。

5　遺言書の検認

遺言書の保管者は、公正証書遺言を除き、相続の開始を知った後、遅滞なく、これを家庭裁判所に提出して、その**検認を請求**しなければなりません。

プラスα
検認は、偽造などを防ぐために遺言の執行前に、遺言書の形式その他の状態を調査・確認するものですが、検認手続を経ないからといって、遺言が**無効になるわけではありません**。

6　遺　贈

被相続人は、**遺言により相続財産を贈与**することができ、これを**遺贈**といいます。

しかし、被相続人が全財産を相続人以外の者に遺贈してしまった場合、相続人の権利が侵害されることとなるため、後述の「❽**遺留分**」が、一定の相続人に認められています。

プラスα
遺贈には特定の財産を贈与する特定**遺贈**と、全相続財産の一定割合を贈与する包括**遺贈**があります。包括遺贈を受けた者（包括受遺者）には、相続人と同一の権利・義務が認められます。

7 配偶者居住権

R3⑽.5

1　配偶者短期居住権

遺産分割が終了するまでの比較的短期間に限定して、配偶者を保護するための制度です。

配偶者は、相続開始の時に、被相続人の財産に属した建物に**無償**で居住していた場合、次のどちらかの期間内は、居住建物の所有権を相続または遺贈により取得した者（**居住建物取得者**）に対し、**居住建物**（居住建物の一部のみを使用していた場合は、その部分）**を無償で使用する権利**を有します。

① 居住建物について、「配偶者を含む共同相続人間で遺産の分割をすべき場合」は、**遺産の分割により居住建物の帰属が確定した日または相続開始の時から6ヵ月を経過する日のいずれか遅い日までの間**

② ①以外の場合は、**申入れの日から6ヵ月を経過する日までの間**

つまり、その家に住んでいた配偶者は、少なくとも相続の開始等から6ヵ月間は、タダでその家に住み続けることができて、追い出されることはないんだ。

注意
後出**2**の「配偶者居住権」は登記することができますが、**1**の「配偶者短期居住権」は登記できません。

［配偶者短期居住権］

❶ 使　用	●配偶者は、従前の用法に従い、善良な管理者の注意をもって、居住建物の使用をしなければならない ●配偶者は、居住建物取得者の承諾を得なければ、第三者に居住建物の使用をさせることができない ➡配偶者が、この規定に違反したときは、居住用建物の取得者は、配偶者に対する意思表示によって、配偶者短期居住権を消滅させることができる
❷ 返還等	●配偶者は、配偶者短期居住権が消滅したときは、居住建物を返還しなければならない ●ただし、配偶者が共有持分を有する場合は、配偶者短期居住権が消滅したことを理由として、返還を求めることができない

第17章
相続

2　配偶者居住権

> **プラスα**
> 被相続人が相続開始の時に居住建物を配偶者以外の者と共有していた場合は、配偶者は、配偶者居住権を取得しません。

被相続人の配偶者は、相続開始の時に、被相続人の財産に属した建物に居住していた場合で、①遺産の分割によって配偶者居住権を取得するとされたとき、②配偶者居住権が遺贈の目的とされたときは、その**居住していた建物**（**居住建物**）**の全部**について、**無償で使用・収益をする権利**（**配偶者居住権**）を**取得**します。

> 1とは違って、配偶者が、**ある程度の長期間**（原則「終身」）、その**居住建物を使用**できるようにした制度なんだ。だから、配偶者が配偶者居住権を取得したときは、配偶者「短期」居住権は消滅するんだよ。

[配偶者居住権]

❶　存続期間	**原則**：配偶者の終身 **例外**：遺産の分割の協議、遺言に別段の定めがある場合
❷　登記等	居住建物の所有者は、配偶者に対し、配偶者居住権の設定の登記を備えさせる義務を負う
❸　使用・収益の注意義務、費用負担、譲渡禁止等	●配偶者は、従前の用法に従い、**善良な管理者の注意**をもって、居住建物の使用・収益をしなければならない ●配偶者は、居住建物の**通常の必要費を負担**する ●配偶者居住権は、**譲渡することができない** ●配偶者は、**所有者の承諾を得なければ、改築・増築、第三者に使用・収益をさせることができない**
❹　修繕等	●配偶者は、居住建物の使用・収益に**必要な修繕**をすることができる ●居住建物の修繕が必要である場合、配偶者が相当の期間内に必要な修繕をしないときは、所有者は、その修繕をすることができる

なお、居住建物が配偶者の財産に属することになった場合、**他の者が共有持分を有する**ときであっても、配偶者居住権は**消滅しません**。

8 遺留分

H27.R4

例えば、幼い子供を抱えた妻がいるにもかかわらず、全財産を他人に遺贈するという遺言をして夫が死亡した場合、その遺言をすべて有効とするのは妥当ではありません。

そこで、**兄弟姉妹を除く法定相続人**は、遺贈の内容にかかわらず、**相続財産の一定割合を請求**することができます。その割合を「**遺留分**」といいます。

1　遺留分権利者

遺留分を有する者は、配偶者、子（その代襲者を含む）、直系尊属です。**兄弟姉妹**は、遺留分を**有しません**。

2　遺留分の割合

遺留分は、原則として、**相続財産の1／2**です。

ただし、**直系尊属のみ**が遺留分権利者である場合は、相続財産の**1／3**です。

そして、全体の遺留分を相続分の割合によって分けたものが、各自の遺留分となります。

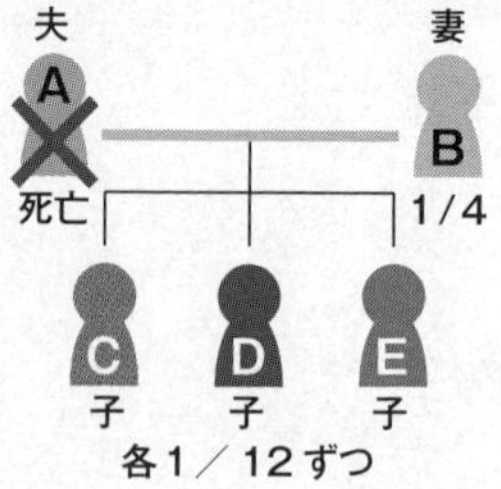

遺留分は、例えば、このように計算するんだ。

●妻B：1／2（全体の遺留分）×1／2（法定相続分）＝1／4

●子C・D・E：1／2（全体の遺留分）×1／6（法定相続分）＝各1／12ずつ

注意
相続開始前における遺留分の放棄は、家庭裁判所の許可を受けたときに限り、その効力を生じます。相続放棄が、相続開始前にはできないことと、区別しておきましょう。

注意
相続権を失うと、当然に、遺留分も失います。しかし、遺留分を放棄しても、相続権は失われません。

3　遺留分侵害額請求権

他人に「全財産を贈与する」というような、遺留分を侵害する遺贈も無効ではなく、遺留分権利者が遺留分を主張しなければ、その遺贈に従って、全財産が他人のものになります。

しかし、遺留分権利者は、遺留分侵害額に相当する**金銭の支払**を請求することができます。これを**遺留分侵害額の請求**といいます。

①　遺留分侵害額請求権は、遺留分権利者が、**相続の開始及び遺留分を侵害する贈与・遺贈があったことを知った時から1年間**行使しないときは、**時効により消滅**します。

②　また、**相続開始時から10年を経過**した時も、消滅します。

要点整理　遺言・遺贈・遺留分のまとめ

遺言能力	15歳以上であれば単独で遺言できる
遺言の検認	公正証書遺言を除き、遺言は**裁判所の検認**が必要。ただし、これを怠った遺言が無効になるわけではない
遺言の効力	原則として、遺言者の**死亡時**に生じる
遺言の撤回	●遺言者はいつでも自由に遺言を撤回できる（遺言の撤回権は放棄できない） ●前後の遺言が抵触する場合、その範囲で前の遺言が撤回されたものとみなされる
遺贈の効力	遺言者の死亡**前**に**受遺者が死亡**したときは、効力を生じない（**代襲はない**）
遺留分	遺留分は、**兄弟姉妹**以外の法定相続人が有する
遺留分の割合	原則として、相続分の1／2
遺留分の侵害	遺留分を侵害した遺言も**有効**。ただし、侵害額（**金銭**）の請求の対象となる
遺留分の放棄	遺留分は、相続開始**前**でも、**家庭裁判所の許可**を得れば放棄でき、遺留分を放棄しても相続権は失われない

注意
遺留分侵害額請求権は、金銭債権ですので、例えば、土地などの相続財産自体の引渡し等の請求はできません。

第18章 借地借家法①借地関係

重要ランク S

土地を借りるときに「民法の賃貸借では都合が悪いルール」を修正しているんだ。

❶ 借地借家法の適用範囲

H25.29.R元

用語解説
地上権：
建物、橋、鉄塔などの工作物の所有を目的として、**他人の土地を使用できる権利**のことです。建物所有が目的の地上権は、借地権として、借地借家法の適用を受けます。

1　適用範囲

例えば、レンタカーや貸し衣装など、すべての物の賃貸借について、一般的に適用されるのは**民法**の規定です。

これに対して、**借地借家法**は、「**建物の所有**」**を目的**とする**地上権**または**土地の賃貸借**（借地）と、**建物の賃貸借**（借家）に適用されます。

ただし、臨時設備の設置その他**一時使用のために借地権を設定**したことが明らかな場合は、原則として、借地借家法の規定は**適用されません**。

民法と借地借家法の関係は、**一般法**と**特別法**（➡P.7参照）の関係にあります。

そのため、土地や建物の賃貸借については、原則として、特別法である**借地借家法が優先して適用**され、借地借家法に規定されていない部分やその適用がない場面についてのみ、**民法が補充的に適用**されることになります。

2　特約の効力

存続期間や更新・対抗力・建物買取請求などに関して、**借地権者に不利な特約**は**無効**です。

例えば、**建物買取請求権を認めない旨の特約**は、借地権者に不利なため、無効となるんだ。

3　借地権

「建物の所有」を目的とする地上権または土地の賃借権が、**借地権**です。

例えば、Aの土地を賃借したBが、借地上に建物を建てた場合、Aを**借地権**設定者、Bを**借地権**者といいます。

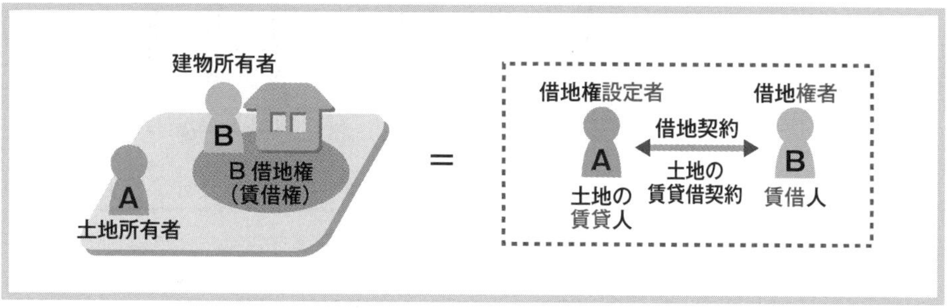

② 借地権の存続期間・借地契約の更新

H25.26.29.30.R元.2(10).3(10)(12).5.6

1　借地権の存続期間

借地権は、**建物の所有を目的**とするため、あまりに短期間での設定を認めると、建物をすぐに取り壊さなければなりません。

そこで、借地権の存続期間は、当事者の合意がないときは**30年**となり、30年以上の期間を定めたときは、**その期間**となります。

反対に、**30年未満**の期間を定めた場合は、その定めは無効となり、30年となります。

2　合意更新

借地契約は、**当事者の合意で更新**することができます。

更新後の存続期間は、**最初の更新の場合は20年**（次の図の❶）、２回目以降の更新の場合は**10年**（❷）となり、❶❷以上の期間を定めたときは、その期間となります。

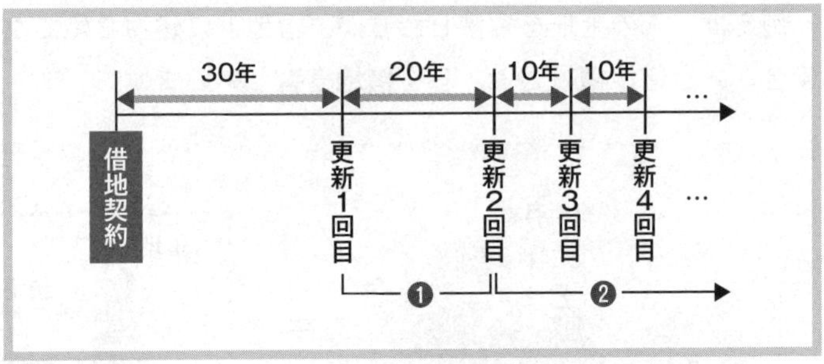

つまり、**2**の期間より長い期間を定めたときはその期間となり、反対に、**2**の期間より短い期間を定めたときは、その定めは無効となって**2**の期間が適用される、ということだよ。

3　法定更新

まだ軽いみたいだね……。

借地権の**存続期間が満了**する場合に、**建物がある**ときは、次の①②のいずれか一方の要件を満たせば、借地権設定者の承諾がなくても、従前と同一の条件で、契約が更新されたものとみなされます。それが**法定更新**です。

① **更新の請求をすること**

② **土地の使用を継続すること**

つまり、存続期間が満了しても、まだ**建物が存在**していて、**借地権者が継続を望む**のであれば、原則として**契約を更新**させようとする規定だよ。

ただし、借地権設定者が、**正当事由**に基づき、遅滞なく異議を述べたときは、更新されません。

なお、更新後の存続期間は、最初の更新なら20年、２回目以降の更新であれば10年となります。

注 意
立退料を払っても、それだけでは、立ち退きを請求する正当事由として認められるとは限りません。

要点整理　借地権の存続期間

- 借地権の存続期間は、期間の定めがないときは 30 年となり、30 年以上の期間を定めたときは、その期間となる。
- 30 年未満の期間を定めたときは、期間の定めは無効となり、30 年となる。
- 借地権の存続期間が満了する場合において、①借地権者が契約の更新を請求し、または②土地の使用を継続するときは、「建物がある場合に限り」、従前の契約と同一条件（存続期間は、最初の更新は 20 年、2 回目以降の更新は 10 年）で更新したものとみなされる。

3 借地権者の建物買取請求権

H28.R2(10).4.5

判例
建物買取請求権を行使した場合、借地権者は、建物代金の支払の提供を受けるまで、建物・土地の明渡しを拒むことができます（同時履行の抗弁権、留置権）。ただし、建物を明け渡すまで、**地代相当額を支払う必要**があります。

借地権の**存続期間が満了**した場合において、建物があるのに**契約の更新がされない**ときは、借地権者は、借地権設定者に対し、その建物を**時価で買い取るよう請求**できます。

なお、借地権者の地代不払その他の**債務不履行**により、借地権設定者が借地契約を**解除**したとき、借地権者は、建物買取請求権を**行使できません**。

建物が存在しているにもかかわらず、正当事由などによって更新を拒絶された場合、建物の買取請求をできるとすることで、建物取壊しによる経済的な損失を防ぐとともに、借地権者の保護を図っているんだね。

だから、**建物買取請求権を認めない契約**は、借地権者に**不利**として無効になるんだ。

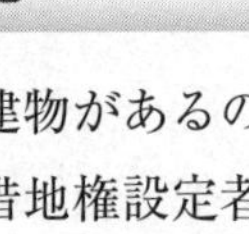

ニャカ先生のひとこと

4 借地上の建物の滅失

H25.R4

借地権の**存続期間が満了する前**に建物が滅失し、借地権者が残存期間を超えて存続すべき建物を築造した場合、再築について**借地権設定者の承諾**があるときは、借地権は、承諾があった日、または建物が再築された日の「**いずれか早い日から20年間**」存続します。

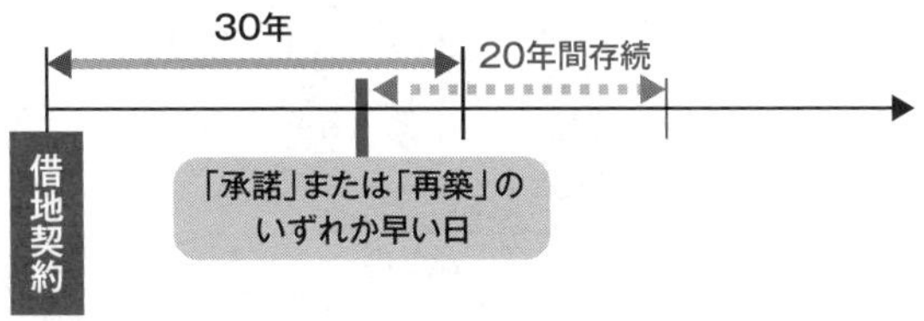

- **当初の契約期間中**に滅失した場合は、借地権設定者の承諾がなくても再築することができるけど、その場合は、期間が延長されないんだ。
- これに対して、更新後**の契約期間中**に滅失した場合は、承諾なく再築すると、借地権設定者から地上権の消滅請求や賃貸借の解約申入れをされてしまうおそれがあるんだ。だけど、再築につきやむを得ない事情があるときは、借地権者は、裁判所に対して、借地権設定者の承諾に代わる許可を求めることができるんだよ。

❺ 借地権の対抗力

H25.26.28.29.30.R2(10)(12).3(12)

1　建物の登記による対抗力

土地の賃借権の登記がなくても、**借地上に所有する建物について登記**をしているときは、借地権の対抗力が認められます。

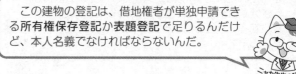

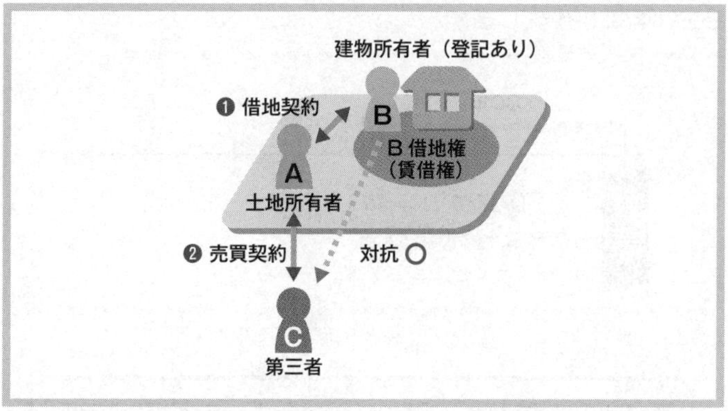

例えば、上の図のように、Aから土地を賃借したBが、借地上に建物を所有しその登記を備えると、Bは、Aから土地を購入したCに対しても、借地権を対抗できます。

判例
借地上の建物は、借地権者**本人自身の名義**で登記されていなければなりません。したがって、配偶者や子の名義では、対抗力は認められていません。
これに対し、地番や床面積が実際と多少相違していても、**同一性**が認められれば、対抗力は失われません。

この建物の登記は、借地権者が単独申請できる**所有権保存登記**か**表題登記**で足りるんだけど、本人名義でなければならないんだ。

ニャカ先生のひとこと

2　掲示による対抗力の維持

借地上の建物の登記をしても、その建物が滅失してしまうと無効な登記となるため、借地権の対抗力は失われてしまいます。

そこで、借地権者が**土地の見やすい場所に一定の事項を掲示**したときは、**建物滅失の日から2年間**に限り、借地権の対抗力は持続します。

要点整理　借地権の対抗力

●借地権者は、借地上に登記されている建物を所有するときは、借地権を第三者にも主張できる。

●この登記は、所有権の保存の登記でも、表示に関する登記でもよい（どちらも、借地権者が単独で登記できる）が、必ず、借地権者の自己名義でなければならない。

6 借地上の建物の譲渡・競売

建物は、そもそも土地の利用権がなければ、所有することができません。しかし、借地権が賃借権の場合は、借地権（賃借権）を譲渡するには、**借地権設定者（賃貸人）の承諾**が必要であり、その承諾がないと借地権を取得できません。

例えば、次の図のように、Bが、借地上の建物をCに「**譲渡**」すると、借地権（賃借権）もCに譲渡することになるため、借地権設定者（賃貸人）Aの承諾が必要です。

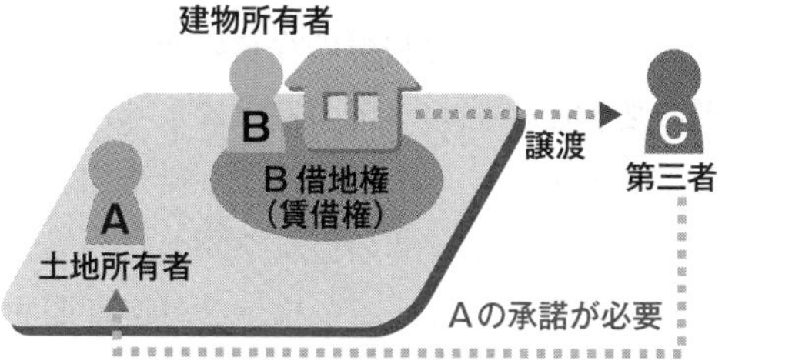

そこで、借地権者（土地賃借人）が、借地上の建物を譲渡しようとする場合に、借地権設定者に不利となるおそれがないのにもかかわらず、借地権設定者が借地権（賃借権）の譲渡の承諾をしないときは、**裁判所**は、**借地権者の申立て**により、その**承諾に代わる許可**を与えることができます。

注意
借地上の建物を「賃貸」する場合は、土地利用権の譲渡を伴わないので、借地権設定者の承諾は不要です。

プラスα
[譲受人の建物買取請求権]
第三者が借地上の建物を取得した場合において、借地権設定者が借地権（賃借権）の譲渡を承諾しないときは、その第三者は、借地権設定者に対して、その建物を時価で買い取るように請求することができます。

借地上の建物が競売される場合も、借地権が移転することになるんだけど、自分の建物が競売されるときに、借地権者が裁判所に許可の申立てをすることは、当然期待できないよね。

だから、競売の場合に借地権設定者が借地権（賃借権）の譲渡の承諾をしないときは、裁判所は、買受人の申立てにより、その承諾に代わる許可を与えることができるんだ。

要点整理 借地上の建物の譲渡

- 借地権者（土地賃借人）が借地上の建物を譲渡しようとする場合で、借地権設定者が、借地権（賃借権）の譲渡の承諾をしないときは、裁判所は、借地権者の申立てにより、その承諾に代わる許可を与えることができる。

7 借地条件の変更等

建物の種類・構造・規模・用途を制限する借地条件がある場合でも、法令による土地利用の規制の変更や、周りの土地の利用状況の変化その他の事情の変更により、その借地条件が相当でなくなってしまうことが起こり得ます。

そのことについて当事者間の協議が調わない場合、**裁判所**は、**当事者の申立て**により、その**借地条件を変更**することができます。

8 地代等増減請求権

H29.R2⑽.5

地代・借賃が地価の上昇または低下などにより不相当となった場合、当事者は、将来に向けて地代等の額の増減を請求できます。ただし、**地代等を増額しない旨の特約**があるときは、**増額請求**ができません。

プラスα
「減額しない」という特約があっても、特約は**無効**であり、減額請求をすることは可能です。

1　地代等の増額について当事者間に協議が調わない場合

地代等の増額について当事者間に協議が調わない場合、その請求を受けた借地権者は、増額を正当とする裁判が確定するまで、**自ら相当と認める額**の地代等を支払えば足ります。

ただし、裁判が確定して不足額が生じたときは、その不足額に**年１割**の利息を付して支払う必要があります。

2　地代等の減額について当事者間に協議が調わない場合

地代等の減額について当事者間に協議が調わない場合、その請求を受けた借地権設定者は、減額を正当とする裁判が確定するまで、相当と認める額の地代等の支払を請求することができます。

ただし、裁判が確定して超過額が発生したときは、その超過額に**年１割**の利息を付して、返還しなければなりません。

要点整理　地代等増減請求権

性　質	増額請求をしない旨の特約があるときは行使できない
裁　判 確定前	自ら相当と認める額を支払い、または請求することができる
裁　判 確定後	不足額または超過額が生じたときは、年１割の利息を付して支払い、または返還しなければならない

⑨ 定期借地権等

H28.29.30.R元.3(10).5.6

更新のない特殊な借地権である「**定期借地権**」等という制度には、次の３種類があります。

土地に普通の借地権を設定すると、法定更新など賃借人に有利なルールによって土地が所有者のところになかなか戻ってこないおそれがあって「土地の貸し渋り」が発生しがちなんだ。
それを避ける手法だよ。

1　定期借地権

存続期間を50年以上とする場合には、①**契約の更新をしない**、②**建物の再築による期間の延長をしない**、③**期間満了時の建物買取請求権を認めない**、などの特約ができます。

このような定期借地権の特約は、**書面**（**電磁的記録**を含む）によって行われる必要があります。

重要
賃貸マンションなど、居住の用に供する建物の所有を目的とする場合、**事業用**定期借地権を設定することは**できません**。

2　事業用定期借地権

専(もっぱ)**ら事業の用**に供する建物（**居住の用に供するものを除く**）の所有を目的として借地権を設定する場合で、**存続期間**を①**10年以上30年未満**とする場合は、借地権の更新等・建物買取請求・建物の再築の各規定は適用されません。

また、②**30年以上50年未満**とする場合には、契約の更新及び建物の築造による存続期間の延長がなく、また、**買取りの請求をしないとする旨**を定めることができます。

このような、事業用定期借地権の設定を目的とする契約は、**必ず公正証書**によって行わなければなりません。

3　建物譲渡特約付き借地権

前記**1**・**2**以外の借地権を設定する場合でも、将来、借地権を消滅させることを目的として、設定後30年以上経過した日に、借地上の建物を**借地権設定者に相当の対価で譲渡する旨の特約**をすることができます。

なお、この特約については、**書面でする必要はありません**。

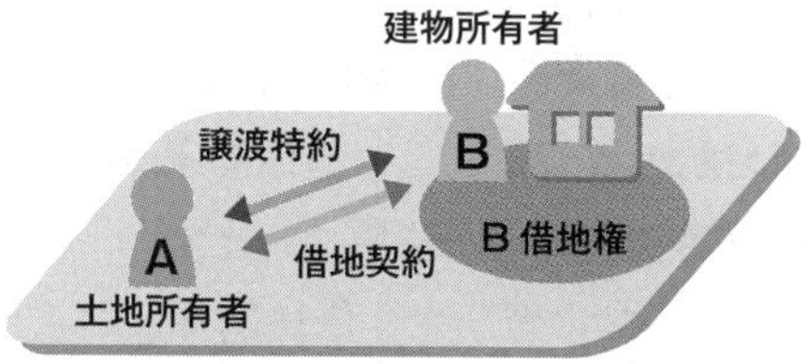

上記の**特約**に従って借地権者Bが建物を土地所有者Aに譲渡して借地権が消滅した場合に、消滅後も建物の使用を継続しているBがAに請求すると、AB間には、A所有の建物について「建物賃貸借契約が設定された」とみなされるんだよ。

要点整理　定期借地権等

	種　類	書面等による契約	期間の制限	用途等の制限
借地	定期借地権	必　要	50年以上	なし
	事業用定期借地権	公正証書に限る	10年以上50年未満	居住用の建物は不可
	建物譲渡特約付き借地権	不　要（口頭でも可）	30年以上	なし

第19章 借地借家法②借家関係

重要ランク **S**

アパートなどを借りる場合に適用される、とても一般的なルールだよ。

❶ 借家の適用範囲等

H27.29

> ⚠ **注意**
> 本書では、便宜上、借地借家法が適用される「建物賃貸借契約」を借家契約といい、「建物賃借権」を借家権と表現しています。

> ★**プラスα**
> 借家契約の途中で、その建物が滅失したとき、借家契約は終了します。

借地借家法で規定される**借家関係**の規定は、住居・店舗など種類を問わず、「**建物の賃貸借**」に適用されます。

ただし、**一時使用目的**の賃貸借には、**借地借家法の規定は適用されず**、**民法の賃貸借**の規定が適用されます。

また、前章（**第18章**）で学習した「**借地関係**」の場合と同様に、**賃借人の保護**を目的としていますので、存続期間・更新、対抗力など借家関係の規定に反する特約で、**賃借人に不利なものは無効**となります。

> ただし、造作買取請求権を認めない特約や、内縁の同居者の借家権の承継を認めない特約（後出）は有効なので、注意してね。

❷ 借家権の存続期間

H26.R5

> ★**プラスα**
> 民法上での賃貸借の存続期間は上限50年で、下限はありません。

建物賃貸借の**存続期間**について、借地借家法では**上限はありません**。

他方、最短期間は１年とされ、**１年未満の期間を定めた場合は、その定めは無効**となり、**期間の定めのない建物賃貸借**となります（後出❸**2**を参照）。

> もちろん、最初から期間を定めないで契約する建物賃貸借も、有効だよ。

ここを
追い出されたら
ヤバイ……。

第19章　借地借家法②借家関係

❸ 契約の更新・更新拒絶・解約の申入れ

H27〜R元.2(12).3(10)(12).6

1　法定更新（期間の定めがある場合）

　建物賃貸借について期間の定めがある場合は、期間満了の**1年前から6ヵ月前まで**の間に、相手方に対し、更新しない旨（**更新の拒絶**）の**通知**をしなければ、従前の契約と同一の条件で契約を更新したとみなされます。これを**法定更新**といいます。

　更新拒絶の通知は、賃貸人・賃借人のいずれも、1年前から6ヵ月前までの間にしなければなりません。

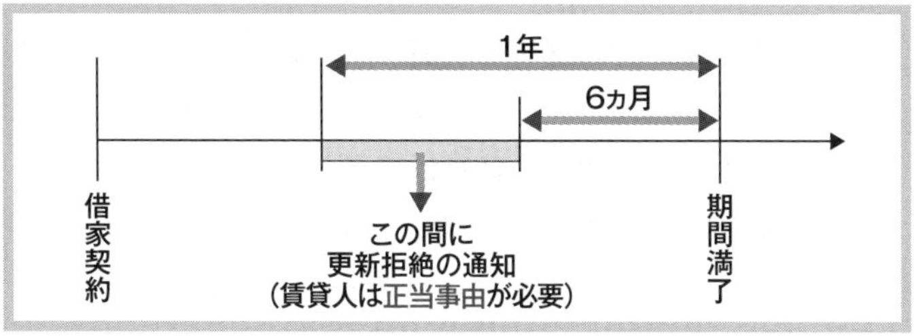

ただし、「期間満了の1ヵ月前までに通知すること」というように、この期間を短縮する特約については、賃借人からの通知は有効ですが、**賃貸人からの通知は無効**です。

⚠ 注意
法定更新後は、「期間の定めのない」借家契約となります。

★プラスα
更新拒絶の正当事由の判断は、当事者が建物の使用を必要とする事情（主たる要素）、賃貸借に関する従前の経過、建物の利用状況、建物の現況、立退料の給付の申出（従たる要素）等を考慮して、総合的に行います。したがって、立退料の給付申出をしただけで、正当事由があるとみなされるわけではありません。

なお、賃借人から更新拒絶の通知をするのに、正当事由は不要ですが、**賃貸人**から更新しない旨の通知をするには、**正当事由が必要**です。

賃貸人が正当事由に基づく更新拒絶の通知をしても、賃借人が期間満了後に建物の使用を継続している場合は、賃貸人が遅滞なく異議を述べない限り、やはり更新したとみなされるんだ。

2　解約の申入れ（期間の定めがない場合）

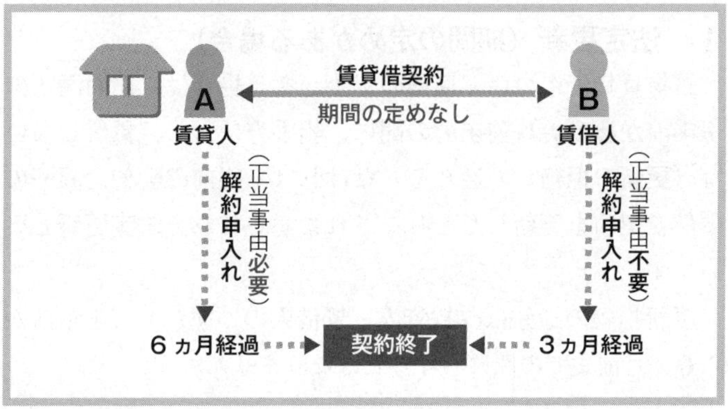

契約期間を定めずに建物を賃貸した場合、**賃貸人**から解約の申入れをするには、正当事由が**必要**であり、解約の申入れの日から**６ヵ月経過後**に、**契約は終了**します。

これに対して、**賃借人**から解約の申入れをするには、正当事由は**不要**であり、解約の申入れの日から**３ヵ月経過後**に、**契約は終了**します。

なお、更新拒絶の通知をした場合と同様に、賃貸人の解約申入れによる契約終了後に、賃借人が建物の**使用を継続**する場合、賃貸人が**遅滞なく異議を述べない**ときは、**更新**したとみなされます。

4 借家権の対抗力

H27.R2⑽.3⑿.4.6

借地借家法では、賃借権の登記のほか、**建物の引渡し**にも**対抗力**を認めています。

例えば、次の図のように、賃借人Bが建物の引渡しを受けた場合、Bは、Aから建物を購入した第三者Cに対しても、借家権を対抗することができます。

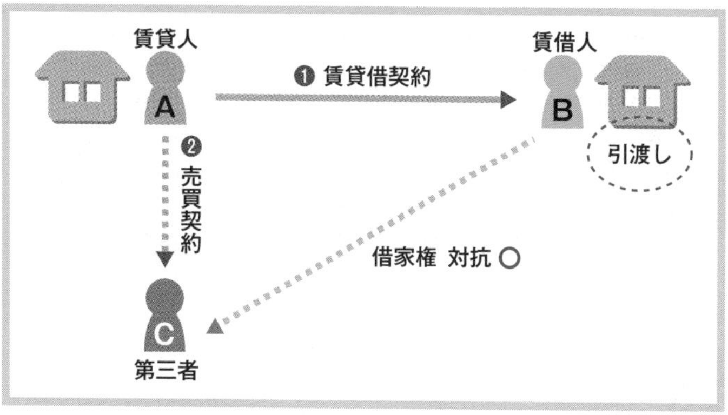

比較整理
➡「第14章　❹不動産賃借権の対抗要件」

要点整理　借家権の存続期間・更新・対抗力

- 借家契約に期間の定めがある場合、期間満了の1年前から6ヵ月前までの間に、相手方に対し、**更新をしない旨の通知**をしなければ、**従前の契約と同一条件で契約を更新**したとみなされる。
- 賃貸人から、更新をしない旨の通知をするには、**正当事由が必要**。
- 賃貸人が正当事由に基づく更新拒絶等の通知をした場合で、賃借人が期間満了後も建物の使用を継続するときは、賃貸人が**遅滞なく異議を述べない限り**、更新したとみなされる。
- 借家契約に期間の定めがない場合、賃貸人からの解約の申入れには正当事由が必要であり、申入れの日から**6ヵ月経過後**に、契約は終了する。一方、賃借人からの解約の申入れには正当事由は不要であり、申入れの日から**3ヵ月経過後**に、契約は終了する。
- 賃貸人からの解約の申入れによる契約終了後に、賃借人が建物の使用を継続する場合、賃貸人が遅滞なく異議を述べないときは、更新したものとみなされる。
- 賃借人は、建物の引渡しがあれば、その後、建物を取得した第三者に、借家権を対抗できる。

⑤ 造作買取請求権

H27.28.30.R2⑽.3⑿

注意
定期建物賃貸借の場合も、造作買取請求権の規定は適用されます。

プラスα
転借人も、造作買取請求権を行使することができます。

借家契約が終了した場合、賃借人は、あらかじめ**賃貸人の同意**を得て、建物に取り付けた畳・建具など（「造作」といいます）を、賃貸人に**時価**で買い取ってもらうことができます。

ここで注意したいのは、**造作買取請求権を認めない特約**も、**有効**となることです。

> 賃借人が造作買取請求権を行使すると、請求と同時に造作の売買契約が成立するんだ。もし、貸主が造作の代金を支払わないときは、借主は造作の引渡しを拒絶できるけど（同時履行の抗弁権）、建物の引渡しは拒絶することはできないんだよ。

ニャカ先生のひとこと

⑥ 同居者の保護

R2⑿.6

建物の賃借権も相続の対象となりますから、相続人がいるときは、他の財産権と同様に相続されます。

しかし、アパート等の**居住用建物の賃借人**が、**相続人なしで死亡**した場合は、同居していた**事実上の配偶者**（例えば、内縁の妻）などは、**賃借人の権利義務を承継**し、今までどおり居住し続けることができます。

ただし、同居者が承継を望まないときは、賃借人の死亡を**知った時から１ヵ月以内**に、承継しない旨の通知をして、建物賃借権を**放棄**することもできます。

つまり、同居者は積極的に賃借権を放棄しない限り、承継することができるっていうことだね。

この規定は、賃借人が死亡した場合に同居者が直ちに明渡しを余儀なくされることを防ぐ趣旨なんだよ。

判例では、相続人がいる場合でも、同居者は、相続人が承継した賃借権を援用して、賃貸人に権利を主張することができたり、相続人から同居者に対する明渡し請求を、権利の濫用と判断したりすることで、同居者の保護が図られているんだ。

7 借賃増減請求権

H25.27.R2⑽.5.6

景気の変動などによって**借賃が不相当**となった場合、当事者は、借賃の額の**増減を請求**できます。

ただし、借賃を**増額しない旨の特約**があるときは、**増額の請求はできません。**

比較整理
借地の場合の「地代等増減請求権」と同じ趣旨の規定です。したがって、借家の場合でも、「**減額しない**」という特約があっても、特約は無効であり、減額請求をすることは可能です。

1　建物の借賃の増額について協議が調わない場合

建物の借賃の増額について協議が調わない場合、その請求を受けた者は、増額を正当とする裁判が確定するまで、**自ら相当と認める額の借賃**（例えば、従来の家賃の額）を支払えばよいのですが、裁判が確定して万一不足額を生じたときは、その不足額に、**年1割**の支払期後の**利息**を付して、支払う必要があります。

注意
定期建物賃貸借の場合も、借賃増減請求権の規定は原則として適用されます。ただし、賃料改定に関する「特約」があるときは、**適用されません。**

2　建物の借賃の減額について協議が調わない場合

建物の借賃の減額について協議が調わない場合、その請求を受けた者は、減額を正当とする裁判が確定するまで、**相当と認める額の借賃**の支払を請求することができます。

ただし、裁判が確定して超過額があるときは、その超過額に、**年1割**の受領の時からの**利息**を付して、返還しなければなりません。

8 転借人の保護

H25.28.29.R元.2(12).3(10)(12)

★プラスα
借家権の譲渡・転貸について賃貸人の承諾を得られない場合、借家についてはその建物を誰が利用するかが重要であるため、借地権と異なり、賃貸人の承諾に代わる裁判所の許可の制度は存在しません。

1　賃貸人の承諾を得ずに転貸した場合

建物の賃借人が、その建物を第三者に転貸する場合は、**賃貸人の承諾**が必要です。もし、賃貸人の承諾を得ないで転貸し、転借人が使用・収益を開始すると、賃貸人は、原則、**賃貸借契約を解除**することができます。

ただし、無断転貸が行われても、賃貸人との**信頼関係を破壊しないような特段の事情**があるときは、賃貸人は解除することができないよ。

ニャカ先生のひとこと

勝手にやるな〜!!
どうぞ〜
転貸

大家さんの許可は
ちゃんともらおうね。

★プラスα
賃貸人が転借人に対して請求することができるのは、賃料と転賃料を比べて**少ないほう**です。

⚠注意
転借人の使用継続は、賃借人の使用継続とみなされます。

2　賃貸人の承諾を得て転貸した場合

賃貸人の承諾を得て、賃借人が建物を転貸した場合、転借人は賃貸人に対して直接義務を負い、また、賃貸人は賃料を転借人にも請求することができます。

そして、賃貸借契約が終了すると、その賃借権を基礎としていた転貸借は、賃貸借の終了原因の違いによって、次のように扱われます。

①　期間満了の場合

賃貸人は、転借人に対して、賃貸借が終了することを**通知**していなければ、終了したことを転借人に**対抗できません**。

通知をした場合は、**通知後6ヵ月**を経過したときに、転貸借が終了します。

②　賃借人の債務不履行の場合

賃貸人は、賃借人の**債務不履行**を理由に賃貸借契約を解除した場合、**直ちに**、**賃貸借契約の終了**を**転借人**に**対抗**できます。

③　合意解除の場合

賃貸借契約が**合意解除**された場合は、これを**転借人**に**対抗できません**。

[①〜③のまとめ]

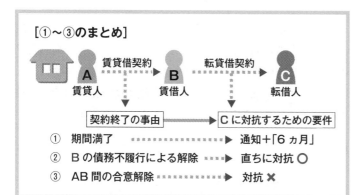

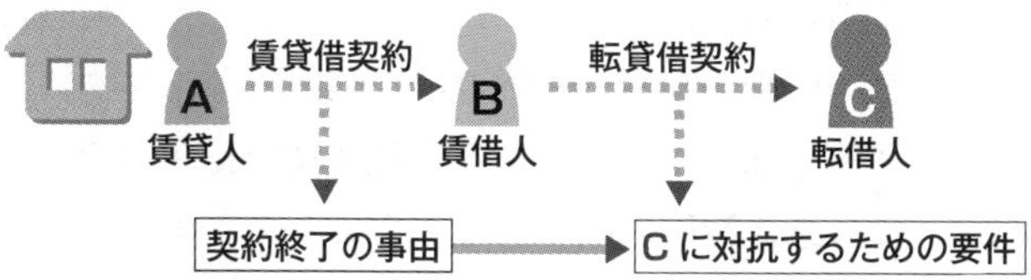

① 期間満了 ……▶ 通知＋「6ヵ月」
② Bの債務不履行による解除 ……▶ 直ちに対抗 ○
③ AB間の合意解除 ……▶ 対抗 ×

⚠注意
賃借人の賃料不払を理由に賃貸借契約を解除する場合、賃貸人は、転借人に催告して賃料支払の機会を与える必要はありません。

⚠注意
合意解除の場合でも、解除の時点で、賃貸人が**賃借人の債務不履行による解除権**を持っていたときは、賃貸人は、合意解除を転借人に**対抗できます**。

比較整理
紛らわしいところなので、図を参考にして、①〜③の3つのケースを比較して理解しましょう。

要点整理　借家の転貸と転借人の保護

<table>
<tr><td>無断転貸</td><td colspan="3">●賃貸人は借家契約を解除できる。
●ただし、信頼関係を破壊しない特段の事情があるときは、解除できない。</td></tr>
<tr><td rowspan="4">承諾転貸</td><td colspan="2">賃貸人の地位</td><td>賃借人のほか、転借人にも賃料を請求できる</td></tr>
<tr><td rowspan="3">借家権の消滅</td><td>期間満了</td><td>賃貸借終了の通知が賃貸人から転借人にされた日から6ヵ月経過後に、転貸借は終了する</td></tr>
<tr><td>債務不履行</td><td>賃貸人は、直ちに契約終了を転借人に対抗できる</td></tr>
<tr><td>合意解除</td><td>賃貸人は、契約終了を転借人に対抗することができない</td></tr>
</table>

⑨ 借地上の建物の賃借人の保護 発展 R3(12)

借地上の建物を賃貸すると、賃借人は間接的に土地を利用することになりますが、借地権の譲渡・転貸にはあたらないので、賃貸人の承諾は必要ありません。

ただし、借地権が消滅し、建物買取請求権が行使されないケースでは、建物は取壊しを余儀なくされますので、建物を利用している賃借人を保護する必要が生じます。

プラスα
定期借地権のような建物買取請求が認められない場合に、この規定の実益があります。建物買取請求が行われると、地主と建物賃借人との間に**借家契約が引き継がれる**からです。

そこで、借地上の建物の賃借人が、借地契約の存続期間満了により土地を明け渡さなければならないことを、**契約終了の１年前までに知らなかった場合**は、裁判所は、建物賃借人の請求により、知った日から**１年を超えない範囲内**で、土地の明渡しにつき、**期限の猶予**(ゆうよ)を与えることができます。

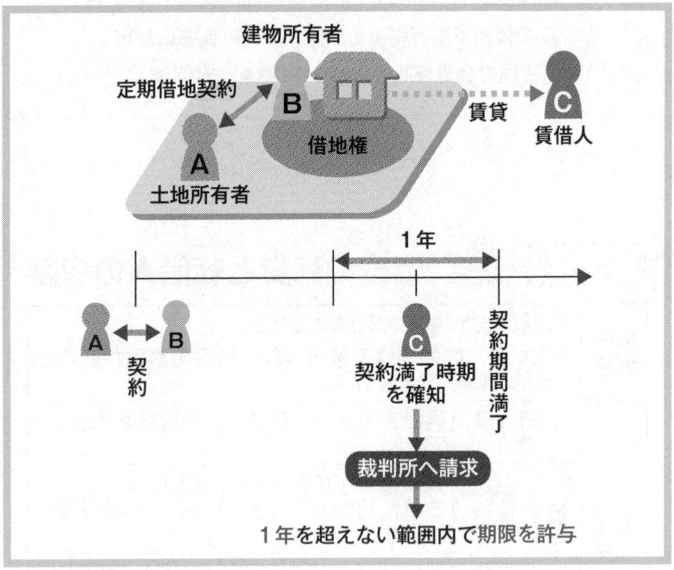

⑩ 定期建物賃貸借等

H26.28.29.30.R元.2(12).3(10).4.6

更新のない建物賃貸借としては、「**定期建物賃貸借**」と「**取壊し予定の建物の賃貸借**」の２種類が認められています。

1　定期建物賃貸借

①　定期建物賃貸借の成立

ア　期間の定めがある建物賃貸借をする場合、**書面**（**電磁的記録**を含む）によって契約をするときに限り、契約の更新がない旨を定めることができます。この場合は、**１年未満の期間も有効**です。

イ　定期建物賃貸借の契約には、更新がなく、期間満了により契約が終了する旨を記載した**書面を交付して説明する必要があります**（賃貸人は、賃借人の承諾を得て、当該書面に記載すべき事項を**電磁的方法**により提供することができます）。

なお、この「**書面**」は、契約書とは**別個独立した書面**（事前説明書）でなければなりません。この説明がないと、更新がない旨の定めは**無効**となり、通常の建物賃貸借になります。

②　契約終了の通知

定期建物賃貸借の期間が１年以上である場合、賃貸人は、**期間満了の１年前から６ヵ月前まで**の間に、賃借人に対して、期間満了により契約が終了する旨の**通知**をしなければ、その終了を賃借人に対抗できません。

③　居住用建物の中途解約の特則

居住用建物の定期建物賃貸借（床面積が**200㎡未満**の建物に限る）において、**転勤、療養、親族の介護その他のやむを得ない事情**により、賃借人が建物を、自分の生活の本拠として使用することが困難となったときは、**賃借人**は、**解約の申入れ**をすることができます。

プラスα
定期建物賃貸借を締結する場合、何らかの書面によらなければなりませんが、**公正証書でなくてもかまいません。**

プラスα
①の説明にはテレビ会議等のＩＴを活用することができます。

プラスα
通知をするのに、正当事由は不要です。

注意
通知期間（期間満了の１年前から６ヵ月前まで）の経過後に通知した場合でも、**通知の日から６ヵ月**を経過すれば、**契約は終了**します。

また、**申入れの日**から**1ヵ月**を経過すると、**契約は終了**します。

④　特約と借賃増減請求権

定期建物賃貸借では、借賃の改定に係る特約がある場合には、借賃増減請求権の規定は適用されません。つまり、**特約の内容が優先**されます。

したがって、借賃を「増額しない」「減額しない」旨の特約は、**どちらも有効**です。

2　取壊し予定の建物の賃貸借

定期借地権に基づく建物の賃貸借など、一定期間の経過後に**建物を取り壊すことが明らか**な場合には、建物を取り壊す時に借家契約が終了する旨を、**書面**（**電磁的記録**を含む）によって定めることができます。

この場合、賃貸借契約は、**取壊し時に終了**します。

要点整理　定期建物賃貸借等

種　類	要　件	効　果
定期建物賃貸借	●あらかじめ、更新がない旨を書面を交付して説明（書面の交付に代えて、賃借人の承諾を得て、電磁的方法により提供できる） ●賃貸期間（1年未満も可）を確定し、書面（電磁的記録を含む）で契約 ●期間が1年以上なら、賃貸人に契約終了の通知義務あり	確定期間経過により終了
取壊し予定の建物の賃貸借	●将来、建物の取壊しが明らかであること ●取壊し時に賃貸借が終了する旨を、書面（電磁的記録を含む）で契約	取壊し時に終了

[賃貸借(民法)と借地関係・借家関係(借地借家法)との比較]

比較整理

	賃貸借（民法）	借地関係	借家関係
適用関係	すべての物の賃貸借	建物所有目的の 土地賃貸借・地上権	建物賃貸借 （一時使用目的を除く）
存続期間	最長 50年・最短制限なし	●最長制限なし ●最短 30年 （更新後は1回目20年、2回目以降10年）	●最長制限なし ●最短1年 （1年未満は「期間の定めなし」となる）
期間を定めない場合	●**いつでも解約申入れ**ができる ●土地1年、建物3ヵ月後に契約終了	上記の「法定存続期間」が適用される	●**いつでも解約申入れ**ができる ●賃貸人からの場合は6ヵ月後、**賃借人**からの場合は3ヵ月後に、契約終了
法定更新	使用継続により 更新が推定される	●請求による更新 ●使用継続による更新 （建物の存在が要件）	使用継続により 更新とみなされる
更新拒絶	正当事由は不要	貸主が行う拒絶には、正当事由が必要	
契約終了時	目的物の引渡し・返還	建物買取請求権	造作買取請求権 （排除する特約は有効）
対抗要件	不動産賃貸借の場合は、 賃借権の登記	借地上の建物の登記 注：滅失➡掲示すれば2年間持続	建物の引渡し
無断譲渡	原則として、解除	●原則として、解除 ●借主は裁判所に対し、許可申立てをすることができる場合あり	原則として、解除

第20章 区分所有法

重要ランク A

分譲マンションに住むときに、特に関わりが深くなる法律なんだ。

1 区分所有建物の権利形態

用語解説
共用部分：
区分所有者の全員または一部の者の共同の用に供される建物の部分であって、区分所有権の目的とならないもののこと。

分譲マンションのような**区分所有建物**は、**専有部分**と**共用部分**により成立しています。以下、区分所有建物の**権利関係**や**構成**を見ていきましょう。

1　専有部分と区分所有権

１つの建物には、１個の所有権しか成立しないのが原則です。しかし、分譲マンションのような建築物は、物理的には１つの建物でありながら、その中は構造上区分されて、それぞれ住居、店舗など、**独立して建物としての用途に使用**できる部分が、多数存在しています。

プラスα
専有部分の床面積は、壁その他の区画の**内側線で囲まれた部分で算出**されます（内のり面積といい、壁の厚さを計算に入れない方法です）。

それらの部分を**専有部分**といい、その専有部分に独立して成立する所有権を**区分所有権**、**区分所有権**を有する専有部分の所有者を**区分所有者**といいます。

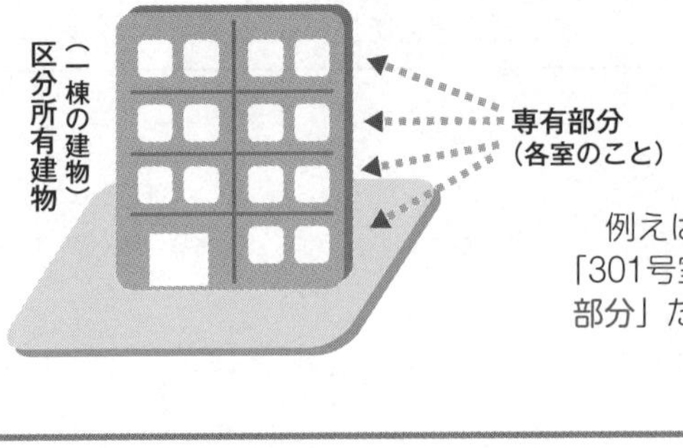

例えば、分譲マンションでの、「301号室」などの各室が、「専有部分」だよ。

2　共用部分

H25.28.R2⑽.3⑽.6

分譲マンションには、廊下や階段、エレベーター等のように、マンションの区分所有者が共同で使用することを前提とする部分がたくさんあり、そのような部分を**共用部分**といいます。そして、共用部分は、区分所有者全員が共同で所有（共有）し、それぞれの区分所有者の**共有持分**は、**専有部分の床面積の割合**によることが原則です。

共用部分には、①**法定共用部分**と②**規約共用部分**の２種類があります。

①　法定共用部分

法定共用部分とは、廊下・階段・給水塔のように、専有部分以外の建物の部分または建物の附属物で、構造上当然に共同で使用される部分をいいます。法定共用部分は、**登記できません。**

②　規約共用部分

規約共用部分とは、管理人室・集会室・物置など、本来は、専有部分となり得る部分ですが、規約により共用部分とされたものをいいます。

規約共用部分は、**その旨の登記**をしなければ、共用部分であることを**第三者に対抗**できません。

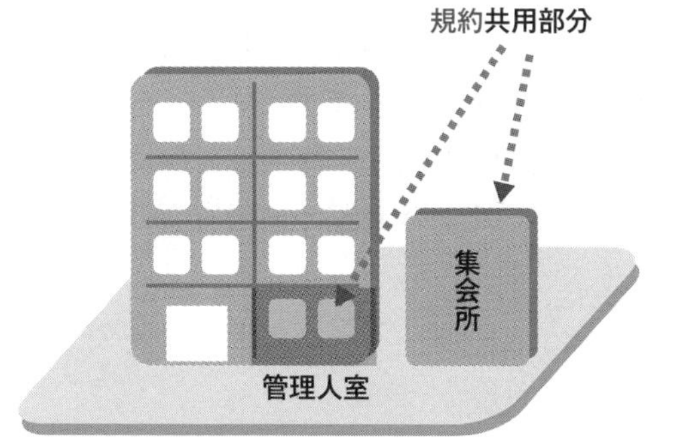

規約で定めれば共用部分となり、登記が対抗要件となる

プラスα
共用部分の持分は、専有部分の処分に従い、原則として、**専有部分と分離して処分**することができません。

プラスα
一部の区分所有者の共用に供される建物の部分で、**区分所有権の目的**とならないもののことを、一部共用部分といいます。

第20章　区分所有法

要点整理 法定共用部分・規約共用部分

[法定共用部分]

- 専有部分以外の建物の部分または建物の附属物であり、構造上当然に共同で使用する部分をいう。法定共用部分は、登記できない。

[規約共用部分]

- 本来、専有部分となり得る部分で、規約により共用部分とされたものをいう。
- 規約共用部分は、その旨の登記をしなければ、共用部分であることを第三者に対抗できない。

3　共用部分の管理・保存・変更

R2(10).3(10).5

①　共用部分の管理

共用部分について損害保険契約を締結するなど、共用部分の**管理**は、原則として、区分所有者及び議決権の**各過半数**による集会の決議で決します。

ただし、修繕などの保存行為は、各共有者が**単独**で行うことができます。

プラスα
形状または効用の著しい変更を伴わない共用部分の変更（**軽微変更**）は、区分所有者及び議決権の各過半数による集会の決議で決します。

②　共用部分の変更

共用部分の変更（その形状または効用の著しい変更を伴わないものを除く。以下「**重大変更**」といいます）は、区分所有者及び議決権の**各３／４以上**の多数による集会の決議で決します。このうち区分所有者の**定数**だけ、規約で**過半数まで減ずる**ことができます。

なお、共用部分の変更が、専有部分の使用に特別の影響を及ぼすときは、その専有部分の**所有者の承諾**を得る必要があります。

注意
重大変更の場合の議決権は、規約で減ずることができません。

要点整理　共用部分の管理・保存・変更

管理行為（利用または改良行為）（例：火災保険契約の締結等）		普通決議（各過半数）
保存行為（例：修理・修繕等）		●各共有者が単独でできる ●集会の決議は不要
変更行為	軽微変更	普通決議（各過半数）
	重大変更	特別決議（各３／４以上）

4　敷　地

R3(10)

①　建物の敷地

建物の敷地には、建物が所在する土地（**法定敷地**）と、建物及び建物が所在する土地と一体的に管理・使用する庭、通路、駐車場などの土地で、規約により、建物の敷地とされたもの（**規約敷地**）があります。

②　敷地利用権

専有部分を所有するための建物の敷地に関する権利（所有権や借地権等）を**敷地利用権**といいます。

敷地利用権は、区分所有者の共有となり、各区分所有者は、原則として専有部分の床面積と同一の割合で、その持分を所有します。

そして、区分所有権と敷地の共有持分は、規約に別段の定めがある場合を除いて、分離して処分することができません（**分離処分の禁止の原則**）。

要点整理　区分所有建物の権利形態

[建物の共有]

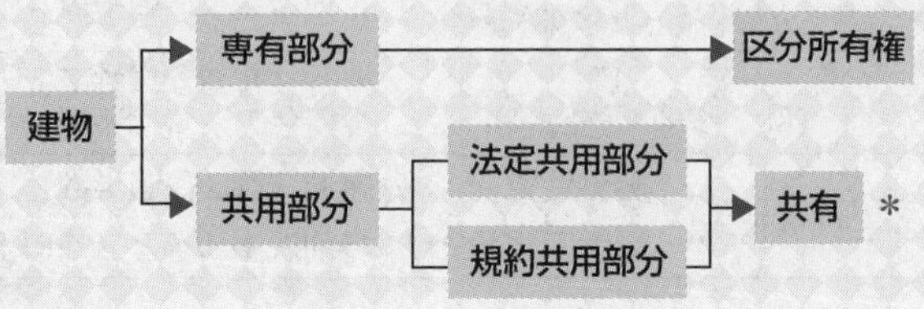

[敷地の共有]

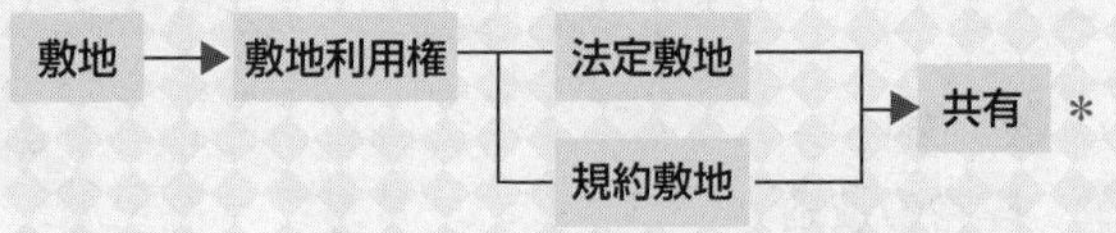

＊：各持分は、原則として、専有部分の床面積の割合による

2 管理組合と管理者

H26.27.28.R2(12).3(12).4

1　管理組合

区分所有者は、**全員**で、建物・敷地・附属施設の管理を行うための**管理組合を構成**し、管理組合は、集会を開き、規約を定め、**管理者を設置**することができます。

区分所有者は、**当然に**、管理組合の**組合員**となります。

2　管理者の選任・解任等

①　選任・解任

区分所有者は、規約に別段の定めがない限り、区分所有者及び議決権の**各過半数による集会の決議**により、**管理者を選任**し、また、**解任**することができます。

管理者に不正な行為その他その職務を行うに適しない事情があるときは、各区分所有者は、その解任を裁判所に請求できます。

プラスα

[管理組合法人]
集会の特別決議（各3／4以上）により、法人となる旨・名称・事務所を定め、主たる事務所の所在地において登記をして、管理組合を法人化することができます（管理組合法人）。
法人化された管理組合には、**必ず**理事と監事が置かれ、理事が、管理組合でいう「管理者」として扱われます。

注意

管理者は、組合員以外の者から選任することも可能です。
また、自然人だけでなく法人もなることができます。

②　管理者の権限

管理者は、共用部分等を保存し、集会の決議を実行し、規約で定めた行為をする権利を有し、義務を負います。

また、その職務に関し、区分所有者を**代理**し、**規約**または**集会の決議**により、その職務に関し区分所有者のために、原告または被告となることができます。

★プラスα
例えば、管理者に集会室の日常管理を全面的に委託するような場合、その集会室を管理者の所有とすることができます。このように、共用部分を、管理の便宜上管理者の所有とすることを、管理所有といいます。

要点整理　管理者の選任・解任

区分所有者は、規約に別段の定めがない限り、区分所有者及び議決権の各過半数による集会の決議により、管理者を選任し、または解任することができる。

③ 規　約

H30.R2(12).3(12)

分譲マンション内で、区分所有者が共同生活を円滑に行うため、区分所有者同士で取り決める“自主ルール”を、**規約**といいます。

規約で定められた事項は、**区分所有者**だけでなく、その承**継人**や**賃借人**（占有者）にも**効力が及ぶ**ため、その運用に関して、詳細な定めが置かれています。

1　規約の設定・変更・廃止

規約の設定、変更または廃止は、区分所有者及び議決権の**各3／4以上**の多数による集会の決議によって行います。

規約は、書面または電磁的記録により作成しなければなりません。

規約の設定・変更・廃止が、一部の区分所有者の権利に**特別の影響**を及ぼすときは、各3／4以上の決議に加えて、その者の承諾が必要なんだ。

★プラスα
区分所有者**全員の利害に関係**しない一部共用部分に関する規約の設定・変更・廃止を区分所有者全員で行う場合に、一部区分所有者の1／4を超える者、または、その議決権の1／4を超える議決権を有する者が反対したときは、することができません。

2　公正証書による規約の設定

最初に、**建物の専有部分の全部を所有する者**（「原始取有者」、例えば、マンション分譲業者）は、**公正証書**により、次の①～④に関する規約に**限って**設定することができます。

① 規約共用部分に関する定め
② 規約敷地に関する定め
③ 専有部分と敷地利用権の分離処分の禁止を排除する定め
④ 区分所有者が数個の専有部分を所有する場合における各専有部分に対応する敷地利用権の割合に関する定め

3　規約の保管・閲覧

規約は、「**管理者等**」が保管しなければなりません。

そして、**利害関係人**からの請求があったときは、正当な理由がなければ、その**閲覧を拒むことはできません**。

> 規約の「**保管場所**」は、建物内の**見やすい場所に掲示し**なければならないんだ。掲示されるのは規約そのものではなく、規約がどこに保管されているか、ってことに注意してね。なお、後述の「**集会の議事録の保管・閲覧**」についても、**規約と同じ**取扱いだよ。

プラスα
管理者“等”：
管理者がいないときは、区分所有者またはその代理人で、規約または集会の決議で定められたものが、規約を保管します。

罰則
閲覧請求を正当な理由なく拒否すると、20万円以下の過料に処されます。

要点整理　規約

規約の設定・変更・廃止	●規約の設定・変更・廃止は、区分所有者及び議決権の各３／４以上の多数による集会の決議によって行う ●規約の設定・変更・廃止により特別の影響を受ける者があるときは、その者の承諾が必要 ●最初に専有部分の全部を所有する者は、公正証書で一定の事項に関し、規約を設定できる
規約の効力	規約は、区分所有者、その承継人、占有者に対して効力を生じる
規約の保管	●管理者等が規約を保管し、利害関係人の請求により閲覧に供する ●規約の保管場所について、建物内の見やすい場所に掲示しなければならない

4 集　会

H25.27.28.29.30.R元.2⑿.4.5.6

ネコの集会。

1　集会の招集

① 管理者は、少なくとも**毎年１回**、集会を招集しなければなりません。

② 区分所有者の**１／５**以上で議決権の**１／５**以上を有するもの（少数区分所有者）は、管理者に対し、どのような内容の話合いをしたいか会議の目的となる事項を示して、集会の招集を請求することができます。

この定数は、規約で減ずることができますが、増やすことはできません。

2　集会の招集通知

① 集会の招集通知は、会日より少なくとも**１週間前**に、会議の目的たる事項を示して、各区分所有者に**発**しなければなりません。

ただし、この期間は**規約で伸縮**できます。

② 建物内に**住所を有する**区分所有者または**通知を受ける場所を通知しない区分所有者**に対する集会の招集の**通知**は、規約に特別の定めがある場合は、建物内の見やすい場所に**掲示**して、することができます。

プラスα
集会は、区分所有者全員の同意があるときは、招集の手続を省略して開くことができます。

③　集会では、原則として、**あらかじめ通知した事項**についてのみ、決議できます。ただし、区分所有法に集会の決議につき**特別の定数**（区分所有者および議決権の**各3／4以上・4／5以上**）が定められている事項を除き、**規約で別段の定め**をすれば、**あらかじめ通知した事項以外**についても、決議できます。

要点整理　集　会

集会の招集	管理者は、少なくとも毎年１回集会を招集しなければならない
少数区分所有者による招集請求	区分所有者の１／５以上で議決権の１／５以上を有するものは招集を請求できる
集会招集通知	１週間前に、会議の目的である事項を示して、各区分所有者に発する

プラスα
専有部分が数人の共有に属するときは、共有者は、議決権を**行使すべき者**１人を定める必要があります。

3　議決権の行使等

H25.26.30.R元.2⑿.3⑽⑿.6

①　議決権の割合

集会における決議は、区分所有者及び議決権の各過半数により行われるのが原則です。

各区分所有者の**議決権の割合**は、**規約に別段の定めがない限り、専有部分の床面積の割合**によります。

注 意
②〜④は区別しにくいところです。
②：通常どおり集会を開催して、議決権を書面または電磁的方法で行使するものです。
③：実際の集会においてではなく、例えばインターネット経由の「バーチャル集会」等で議決権を行使するものです。
④：「全員が何らかの事案について書面で賛成しているときは、集会決議として扱う」とするものです。

②　議決権の行使

議決権は、**書面**で、または**代理人**によって行使することができます。

また、区分所有者は、規約または集会の決議により、書面による議決権の行使に代えて、メールなどの電磁的方法によって議決権を行使することができます。

③　書面または電磁的方法による決議

集会において決議をすべき場合において、区分所有者**全員の承諾**があるときは、実際に区分所有者が集会に集まることをせずに、書面または電磁的方法による決議をすることができます。

④　全員の合意書面等

集会において決議すべきものとされた事項については、区分所有者**全員の書面または電磁的方法による合意**があったときは、書面または電磁的方法による決議が行われたとみなします。

この決議は、集会の決議と同一の効力を有します。

⑤　占有者の意見陳述権

区分所有者の承諾を得て専有部分を**占有する者**（賃借人など）は、会議の目的たる事項につき**利害関係**を有するときは、**集会に出席して意見を述べる**ことができます。しかし、**占有者**は、**議決権を行使**することはできません。

⑥　規約及び集会の決議の効力

規約及び集会の決議は、区分所有者の特定承継人に対しても、その効力を生じます。

また、占有者は、建物またはその敷地もしくは附属施設の使用方法につき、区分所有者が規約または集会の決議に基づいて負う義務と同一の義務を負います。

用語解説
区分所有者の特定承継人：
売買や贈与等によって、区分所有権を取得した者のこと。

プラスα
集会においては、規約に別段の定めがある場合及び別段の決議をした場合を除いて、管理者または集会を招集した区分所有者のうちの１人が議長となります。

4　議事録

H27.R元

①　集会の議事録

集会の議事については、議長は、書面または電磁的記録により、議事録を作成しなければなりません。

議事録が書面で作成されているときは、議長及び**集会に出席した区分所有者の２人**が、これに**署名**（電磁的記録で作成されているときは、署名に代わる措置）をしなければなりません。

②　集会の議事録の保管・閲覧

集会の議事録は、「**管理者等**」が保管しなければならず、利害関係人からの請求があったときは、正当な理由がなければ、その閲覧を拒んではなりません。

また、集会の議事録の保管場所については、建物内の見やすい場所に掲示しなければなりません。

要点整理　議決権の行使と決議の効力

行使方法	●原則➡区分所有者本人が集会で行使する 例外➡書面または代理人によって行使できる （規約または集会の決議により、書面に代え、電磁的方法で行使できる） ●専有部分が共有の場合、議決権を行使する者１人を定める
書　面 決議等	全員の書面または電磁的方法による合意によって集会の決議とみなされる
決　議 の効力	区分所有者・承継人・占有者に対して効力を生じる
占有者	●議決権はない ●利害関係を有する事項について、集会に出席し意見を述べることができる

⑤ 集会の決議要件

H30.R元.2(10).3(10)

1　普通決議

集会の議事は、原則として、**区分所有者**及び**議決権**の**各過半数**で決します。これを**普通決議**といいます。

[普通決議で決する議事の例]
●共用部分の軽微変更　●共用部分の管理
●管理者の選任・解任　●違反行為の停止の請求訴訟
●小規模滅失の復旧　等

２　特別決議

次の①②の事項に関しては、決議の重要性により、「**特別決議**」が必要とされ、規約でそれを変更することは、原則としてできません。

①　区分所有者及び議決権の各３／４以上を必要とする決議

次の事項は、**区分所有者**及び**議決権**の**各３／４以上**の多数で決します。

[各３／４以上による決議が必要な場合]
●共用部分の重大変更 ＊
●規約の設定・変更・廃止
●管理組合法人の設立・解散
●共同の利益に反する区分所有者に対する使用禁止請求・競売請求の訴え
●違反占有者への解除・引渡し請求の訴え
●大規模滅失の復旧

注意
＊：「共用部分の重大変更をする決議」に限って、規約で、**区分所有者の定数を過半数まで減ずる**ことができます。
しかし、その他の事項に関しては、規約による変更は一切認められていません。

②　建替え決議

建替え決議は、区分所有者及び議決権の**各４／５以上**の多数で決します。

6 共同の利益に反する行為

分譲マンションでは、１つの建物内に多数の他人が共同生活を営んでいます。ですから、夜間に騒音を発生させたり、禁止されている動物を飼ったりというような、**区分所有者全員の利益に反するような行為**が行われた場合、これをやめさせる手段が必要となります。

これには、次の**1**〜**3**の３種類があります。

★プラスα
義務違反をする占有者に対しては、**1**の「**停止（差止め）請求**」のほか、「引渡し請求」をすることができます。この引渡し請求は、占有者とその占有者が使用している区分所有建物の所有者を共同被告として、訴訟で賃貸借契約の解除及び引渡し請求をするもので、集会の特別決議が必要となります。

1　行為の停止（差止め）請求

区分所有者または占有者が共同の利益に反する行為をし、または反する行為をするおそれがあるときは、他の区分所有者の全員または管理組合法人は、その行為を停止し、その行為の結果を除去し、またはその行為を予防するため必要な措置を行うよう請求することができます。

この請求は、裁判以外の方法でもすることができますが、**裁判**によるときは、集会の**普通決議**（区分所有者および議決権の各過半数）を経なければなりません。

2　専有部分の使用禁止請求

義務違反行為により区分所有者の共同生活上の障害が著しく、**1の行為の停止請求**によっては、その障害を除去して共同生活の維持を図ることが困難であるときは、他の区分所有者の全員または管理組合法人は、集会の**特別決議**（区分所有者および議決権の各3／4）に基づき、相当の期間、義務違反者による**専有部分の使用の禁止**を請求することができます。

ただし、この請求は、必ず**裁判**によらなければなりません。

3　区分所有権の競売請求

区分所有者の共同生活上の障害が著しく、他の方法によってはその障害を除去して区分所有者の共同生活の維持を図ることが困難であるときは、他の区分所有者の全員または管理組合法人は、集会の**特別決議**（区分所有者および議決権の各3／4）に基づき、その区分所有者の区分所有権及び敷地利用権の競売を請求することができます。

ただし、この請求も、必ず**裁判**によらなければなりません。

2の「**専有部分の使用禁止請求**」と**3**の「**区分所有権の競売請求**」について集会で決議するには、あらかじめ義務違反者に対して**弁明の機会**を与えなければならないんだ。

それは、本来所有者が持っている権利の行使を禁止したり、奪い取るといった、とても強力な手段だからだよ。

7 復旧と建替え

H26

1　共用部分の復旧

① 建物の価格の**1／2以下に相当する部分が**滅失（**小規模滅失**）したときは、集会の復旧決議（**普通決議**）により共用部分を復旧できます。この決議があるまでは、各区分所有者は、**単独**で滅失した共用部分を**復旧**できます。また、**規約で別段の定め**をすることができます。

② これに対し、建物の価格の**1／2を超える部分**が滅失（**大規模滅失**）したときは、区分所有者及び議決権の**各3／4以上**の多数による集会決議により、共用部分を復旧できますが、**規約で別段の定め**をすることはできません。

2　建替え決議

建物が著しく老朽化したり、地震によって大きな被害を受けた場合、区分所有者及び議決権の**各4／5以上**の多数により、**建替え決議**をすることができます。建替え決議については、**規約で別段の定め**をすることができません。

発展コラム　建替えの流れ

Column

区分所有法に規定する建替えは、次のような流れで行われます。

❶ 建替え決議のための集会の招集通知
➡（集会の2カ月前まで）
❷ 説明会の開催（集会の1カ月前まで）
➡
❸ 集会の開催（建替え決議）
➡
❹ 賛成者から非賛成者に対する参加の催告
➡（改めて参加を促す趣旨）
❺ 建替え参加者から不参加者への売渡し請求
➡
❻ 建替え組合の設立
➡（法人化）
❼ 建替え工事の開始

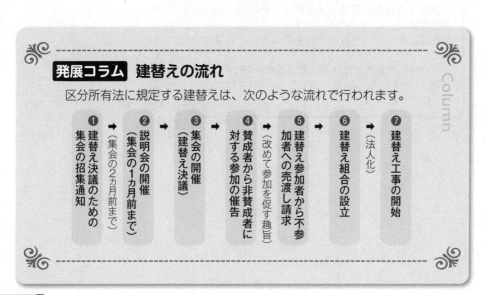

[区分所有法のまとめ]

<table>
<tr><td rowspan="3">① 集会の招集権者</td><td colspan="2">管理者</td><td>少なくとも毎年１回、集会を招集しなければならない</td></tr>
<tr><td colspan="2">少数区分所有者による招集請求</td><td>区分所有者の１／５以上で議決権の１／５以上を有するものは招集を請求できる</td></tr>
<tr><td colspan="2">集会招集手続の省略</td><td>全員の同意があれば省略できる</td></tr>
<tr><td rowspan="3">② 集会の決議要件</td><td>普通決議</td><td>原則として区分所有者及び議決権の各過半数で決する</td><td>●共用部分の軽微変更
●共用部分の管理
●管理者の選任・解任
●違反行為の停止の請求訴訟
●小規模滅失の復旧等</td></tr>
<tr><td>特別決議</td><td>各３／４以上</td><td>●規約の設定・変更・廃止
●共用部分の重大変更
●管理組合法人の設立・解散
●使用禁止の請求
●競売の請求
●義務違反の占有者に対する解除請求及び引渡し請求の提訴
●大規模滅失の場合の復旧</td></tr>
<tr><td>建替え決議</td><td>各４／５以上</td><td>●建替え</td></tr>
<tr><td>③ 議決権の割合</td><td colspan="3">規約に別段の定めがなければ、専有部分の床面積の割合による</td></tr>
<tr><td rowspan="3">④ 議決権の行使</td><td colspan="2">原　　則</td><td>区分所有者本人が行使する</td></tr>
<tr><td colspan="2">例　　外</td><td>書面または代理人によって行使できる</td></tr>
<tr><td colspan="2">専有部分が共有の場合</td><td>議決権を行使すべき者１人を定めなければならない</td></tr>
<tr><td>⑤ 書面または電磁的方法による決議</td><td colspan="3">区分所有者全員の書面または電磁的方法による合意があったときは、集会の決議があったとみなされる</td></tr>
</table>

注意　区分所有者及び議決権について：

- 「普通決議」の各事項については、規約で別段の定めができる（数を変えることができる）
- 「特別決議」の各事項については、「共用部分の重大変更」の場合の区分所有者の定数（過半数まで減ずることができる）を除き、**規約で別段の定めが**できない。

第21章 不動産登記法

重要ランク A

不動産の現況・所有者・権利関係がひとめでわかるのが「登記」だよ！

1 不動産登記の意義

H27.R元

登記簿
スゴいおウチ!! でもホントに、あの人のものなのかな……？

★プラスα
登記の手続は、いずれも**不動産の所在地を管轄する登記所**（法務局）で行います。

例えば、**建物を新築**した場合、所有者は、その建物の所在・規模・構造などの物理的な事実について、**1ヵ月以内**に**表題登記**を申請しなければなりません。

次に、所有者は、その建物の所有権を第三者に対抗するために、**所有権の保存の登記**をします。その後、所有者が建物を売却した場合は、新しい所有者が、対抗力を取得するために、**所有権の移転の登記**をします。

このように、それぞれの場面で、その登記が正確に行われることで、**不動産登記の信頼性**を確保し、**円滑な不動産取引の実現**を図ることが、不動産登記制度の目的です。

不動産取引の安全のためには、誰もが自由に**登記の内容を確認**できるようにすることが大切だね。そこで、登記記録に記録された内容は、**登記事項証明書**という書類で確認することができるようになっているんだ。

この登記事項証明書は、手数料さえ支払えば、誰でも、どの不動産に関するものでも請求できるし、インターネット経由の請求でも、郵送してもらうことができるから、便利だよね。

ニャカ先生のひとこと

❷ 不動産登記簿

H26.28.29.30.R2⑿.5

一筆の土地または1個の建物ごとに、その**物理的現況**や**権利**に関する登記を記録したものを、**登記記録**といいます。

表示に関する登記は**表題部**に、**権利**に関する登記は**権利部**に記録されます。

用語解説
登記記録：
表示に関する登記または権利に関する登記について、1個の不動産ごとに作成される電磁的記録のこと。

1　表題部

表題部には、土地や建物の所在・種類・規模など**物理的な現況**、つまり**表示に関する登記**が記録されています。

①　表示に関する登記事項

ア　**土地の表題部**には、その土地の所在、地番（ちばん）、地目（ちもく）（土地の用途）、地積（ちせき）（土地の面積）などが登記されます。

[土地の「表題部」の例]

表題部　（土地の表示）	調製	余白	不動産番号	＊＊＊＊
地図番号	余白	筆界特定	余白	
所在	A市B町二丁目			
① 地番	② 地目	③ 地積 ㎡		原因及びその日付〔登記の日付〕
35番1	宅地	3614	45	35番から分筆 令和何年何月何日
所有者	C市D町三丁目4番5号　株式会社　甲野建設			

「土地の登記記録」の**表題部**には、土地の所在、地番、地目、地積とともに、登記記録を作成した原因とその日付が記録されているんだ。
そして、この表題部に記録された所有者を「表題部所有者」というよ。

イ　一方、**建物の表題部**には、その建物の所在、地番、家屋番号、種類（居宅・店舗等）、構造（例えば、「木造かわらぶき２階建」等）、床面積などが登記されます。

これらのほか、**表題部には所有者の氏名が登記**されるけれど、いったん所有権の保存の登記がされると、以降、所有者に関しては権利部で登記されるため、表題部の所有者の氏名は抹消されるんだ。

[建物の「表題部」の例]

表　題　部　（主である建物の表示）	調製	余白	不動産番号	＊＊＊＊＊＊
所在図番号	余白			
所　　在	C市D町五丁目３番地１			
家屋番号	３番１			
①　種　類	②　構　造	③　床　面　積　㎡	原因及びその日付〔登記の日付〕	
居宅	木造２階建	１階　80 50 ２階　80 50	令和何年何月何日新築 〔令和何年何月何日〕	

表　題　部　（附属建物の表示）				
符号	①種類	②　構　造	③　床　面　積　㎡	原因及びその日付〔登記の日付〕
１	物置	鉄筋コンクリート造 陸屋根平屋建	35 00	〔令和何年何月何日〕
所　有　者	A市B町一丁目２番３号　甲山一郎			

建物の「表題部」について、詳しく見てみようね。

- 「**床面積**」は、「㎡」を単位とし、小数点第３位以下を切り捨てて表示されるよ。
- 建物の「**構造**」は、構造と屋根の種類と階数で表示されるんだ。
- 「**原因及びその日付**」には、登記することになった原因とその日付が表示されてるよ。
- 「**附属建物**」とは、主たる建物に附属する物置・倉庫などで、この附属建物を独立した１個の建物とするために行う登記を、**建物分割の登記**といって、建物分割の登記がされると「主たる建物」として、別の１個の登記記録が作成されるんだ。

②　表示に関する登記の性質

表示に関する登記は、原則として**所有者**に**申請義務**が課されています。

例えば、建物を新築したときは、所有者は**１ヵ月以内**に、建物の表題登記を**申請しなければなりません**。もし所有者が登記をしないときは、過料（かりょう）に処せられるとともに、所有者に代わって、登記官が**職権で登記**することができます。

表示に関する登記は、原則として、**所有者が単独で申請**するんだよ。

[表示に関する登記の例]

具　体　例	内　容
❶ 建物の新築・滅失の登記	建物を新築し、または建物が滅失したときに行う登記
❷ 表題部の変更の登記	土地や建物の地番、または土地の地目や建物の床面積などが変更されたときに行う登記
❸ 土地の分筆・合筆の登記	一筆の土地を数筆に区分し、または数筆の土地を一筆の土地とする登記
❹ 建物の分割・合体の登記	1個の建物を数個の建物とし、または数個の建物を1個の建物とする登記

❸と❹の登記は、表示に関する登記であっても**申請義務がない**ため、所有者が申請をすることで、初めて**登記**が行われるんだ。

2　権利部

R2(10)

権利部には、所有権や抵当権などの**権利に関する登記**が記録されます。

原則として、**権利に関する登記**には、**申請義務はありません**が、行うときには、登記権利者と登記義務者の**共同申請**によります（後出❸参照）。

権利に関する登記をしないと、「自分の権利を第三者に対抗できない」というデメリットがあるから、義務がなくても登記の申請をするのが一般的だよ。

権利部は**甲区**と**乙区**に分かれ、甲区には**所有権**に関する登記を、乙区には、抵当権・賃借権など**所有権以外の権利**に関する登記をします。

プラスα
同一の不動産について登記した権利の順位は、原則として、登記の前後によります。

①　権利部で登記される事項

ア　甲区の記録事項

甲区には、**所有権に関する事項**が記録され、それを見れば、その不動産の「所有者は誰で、いつ、どんな原因（売買・相続など）で所有権を取得したか」がわかります。

具体的には、所有権の保存や移転の登記、所有権に関する仮登記、所有権の差押えや仮処分などの登記がされます。

イ　乙区の記録事項

抵当権など**所有権以外の権利に関する事項**が記録されています。

具体的には、抵当権設定・地上権設定・地役権設定などが登記されます。

［土地の「権利部」の例］

権利部（甲区）（所有権に関する事項）			
順位番号	登記の目的	受付年月日・受付番号	権利者その他の事項
1	所有権保存	令和何年何月何日 第△△△号	所有者　C市D町三丁目4番5号 株式会社　甲野建設

権利部（乙区）（所有権以外の権利に関する事項）			
順位番号	登記の目的	○○○	○○○
1	抵当権設定	令和何年何月何日 第□□□号	債権額　金500,000,000円 利息　年　4％ 損害金　年　8％（年365日日割計算） 債務者　C市D町三丁目4番5号 株式会社　甲野建設 抵当権者　C市D町五丁目3番1号 株式会社　乙洋銀行

上の「土地の例」で見てみようね。

● **権利部**の甲区には、所有権の保存の登記が行われ、この登記が、権利に関する登記の出発点なんだ。
ここに登記されている所有者を「登記名義人」というんだよ。

● 乙区には、抵当権の登記がされているね。抵当権者が乙洋銀行で、債権額が5億円、利息や損害金の割合なんかも、こんなふうに登記を見ればわかるんだ。

②　権利に関する登記の性質

権利に関する登記は、原則として、登記権利者には申請義務がありません。また、職権による登記は、原則として認められません。

ただし、**相続等による所有権の移転の登記**（相続登記）については、**例外的**に**申請義務**があります。

したがって、相続（**遺産分割協議の成立**）により不動産を取得した**相続人**は、相続により**所有権を取得したことを知った日**（遺産分割協議が成立した日）から**3年以内**に、**相続登記**（遺産分割協議の内容を踏まえた登記）**の申請**をしなければなりません。

罰則
正当な理由がないにもかかわらず相続登記の申請をしなかった場合は、10万円**以下の**過料が科されることがあります。

[権利に関する登記の例]

具　体　例	内　　容
❶　所有権の保存の登記	はじめてする所有権の登記
❷　所有権の移転の登記	所有権が移転したときに行う登記
❸　所有権の移転の仮登記	所有権は移転したが、提供すべき一定の情報を登記所に提供できない場合等に行う登記
❹　抵当権の設定の登記	抵当権を設定したときに行う登記

このほかにも、登記名義人の住所・氏名が変更した場合にする登記名義人の表示の変更の登記や、賃借権の登記なども、その一例だよ。

なお、既にされた権利に関する登記の**変更または更正**は、**付記登記**によって、することができます。

プラスα
付記登記は、権利に関する登記と一体として公示する必要があります。

要点整理　登記記録

[登記記録とは]

形　　式	登記記録は、表題部及び権利部に区分して作成する
表 題 部	地番・地目・地積・家屋番号など不動産の物理的現況を記録する
権 利 部 （甲区・乙区）	所有権の保存・移転、登記名義人の表示の変更、地上権や抵当権の設定・移転など、権利に関する事項を記録する

[表示に関する登記と権利に関する登記の比較]

	表示に関する登記 （表題部）	権利に関する登記 （権利部）
登記の趣旨	不動産の 物理的現況の公示	不動産の 権利関係の公示
申請義務	原則、あり （怠った場合は 10万円以下の 過料）	●原則、なし （申請するか否かは 権利者に任される） ●例外的に、相続登記は、義務あり
期間の制限	建物の新築、または地目の変更等が生じた場合、1ヵ月以内に申請が必要	な　し
登記官の職権による登記	原則、可能	原則、不可（申請または官公署の嘱託による）
申請方法	オンライン申請または書面申請	
登記の原因 ・ 登記の目的	新築・滅失・合筆・分筆・地目変更・建物分割・合体　等	所有権の保存・所有権の移転・登記名義人の表示の変更・仮登記・抵当権設定　等

③ 登記手続の原則・例外

原則は"共同"だよ!!

1　申請主義　H30

登記は、原則として、**当事者の申請または官公署の嘱託**がなければ、することができません。ただし、「固定資産税の課税の基礎」となる**表示に関する登記**の多くは、**登記官の職権**によって登記することもできます。

2　共同申請主義とその例外　R3⑽.6

権利に関する登記の申請は、**原則**として、登記権利者及び登記義務者が、**共同**してしなければなりません。

ただし、権利に関する登記の申請であっても、次の場合は、**例外**として、**単独での申請**が認められます。

① 所有権の保存の登記
② 相続・法人の合併による権利の移転の登記
③ 相続人に対する遺贈による所有権の移転の登記
④ 判決による登記（登記手続をすべきことを命ずる確定判決）
⑤ 登記名義人の氏名・住所の変更の登記
⑥ 仮登記の登記義務者の承諾があるとき・仮登記を命ずる処分があるとき
⑦ 信託の登記　　等

プラスα
売買でいえば、買主が登記権利者で、売主が登記義務者です。つまり、**権利を失う登記義務者が申請に関与する**ことによって、虚偽の申請を防いでいます。

比較整理
「表示」に関する登記の申請は、原則として単独申請です。

要点整理　共同申請主義の例外

［権利に関する登記で、単独申請が認められる場合］

所有権の保存の登記	はじめてする所有権に関する登記
相続を原因とする登記	●相続人による単独申請 ●相続人に対する遺贈の登記
確定判決による登記	登記手続をすべきことを命ずる確定判決の場合
登記名義人の表示変更	登記名義人の氏名・住所の変更など
仮登記を命ずる処分	裁判所による仮登記を命ずる処分など

3　代理権の不消滅

R元.3(10)

登記申請をする者の代理権は、登記申請手続を最後までやり遂げるため、本人の死亡（法人の合併）によっては、消滅しません。

4　登記の申請の方法

R4

登記の申請は、次の①②の**どちらかの方法により**、必要な情報（申請情報・添付情報・**登記識別情報**）を登記所に提供して、しなければなりません。

① インターネットを用いたオンライン申請

② 申請情報を記載した書面（磁気ディスクを含む）を提出する書面申請

［申請情報の主な内容］

- ●申請人の氏名・住所
- ●登記の目的、登記原因とその日付
- ●土地・建物の所在地等、不動産を識別するために必要な事項
- ●代理人によって申請する場合は、代理人の氏名・住所等

プラスα
民法上の「**代理権の消滅**」の例外となります。

重要
登記の申請は、オンラインや書面の郵送により、登記所に出頭せずに行うことができます。

用語解説
登記識別情報：
登記名義人自身が登記を申請していることを確認するための情報のこと。数字とアルファベットの12桁の組合せによって構成されています。

[添付情報の主な内容]

- 代理人の権限を証する情報（代理人によって申請する場合）
- 相続等の一般承継を証する情報（相続人等が申請する場合）
- 登記原因証明情報（売買契約書など）
- 登記上利害関係を有する第三者等の承諾、または
  これに対抗できる裁判を証する情報等

5　一括申請

登記の申請は、１つの不動産につき１つの申請記録を用いるのが原則です。ただし、同一登記所の管轄内にある数個の不動産について、登記原因・その日付及び登記目的が同一であれば、同一の申請記録で一括して登記の申請ができます。

例えば、一戸建ての土地と建物を目的として
共同抵当権を設定登記するようなケースだよ。

> **プラスα**
> 登記の申請に不備がある場合、申請は却下されますが、相当の期間内に申請人がこれを補正したときは却下されません。

> **プラスα**
> 登記申請人について相続があったときは、相続人は、登記を単独申請することができます。

4　所有権の保存の登記

H25.28.R2(10).5

土地または建物の権利部に**初めてされる権利に関する登記**を、**所有権の保存の登記**といいます。

所有権の保存の登記を申請できるのは、次の者です。

① 表題部所有者
② 表題部所有者の相続人その他の一般承継人
③ 所有権を有することが確定判決によって確認された者
④ 土地収用法等による収用によって所有権を取得した者
⑤ 区分建物の場合で、表題部所有者から所有権を取得した者

> **用語解説**
> 表題部所有者：所有権の登記がない不動産の登記記録の表題部に、所有者として記録されている者のこと。

> **プラスα**
> 相続人が複数あるときは、共同相続人の１人は、保存行為として全員のために保存登記の申請をすることができます。

区分建物以外の建物の場合は、買主が、直接自己名義の所有権の保存の登記を申請することはできないことに注意！

売主名義の所有権の保存の登記をしたうえで、さらに買主名義にするために、所有権の移転の登記を申請する必要があるんだ。

要点整理　所有権の保存の登記を申請できる者

所有権の保存の登記は、次の者に限って申請することができる。

- 表題部所有者
- 表題部所有者の相続人その他の一般承継人
- 所有権を有することが確定判決によって確認された者
- 土地収用法等による収用によって所有権を取得した者
- 区分建物の場合で、表題部所有者から所有権を取得した者

5 仮登記

H25.26.R2(10)

仮登記とは、**本登記**をするために必要な情報などが不備であったり、停止条件付き契約でいまだ条件が成就していない場合に、将来行う**本登記の登記簿上の順位の確保**のためにされる、**予備的な登記**です。

仮登記のメリットは、**本登記の順位の保全**ができることです。

例えば、次の図で、Bが❶の時点で行った仮登記に基づいて❸で**本登記**をした場合、本登記の順位は「**仮登記の順位**」と同一になるため、Bは、❶の時点で本登記をしたこととなり、❶より後である❷の時点で、登記を備えたCに優先します。

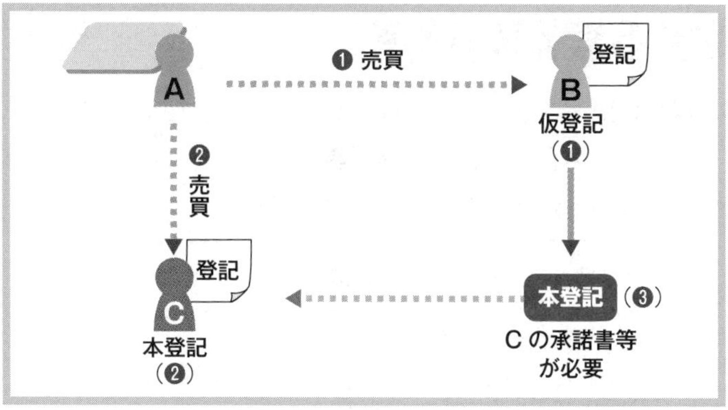

仮登記は、原則、**登記権利者**（上図の**B**）と**登記義務者**（**A**）が**共同して申請**しなければなりません。

ただし、**登記義務者の承諾**があるとき、または裁判所から**仮登記を命ずる処分**があるときは、登記権利者が、**単独で申請**することができます。

また、**所有権**に関する仮登記に基づく**本登記**は、登記上の**利害関係を有する第三者**がいる場合（**C**）には、その**第三者の承諾**（または、第三者に対抗することができる**判決**）があるときに限り、申請することができます。

★プラスα
所有権以外の権利に関する**仮登記に基づいて本登記を申請**する場合は、登記上の利害関係を有する**第三者の承諾等**は不要です。

要点整理　仮登記

申請手続	原則：**共同申請** 例外：次の場合は、仮登記権利者が単独で申請できる ●仮登記の登記義務者の承諾があるとき ●仮登記を命ずる処分があるとき
本登記	所有権に関する仮登記に基づく本登記は、登記上の利害関係を有する第三者がある場合には、その承諾（または、第三者に対抗することができる判決）があるときに限り、申請できる

⑥ 権利に関する登記の抹消

R3(10)

★プラスα
所有権の登記の**抹消**は、所有権の移転の登記がない場合に限り、所有権の登記名義人が**単独で申請**することができます。

★プラスα
仮登記の抹消は、仮登記の登記名義人が**単独で申請**することができます。
また、仮登記の登記名義人の**承諾**がある場合は、当該仮登記の登記上の利害関係人も、**単独で申請**することができます。

権利に関する登記の**抹消**は、登記上の利害関係を有する第三者がある場合には、その**第三者の承諾**（またはこれに対抗できる**裁判**）があったときに**限り**、**申請**できます。

例えば、地上権の登記を抹消する場合、その地上権を目的として他の抵当権が設定登記されている場合は、抵当権者の承諾が必要なんだ。
なお、このような権利に関する登記の抹消も共同申請によるのが原則だから、地上権の抹消では、土地所有者が登記権利者、地上権者が登記義務者となって、共同申請によって抹消するんだよ。

⑦ 分筆と合筆の登記（表示に関する登記）

R元.2(12)

1　分筆の登記と合筆の登記

一筆の土地として登記されている土地を分割して、数筆の土地として登記することを、**分筆の登記**といいます。また、数筆の土地を合併して、一筆の土地として登記することを、**合筆の登記**といいます。

分筆または合筆の登記は、表示に関する登記ですが、**申請人に申請義務がなく**、**表題部所有者**または**所有権の登記名義人の申請**に基づき登記されます。

ただし、一筆の土地の一部の地目が変更したときは、表題部所有者または所有権の登記名義人は、**1ヵ月以内**に、一部地目変更・分筆の登記を**申請**しなければなりません。

2　合筆が制限される場合

次の場合は、**合筆の登記**を申請することができません。

① 相互に接続していない土地
② 地目が相互に異なる土地
③ 地番区域が相互に異なる土地
④ 表題部所有者または所有権の登記名義人が相互に異なる土地
⑤ 表題部所有者または所有権の登記名義人が相互に持分を異にする土地
⑥ 所有権の登記がない土地と、所有権の登記がある土地
⑦ 所有権以外の権利が登記されている土地＊

＊：ただし、次の場合については**合筆の登記**を申請することができます。
- 承役地についてする地役権の登記
- 担保権であって、登記の目的・原因・日付等が同一のもの

プラスα
表題登記がある建物を、登記記録上他の表題登記がある建物とあわせて1個の建物とする登記を、「**建物の合併の登記**」といいます。
これに対し、表題登記がある建物の登記記録から分割して、登記記録上別の1個の建物とする登記を、「**建物の分割の登記**」といいます。

8 区分建物の登記

H28.R2(10)(12).3(12).5

区分建物（マンション）は、**各専有部分**について、表題部及び権利部が設けられるほか、**一棟全体の建物**について表題部が設けられます。

[例：301 号室の登記記録の構成]

		301 号室の権利部	
一棟の建物の表題部	301号室の表題部	301号室の甲区	301号室の乙区

1　表題登記の特則

① 一棟の建物が新築された場合、区分建物についての表題登記の申請は、マンションデベロッパー等の**原始取得者**が、新築された一棟の建物の**他の区分建物についての表題登記の申請と併せて**しなければなりません。

①の場合、つまり、マンションの１室についてだけ表題登記をするのではなく、その一棟のマンションの全室について、例えば、分譲業者が一括して表題登記をしなければならないということなんだね。

注意
法定共用部分である旨は、登記できません。

② 区分建物を**新築**した場合に、その**所有者**について**相続**があったとき、**相続人**は、亡くなった被相続人を表題部所有者とする**表題登記を申請**することができます。

③ **規約共用部分**である旨の登記は、当該**建物の表題部に記録**します。

2 所有権の保存の登記の特則

区分建物の場合は、**表題部所有者から所有権を取得した者**も、所有権の**保存の登記を申請**することができます。

3 敷地権

用語解説
敷地権：
敷地利用権であって、専有部分と分離処分できないものとして登記されたもののこと。

区分建物に関する敷地権について表題部に最初に登記するときは、敷地権の目的である土地の登記記録について、登記官は**職権**で、所有権などの権利が**敷地権である旨の登記**をしなければなりません。

[一棟の建物の表題部]

専有部分の家屋番号	３５－１－１０１～３５－１－１１１５		
表　題　部（一棟の建物の表示）	調製　余白		所在図番号　余白
所　　在	Ａ市Ｂ町二丁目３５番地１		
建物の名称	ひばりが丘３号館		
①　構　造	②　床　面　積　㎡		原因及びその日付〔登記の日付〕
鉄筋コンクリート造陸屋根地下１階付11階建	１階 1236 74 ２階 1296 59 ３階 1447 35 ４階 1173 64 ５階 1173 64 ６階 1173 64 ７階 1173 64 ８階 1173 64 ９階 1173 64 １０階 967 12 １１階 967 12 地下１階 1492 74		〔令和何年何月何日〕

表　題　部（敷地権の目的である土地の表示）				
①土地の符号	②所在及び地番	③地　目	④　地　積　㎡	登　記　の　日　付
1	Ａ市Ｂ町二丁目 ３５番１	宅　　地	3614 45	令和何年何月何日

[専有部分の表題部]

表　題　部（専有部分の建物の表示）			不動産番号	＊＊＊＊
家屋番号	Ｂ町二丁目３５番１の２０１			
建物の名称	２０１			
①　種　類	②　構　造	③　床　面　積　㎡		原因及びその日付〔登記の日付〕
居宅	鉄筋コンクリート造１階建	２階部分	57 00	令和何年何月何日新築 〔令和何年何月何日〕
表　題　部（附属建物の表示）				
符号	①種類	②　構　造	③　床　面　積　㎡	原因及びその日付〔登記の日付〕
１	車　庫	鉄筋コンクリート造 １階建	１階部分　20 00	〔令和何年何月何日〕
表　題　部　（敷地権の表示）				
①土地の符号	②敷地権の種類	③　敷　地　権　の　割　合		原因及びその日付〔登記の日付〕
１	所　有　権	5000分の50		令和何年何月何日敷地権 〔令和何年何月何日〕
１	所　有　権	5000分の20		令和何年何月何日符号１の附属建物の敷地権 〔令和何年何月何日〕
所　有　者	Ｃ市Ｄ町三丁目４番５号　株式会社　甲野建設			

　この２つが、マンションの表題部だね。[専有部分の表題部]の「附属建物の表示」を見れば、このマンションには車庫があることがわかるんだ。

　また、「敷地権の表示」を見ると、専有部分と附属建物それぞれについて、敷地権の種類と割合が記録されていることがわかるよね。

要点整理　区分建物の登記

表示に関する登記	原始取得者が一括申請しなければならない
所有権保存の登記	表題部所有者から所有権を取得した者も所有権保存の登記をすることができる
敷　地　権	登記官は、区分建物に関する敷地権について表題部に最初に登記するときは、当該敷地権の目的である土地の登記記録について、職権で、当該登記記録中の所有権、地上権その他の権利が敷地権である旨の登記をしなければならない

第2編

宅建業法

宅建業法は、合格のために最も重要な分野です。

わずか100条程度の条文から、毎年80肢もの問題（20問×４肢、住宅瑕疵担保履行法からの出題も含む）が出題されますので、ここで８割以上の得点をすることが、合格の絶対条件です。

心して、ガッチリ学習を進めていきましょう！

第2編　宅建業法

❶ 本試験の傾向分析と対策

■12年間（H25 ～ R6・計14回）の出題実績

平成25年度～令和６年度・12年間の本試験の出題内容を、本編に沿って分類すると、次のようになります。

なお、複合問題など、分類するうえで判断が分かれるような出題については、関連性や重要性がより高いものの中に含めています。

（★の数は出題数。３問以上の出題は「★★」の表記で統一しています）

章 ＼ 出題年度	H25	H26	H27	H28	H29	H30	R元	R２(10月)	R２(12月)	R３(10月)	R３(12月)	R４	R５	R６
1　用語の定義		★	★			★	★	★	★	★	★		★	
2　免許制度	★★	★	★	★★	★★	★	★★	★★	★★	★	★★	★	★	★
3　宅建士制度	★		★	★	★★	★	★★	★★	★★	★★	★	★★	★	★★
4　営業保証金	★	★	★	★	★★	★		★	★	★		★	★	★
5　保証協会制度	★	★	★	★	★	★	★	★	★	★	★	★	★	★
6　媒介契約等の規制	★★	★	★★	★★	★★	★★	★★	★★	★★	★★	★★	★★	★★	★
7　重要事項の説明	★★	★★	★★	★★	★★	★★	★★	★★	★★	★★	★★	★★	★	★★
8　37条書面（契約書）	★★	★★	★	★★	★★	★★	★★	★★	★★	★★	★★	★★	★★	★★
9　８種制限	★★	★★	★★	★★	★★	★★	★★	★★	★	★★	★★	★★	★	★★
10　報酬額の制限	★	★	★	★	★	★★	★	★	★	★	★	★	★	★
11　業務上の諸規制	★	★★	★★	★★	★★	★	★★	★★	★★	★★	★	★★	★★	★★
12　監督・罰則等	★	★	★	★	★	★	★		★★	★★	★		★	★
13　住宅瑕疵担保履行法	★	★	★	★	★	★	★	★	★	★	★	★	★	★

■出題の傾向分析・得点目標

出題数が**20問**であり、50問中**4割もの出題数**を占める宅建業法は、まさに、**“合格のカギを握る”**科目です。そのため、ここで**5問以上ミス**したら、**『取り返しは不可能』**と考えてもよいほどです。

日建学院独自の調査データによると、過去12年間の本試験での「**宅建業法**」分野・出題全体の**平均正答率**は「**約65%**」であり、かつ、左の表中の各テーマ単位での平均正答率も、ほぼすべてで**60%超**でした。

それはつまり、宅建業法出題全般で、**まんべんなく手堅く得点されている**ということです。

また、出題内容を見ても、例年、2～3問程度の難問はありますが、それを除けば、**必ず得点が可能な出題**ばかりです。

したがって、テキストの読み込みや過去問の繰り返しの演習のほか、類似の規定同士を比較した横断的な学習など、学習方法のバリエーションも検討して、**穴のない学習**を心がける必要があります。

ここでの得点目標は、**20問中18問以上**です。

以下、各項目の**“攻略ポイント”**を見てみましょう。

●用語の定義・免許制度

用語の定義は、事例形式で「宅建業とは何か」を問うものが定番ですので、過去問で出題形式に慣れておくことが大切です。

免許制度では、**免許の基準**・**免許換え**・**変更の届出**・**廃業等の届出**が頻出事項です。

なお、**免許の基準**は、宅建業法前半の**“ヤマ”**といえる部分です。細かい規定がありますが、出題されやすい部分は比較的限られていますから、テキストと過去問を連動させて使用すれば、効率よく学習することができます。

●**宅建士制度**

登録と**宅建士証**に関し、**変更の登録・登録の移転・死亡等の届出・宅建士証の交付**といった**手続関係**の規定が、出題のポイントです。

「宅建業者に勤務する宅建士」という場面設定で、免許制度と宅建士制度の両方に対する理解度を確認する問題が多く見られますので、こういった出題形式に対応できるよう、つねに関連づけて理解しておく必要があります。

●**保証金制度**

営業保証金と**保証協会**から**毎年1問ずつ**出題されています。いずれも、**供託**と**還付**に関する手続がポイントになります。両者は、**消費者の救済**という同じ目的を持つ制度でありながら、手続の流れ等に異なる点がありますので、混乱しないように対比しながら学習してください。

●**業務上の規制**

業務上の規制では、**3大書面**、**8種制限**及び**業務上の諸規制**から、全部で10問以上と大量に出題されています。

3大書面は、重要事項説明書等を「いつ・誰が・誰に対して・何を」という視点でまとめておくことが大切です。特に、「何を」に該当する書面記載事項は暗記すべき点が多く、宅建業法の“難所”ともいえるところです。

8種制限は最も出題が多い項目の1つで、学習のヤマです。

これに対し、**業務上の諸規制**は、難度そのものは高くありませんので、1つ1つ丁寧に学習して、確実な得点を目指しましょう。

●**報酬・監督処分**

報酬・監督処分は、宅建業法の中ではやや優先順位が落ちる項目といえますが、ケアレス・ミスは許されません。

報酬は、計算問題が最も多い出題パターンですから、**消費税が関与した報酬計算の方法**をしっかり練習しておきましょう。

また、**監督処分**は、処分の種類とその特徴をまず押さえたうえで、学習の進捗状況に応じて知識の上積みを考えていく必要があります。

第2編　宅建業法

❷ 総論・全体構造と学習法

宅建業法の「意義」

土地・建物などの不動産は、とても価値の高い財産です。また、取引にともなう手続は複雑でわかりにくく、不動産に関する**知識の少ない一般消費者**と、“その道の**プロ**”である**宅建業者**が公平な立場で取引をするのは大変困難です。

そこで**一般消費者**を、**不動産の取引を安全にできるように保護**するために、**宅建業者を規制**し、**監督**するための法律が、**宅建業法**です。

宅建業の免許・宅建士（宅地建物取引士）・保証金

宅建業法は、「**❶宅建業の免許**・**❷宅建士**・**❸保証金**」という３つの大きな“基本の仕組み”を規定しています。

❶　宅建業の免許

免許制度は、一般消費者からみて「この業者は安全な取引をするために十分な資質がある」とわかるようにするもので、宅建業者に対して「**免許＝宅建業を営む資格**」を与え、一定期間ごとに免許の「**更新**」をさせることで、その宅建業者の安全性の再確認をしています。このような免許制度によって、宅建業法は、全国にたくさんある宅建業者を取り締まっています。

❷　宅建士

宅建業者に「**免許**」を与える以上、その業者には、不動産取引に関する専門的知識が備わった者の存在が必要です。そこで、「**宅地建物取引士**」（**宅建士**）という不動産取引の専門家の設置を、宅建業者に義務づけています。

❸ 保証金

　高額な不動産取引で、一般消費者に不測の損害を与えてしまった場合に備えて、その損失を補塡するために、一定額の営業保証金を供託するか、保証協会に加入するかの、いずれかの方法をとらなければなりません。それが、「**保証金**」という制度です。

　これらの3つの制度によって、「専門的知識と資力の両方が担保された宅建業者」を実現させ、**不動産取引の安全**を図っています。

業務上の規制

　宅建業者の**業務**は、大きく分けると次の流れになりますが、各段階で、宅建業法はさまざまな「業務上の規制」を課しています。

広告を行う ➡ 依頼を受ける ➡ 取引の相手方を探索する ➡ 契約を成立させる ➡ 報酬を受け取る

❶ 広告の規制

　物件を一般消費者に対して販売しようとする際には、まずは広告をするのが一般的です。実際よりも**誇大な広告**は、一般消費者を誤解させるおそれが高いため、**禁止**されています。

　また、**未完成物件の広告**は、少なくとも建築確認などの**許可等を受けた後**でなければ、**行うことができません**。

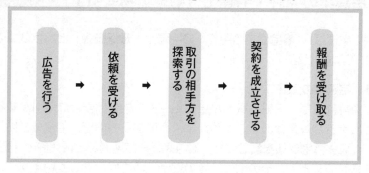

❷　媒介契約の規制

宅建業者が一般消費者から、**不動産取引の仲介の依頼**を受けることを、**媒介契約**といいます。この媒介契約に基づいて成約した場合、宅建業者は、依頼者から報酬の受領ができるため、媒介契約の内容は書面にして、受け取る報酬に関する事項等、一定の事項を記載しなければなりません。

❸　重要事項の説明

契約をした後に「こんなはずじゃなかった……契約破棄だ！」というようなトラブルを回避するための、大事な手法です。

宅建業者は、売買や賃貸借といった不動産取引が成約するまでに、その物件を手に入れようとする買主・借主に対して、物件が置かれている**物理的状況**や**権利関係等**を、**書面を交付**する等して、**宅建士に説明**させなければなりません。

❹　37条書面の交付

宅建業者は、**不動産取引が成約**したときは、**遅滞なく**、契約の内容となる一定の事項を記載した契約書（**37条書面**）を作成し、契約当事者に**交付**する等しなければなりません。

❺　８種制限

宅建業者が自ら売主となって、一般消費者に宅地・建物を売却する場合、両者の“力関係”を修正するため、宅建業者に**特別に課せられた８種類の規定**があります。

一般消費者が一定期間、契約を「白紙撤回」することができるようにするための**クーリング・オフ制度**や、受領した手付金等が一定額を超えた場合に、一般消費者に返還できるようにしておく**保全措置等**が、これにあたります。

❻　報酬規制

無事に不動産取引が成約した場合、宅建業者は依頼者から報酬を受け取ることができますが、この金額には、その取引が売買か賃貸借か、また、宅建業者の取引態様が媒介か代理かといった違いによって、それぞれ**上限**が定められています。

なお、宅建業者は、たとえ依頼者の好意によっても、この**上限を超える金額**を**受領することはできません**。

❼　**諸規制**

「取引に関与したことによって知り得た秘密を漏らしてはならない」とする**守秘義務**や、**帳簿・標識の設置義務**など、前記の❶〜❻に付け加えて、その他宅建業者に対する規制が「**諸規制**」として、きめ細かく定められています。

監督・罰則

数多く設けられた規制の実効性を担保するため、違反した宅建業者には、免許取消処分や業務停止処分といった監督処分が規定されています。さらに、罰金や懲役といった刑罰まで規定することによって、**違反行為の防止**を図るとともに、**違反者に対する取締り**をしています。

住宅瑕疵担保履行法

平成17年に大きな社会問題となった「耐震偽装事件」を契機に、**新築住宅**に一定の欠陥があった場合の**売主の損害賠償責任の履行**を確実にするための措置が求められ、その要請に応えて平成19年に新たにできた法律で、平成22年度より、宅建業法における「関連法令」として、**毎年1問出題**されています。

なじみのない用語が多いものの、内容的にはさほど難解ではありません。**過去の出題を主軸**として、その関連知識をきちんと押さえておけば、**対策は充分**です。

宅建業法を攻略するために

宅建業法の条文の数はさほど多くはなく、しかも中には出題実績がまったくないものもありますから、**マトを絞ってマスターするのはさほど難しくありません。**

割(さ)いた時間に応じて理解も深まりやすいため、できれば1～2問程度のミスにとどめておけるよう、万全を期した慎重な学習が必要です。

特に、「免許と宅建士」や「営業保証金と保証協会」「重要事項説明書と37条書面の記載事項」のように、異なっていながら類似する規定が多々ありますから、それらを混同しないよう、「**比較**しながら**頭を整理**する」ことが肝心です。

そのうえで、関連する過去問などを通じて、本試験の出題形式などにしっかり慣れておくことが必須といえるでしょう。

第1章 用語の定義

重要ランク A

「宅地建物取引業」って、免許を受けたプロだけができるんだけど、それって何だろう？

「宅建業」って、カンタンにいえば、不動産の**売買**をすることや、**売買・貸借の仲介**とかをすることなんだよ。

本試験では、**「ある行為」**が「宅建業に該当するかどうか」というかたちで、**具体的な事例問題**として問われることが多いから、用語（言葉）の意味をしっかり理解しておいてね。

ニャカ先生のひとこと

1 免許が必要な行為

宅地建物取引業（宅建業）とは、**宅地・建物の取引**を、**業**として行うことです。

そして、次の**1～3のすべてに当てはまること**をするには**免許が必要**であり、逆に、**ひとつでも欠ければ、免許は不要**となります。

1 「宅地・建物」の ▶ 2 「取引」を ▶ 3 「業」として行うこと

アパートの大家さんに「免許」って必要なの？

1　宅地・建物

H27.30.R元.2(12).3(10)(12)

(1)「**宅地**」とは次の①〜③をいいます。

①　現在、建物が建っている敷地

現在、建物が建っている敷地は、その建物の種類や規模、また、登記簿上の地目にかかわらず、全国どこでも宅地となります。

②　将来、建物を建てる目的で取引される土地

例えば、登記簿上は宅地でなくても、また、現況が田んぼや畑であっても、**将来、建物を建てる目的**で取引される土地は、全国どこでも宅地となります。

③　都市計画法で定められている「用途地域」内の土地

用途地域内の土地（**➡第3編・第1章❸4①**）は、建物や建物を建てる**目的の有無に関係なく**、すべて**宅地**です。

ただし、**現在**、「**道路・公園・河川・広場・水路**」として利用されている土地は、**宅地ではありません**。

例えば、道路となる予定の土地であっても、現在、道路でなければ宅地なんだ。
宅地とならない上の**5つ**は、「ド・コ・カ・のヒロバがミズたまり」と覚ようね！

ニャカ先生のひとこと

(2)「**建物**」は、「一般の建築物」とほぼ同じと考えればよいでしょう。ですので、**建物の一部**であるアパートやマンションの「○○号室」も、「建物」です。

比較整理
宅建業法の「宅地」と、法令上の制限で登場する盛土規制法や土地区画整理法の「宅地」は、それぞれ定義が異なります。

2　取引　H26.27.30.R2(12).3(10)(12).5

「**取引**」とは、**1の宅地・建物**について行う、次の①または②の行為をいいます。

① **自ら売買・交換をすること**

宅地や建物を**自ら売買・交換**をすることは、**取引**です。しかし、「自ら貸借」することは、「取引」ではありません。

したがって、大家さんが自己所有のアパートを賃貸する行為（「**自ら貸借**」）は、取引とはならず、**免許は不要**です。

② **売買・交換・貸借の代理・媒介をすること**

大家さんから**依頼**を受けてアパートの貸借について**代理**や**媒介**（仲介）をする行為は、**取引**です。

3　「業」として行うこと　H26.27.R2(10).3(10)(12)

「**業**」とは、**不特定多数を相手**に、**反復継続**して行うことをいいます。

不特定多数とは、「ある会社の従業員」というような特定をせず、**多くの人**を対象とするということです。また、**反復継続**とは、**繰り返し行う**ことをいいます。

プラスα
「自社物件の賃貸は宅建業ではない」という知識は**本試験で頻出**です。宅建業でなければ法の規制を受けず、免許はもちろん、重要事項の説明を行うこと等も不要です。

注意
代理は、当事者に代わって代理人が契約するのに対し、**媒介**は、単に当事者が行う契約をセッティングするだけですので、媒介者は、**契約の当事者とはなりません**。

プラスα
宅地の分譲のように、繰り返し行われることが想定されるものは、**最初の1回めの契約時から「反復継続」**と扱われます。

「宅建業」といえるかどうか、具体例で考えてみようね。

●自己所有の農地を宅地に転用し、10区画に造成した後、一括して宅建業者に媒介を依頼して不特定多数に分譲すること

➡宅建業者に媒介を依頼しても、宅地分譲の売主は、自ら宅地を**反復継続**して売買することになるので、宅建業にあたるんだ。

●所有地の一部を宅地に造成し、これを自ら売主となって公益法人のみに分譲すること

➡「公益法人のみ」を対象にするといっても、それは不特定多数を相手方にすることになるから、その行為は宅建業にあたるんだ。

●他人から賃借したビルの10室を、自ら不特定多数に転貸すること

➡「自ら所有する物件の貸借」と同様に、転貸も宅建業に**あたらないよ。**

●自社所有の宅地を区画割りし、自社の社員にのみ分譲すること

➡**自社の社員**のみに販売する場合は、**相手方が**特定されているから、宅建業にあたらないよ。

●自己所有の宅地を一括して宅建業者に売却し、当該宅建業者が不特定多数に分譲すること

➡**宅建業者への一括売却**は反復継続性がないから、宅建業にあたらないよ。

② 宅建業を行うにつき免許が不要な場合

H25.26.29.R2(10).3(10)(12)

宅地建物取引業者（**宅建業者**）とは、**免許**を受けて**宅建業を営む者**をいいます。しかし、次の①～③は、免許を受けなくても**例外的**に宅建業を**営むことができます**。

> **注意**
> 国・地方公共団体の委託を受けて分譲の**代理・媒介**を行う業者は、国等とは扱われないため、免許が必要となります。

① 国等

国・地方公共団体・地方住宅供給公社などには、**そもそも宅建業法が適用されません**。ですから、免許を受けることなく宅建業をすることができます。

> **注意**
> 信託会社等には、免許に関する規定のみ適用されないだけで、重要事項の説明その他の規定は適用されます。

② 信託会社等

信託会社・信託銀行は、**国土交通大臣に届出**をすることによって、国土交通大臣の免許を受けた宅建業者とみなされます。したがって、通常の免許申請手続を経ることなく、宅建業を営むことができます。

> **注意**
> **宅建業の免許**は、相続や法人の合併等によって**承継**することができません。
> 例えば、宅建業の免許を受けた会社Aを吸収合併した会社Bは、**自ら免許を取得**しないと、宅建業を営むことができません。

③ 取引の結了（けつりょう）の範囲内で取引を行う者

免許取消処分、死亡、合併または廃業等の届出によって免許が効力を失った場合、宅建業者であった本人または相続人等は、その業者が締結した契約に基づく**取引を結了**（完了）**する目的の範囲内**で、なお宅建業者とみなされます。

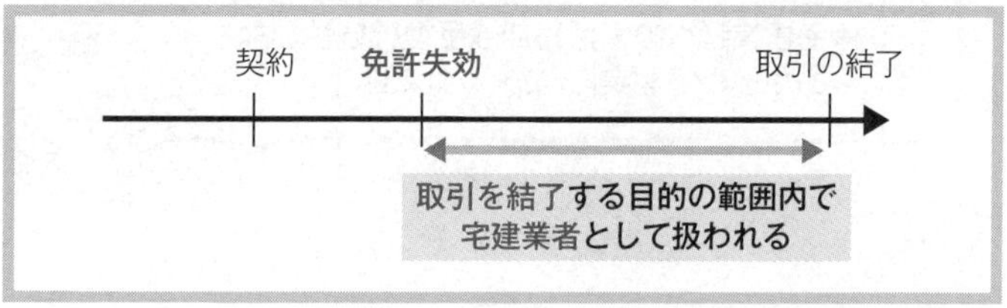

契約締結後に宅建業者の免許が失効したり、宅建業者が死亡した場合、この規定がないと、その契約を完了させるための登記の移転や引渡し等の行為も「無免許営業」になってしまうもんね。

③ 事務所

H26.R4

宅建業者の「**事務所**」とは、次の①～③の場所を指します。

① **本店（主たる事務所）**

② **宅建業を営む支店（従たる事務所）**

> **注意** ●支店は宅建業を営むものだけが事務所となるため、例えば、建設業のみを営む支店は宅建業者の事務所ではありません。
>
> ●対して、本店はすべての支店を統括する機能があるため、宅建業を営む支店を１つでも有する限り、本店で宅建業を営んでいなくても、その本店は宅建業者の事務所と扱われます。

③ **継続的に業務を行うことができる施設であって、宅建業にかかる契約を締結する権限を有する使用人を置く場所（営業所など）**

重要
事務所には、「専任の宅建士・報酬額・従業者名簿・帳簿・標識」の**5点**を必ず設置・掲示しなければなりません。
なお、後出P.362に「まとめ」の表［**各種設置義務等の要否**］がありますので、全体の学習後に必ず参照しておきましょう。

要点整理　用語の定義

宅　地	●現在または将来に建物の敷地に供される土地 ●用途地域内の土地（現在の「道路・公園・河川・広場・水路」を除く）			
「取引」にあたるかどうか（○＝あたる、×＝あたらない）	取引様態	売　買	交　換	貸　借
	自　ら	○	○	×
	媒　介	○	○	○
	代　理	○	○	○
宅建業者	免許を受けて宅建業を営む者			
事 務 所	本店、宅建業を営む支店　など			

第2章 免許制度

宅配業者が免許を受けるためには“ある一定のハードル”をクリアしなければならないんだよ！

1 免許の申請

プラスα
免許を与える者を、免許権者といいます。

宅建業の免許には「**知事免許**」と「**国土交通大臣免許**」の2種類があります。

1つの都道府県内のみに事務所を設置するときは、その**知事に免許を申請**します。これに対して、**複数の都道府県**に事務所を設置するときは、**国土交通大臣**に免許を**申請**します。

なお、いずれも、「事務所の数」は関係ありません。

プラスα
例えば、東京都知事の免許があれば、大阪での不動産取引をすることもできるように、活動範囲の制限はありません。

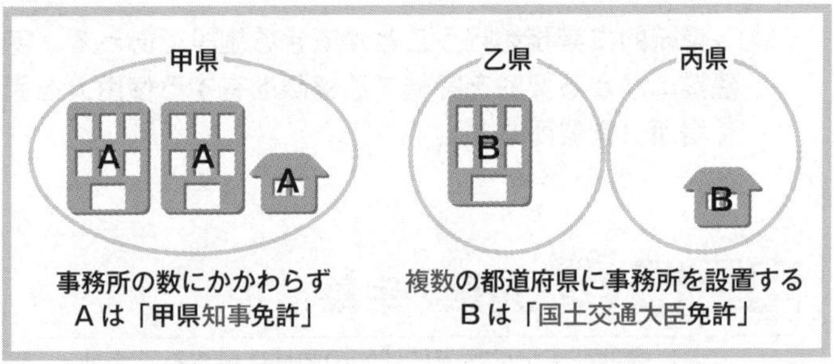

2 免許の基準（欠格要件）

不動産業界の健全化のため、宅建業の免許を取得する際には「**免許の基準**」（「**免許を受けられない**」**要件**）という15項目の“ハードル”が設けられていて、それらをすべてパスした者だけが、免許を受けることができます。

逆にいえば、1つでも引っかかると「免許はNG」ということなんだよ。厳しいね！

出所直後に
宅建業をやらせて
大丈夫かな……??

全部で「**15項目**」ある**免許の基準**は、大きく「**1　申請者本人に問題がある場合**」「**2　関係者に問題がある場合**」「**3　手続的な問題がある場合**」の3パターンに分類できます。

1　申請者本人に問題がある場合

H25.27.28.30.R元.2(10)(12).3(10)

①　破産手続開始の決定を受けて復権を得ない者

破産手続開始の決定を受けて復権を得ない者は、財産管理上の問題があるため、免許を受けることができません。

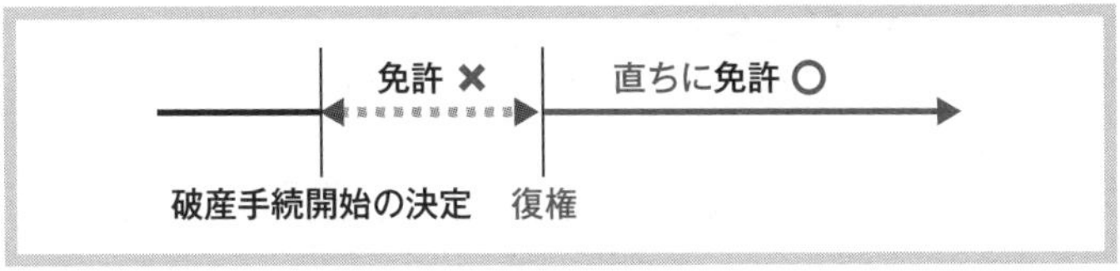

ただし、破産者は、**復権**すれば、「直ちに」免許を受けることができるよ。

用語解説
復権：
破産によって制限された法律上の権限が元に戻ること。

②　一定の刑罰に処せられた者

ア　**禁錮以上の刑に処せられ、刑の執行が終わった・または執行を受けることがなくなった日から５年を経過しない者**

プラスα
「禁錮以上の刑」とは、禁錮・懲役・死刑を指します。なお、「罰金以上の刑」とは罰金・禁錮・懲役・死刑を指します。

⚠注意
「拘留」「科料」に処せられても、免許の欠格要件には該当しません。

イ　宅建業法違反、傷害罪、現場助勢罪、暴行罪、凶器準備集合罪、脅迫罪、背任罪、暴力団員不当行為防止法違反等で罰金刑に処せられ、刑の執行が終わった・または執行を受けることがなくなった日から５年を経過しない者

●上記**ア・イ**の刑に処せられた者は、**禁錮刑・懲役刑**から釈放され、または罰金を納めた日から**５年を経過**するまでは、免許を受けることができません。

罰金刑を受けた場合に**免許欠格**となるのは、宅建業法違反や傷害罪など、特定の犯罪に限定されている点に注意しよう。
例えば、道路交通法違反で罰金刑を受けても免許欠格とはならないんだ。でも、同じ道路交通法違反でも、**禁錮刑・懲役刑**を受けた場合は、犯罪名は関係なく、**免許欠格**となってしまうんだ。

⚠注意
刑の「一部」の執行猶予を受けた場合は、一部の刑の執行を終わる等の日から５年間を経過しないと、免許を受けることができません。

●懲役刑等で**執行猶予**の判決を受けた場合、執行猶予期間内は免許を受けることができません。
●ただし、**執行猶予期間が満了**した場合は、「**直ちに**」免許を受けることができます。刑の言渡し自体が効力を失うからです。

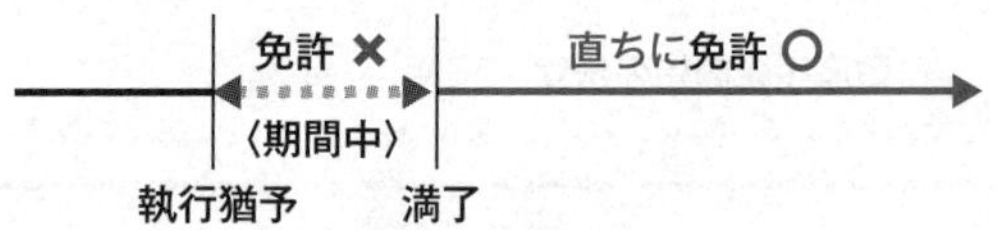

つまり、「懲役２年執行猶予３年」の判決の場合は、３年の執行猶予期間が満了すれば**直ちに免許を受けられる**んだ。
だけど、「懲役１年」の実刑判決の場合は、「釈放されてから５年間欠格」なので、結局**６年間は、免許を受けることができない**んだよ。

●控訴・上告中などの間は、有罪かどうかの確定判決が下される前までは、たとえ一審で懲役刑の判決を受けていても、免許を受けることができます。

●業務上過失傷害（例えば、自動車事故で相手にケガをさせた場合）などの**過失による犯罪**の場合は、**禁錮刑以上で欠格**となります。罰金刑では欠格となりません。

③　暴力団員不当行為防止法に規定する暴力団員、または暴力団員でなくなった日から５年を経過しない者（暴力団員等）

④　悪質な一定の事由により免許取消処分を受け、５年を経過していない者

ア　不正手段で免許取得をした

イ　業務停止処分事由に該当し情状が特に重い

ウ　業務停止処分に違反し業務を行った

●上記**ア～ウ**のいずれかの事由により**免許取消処分**を受け、その処分の日から**５年を経過**していない者は、免許を受けることができません。

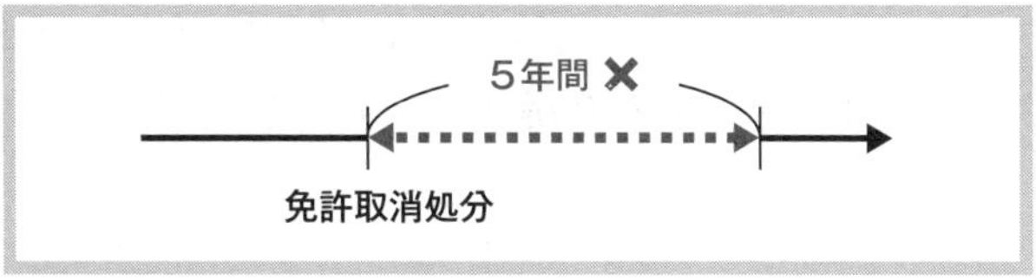

特に悪質なア～ウの３つのケースに該当して**免許取消処分**を受けると、前記②の「一定の刑罰に処せられた」場合と同様に、５年間は謹慎しなければならないんだよ。

注意
「業務停止処分」を受けただけでは、欠格にはなりません。左のア～ウの「免許取消処分」と混同しないようにしましょう。

⚠注 意
ここでいう「**役員**」とは、**取締役**またはこれらに**準ずる支配力**を持つ者（例えば相談役・顧問など）をいいます。

⑤　免許取消処分を受けた法人の役員

法人が、前記④の免許取消処分を受けた場合、その処分をするために行われる聴聞の公示の日の前60日以内に「**役員**」であった者は、取消しの日から**5年を経過**するまで、免許を受けることができません。

法人を動かしているのは役員なので、法人が免許取消処分を受けた場合は、その役員も同様に免許欠格としているんだよ。

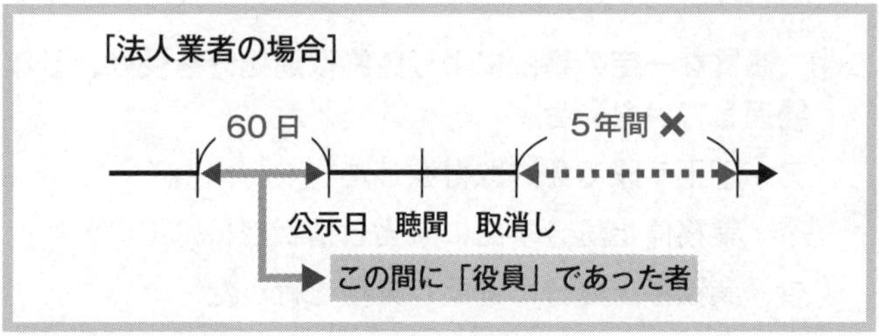

⑥　処分前に相当の理由なく廃業等の届出をした者

前記④を理由とする取消処分の聴聞の公示日から処分予定日までの間に、相当の理由なく**解散・廃業の届出**をし、届出の日から**5年を経過**していない者は、免許を受けることができません。

この規定がなければ、実際に免許取消処分が下る前に廃業した者は、再度免許申請すれば免許を受けられること（**処分逃れ**）になってしまう。
それを防止するための規定だよ。

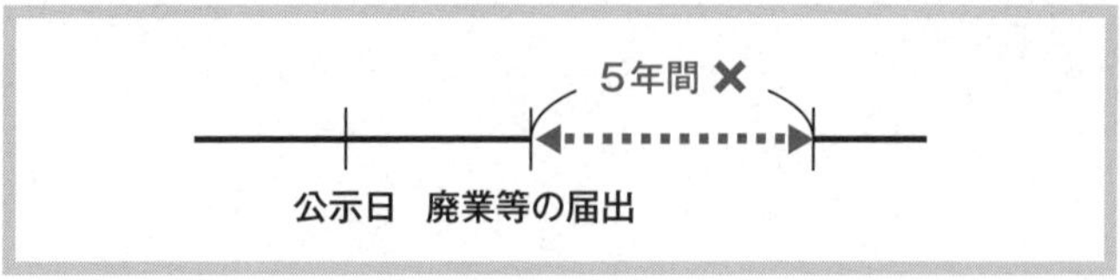

⑦　相当の理由なく廃業等の届出をした法人の役員

法人が、前記⑥の届出または相当の理由なく合併消滅した場合、その法人の聴聞の**公示の日前60日以内**の「**役員**」で、合併消滅または届出の日から**5年を経過**していない者は、免許を受けることができません。

法人が⑥の「処分逃れ」を図った場合、その役員も免許欠格とする趣旨なんだ。

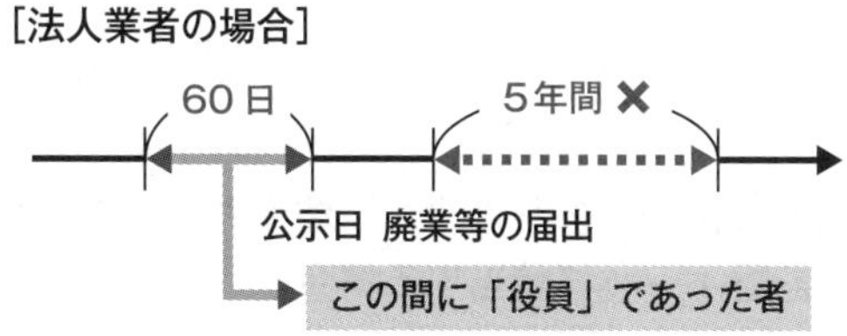

⑧　申請前5年以内に宅建業に関し不正または著しく不当な行為をした者

例えば、申請前に無免許営業を理由に処分された場合などだよ。

⑨　宅建業に関し不正または不誠実な行為をするおそれが明らかな者

⑩　心身の故障により宅建業を適正に営むことができない者として国土交通省令で定めるもの（＝精神の機能の障害により宅建業を適正に営むにあたって必要な認知・判断・意思疎通を適切に行うことができない者）

プラスα
成年者である個人業者が、宅建業の業務に関し行った行為については、「行為能力の制限」を理由とする取消しは、認められません。

2　関係者に問題がある場合

H25.27.R元.2⑽⑿.3⑽

用語解説
営業に関し成年者と同一の行為能力を有しない未成年者：宅建業を営むについて法定代理人の許可を得ていない18歳未満の者のこと。

⑪　営業に関し成年者と同一の行為能力を有しない未成年者の法定代理人（法人である場合は、役員も含む）が、前記①～⑩に該当する場合

未成年者が免許の申請をした場合は、未成年者本人とともに法定代理人も審査され、どちらか一方でも欠格要件に該当すれば、その未成年者は免許欠格となるんだ。
つまり、どちらも欠格要件に該当しない場合に初めて、その未成年者は、免許を受けることができるんだよ。

用語解説
政令で定める使用人：宅建業者の使用人で、事務所の代表者である者のこと（支店長など）。

⑫　法人の役員、または法人・個人の政令で定める使用人が、前記①～⑩に該当する場合

法人が免許の申請をした場合は、法人自体に加えて役員や政令で定める使用人も欠格要件に該当しないときに初めて、その法人は免許を受けることができるんだ。

⑬　暴力団員等がその事業活動を支配する者

3　手続的な問題がある場合

用語解説
専任の宅建士：原則として、事務所に常勤して専ら宅建業の業務に従事する宅建士のこと。
➡P.268

⑭　事務所に法定数の専任の宅建士を置いていない場合

事務所ごとに、従業者の**1／5以上**の割合で**専任の宅建士**を必ず設置しなければ、免許を受けることができません。

プラスα
申請書類の不備を含む、形式的な要件です。

⑮　申請書等に虚偽の記載をし、または重要な事項の記載が欠ける場合

それでは、「免許を受けられるか否か」、本試験でよく問われるポイントについて、それぞれ具体例で考えてみよう。

●2年前に破産手続開始の決定を受け、復権を得た個人A

➡復権を得たAは、直ちに免許を受けることができるんだ。

●不正の手段により免許を受けたとしてその免許を3年前に取り消された者を、政令で定める使用人としている法人B

➡政令で定める使用人が欠格要件（不正手段で免許を取得したことにより免許を取り消された場合は5年間欠格）に該当するから、Bは免許を受けられないよ。

●3ヵ月前に道路交通法違反で罰金の刑に処せられた者が、代表取締役となっている法人C

➡道路交通法違反の場合は、禁錮刑以上が欠格だから、罰金刑であれば欠格ではなく、Cは免許を受けることができるんだ。

●3年前に横領の罪で懲役1年の刑に処せられた者が、取締役の1人となっている法人D

➡懲役刑で刑の執行を終えてから5年を経過していないので、その者を役員とするDは免許を受けられないよ。

●業務停止処分についての聴聞の期日及び場所を公示されたが、その公示後聴聞が行われる前に、相当の理由なく宅建業を廃止した旨の届出をし、その届出の日から5年を経過していない個人E

➡相当の理由なく廃業の届出をしたケースで欠格となるのは、免許取消処分の場合だけで、業務停止処分の場合には、Eは免許を受けることができるんだよ。

●傷害罪により懲役1年執行猶予2年の刑に処せられたF

➡懲役刑で執行猶予期間中のFは欠格となり、免許を受けられないよ。なお、執行猶予期間が満了すれば、直ちに免許を受けることができることに注意してね。

要点整理 免許の基準(欠格要件)

(○ =免許を受けられる、✕ =免許を受けられない＊)
＊: 既に免許を受けている者は「免許取消し」となる

❶ 破産手続開始の決定を受けて復権を得ないもの
→ ✕
→ 復権で直ちに ○

❷ ●禁錮刑・懲役刑
●宅建業法違反・暴力犯罪・背任罪による罰金刑
→ 執行終了の日から5年間 ✕
→ 執行猶予期間中は ✕
→ 執行猶予が満了すれば直ちに ○

❸ 不正手段で免許取得
業務停止処分に該当し情状が特に重い
業務停止処分に違反
→ 免許取消しとなった者は、取消処分から5年間 ✕
→ 法人が免許を取消しされた場合、その役員は、法人に対する取消処分から5年間 ✕

❹ 上記❶〜❸に該当する者を役員・政令で定める使用人にした法人 → ✕

③ 免許証の交付

H26.28.29.R2(12).3(12)

国土交通大臣または都道府県知事(**免許権者**)は、免許をしたときは、申請者に**免許証を交付**しなければなりません。

なお、免許権者は、免許または免許の更新をするにあたって、**条件**を付けたり、その条件を変更したりすることができます。

プラスα
免許の条件は、必要最小限のものに限り、かつ、当該免許を受ける者に不当な義務を課すものであってはなりません。
なお、免許は相続できません。

① 免許の有効期間

免許の有効期間は**5年**です。この期間は**更新**することができます。

用語解説
返納:
免許権者に免許証を返すこと。

② 免許証の返納

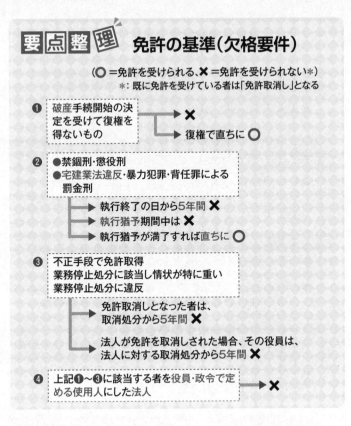

宅建業者は、免許の効力が失効する次の場合には、免許

証を免許権者に**返納**しなければなりません。

[返納事由]

返　　納　　事　　由	返納時期
●免許換えにより従前の免許が効力を失ったとき ●免許取消処分を受けたとき ●亡失した免許証を発見したとき	遅滞なく
廃業等の届出をするとき	届出の時

なお、免許の「有効期間満了の場合」は、返納義務がありません。

プラスα
宅建業者は、免許証を亡失・滅失・汚損・破損したときは、遅滞なく、免許権者に免許証の再交付を申請しなければなりません。

4 宅建業者名簿と変更の届出

H29.30.R2(12).3(12).5

① 宅建業者名簿の登載事項・閲覧

国土交通省または都道府県には、それぞれ**宅建業者名簿**が備えられます。

免許権者は、この名簿に、免許を与えた宅建業者に関する次の事項を登載（記載）し、一般の閲覧に供さなければなりません。

[宅建業者名簿の登載事項]（○＝「変更の届出」が必要、×＝不要）

宅建業者名簿の登載事項	変更の届出
❶ 免許証番号及び免許の年月日	×
❷ 商号または名称	○
❸ 事務所の名称及び所在地	○
❹ 法人にあっては役員の氏名、個人にあってはその者の氏名、並びに政令で定める使用人があるときはその氏名	○
❺ 他に事業を行っているときは、その事業の種類	×
❻ 指示または業務停止処分があるときはその年月日、内容	×

② 変更の届出

宅建業者は、上表の**[宅建業者名簿の登載事項]**の❷～❹に変更が生じた場合（表中の「○」の部分）や、「**事務**

注意
「**事務所ごとに置かれる専任の宅建士の氏名**」は、近年の改正によって**宅建業者名簿の登載事項ではなくなった**ものの、従来と同様に、変更が生じた場合には変更の届出が必要です。
「変更の届出が不要になった」とカン違いしないように気をつけましょう。

所ごとに置かれる**専任の宅建士の氏名に変更が生じた場合**」は、**30日以内**に、その変更に関する事項を記載した**届出書**を、**免許権者に提出**しなければなりません。

比較整理
この「**変更の届出**」は、後出の宅建士の「**変更の登録**」と混同しやすいので、両者を学習したら、必ず比較して知識を整理しておきましょう。

宅建業者本人・役員（常勤・非常勤を問わない）・政令で定める使用人・専任の宅建士のいずれも、その**氏名**が変更になった場合は、変更の届出が必要なんだ。
でも、住所は、そもそも**宅建業者名簿**に記載されていないので、もし変更しても、届出は不要だよ。

5 免許の更新

H28.29.30.R3(12).6

宅建業者は、免許の有効期間の満了後、引き続き宅建業を営もうとする場合、**免許の更新**をしなければなりません。

重要
業務の停止期間中でも、更新の申請をすることができます。

免許の**更新手続**は、免許の有効期間満了の日の**90日前から30日前まで**の間に行わなければなりません。

[更新の申請手続]

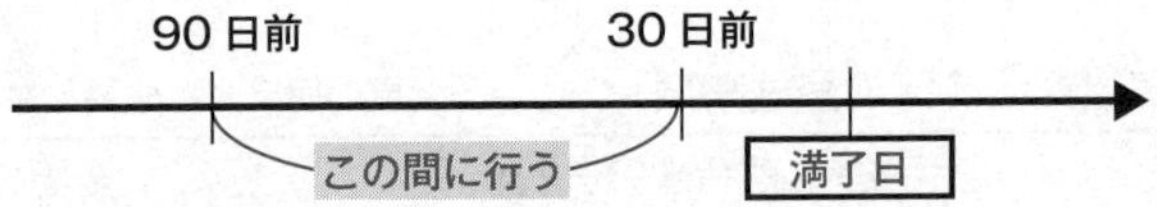

[更新に伴う有効期間の特則]

上記の期間内に行った免許の更新の申請に際し、有効期間の満了日を過ぎても更新の処分がされない場合は、次のように特別の措置がとられます。

ア　従前の免許は、有効期間満了後も、その処分がされるまでは、**なお効力を有する**ことになります。

イ　従前の免許の有効期間の満了日を過ぎてから免許の更新がされた場合、新たな免許の有効期間は、従前の免許の有効期間の**満了日の翌日から起算**します。

要するに、「適正な申請期間に更新の申請をすれば、適正に更新される」ということなんだね。

❻ 免許換え

H25.28.30.R2(10)(12).3(12)

1 「免許換え」とは

事務所の移転等によって、宅建業者の**免許権者が変更**する際の手続を、**免許換え**といいます。そして、免許換えが必要にもかかわらず、その申請を怠っていることが判明した場合、免許は**取り消されます**。

免許換えは、次の❶～❸の場合に必要となります。

免許換えが必要となる場合	免許権者の変更
❶ A県知事免許の業者が、他県にも事務所を設置した	A県知事の免許 ➡国土交通大臣の免許
❷ A県知事免許の業者が、その**事務所を廃止**して、新たにB県に事務所を設置した	A県知事の免許 ➡B県知事の免許
❸ 国土交通大臣免許の業者が、**一の都道府県**（A県）**にのみ**事務所を有することになった	国土交通大臣の免許 ➡A県知事の免許

注意
従来、宅建業法には、国土交通大臣に対して行う手続について、「都道府県知事を『**経由**』して行わなければならない」とする規定が数多くありました。しかし、近年の改正によって、このような「経由規定」は削除されました。
したがって、❶の国土交通大臣への免許換えを、「知事を経由」して行う必要はありません。

免許換えの手続は、**新規の免許申請と同じ**だから、新たな免許権者に対して申請することになるんだ。

2 免許換えの効果

免許換えにより、新たな免許権者から免許を受けた場合、従前の免許は**効力を失います**。

新免許の有効期間は、**免許換えの時から新たに5年**です。

プラスα
免許換えをした宅建業者に勤務していた宅建士は、勤務先の宅建業者の免許証番号が変わることになるので、「**変更の登録**」の申請が必要になります。➡P.261

7 廃業等の届出

H26.28.29.R2⑽.3⑿.5

次の表の❶～❺の場合のように、宅建業者が死亡したり、宅建業を廃業したようなときは、その旨を免許権者に届け出なければなりません。

プラスα
相続人は、取引を結了する範囲内で業務をしている場合でも、廃業等の届出をしなければなりません。

プラスα
法人の合併によって消滅した場合は、人の死亡と同様に、免許の効力も、その時点で消滅します。

注意
合併消滅の場合、届出義務者は、消滅した会社の代表役員だった者です。合併「後」の会社の代表役員ではありません。

[廃業等の届出]

廃業した事由	届出義務者	届出期間	免許の効力が失われる時点
❶ 死亡	相続人	知った日から30日以内	死亡の時
❷ 法人が合併により消滅	代表役員であった者	その日から30日以内	**消滅の時**
❸ 破産手続開始の決定	破産管財人		**届出の時**
❹ 法人が合併、破産以外で解散	清算人		
❺ 宅建業を廃止	個人・代表役員		

破産管財人や清算人は、破産または解散した法人の代表権を有するため、届出義務者とされているんだ。

8 無免許事業の禁止・名義貸しの禁止

H26.29.R元.6

① **無免許事業の禁止**

免許を受けない者は、宅建業を営むことができません。また、宅建業を営む旨の表示をしたり、営む目的で広告をすることもできません。

注意
ここでいう「他人」とは、免許を受けていない者に限定されませんから、**他の宅建業者への名義貸し**も当然禁止されます。

② **名義貸しの禁止**

宅建業者は、**自己の名義**をもって**他人に宅建業を営ませてはなりません**。また、自己の名義をもって、他人に宅建業を営む旨の表示をさせ、または宅建業を営む目的で広告をさせることもできません。

③　罰則等

ア　無免許事業や名義貸しを行った場合、非常に重い罰則が適用されます（３年以下の懲役もしくは300万円以下の罰金、またはこれを併科)。

イ　無免許事業や名義貸しに関して、その旨の表示や広告を行った場合には、100万円以下の罰金に処せられます。

要点整理 「免許」のまとめ

免許の有効期間	５　年	
免許の更新	有効期間満了の日の90日前から30日前までの間に行う	
変更の届出	●商号・名称 ●事務所の名称・所在地 ●法人➡役員の氏名 　個人➡その者の氏名 ●政令で定める使用人の氏名 ●専任の宅建士の氏名	30日以内
免許換え	❶ 知事免許の業者が他県にも事務所を新設した場合： 　　知事免許➡国土交通大臣免許 ❷ 知事免許の業者が他県にのみ事務所を有することになった場合： 　　知事免許➡他県の知事免許 ❸ 国土交通大臣免許の業者が一の都道府県にのみ事務所を有することになった場合 　　国土交通大臣免許➡知事免許 ●新免許の有効期間➡免許換えの時から５年	
廃業等の届出	[届出義務者] 　死　亡＊➡相続人 　合併消滅➡消滅会社の代表役員 　破　　産➡破産管財人 　解　　散➡清算人 　廃　　止➡個人・代表役員 ●30日以内に届出義務 （＊：「死亡」➡それを知った日から30日以内）	

第3章 宅建士制度

重要ランク **S**

宅建士って、宅建業者の事務所に必ず置かなければならない「不動産取引のプロ」のことだよ！

宅地建物取引士（宅建士）となるには

R5

次の**3段階の手順**を踏むことが必要です。

【宅建士となるための3ステップ】

❶	まずは、宅建試験に**合格**！	◀ 単なる“合格者”
❷	宅建士の資格の**登録**	◀ “宅建士資格者”
❸	宅建士証の**交付**	◀ はじめて宅建士に！

3ステップで宅建士へ！

❶ 宅建士の事務

H25

宅建業者は、次の❶～❸の**3つの事務**を、**必ず宅建士に担当させなければなりません。**

❶ 重要事項の説明
❷ 重要事項説明書への記名
❸ 37条書面（契約書面）への記名

●専任の宅建士でも、パートタイムの宅建士でも、担当できる「**3つの事務**」は同じなんだ。つまり、“**専任**”の宅建士でないとできない事務は「ない」ということだよ。

●どこの都道府県知事の登録を受けていても、「宅建業の免許」の場合と同様に、宅建士として活動する場所の制限はなく、全国どこでも業務を行えるんだ。

2 登　録

宅建試験に合格した後は、その「**試験**を行った**都道府県知事**」の**登録**を受け、「**登録**をした**都道府県知事**」から**宅建士証の交付**を受けて、**はじめて宅建士**となります。

1　登録の手続

登録の申請が、次の「**2　登録の要件**」を満たしている場合、知事は、**遅滞なく登録**し、その旨を本人に**通知**しなければなりません。

また、要件を満たさないため登録を拒否するときも、遅滞なくその理由を示して、その旨を本人に**通知**しなければなりません。

なお、複数の都道府県で宅建試験に合格していても、登録を受けられるのは、**1つの都道府県のみ**です。

2　登録の要件

H29.R元.6

登録を受けるには、次の❶～❸の**3つの要件すべて**を満たさなければなりません。

❶　宅建試験に**合格**していること
❷　**宅地・建物の取引に関して2年以上の実務経験があること**
❸　**登録の欠格要件に該当しないこと**

プラスα
知事は、不正の手段により宅建試験を受験しようとした者に対して、受験を禁止できます。さらに情状により、3年以内の期間を定めて受験を禁止できます。

プラスα
登録は、いったん受ければ消除されない限り、一生有効です。「更新」という制度はありません。

プラスα
2年以上の実務経験がない者は、国土交通大臣の登録を受けた「**登録実務講習**」を受講し、修了することによって同等の能力を有する者と認定され、左の❷の要件を満たすことになります。

3　登録の基準（欠格要件）

R元.2⑿.3⑽⑿.4

登録の基準には、「免許の基準と同じもの」と「異なるもの」があり、①～⑧は、**免許と同様の基準**で、⑨～⑫が、**登録に特有の基準**です。

免許と同様の基準

① **破産手続開始の決定を受けて復権を得ない者**

② **宅建業法違反、傷害罪、現場助勢罪、暴行罪、凶器準備集合罪、脅迫罪、背任罪、暴力団員不当行為防止法違反等で罰金刑以上、その他の犯罪で禁錮刑以上を受け、刑の執行を終わり、または執行を受けることがなくなった日から5年を経過していない者**

③ **暴力団員等**

④ **不正手段で免許取得、業務停止処分事由に該当し情状が特に重い、または、業務停止処分に違反し業務を行ったことを理由に免許取消処分を受け5年を経過していない者**

⑤ **法人が上記④の取消処分を受けた場合、当該取消しに係る聴聞の期日・場所の公示の日前60日以内の当該法人の役員で、取消しの日から5年を経過していない者**

⑥ **上記④を理由とする取消処分の聴聞の期日・場所の公示日から処分予定日までの間に相当の理由なく廃業の届出をし、届出の日から5年を経過していない者**

⑦ **上記⑥の期間内に法人が相当の理由なく解散・廃業の届出または合併消滅した場合、当該取消しに係る聴聞の期日・場所の公示の日前60日以内の当該法人の役員で、届出日から5年を経過していない者**

⑧ **心身の故障により宅建士の事務を適正に行うことができない者として国土交通省令で定めるもの**（精神の機能の障害により宅建士の事務を適正に行うにあたって必要な認知・判断・意思疎通を適切に行うことができない者）

登録に特有の基準

⑨　登録消除処分を受け、5年を経過していない者

次の**ア～オ**の5つのいずれかを理由に**登録消除処分**を受け、処分の日から**5年を経過しない者**は、**登録ができません**。

ア　不正手段で登録を受けた
イ　不正手段で宅建士証の交付を受けた
ウ　事務禁止処分事由に該当し情状が特に重い
エ　事務禁止処分に違反した
オ　登録を受けたが宅建士証の交付を受けていない者が宅建士の事務を行い、情状が特に重い

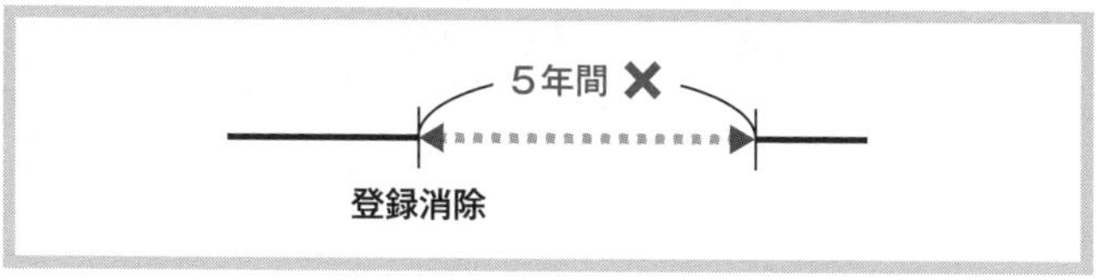

⑩　登録消除処分を受ける前に自ら申請して登録を消除した者

前記⑨の登録消除処分の聴聞の期日等の公示日から処分予定日までの間に、相当の理由なく、本人自ら**登録消除の申請**をした場合、消除の日から**5年を経過していない者**は、登録ができません。

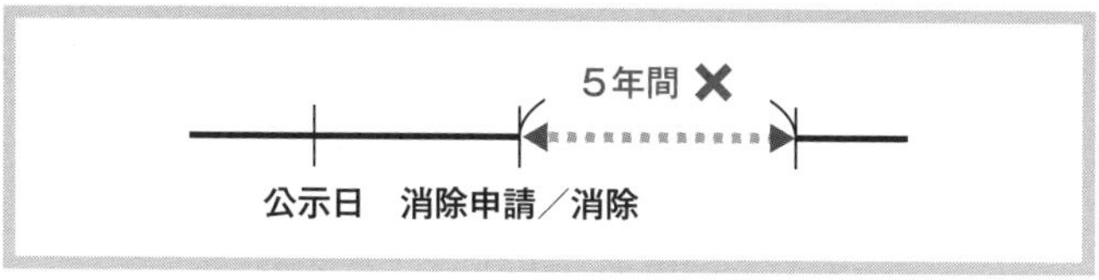

登録消除処分を免れるために自ら登録の消除を申請し再登録をする、というような“処分逃れ”を防ぐ趣旨だよ。

⑪　事務禁止期間中に自ら申請して登録を消除した者

事務禁止処分の期間中に、本人の申請によって登録が消除された場合、その禁止期間は、再登録が**できません**。

プラスα
共通の欠格要件は、前出「**免許の基準**」を復習しながら確認しましょう。
ここでは、まず、登録に特有の**4つの欠格要件**（⑨～⑫）をしっかり学習すればOKです。

プラスα
⑪も、⑩同様“**処分逃れ**”を防ぐ趣旨による規定です。
なお、事務禁止期間が満了すれば、再登録できます。

⚠注意
逆にいえば、「未成年者」は、試験に合格しても、成年に達するまでは登録を受けることができませんが、「法定代理人から営業の許可を受ければ、登録可」ということです。

⑫　営業に関し成年者と同一の行為能力を有しない未成年者

宅建業にかかる営業に関し、成年者と同一の行為能力を**「有しない」未成年者**は、登録を受けることが**できません。**

[成年者と同一の行為能力の有無と免許・登録]

（○=できる、△=場合による、×=できない）

	免許（宅建業者）	登録（宅建士）
成年者と同一の行為能力を有する	○	○
成年者と同一の行為能力を有しない	△ （注：法定代理人をチェック）	×

「法定代理人から宅建業を営む許可を受けていない未成年者」は、常に登録を受けることができないよ。
この場合は、法定代理人が欠格要件に該当しているかどうかは無関係なんだ。

要点整理　登録の基準（登録に特有の欠格要件）

（○=登録可、×=登録不可）

❶
- 不正の手段により登録を受けた
- 不正の手段により宅建士証の交付を受けた
- 事務禁止処分事由に該当し情状が特に重い
- 事務禁止処分に違反した
- 宅建士資格者が宅建士の事務を行い、情状が特に重い

→ 登録消除処分の日から5年間 ×
→ 処分前に自ら申請して消除される➡5年間 ×

❷ 事務禁止処分の期間中に自ら消除を申請

→ 事務禁止期間中　➡再登録 ×
→ 事務禁止期間満了➡再登録 ○

❸ 未成年者

→ 成年者と同一の行為能力なし➡ ×
→ 成年者と同一の行為能力あり➡ ○

❸ 宅建士資格登録簿

H28.R3⑿

登録は、知事が**宅建士資格登録簿**に次の❶～❼の事項を登載（記載）することによって行います。また、一定の登載事項に**変更が生じた場合**は、**その旨の申請**をしなければなりません（次の「❹」）。

比較整理
「宅建業者名簿」
➡P.251

（○＝変更の登録の申請が必要）

宅建士資格登録簿の登載事項	変更の登録
❶ 本人の氏名・住所・生年月日・本籍・性別	○
❷ 宅建業者の業務に従事する者にあっては、当該宅建業者の商号・名称、免許証番号	○
❸ 試験の合格年月日・合格証書番号	—
❹ 実務経験年数、従事していた宅建業者の商号・名称、免許証番号	—
❺ 国土交通大臣が実務経験を有する者と同等以上の能力を有すると認めた場合の、認定の内容・年月日	—
❻ 登録番号、登録の年月日	—
❼ 指示処分・事務禁止処分の内容、年月日	—

なお、宅建士資格登録簿は、**宅建業者名簿**と異なり、**非公開**です。

❹ 変更の登録

H25.R元.2⑽.3⑽.6

登録を受けている者は、前記「❸**宅建士資格登録簿**」の表中❶❷（「○」の事項）に**変更が生じたとき**は、登録を受けている知事に対して、**遅滞なく**、**変更の登録を申請**しなければなりません。

比較整理
宅建業者名簿についての変更の届出は「30日以内」、宅建士資格登録簿についての変更の登録は「遅滞なく」です。

変更の登録には**申請義務**があるから、たとえ事務禁止期間中であっても、**必要が生じた場合は申請**しなければならないんだ。

要点整理　変更の登録が必要な事項

変更の登録が必要な事項	時期
●本人の氏名・住所・本籍 ●宅建業者の業務に従事する者の場合は、その宅建業者の商号・名称、免許証番号	遅滞なく

5 登録の移転

H28.29.30.R2(10)(12).3(10)(12).4

登録の移転とは、例えば、北海道知事の登録を受けている者が、東京都知事の登録へと変更するように、登録先を、**別の都道府県知事に変える**ことをいいます。

登録の移転の申請は、事務手続上の不便さを解消するためのものだから、**あくまで任意で、義務ではない**よ。よく問われるから注意してね。

① 登録の移転ができる場合

登録の移転は、次のアとイの**両方の要件**を満たす場合にのみ、申請することができます。

ア　登録を受けている知事の管轄する都道府県以外の都道府県に所在する宅建業者の事務所の業務に従事し、または従事しようとする場合であること

イ　事務禁止処分の期間中でないこと

●登録の移転の申請は、現在登録している知事を経由して、移転先の知事にするんだよ。

●単に自宅の住所を他県に移した等の理由では、登録の移転の申請はできないことには、注意しようね。

②　登録の移転後の宅建士証

宅建士証の交付を受けている者が登録を移転した場合、**現に有する宅建士証**は**失効**します。

引き続き、宅建士の事務を行うためには、登録の**移転の申請とともに**、**移転後の知事**に宅建士証の交付を申請しなければなりません。

③　登録の移転に伴う宅建士証の交付

宅建士証の有効期間中に登録の移転の申請をすると、現在の宅建士証は**失効**するため、**新しい知事から宅建士証の交付**を受ける必要があります。

ア　登録の移転の申請とともに、宅建士証の交付申請が行われたときは、移転後の知事は、**従前の宅建士証の残存期間**を有効期間とする宅建士証を交付しなければなりません（「新規に５年」では**ありません**）。

イ　登録移転後の宅建士証は、従前の宅建士証と**引換えに交付**されます。

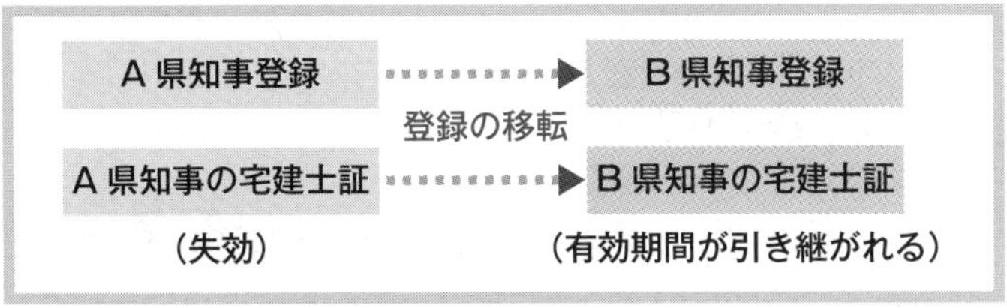

重要
宅建士が登録の移転に伴い、宅建士証の交付を申請する場合は、有効期間が延びるわけではないため、都道府県知事が指定する**法定講習**を受ける必要が**ありません**。
なお、ほかに法定講習受講が不要になるのは「**試験合格後1年以内に宅建士証の交付申請**をした場合」があります。

要点整理　登録の移転

- 登録を受けている知事の管轄外の都道府県の事務所に従事する場合に、申請することができる（任意）。
- 単なる自宅の住所移転では、登録の移転の申請はできない。
- 事務禁止処分期間中は、登録の移転の申請はできない。
- 登録の移転により、現に有する宅建士証は、効力を失う。
- 登録の移転に伴って交付される宅建士証の有効期間は、従前の宅建士証の残存期間となる。

6 死亡等の届出

H25.28.30.R2⑿.4

比較整理
宅建業者の「廃業等の届出」(P.254)と比較して学習すると効果的です。届出期間は同じですが、届出義務者が異なる点に注意しましょう。

プラスα
❸の「⑫に該当する」とは、未成年者が法定代理人から許可を取り消された場合をいいます。

登録を受けている者に次の事由が生じた場合、その旨を、**登録をしている知事**に対して**届け出**なければなりません。

[死亡等の届出]

届出が必要な事由	届出義務者	届出期間
❶ 本人の死亡	相続人	知った日から30日以内
❷ 破産手続開始の決定を受けた	本人	届出事由が「生じた日から」30日以内
❸ 前出P.258～の「**3 登録の基準(欠格要件)**」中②～⑦・⑫に該当することとなった	本人	届出事由が「生じた日から」30日以内
❹ 精神の機能の障害により宅建士の事務を適正に行うにあたって必要な認知・判断・意思疎通を適切に行うことができない者となった	本人またはその法定代理人もしくは同居の親族	届出事由が「生じた日から」30日以内

要点整理 死亡等の届出

次のいずれの場合も、その事由が生じてから**30日以内**(死亡の場合は**知った日から30日以内**)に、各届出義務者が届出をしなければならない。

- 本人の死亡 ➡ 相続人
- 破産手続開始の決定・その他の登録消除事由 ➡ 本人
- 精神の機能の障害により宅建士の事務を適正に行うにあたって必要な認知・判断・意思疎通を適切に行うことができない者となった場合
  ➡ 本人またはその法定代理人もしくは同居の親族

7 宅建士証

H25.28.29.R2⑽⑿.4～6

宅建士となるには、登録を受けた後、**宅建士証の交付**を受けなければなりません。

宅建士証の記載事項は、次のとおりです。

ア　氏名・住所・生年月日

イ　登録番号・登録年月日

ウ　交付年月日

エ　有効期間の満了日

[宅建士証と記載事項]

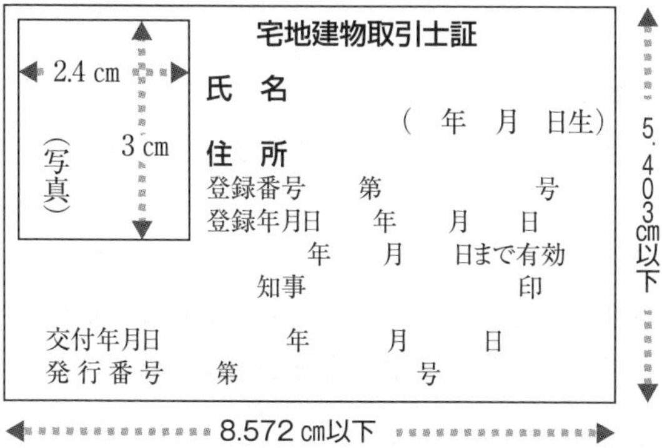

①　宅建士証の交付申請手続

宅建士証の交付申請は、登録をしている知事に対して行います。

宅建士証の交付を受ける者は、原則として、登録をしている**知事が指定する講習**で、交付の申請前**6ヵ月以内**に行われるもの（**法定講習**）を受講しなければなりません。

②　宅建士証の有効期間の更新

宅建士証の有効期間は**5年**です。有効期間満了時に更新を希望する場合は、**更新の申請**をしなければなりません。

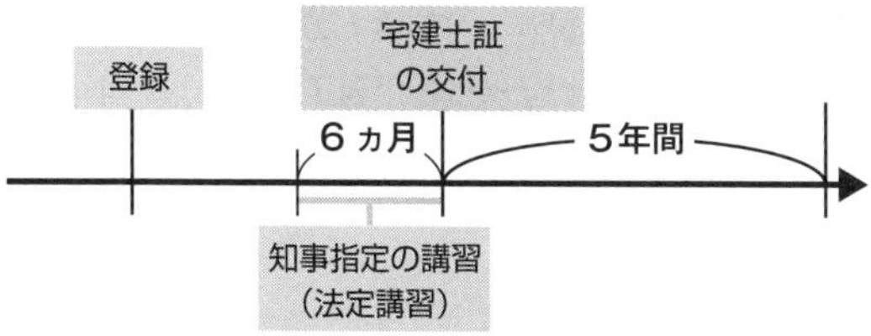

プラスα

旧姓の使用を希望する者は、宅建士証に旧姓を併記でき、旧姓が併記された宅建士証の交付を受けた日以降、書面の記名等の業務において旧姓を使用できます。ただし、業務の混乱や取引の相手方等の誤認を避けるため、恣意的に現姓・旧姓を使い分けることは、厳に慎むべきとされています。

比較整理

- 「登録の際に必要となる2年以上の実務経験に代わる講習」
  ➡国土交通大臣の登録を受けた登録実務講習
- 「宅建士証の交付申請に必要な講習」
  ➡知事指定の法定講習

●更新の際も、申請前6ヵ月以内に行われる登録をしている知事の指定する講習（いわゆる**法定講習**）を受講しなければならないんだ。

●更新後の宅建士証は、従前の宅建士証と引換えに**交付**されるんだよ。

プラスα
住所のみの変更のときだけ、宅建士証の裏面に変更後の住所を記載する方法をとることができます。

③　宅建士証の書換え交付申請

宅建士証の交付を受けている者が、**氏名または住所を変更**した場合は、変更の登録の申請とあわせて、宅建士証の書換え交付の申請をしなければなりません。

書換え交付を申請した場合、原則として、**従前の宅建士証と引換え**に、**新たな宅建士証**が交付されます。

［変更の登録と書換え交付が必要となる場合］（○＝必要、×＝不要）

	氏名	住所	本籍	勤務先の宅建業者の商号または名称、免許証番号
変更の登録	○	○	○	○
宅建士証の書換え交付	○	○	×	×

宅建士証の書換え交付の申請が必要なのは、上の表中の「○」である氏名・住所の変更の場合だけなんだね。

注意
亡失したことにより再交付を受けた者は、亡失した宅建士証を発見した場合、発見した宅建士証を**返納**しなければなりません。

④　宅建士証の再交付

宅建士証の亡失・滅失・汚損・破損その他の事由が生じたときは、交付を受けた知事に対して、宅建士証の**再交付**を申請できます。

要点整理　宅建士証

- 交付（更新）申請前６ヵ月以内の知事指定の講習（法定講習）の受講が必要。
  - 例外（受講不要の場合）：
    - ❶ 試験合格から１年以内
    - ❷ 登録の移転申請とあわせて行う場合
- 有効期間は５年

❽ 宅建士証の返納・提出・提示　H25.28.29.30.R2⑽⑿〜6

宅建士は、例えば「宅建士証が失効した」というような一定の事由が生じたときは、宅建士証を「❶**返納**」「❷**提出**」しなければならず、また、重要事項の説明の際は、相手方に対して「❸**提示**」しなければなりません。

❶　返納	●宅建士証を返還してしまうこと ●再び戻ってくることはない
❷　提出	●宅建士証を知事に一時的に返すこと ●請求すれば戻ってくる
❸　提示	宅建士証を、取引等の相手方に示して見せること

[返納・提出・提示が必要な場合]

事　　由	時　期	態　様	誰　に
❶ 登録が消除された・宅建士証が失効した	速やかに	返　納	交付した知事
❷ 亡失した宅建士証を発見した			
❸ 事務禁止処分を受けた		提　出	
❹ 取引の関係者から請求があった	請求時	提　示	取引の関係者
❺ 宅建業者でない者に対する重要事項の説明の際	説明時		説明の相手方等

プラスα
宅建士証の提示に当たっては、住所欄に『シール』（容易に剥がすことが可能なもの）を貼ったうえで、提示することができます。

⑨ 専任の宅建士

H26.27.R元.2(12).3(10)(12).4.6

宅建業者は事務所や国土交通省令で定める一定の案内所等に、一定数の「成年者である**専任の宅建士**」を設置しなければなりません。

なお、**専任**とは、事務所に**常勤**して、専ら**その事務所に係る宅建業の業務に従事**することをいいます。

注意
「常勤」とは、宅建業者の**通常の勤務時間での勤務**を指しますが、**ＩＴを活用**等することで適切な業務ができる体制を確保したうえで、**宅建業者の事務所以外**で通常の勤務時間での勤務をする場合（いわゆるテレワークなど）を含みます。

専任の宅建士は、ＩＴの活用等により、常勤する事務所で一時的に宅建業の業務が行われていない間に、同一の宅建業者の他の事務所**に係る**宅建業の業務に従事することができるよ。
ただし、「他の事務所での専任の宅建士」の兼任はできないんだ。

プラスα
宅建業のみを営む事務所の場合でも、非常勤の役員や直接的な関係が乏しい業務に臨時的に従事する者等は、「業務に従事する者」に含まれません。

[設置場所と設置数]

事　務　所	業務に従事する者の**５人に１人以上**の割合で専任の宅建士を設置
一定の案内所・展示会場等	従業者数にかかわらず、**１人以上**の専任の宅建士を設置

例えば、業務に従事する者が16人いる事務所の場合、そのうち少なくとも４人は、専任の宅建士でなければならないんだよ。一方で、宅建業のみを営んでいる法人等の場合、原則として、従業者全員が「業務に従事する者」として扱われるんだ。
それに対し、他の業種と兼業している法人等の場合は、宅建業に携わっている従業者のみが「業務に従事する者」とされるんだよ。

注意
たとえ臨時開設のテント張り案内所であっても、そこで契約の締結をし、または申込みを受けるのであれば、専任の宅建士を設置しなければなりません。

①　一定の案内所・展示会場等

「一定の案内所・展示会場等」とは、宅建業に関する**契約を締結**し、または**契約の申込みを受ける**、次の場所をいいます。

ア　継続的に業務を行うことができる施設を有する、「事務所」以外の場所

イ　一団の宅地・建物を分譲する際の案内所

ウ　他の宅建業者が行う一団の宅地・建物の分譲の代理・媒介を行う案内所

エ　業務に関する展示会その他の催しを実施する場所

●複数の宅建業者が設置する案内所で、同一物件について売主業者と媒介・代理業者が共同して業務を行う場合は、いずれかの業者が専任の宅建士を１人以上置けばそれで足りるんだ。

●その一方で、異なる物件を複数の業者が同一の場所で取り扱う場合（不動産フェア等）は、各業者ごとに、１人以上の専任の宅建士を置かなければならないんだよ。

②　成年者である専任の宅建士の設置義務

宅建業者は、事務所等を開設するときは「**成年者である専任の宅建士**」を設置しなければなりません。

成年者である専任の宅建士とは、原則として、その**事務所等に常勤し、専ら宅建業に従事**する宅建士で、かつ、**成年者**（**18歳**以上の者）である者をいいます。

なお、**成年者でない者**（**未成年者**）の場合は、その**法定代理人**から**営業の許可**を受けているか否かで、次のように扱いが変わります。

［未成年者の扱い］　（○＝できる、△＝場合による、×＝できない）

	免　許	登　録	専任の宅建士
営業の許可を受けた未成年者	○	○	×＊
単なる未成年者	△（法定代理人も審査される）	×	×

＊：次の「③」を参照

万一、事務所等で、専任の宅建士が不足したときは、**2週間以内**に、**補充**などの措置をとらなければなりません。

③　「成年者である専任の宅建士」とみなされる者

個人の宅建業者、または法人である宅建業者の役員が、宅建士であるときは、「自ら主として業務に従事する事務所等」においては、当該事務所等に置かれる成年者である**専任の宅建士**とみなされます。

したがって、自ら宅建業を営んでいる、または宅建業者の役員であるときは、営業の許可を受けた**未成年者**である宅建士でも、**成年者である専任の宅建士**として扱われます。

要点整理　専任の宅建士の設置義務

事　務　所	5人に1人以上
一定の案内所等	1人以上
不足の場合	2週間以内に補充等の適合措置が必要

⑩ 宅建士としての義務等

H27.R4～6

①　宅建士の業務処理の原則

宅建士は、**宅建業の業務に従事**するときは、宅地・建物の取引の専門家として、購入者等の利益の保護及び円滑な宅地・建物の流通に資するよう、**公正かつ誠実に**宅建業法に定める事務を行うとともに、宅建業に関連する業務に従事する者との連携に努めなければなりません。

②　信用失墜行為の禁止、知識・能力の維持向上

宅建士は、宅建士の**信用・品位を害するような行為**をしてはなりません。また、宅地・建物の取引に係る事務に必要な**知識・能力の維持向上**に努めなければなりません。

注意
「宅建士の信用を害するような行為」には、宅建士の職務に必ずしも直接関係しない行為・私的な行為も含まれます。

[宅建業者と宅建士の比較]　比較整理

	宅建業者	宅建士
定義	●免許を受けて宅建業を営む者 ●免許権者は、国土交通大臣または知事	●試験に合格し、登録を受け、宅建士証の交付を受けた者 ●登録は、**知事のみ**が行う
基準	【免許（宅建業者）と登録（宅建士）に共通の欠格要件】 ❶　破産手続開始の決定を受けて復権を得ない者 ❷　不正手段による免許取得・登録を理由に**免許取消処分を受けてから5年**を経過しない者 ❸　上記❷が法人の場合、**聴聞の公示日前60日以内**に役員であった者 ❹　免許取消処分を免れるため相当の理由なく廃業の届出をした者 ❺　上記❹が法人の場合、**聴聞の公示日前60日以内**に役員であった者 ❻　すべての犯罪で**禁錮刑以上**を受け、刑の執行終了から5年**を経過**しない者 ❼　**宅建業法違反、暴力関連の犯罪、背任罪で罰金刑以上**を受け、刑の執行終了から5年**を経過**しない者 ❽　暴力団員等 ❾　心身の故障により宅建業を適正に営む〔宅建士の事務を適正に行う〕ことができない者として国土交通省令で定めるもの（＝精神の機能の障害により宅建業を適正に営む〔宅建士の事務を適正に行う〕にあたって必要な認知・判断・意思疎通を適切に行うことができない者）	
変更	商号・名称、事務所の名称と所在地、役員の氏名、政令で定める使用人の氏名、専任の宅建士の氏名 ●これらの変更➡**30日以内に「変更の届出」**	氏名・住所・本籍、勤務先の商号・名称・免許証番号 ●これらの変更➡**遅滞なく「変更の登録」**の申請 ●氏名・住所➡**宅建士証の**書換え交付の申請も必要
免許換えと登録の移転	●事務所の変更により、免許権者が変更したときは、免許換えが**必要**（＝義務） ●新たな免許権者に申請 ●免許換え後の新免許➡**新規5年**	●登録した知事の管轄外の事務所に従事し、またはしようとする場合に、登録の移転をすることが**できる**（＝任意） ●現在の登録知事を経由して申請 ●登録の移転後（申請により）交付される宅建士証➡従前の宅建士証の**残存期間**
有効期間等	免許の有効期間は5年	●登録は有効期間なし ●宅建士証の有効期間は5年
更新	有効期間満了の日の 90日前**から**30日前**まで**に申請	●**申請前6ヵ月以内に知事指定の講習**を受講 例外：❶合格後1年以内 ❷登録の移転
届出	●30日以内（死亡➡知った日から30日） ●届出義務者： 死亡➡相続人、合併➡代表役員（消滅会社）、破産➡破産管財人、解散➡清算人、廃止➡個人・代表役員	●30日以内（死亡➡知った日から30日） ●届出義務者： 死亡➡相続人　破産・その他➡本人 心身の故障➡本人・法定代理人・同居の親族
業務・事務	宅建業の全般	●35条書面…記名・説明 ●37条書面…記名

第4章 営業保証金

重要ランク S

イザというときにお客さんを救済するためのお金をお役所に預けておく仕組みなんだよ！

❶「営業保証金」とは

R2(10)

営業保証金とは、一般消費者が宅建業者との取引で損害を受けた場合の弁済（補償）に備えて、**あらかじめ供託所に預けておく保証金**のことをいいます。

宅建業者は、免許を取得しても、営業保証金を**供託**し、免許権者にその旨を**届け出**なければ業務を開始することができません。

業務開始までの手順は、次のとおりです。

免許の取得 ▶ ❶ 営業保証金を供託 ▶ ❷ 免許権者への届出 ▶ ❸ 業務開始

用語解説
供託：
「法務局」というお役所に金銭等を預け入れること。

カンタンにいえば、「宅建業をやるなら、お客さん保護のために、前もってきちんとお金を預けておかなければダメ！」という制度だよ。単に「免許を受けたら即・業務スタート！」っていうわけにはいかないんだ。

このことは、次の「**第5章 保証協会制度**」と同様の趣旨だよ。

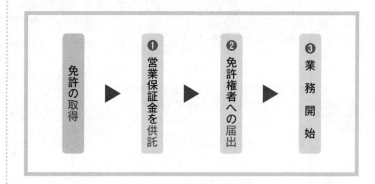

2 営業保証金の供託

H27.R2(10).6

宅建業者は、主たる事務所（本店）について**1,000万円**、その他の事務所（支店）１ヵ所について**500万円**ずつの合算額を、営業保証金として供託しなければなりません。

例えば、本店と支店３ヵ所を有する宅建業者の場合、供託する額は、「1,000万円＋500万円×３＝2,500万円」になるんだ。

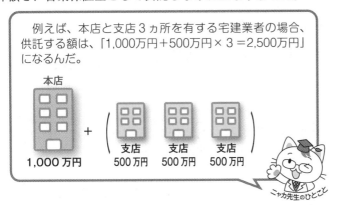

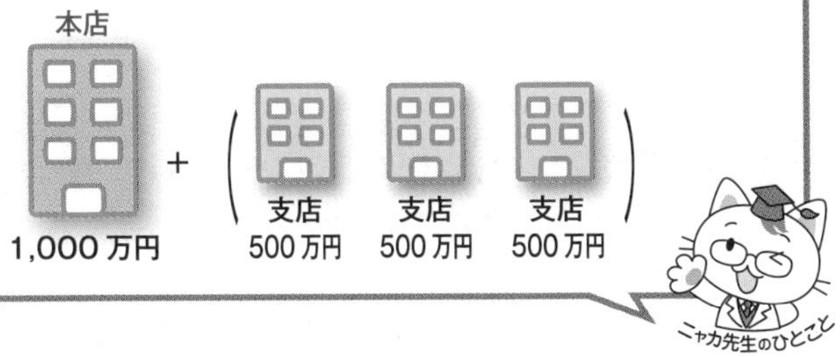

1　供託物の種類

H30.R3(10)

営業保証金は**金銭**だけでなく、国債証券など**一定の有価証券**で供託することができます。

[供託の方法]

- **金銭のみ**
- **金銭と一定の有価証券の併用**
- **有価証券のみ**

} どの方法でも可

ただし、**有価証券**の場合、国債証券は額面どおり評価されますが、**地方債証券**と**政府保証債証券**は額面の**90%**、その他一定の有価証券は額面の**80%**の評価となります。

[有価証券の評価額]

種　　類	評価額の扱い
国債証券	額面金額どおり
地方債証券・政府保証債証券	額面の90%
その他一定の有価証券	額面の80%

2　供託の手続

H26.29.30.R3(10).5

宅建業者は、すべての事務所の分の営業保証金を、**主たる事務所（本店）の最寄りの供託所に一括して供託**し、その旨を免許権者に届け出た後でなければ、**業務を開始**することができません。

プラスα
「本店の**最寄りの供託所**」とは、本店から**最も近い**供託所のことです。

注意
例えば「本店及び支店を２ヵ所」として免許を受けた宅建業者が、本店と支店１ヵ所分だけ、営業保証金を供託し、その旨の届出をした場合は、未供託の事務所だけ業務ができないのではなく、「**すべての事務所**で業務をすることができません。

[供託の手続の流れ]

❶ 最寄りの供託所に供託	… 宅建業者の主たる事務所（本店）の最寄りの供託所に、本店の分と支店分を一括して供託する
▼	
❷ 供託した旨の届出	… 営業保証金を供託したときは、供託書の写しを添付して、免許権者に対して届出をする
▼	
❸ 業務の開始	… 届出後でなければ、宅建業を開始できない

3　供託の届出がない場合

H30.R2(12).5

①　免許権者は、免許を与えた日から**3ヵ月以内**に、その宅建業者から営業保証金を供託した旨の届出がない場合、届出をすべき旨の**催告**を、必ずしなければなりません。

②　その催告が到達した日から**1ヵ月以内**に宅建業者が届出をしないときは、免許権者は、免許を取り消すことができます（これを「**任意的取消し**」といいます）。

注意
「免許を受けた日から3ヵ月以内に供託し、その旨の届出をしなければならない」わけではありません。
「**3ヵ月以内に供託した旨の**届出がないと催告される」というニュアンスに注意してください。

免許権者が免許を与えた日
↓ ◀…… 3ヵ月経過
供託した旨の届出なし
↓
免許権者は、届出を催告しなければならない
↓ ◀…… 1ヵ月経過
届出がないとき、免許権者は
免許を取り消すことができる

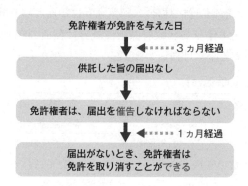

4　事務所を新設（増設）する場合の営業保証金の供託

H26.27.29.R2(12).6

宅建業者は、業務の開始後に事務所（支店）を**新たに増設**したときは、その事務所分の営業保証金を**追加して供託**し、その旨の**届出**をしなければ、**増設した事務所**で業務を開始することが**できません**。

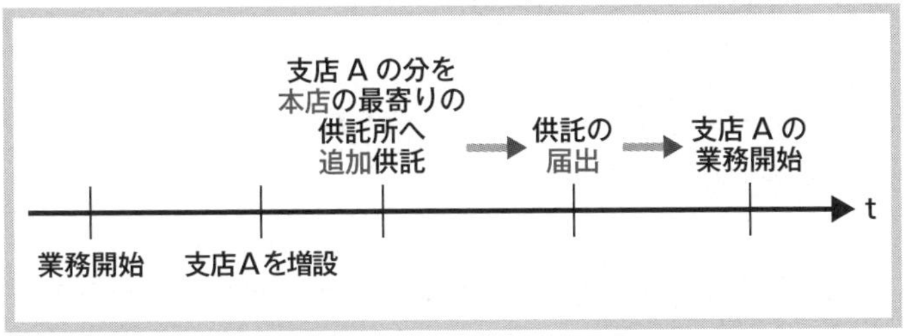

供託場所は、新たに設置した支店の最寄りの供託所ではなく、本店の最寄りの供託所だよ。
ちなみに、「支店の設置後何日以内に供託しなければならない」という制限はないんだ。

要点整理　営業保証金の供託

供　託　額	●本店　1,000万円 ●支店　500万円　} 有価証券も可
供託場所	本店の最寄りの供託所へ一括して供託
手続の流れ	供託 ➡ 供託した旨の届出 ➡ 業務開始
事務所の増設時	供託し、その旨を届け出ないと、その事務所で業務を開始できない（事前供託・届出）

プラスα
新たに支店を増設し、それと同時に同数の支店を廃止した場合は、事務所の数に変動がないため、改めての営業保証金の供託は不要です。

注意
供託をしても、届出をしないで業務を営むと監督処分や罰則を受けることになります。
ただし、すでに免許は受けてますので、無免許営業になるわけではありません。

3 営業保証金の保管替え等

H25.26.28.29.R2(12).6

主たる事務所（**本店**）の**移転**によって、最寄りの供託所が**変更**する場合、**移転先の最寄りの供託所**に営業保証金を移す手続が必要となります。

プラスα
保管替えの請求の際に必要となる「予納する費用」とは、振込手数料のようなものです。

1 「金銭のみ」で営業保証金を供託している場合

金銭のみで営業保証金を供託している場合、遅滞なく、費用を予納して、従前の供託所に対し、供託金を**新たな供託所に移すよう請求**しなければなりません。

これを「**保管替えの請求**」といいます。

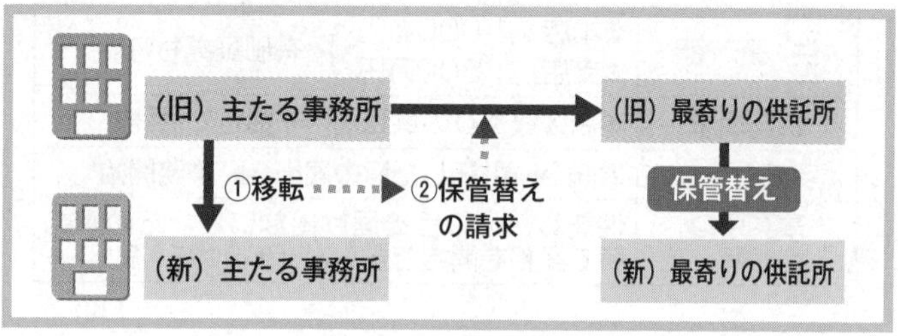

宅建業者は、営業保証金の保管替えの請求をしたときは、遅滞（ちたい）なく、その旨を**免許権者に届け出**なければなりません。

2 「金銭＋有価証券」または「有価証券のみ」で供託している場合

R2(12)

金銭と有価証券、または有価証券のみで供託している場合は、**遅滞なく**、新たな供託所に営業保証金を供託しなければなりません（つまり、いったん新・旧両方の供託所に**二重供託**した状態になります）。

その後、あらためて、旧供託所から営業保証金を取り戻します。

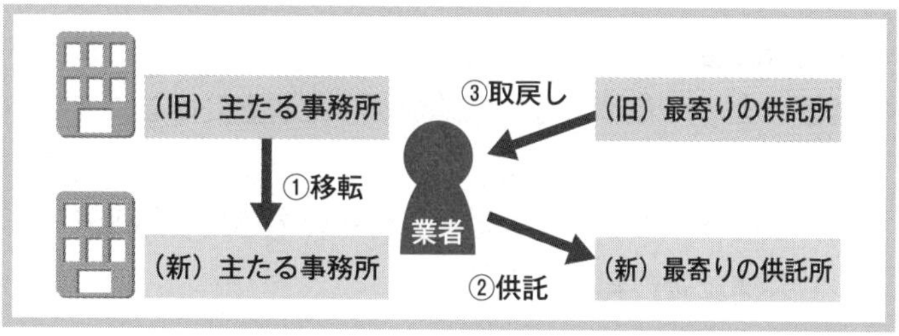

比較整理
なお、この場合、取戻しについて公告の手続は不要です。
➡「第5章　保証協会制度」

用語解説
公告：
官報等で広く一般的に知らせること。

要点整理　営業保証金の保管替え

要　件	主たる事務所の移転により、最寄りの供託所が変更した	
手　続	金銭のみの供託	保管替えの請求が必要
	有価証券を含む供託	●保管替えの請求は不可 ●いったん新たな供託所に供託し、その後、従前の供託所から供託金を取り戻さなければならない

4 営業保証金の還付等

H25.27.28.29.30.R2(10).3(10).6

トラの子の手付金を
預けてたんだよ～！

営業保証金の還付とは、宅建業者と取引をしたことによって**損害**を受けた者が、営業保証金から**弁済を受ける**ことをいいます。

還付を受けることのできる額は、その宅建業者が供託している**営業保証金の総額**です。

重要
還付限度額は、その宅建業者が供託している営業保証金の総額です。したがって、支店の取引による債権であっても、本店分、支店分をあわせた総額から還付を受けることができます。

1 還付の対象となる債権

営業保証金から**還付を受けることができる債権**は、**宅建業者と宅建業に関する取引**をしたことによって生じるものに**限定**されます。

ただし、取引した相手方が「**宅建業者に該当する者**」である場合は、その相手方は、営業保証金の還付を受けることができません。

注意
[請求できない債権の具体例]
- 広告業者の有する広告料債権
- 内装・電気工事代金債権
- 使用人の給与債権
- 家賃収納代行業務の債権

[請求できる債権の具体例]

宅建業者と宅建業**に関する取引**をしたことによって生じた
- 売買代金債権
- 債務不履行に基づく損害賠償請求権
- 不法行為に基づく損害賠償請求権

「**請求できない債権**」とのひっかけに注意しようね！

2　還付請求手続

[還付請求の手続の流れ]

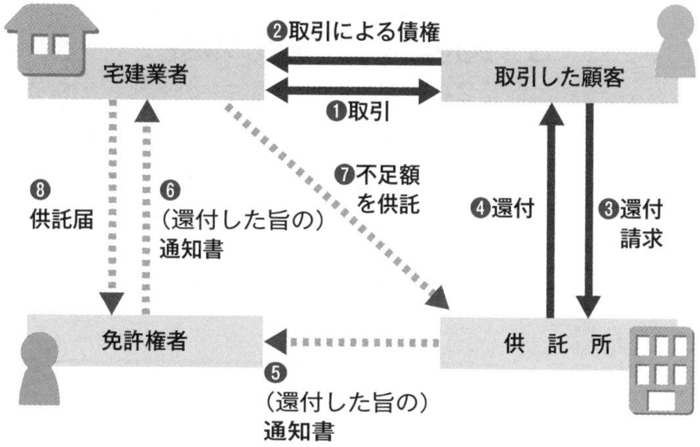

上の図の流れを順に示すと、以下のとおりです。

ここからの「還付請求の手続」は特に重要だから、しっかり覚えようね！

❶ 宅建業者と顧客との間で、宅地・建物の取引を行う

▼

❷ その取引により**損害**を受けた顧客が、宅建業者に対し**債権**を取得する

▼

❸ 取引した顧客は、還付を受けるために、供託所に**還付請求書**を提出する

▼

プラスα
宅建業者が破産手続開始の決定を受けていたり、免許取消処分を受けていた場合でも、顧客は、還付請求をすることができます。

❹ 供託所が、取引した顧客に対して営業保証金を還付する

（❺へ続く）

3　還付による不足額の供託

H25.28.29.R2⑽.4.5

前記**2**の手続に沿って還付されると、宅建業者が供託していた営業保証金は不足することになりますので、宅建業者は、不足額を供託しなければなりません。

前ページ**2**の❶～❹に続けて説明すると、次のようになるんだ。

❺ 供託所は、免許権者に還付した旨を通知する

▼

❻ 免許権者は、宅建業者に対して還付があった旨を通知する

▼

❼ 通知を受けた宅建業者は、通知を受けた日から２週間以内に不足額を供託しなければならない

▼

❽ 供託した宅建業者は、供託した日から２週間以内に供託した旨を、免許権者に届け出なければならない

重要
「不足を生じた日」ではなく「**通知を受けた日**」から2週間以内に供託です。

要点整理　還付による不足額の供託

不足額の供託	免許権者から還付があった旨の通知を受けた日から2週間以内に、不足額を供託する（有価証券でも供託できる）
供託した旨の届出	宅建業者は、不足額を供託したときは、供託した日から2週間以内に、その旨を免許権者に届け出なければならない

5 営業保証金の取戻し

H25.27.28.29.R元.2(12).4.5

宅建業者は、宅建業を廃止した場合など、営業保証金を供託しておく必要がなくなった場合、供託所から供託した営業保証金を返してもらうことができます。これを**営業保証金の取戻し**といいます。

1　取り戻すことができる場合

取り戻すことができるのは、営業保証金の**全部または一部**が不要となる場合で、具体的には次のとおりです。

① 免許が無効となる場合

ア　免許の有効期間が満了し、更新しないとき
イ　死亡、または法人が合併により消滅した場合
ウ　廃業等の届出により免許が効力を失った場合
エ　監督処分として免許取消処分を受けた場合
オ　所在地不明により免許を取り消された場合

プラスα
左の“取戻し事由”はひとつひとつ覚える必要はありません。要は、「**供託する必要がなくなったとき**」と考えておきましょう。

② **免許が「有効なまま」である場合**

カ　一部の事務所の廃止により、供託金に超過額が生じた場合

キ　主たる事務所の移転により、新たな供託所に営業保証金を供託した場合

ク　保証協会の社員となった場合

2　取戻しの手続

宅建業者は、取戻しをしようとする場合、原則として、**6ヵ月以上**の一定の期間を定めて、還付請求権を有する者に対して当該期間内に申出をすべき旨を官報に**公告**（**取戻しの公告**）をしなければなりません。

また、宅建業者は、この公告をしたときは、遅滞なく、その旨を**免許権者に届け出**なければなりません。

ただし、次の①～③の場合は、例外として**公告せずに、取戻し**をすることができます。

① 主たる事務所の移転により、新たな供託所に営業保証金を供託した場合

② 保証協会の社員となった場合

③ 取戻し事由が発生してから10年が経過した場合

プラスα

公告は、営業保証金から還付を受けることができる者に対し、その機会を与えるために必要な手続です。取戻しをしようとする宅建業者等が、自ら官報に一定事項（商号・事務所の所在地等）を公告することにより行います。

プラスα

取戻し事由が生じてから**10年を経過**すると、一般の債権は原則として**時効で消滅**しているため、公告することなしに取戻しをすることが認められます。

6 営業保証金の変換 発展

H26

営業保証金の変換とは、供託している営業保証金を、他の営業保証金と差し替えることをいいます。

例えば、供託していた有価証券の満期が到来した場合に、他の有価証券や金銭と差し替える等です。

宅建業者は、営業保証金の変換をした場合、遅滞なく、免許権者にその旨の届出をしなければなりません。

要点整理 営業保証金の取戻し

取戻し事由	取戻し手続・返還手続
❶ 免許失効時 ❷ 事務所の一部を廃止	6ヵ月以上の一定の期間を定めた公告が必要
❸ 本店移転で供託所が変更（保管替えを除く） ❹ 保証協会の社員となった	公告不要
❺ 取戻し事由が発生してから10年が経過	公告不要

第5章 保証協会制度

重要ランク S

高額な「営業保証金」の代わりにある、宅建業者にとって
リーズナブルな「顧客救済」のための仕組みだよ！

用語解説
保証協会：
国土交通大臣の指定を受けた**一般社団法人**で、宅建業者のみが社員となること（加入）ができる団体のこと。

宅建業を営むには、「営業保証金を供託」する方法（➡前出「**第４章　営業保証金**」）のほかに、「**保証協会に加入**」する方法があります。

営業保証金は、多額の金銭等を**個々**の宅建業者が供託する必要がありますが、保証協会制度は、**多くの宅建業者**から、それぞれ**比較的少額**の金銭を集めることによって運営される“**団体保証制度**”であるといえます。

宅建業者は、業務を開始するには、営業保証金を供託するか、保証協会の社員となるか、**必ずどちらかを選択**しなければなりません。

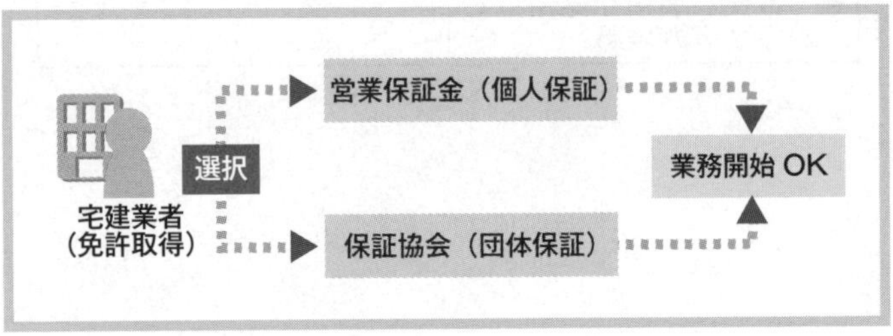

1 保証協会制度の概要

プラスα
保証協会は、弁済業務のほか、宅建業者の従事者等に対する研修と社員にかかる苦情の解決及び解決した結果の周知の業務を、必須業務として行わなければなりません。

1　社員の加入

H25.28.R2(12).3(10)(12).5

宅建業者が保証協会に加入することを「**保証協会の社員**になる」といいます。

保証協会は現在２つありますが、１つの保証協会の社員である宅建業者は、同時に**他の保証協会の社員**となることはできません。

また、保証協会は、新たに社員が加入し、または社員がその地位を失ったときは、直ちに免許権者に報告しなければなりません。

2　加入手続　H28.R元.2(12).3(10)(12).6

保証協会の**社員**になろうとする宅建業者は、**保証協会**に**弁済業務保証金分担金**（**分担金**）を**納付**しなければなりません。

分担金の納付を受けた保証協会は、同額を、**弁済業務保証金**として供託所に**供託**します。

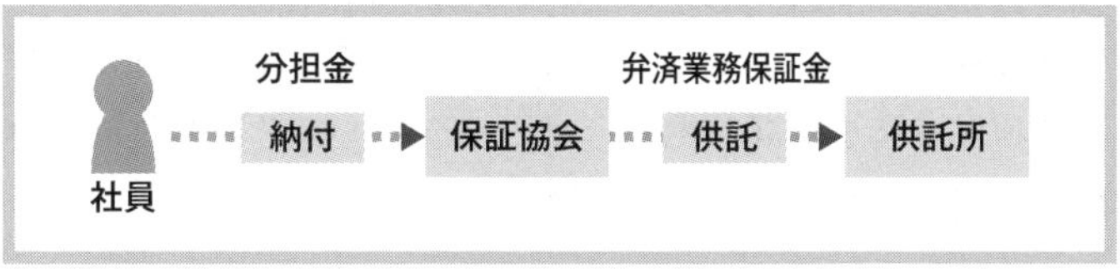

分担金の納付時期は、**新規加入**の場合と、**事務所新設による追加分**（増設）の場合とで、次のように異なります。

新規加入時	加入しようとする日までに分担金を納付
事務所増設時	増設の日から2週間以内に分担金を納付

[事務所増設時の営業保証金と分担金の比較]　比較整理

営業保証金	分担金
供託し、その旨を届け出ないとその事務所で業務を開始できない（事前供託・届出）	増設の日から2週間以内に納付（事後納付）

3　分担金の額　H27.30.R2(12).3(12).4

分担金は、主たる事務所につき**60万円**、その他の事務所1ヵ所につき**30万円**の合計額を、**必ず金銭で納付**しなければなりません。

例えば、本店と3ヵ所の支店を有する宅建業者は、「60万円＋30万円×3＝150万円」を分担金として納付する必要があるんだね。

プラスα
保証協会の社員は、自らが取り扱った取引に関する顧客からの苦情の解決の申出が保証協会にあり、その解決のため、保証協会から関係資料の提出を求められたときは、**正当な理由**がなければ、これを拒めません。

プラスα
保証協会は、社員が社員となる前に行った取引から生じた債権に対する弁済によって、弁済業務の円滑な運営に支障をきたすおそれがあると認めるときは、その社員に対し、担保の提供を求めることができます。

注意
なお、事務所を増設した日から2週間以内に、増設分にかかる分担金を納付しないときは、社員の地位を失います（後出「**❹社員の地位を失った場合の措置**」参照）。

注意
つまり、分担金は、有価証券では納付できません。

[額の比較] 比較整理

	本店（主たる事務所）	支店（1ヵ所につき）
営業保証金	1,000万円	500万円
分担金	60万円	30万円

★プラスα
保証協会が供託する供託所は、**東京法務局**に限定されています。

4　弁済業務保証金

H25.26.R4

保証協会は、社員から納付を受けた分担金と同額を、納付を受けた日から**1週間以内**に、供託所に弁済業務保証金として供託します。

この弁済業務保証金の供託については、金銭だけでなく、有価証券を用いることができます。そして、保証協会は、弁済業務保証金を供託したときは、その旨を、その社員の免許権者に届け出なければなりません。

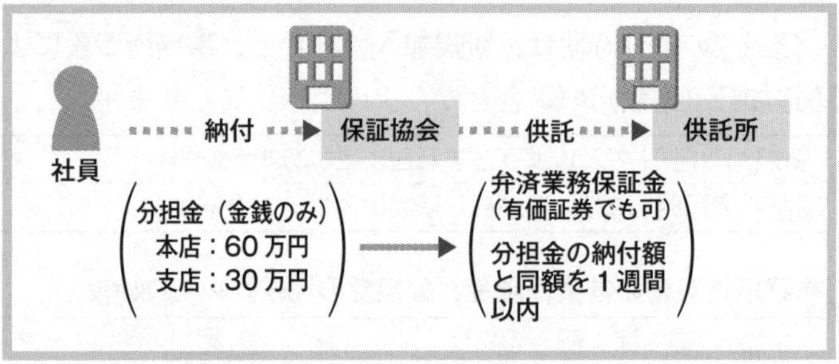

要点整理　分担金と弁済業務保証金

	弁済業務保証金分担金	弁済業務保証金
納付額等	●本店：60万円 支店：30万円 ●有価証券は不可、金銭のみ	●分担金と同額 ●有価証券でも可
納付・供託	宅建業者が、保証協会へ納付	保証協会が、供託所へ供託
期　間	加入しようとする日までに納付	納付を受けた日から1週間以内に供託
事務所の増設時	増設から2週間以内に納付	納付を受けた日から1週間以内に供託

2 弁済業務保証金の還付

営業保証金の場合と同様に、顧客は、弁済業務保証金から**弁済**（**還付**）を受けることができますが、営業保証金の還付とは手続が異なります。

⚠ 注意
還付は試験でねらわれやすいところなので、しっかりと手続の流れを押さえましょう。

1　請求することができる債権の種類　R4

弁済業務保証金から還付を受けることができるのは、社員である宅建業者と「宅建業に関し取引をしたことによって生じた債権」を有する者です。

なお、社員が**社員となる前**（つまり営業保証金で業務をしていたとき）に取引をしたことによって生じた債権についても、還付の対象となります。

ただし、取引した**相手方**が「**宅建業者に該当する者**」である場合は、その相手方は、弁済業務保証金の還付を受けることができません。

2　還付の限度額　H27.R2(10).4.6

顧客が還付を受けることのできる額は、**社員が社員でないとしたならば供託すべき営業保証金と同額**です。

例えば、120万円の分担金を納付している宅建業者である場合、本店１つと支店２つになるから、還付限度額は、供託すべき営業保証金の額と同じ2,000万円となるんだ。

プラスα
「社員が社員でないとしたならば」とは、「保証協会の社員が、もし営業保証金を供託していたら」という意味です。

3　還付手続　R2(10)(12).4.5

還付を受けようとする者は、まずは、弁済を受ける額について**保証協会の認証**を受けなければなりません。

その後、供託所に還付を請求して、供託所から還付を受けることができます。

用語解説
認証：
保証協会に、還付の対象となる債権があることを認めてもらうこと。

比較整理
認証の手続は、営業**保証金**の還付請求の場合には不要です。

4　還付充当金の納付

H26.28.29.R元.2(10)(12).R3(10)

宅建業者は、還付請求権者に対して弁済業務保証金が還付された場合、**還付された額と同額**の還付充当金を納付して、不足額を補充しなければなりません。これを**還付充当金の納付**といい、その手続は、次のように行います。

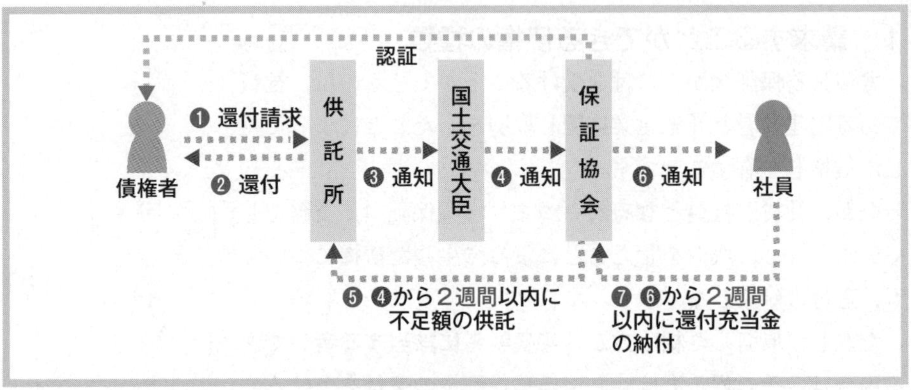

[弁済業務保証金の還付の流れ]

❶ 債権者は、保証協会の認証を受けて、供託所に弁済業務保証金の還付請求をする

▼

❷ 供託所は、弁済業務保証金を、債権者に還付する

▼

❸ 供託所が国土交通大臣に、還付した旨を通知する

▼

❹ 国土交通大臣が保証協会に、還付された旨を通知する

▼

❺ 保証協会は通知を受けた日から２週間以内に、不足額を供託所に供託しなければならない

プラスα
特に❶❷❺❼についてしっかりと押さえておきましょう。「いったん先に保証協会が**供託所を経由**して、債権者に対して不足額を**立て替える**➡その後、宅建業者が保証協会に**納付**する」という流れになっている点に注意してください。

▼

❻ 保証協会は社員に対して、還付額相当の還付充当金を保証協会に納付するよう通知しなければならない

▼

❼ 通知を受けた社員は、通知を受けた日から2週間以内に、還付充当金を保証協会に納付しなければならない

通知を受けた日から2週間以内に納付しないと、保証協会をクビになり（社員の地位を失い）、1週間以内に営業保証金を供託しなければならなくなるんだ。

要点整理　還付と還付充当金の納付

還付請求手続	債権者は、保証協会の認証を受けて、供託所に還付請求をし、還付を受ける
不足額の充当	●社員は、保証協会の通知から2週間以内に還付充当金を納付する ●納付しないと、社員の地位を失い、1週間以内に、営業保証金を供託しなければならない

❸ 弁済業務保証金の取戻し

H27.30.R5.6

比較整理
「取戻し」の方法は営業保証金**と異なる**ので、注意が必要です。

分担金を納付した宅建業者は、保証協会の社員の地位を失った場合などに、分担金の返還を求めることができます。

その手順は、**保証協会**が弁済業務保証金を供託所から**❶取戻し**をして、これを社員に**❷返還**するという流れになります。

なお、上記「**❶取戻し**」ができるのは、次の**ア**か**イ**のケースです。

ア　社員が社員の地位を失った場合

保証協会は、還付請求権者に対して**6ヵ月以上**の一定期間を定め、その期間内に認証を受けるため申し出るべき旨の公告をし、この公告期間を経過した後に、分担金相当額を社員であった**宅建業者に返還**します。

注意
公告は、社員ではなく、保証協会が行います。

この場合は、取戻しの公告が必要です。

イ　一部の事務所の廃止の場合

保証協会は、社員が一部の事務所を廃止したため、分担金の額が超過することとなった場合は、その超過額に相当する額を**取り戻し**、これを社員に**返還**します。

この場合は、取戻しの公告は不要です。

[一部の事務所の廃止の場合の取戻し]　比較整理

営業保証金	公告は	必要
分担金		不要

要点整理　弁済業務保証金の取戻し

取戻しの手続	保証協会が供託所から取り戻し、社員等に返還する	●社員の地位を失った場合 ➡保証協会の公告が必要
		●社員が事務所の一部を廃止した場合➡公告は不要

4 社員の地位を失った場合の措置

H26.29.R元

宅建業者は、次の①か②のどちらかの事由により、保証協会の社員の地位を失ったときは、地位を失った日から**1週間以内**に**営業保証金**を供託所に**供託**しなければなりません。

① 新たに事務所を設置した日から2週間以内に分担金を納付しない場合

② 還付充当金を納付すべき旨の通知を受けた日から2週間以内に納付しない場合

また、営業保証金を**供託**したときは、その旨を、**免許権者に届け出**なければなりません。

重要
「1週間以内」にすべきなのは、
●分担金の納付を受けた保証協会が行う弁済業務保証金の供託
●保証協会の社員の地位を失った場合の営業保証金の供託
です。ほかは**原則**として「2週間以内」と覚えるといいでしょう。

5 準備金と特別分担金

1　弁済業務保証金準備金

保証協会は、債権者の還付によって不足額を供託する場合に、社員である宅建業者から還付充当金の納付がなかったときに備えて、弁済業務保証金準備金（以下「**準備金**」といいます）を積み立てなければなりません。

2　特別弁済業務保証金分担金

保証協会は、不足額を供託する場合に、準備金を充てるだけでは足りないときにその不足額に充てるため、分担金の額に応じて、特別弁済業務保証金分担金（以下「**特別分担金**」といいます）を保証協会に納付しなければならない旨を、社員に対して通知しなければなりません。

社員は、その通知を受けた日から**1ヵ月以内**に、その通知された額の特別分担金を保証協会に納付しなければなりません。もし納付をしない場合は、**社員の地位を失います**。

右の表をしっかり頭に入れておくだけで、本試験ではなんと2問も**得点**できたりするんだ。
頑張って覚えておこうね！

[営業保証金と保証協会（分担金等）の比較]　比較整理

	営業保証金	分　担　金	弁済業務保証金
供託額等	●本店……　1,000万円 支店………　500万円 ●有価証券も可	●本店…………　60万円 支店…………　30万円 ●有価証券は不可	●分担金と同額 ●有価証券も可
期　間	供託し、免許権者に届け出ないと、業務を開始できない	加入しようとする日までに納付	分担金納付を受けた日から１週間以内に供託
事務所の増設時	供託し、届け出ないとその事務所で業務を開始できない（事前供託・届出）	増設の日から２週間以内に納付（事後納付）	納付を受けた日から１週間以内に供託
催告等	免許権者は、免許の日から３ヵ月以内に供託の届出がない場合は催告し、催告到達日から１ヵ月以内に届出がないときは、**免許を取り消す**ことができる	事務所増設の日から２週間以内に納付しないと、社員の地位を失う ➡その場合、１週間以内に営業保証金を供託しなければならない	――
還付対象	宅建業に関する取引をしたことにより生じた債権 ＊広告代金、内装・電気工事代金➡✕ ＊取引の相手方は「宅建業者に該当する者」を除く	――	●営業保証金と同じ ●社員が社員になる前に取引したことによる債権も含む ＊取引の相手方は「宅建業者に該当する者」を除く
不足額の充当	免許権者の通知から２週間以内に供託し、さらに供託した日から２週間以内に、供託した旨を届け出る	宅建業者は、保証協会の通知から２週間以内に還付充当金を納付する	保証協会は、国土交通大臣の通知から２週間以内に供託し、免許権者にその旨の届出をする
取戻し事由	❶　免許失効時 ❷　一部の事務所を廃止 ❸　本店移転で供託所が変更（保管替えを除く） ❹　保証協会の社員となった	――	❶　社員の地位を失った ❷　社員が一部の事務所を廃止した
取戻し手続	上記❸❹及び10年経過時は公告不要	保証協会が取り戻し、社員に返還する	上記❷の場合は公告不要

第6章 媒介契約等の規制

重要ランク S

媒介とは「売主・買主間のマッチング業務」のこと。
ここからはいっぱい出題されるよ！

❶ 誇大広告等の禁止

H26.29.30.R2(10)(12)〜6

プラスα
実際の被害や誤認があったかどうかに関係なく、表示すること自体が違反行為となることに注意しましょう。

注意
表の❶〜❽以外のものは「誇大広告等の禁止」の規制対象にはなりませんが、景品表示法の不当表示の規制に該当する場合があります。

宅建業者は、その業務に関して広告をするときは、次の表中の❶〜❽の８項目について、**著しく**事実に相違する表示や、実際のものよりも**著しく**優良であり、または有利であると人を誤認させるような表示をしてはなりません。

[誇大広告等の禁止の対象となる8項目]

宅地・建物の	❶ 所在（地番等） ❷ 規模（地積・床面積等） ❸ 形質（地目・構造・生活施設の整備状況等）
現在または将来の	❹ 利用の制限（公法、私法上の制限） ❺ 環境（周囲の町並み等） ❻ 交通その他の利便（駅までの所要時間等）
代金・借賃等の	❼ 対価の額・支払方法
代金・交換差金に関する	❽ 金銭の貸借のあっせん（ローン条件等）

罰則
誇大広告等の禁止の規定に違反した場合、6ヵ月以下の懲役、100万円以下の罰金、またはこれが併科されます。

プラスα
規制される広告媒体に**制限はなく**、新聞チラシ等のほか、インターネット等も規制の対象となります。

実際には**存在しない・販売する意思のない**物件などを掲載することや、**不利益な事項をわざと表示しない**ことによって誤認させる場合も、おとり広告として、誇大広告にあたるんだよ。

ニャカ先生のひとこと

要点整理　誇大広告等の禁止

- 著しく事実に相違する表示、または実際のものよりも著しく優良・有利であると誤認させる表示をしてはならない。
- 実際の被害の有無を問わず、表示すること自体が宅建業法違反となる。

2 広告の開始時期・契約締結時期の制限

H25〜28.30〜R5

「こんなおウチができますよ」って聞いてたのに……。

宅建業者は、宅地の造成や建物の建築工事の完了前（**未完成物件**）については、工事着工前に必要な「開発許可」や「建築確認」等の**法令に基づく許可等を受けた後**でなければ、その物件に関する**広告**を行うことができません。

また、許可等を受ける前は、原則として、**契約を締結**することも**禁止**されます。

[未完成物件の広告・契約時期の制限]

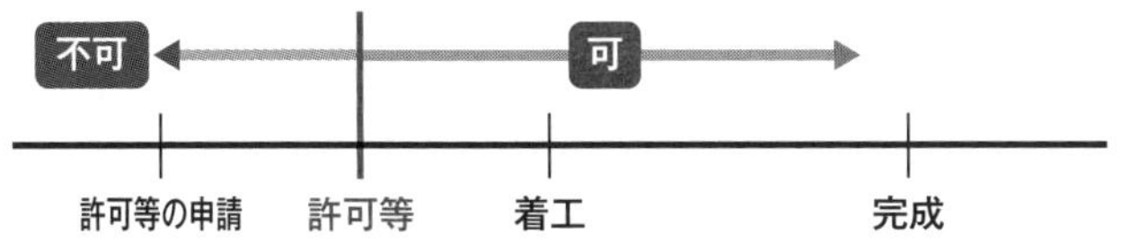

たとえ、「建築確認申請中」であることを表示しても、建築確認を受けていない以上、**広告**をすることも**契約を締結**することも禁止されるのが原則なんだ。

★プラスα
広告は、不特定多数に被害を与える可能性が高いため、**すべての取引態様で規制**されますが、契約の締結は個別的なため、比較的少額な取引となる貸借は、適用から**除外**されています。

① 規制対象

規制の対象は、**未完成物件**であり、完成物件は規制の対象外となります。

② 規制される取引の態様

広　　告	すべての取引態様において規制される
契約の締結	●原則として、契約の締結は禁止 ●ただし、貸借の場合は、**規制**されない

比較整理

[広告の開始時期の制限]

取引の態様	自ら	媒介	代理
売買	規制あり	規制あり	規制あり
交換	規制あり	規制あり	規制あり
貸借	——	規制あり	規制あり

[契約締結時期の制限]

取引の態様	自ら	媒介	代理
売買	規制あり	規制あり	規制あり
交換	規制あり	規制あり	規制あり
貸借	——	規制なし	規制なし

要点整理　広告の開始時期・契約締結時期の制限

●開発許可、建築確認等の許可等を受けた後でなければ、広告・契約をしてはならない ⚠注意　許可等の申請中であっても禁止	広告➡すべて規制 契約➡売買・交換のみ規制（貸借は除く）

3 取引態様の明示

H26.28.29.R元.2(10).3(10)(12)～6

宅建業者は、広告をするとき、及び注文を受けたときは、取引態様（**自ら当事者・媒介・代理**）の別を明示しなければなりません。

したがって、取引態様の明示は、広告をするときと注文を受けたときの**それぞれ**においてしなければなりません。

取引に関与する宅建業者が媒介・代理であれば、報酬の支払が必要となるけれど、宅建業者が自ら売主であれば、報酬が発生しないなど、いろいろな面で異なってくるからなんだ。取引態様の別の明示は、書面でなく、**口頭**でもOKだよ。

要点整理　取引態様の明示

- 広告をするときと注文を受けたときの**双方**の場合に、**明示義務**がある。
- 書面による必要はなく、**口頭**で明示すれば足りる。

4 媒介契約

1　媒介契約の種類

H28.R3(10)

宅建業者が一般消費者から売買等の仲介の依頼を受ける契約を、**媒介契約**といいます。

依頼者が、複数の宅建業者に業務を依頼することができるか否かにより、媒介契約は、次のように分類できます。

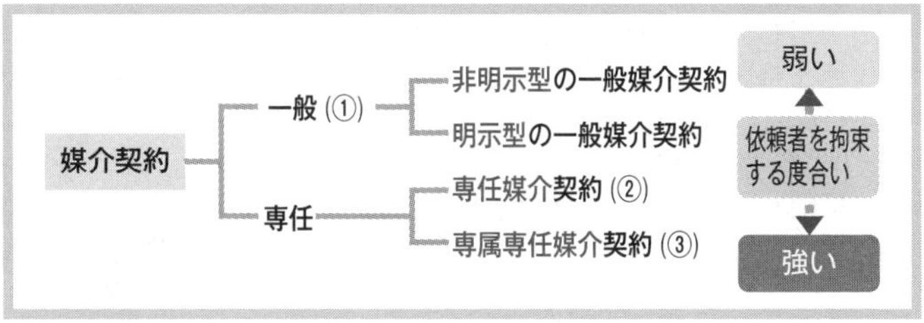

プラスα
媒介契約に関する規定は、代理の依頼を受けた場合にも準用されます。

①　一般媒介契約

依頼者が、同一物件について、複数の宅建業者に媒介の依頼をすることができるというタイプの媒介契約です。これは、依頼した宅建業者に、他にも依頼した業者名を明示しなくてよいタイプ（**非明示型**）と、明示しなければならないタイプ（**明示型**）の２つに、さらに分類されます。

②　専任媒介契約

依頼者が、同一物件について、複数の宅建業者に媒介の依頼をすることができないタイプの媒介契約です。

ただし、依頼者が自ら発見した相手方と直接契約すること（**自己発見取引**）は、**禁止されません**。

③　専属専任媒介契約

専任媒介契約のうち、依頼者が依頼した宅建業者が探してきた相手方以外と契約することができない旨を特約したもので、これを特に**専属専任媒介契約**といいます。したがって、依頼者が**自ら発見した相手方と直接契約**することも禁止されます（**自己発見取引の禁止**）。

専任媒介・専属専任媒介契約は、複数の宅建業者に依頼できないという意味で、依頼者の拘束度が高いよね。
でも、依頼を受けた宅建業者は、他の宅建業者に先を越される心配がないから、その業務に全力で取り組むことができて、結果として、一般媒介より迅速な成約を期待することができるという点で、依頼者側には大きなメリットがあるんだよ。

2　媒介契約書面の作成・交付

H25～28.30～R6

宅建業者は、宅地・建物の**売買**または**交換**の**媒介契約を締結**したときは、**遅滞なく**、一定の事項を記載した**媒介契約書面**を作成し、**記名・押印**したうえで、依頼者に交付しなければなりません。

なお、宅建業者は、**媒介契約書面の交付に代えて**、依頼者の**承諾**を得て、**電磁的方法によって提供**することができます。この場合、その宅建業者は、「媒介契約書面に記名・押印し、交付した」とみなされます。

要点整理　媒介契約書面

作成・交付義務者	宅建業者
記名・押印すべき者	宅建業者
交付すべき相手方	売買・交換の媒介を依頼した者
交付すべき時期	媒介契約後、遅滞なく

[媒介契約書面の記載事項]

媒介契約書面には、次の事項を記載しなければなりません。

① 所在・地番等、宅地・建物を特定するために必要な表示

② 宅地・建物を売買すべき価額またはその評価額

- 宅建業者が価額または評価額について**意見を述べるときは**、口頭または書面にて、その根拠を明らかにしなければなりません。
- 根拠を明らかにするための費用は、別途、依頼者に請求できません。

③ 媒介契約の種類

「明示型一般・非明示型一般・専任・専属専任」の別です。

注意

貸借の媒介・代理について、宅建業法の媒介契約に関する規定は適用（準用）されません。
したがって、貸借の媒介・代理に際しては、書面の作成・交付義務もありません。

プラスα

媒介契約書面・重要事項説明書・37条書面など各種書面の交付の代替手段である「電磁的方法による提供」とは、例えば、電子ファイルをインターネットの通信回線を介して交付する方法等を指します。

④　既存の建物であるときは、建物状況調査を実施する者のあっせんに関する事項

「建物状況調査を実施する者のあっせんの有無」について記載します。なお，宅建業者は、依頼者に対し建物状況調査を実施する者をあっせんした場合、報酬とは別に、あっせんに係る料金を受領することはできません。

⑤　媒介契約の有効期間

専任、専属専任の場合は３ヵ月**以内**です。

⑥　媒介契約の解除に関する事項

媒介契約を中途に解約する場合の要件・効果等を記載します。

⑦　報酬に関する事項

報酬及び報酬に対する消費税額のほか、支払時期等も明示します。

⑧　指定流通機構への登録に関する事項

一般媒介契約でも、指定流通機構に登録するか否か、また、登録する場合は登録に関する事項を記載しなければなりません。

⑨　依頼者が契約に違反した場合の措置

- 明示型の一般媒介で、依頼者が明示していない他の宅建業者の媒介によって売買契約等を締結したときの措置
- 専任媒介で、依頼者が他の宅建業者の媒介により売買契約等を締結したときの措置
- 専属専任で、依頼者が、宅建業者が探索した相手方以外の者との間に売買契約等を締結したときの措置

⑩　標準媒介契約約款に基づくか否かの別

宅建業者は、標準媒介契約約款を用いる義務は負いませんが、媒介契約書に「標準媒介契約約款」**に基づく契約か否か**は、必ず明示しなければなりません。

プラスα
「建物状況調査を実施する者」とは、建物の構造耐力上主要な部分または雨水の浸入を防止する部分の調査をする者（一級建築士・二級建築士・木造建築士であり、国土交通大臣が定める講習を修了した者）のことです。

注意
一般媒介契約には有効期間の制限はありません。つまり、３ヵ月を超えてもOKです。

プラスα
依頼者が違反した場合の措置としては、「約定報酬額相当を違約金として請求する」等が記載されます。

プラスα
国土交通省が、消費者保護の観点から標準的な契約条項を普及させるために作成したものが「**標準媒介契約約款**」です。

要点整理　媒介契約書面の記載事項

❶ 所在・地番等、物件特定の表示
❷ 価額または評価額
　注意：宅建業者が価額または評価額について意見を述べるときは、その根拠を明らかにしなければならない。
❸ 媒介契約の種類
❹ 建物状況調査を実施する者のあっせんに関する事項（既存建物のみ）
❺ 有効期間
❻ 解除に関する事項
❼ 報酬に関する事項
❽ 指定流通機構への登録に関する事項
❾ 依頼者が契約違反した場合の措置
❿ 標準媒介契約約款によるか否かの別

3　媒介契約に対する規制

H25～28.R2(10)(12).3(10).4～6

①　一般媒介契約における規制

R3(10)

一般媒介契約について、宅建業法は、媒介契約書の交付義務を定めて、「**申込みがあった際の依頼者への報告義務**」を定めています（➡後出P.303の④参照）。そして、このことは、明示型も非明示型も同じです。

その他に関しては、原則として**民法の委任**の規定に従うことになります。

プラスα
［委任における民法上の受任者の義務］
●善管注意義務
●業務の報告義務

②　専任媒介契約・専属専任媒介契約における規制

H29.30.R元.2(12).3(12).4.6

この2つの媒介契約に関しては、いずれも、依頼者は他の宅建業者に依頼できないという拘束を受けるため、依頼を受けた宅建業者が積極的な業務を行うよう、次のような規制を課しています。

ア　有効期間は**3ヵ月以内**で、3ヵ月を超えた定めは、**3ヵ月に短縮**されます。

イ　更新は、**依頼者から申出**があった場合にのみ認めら

れ、**自動更新の特約は無効**となります。なお、更新後の有効期間も3ヵ月以内です。

ウ　専任媒介契約では**2週間に1回**以上、専属専任媒介契約では**1週間に1回**以上、業務の処理状況の報告義務があります。なお、報告は**口頭でもかまいません**。

エ　専任媒介契約では契約締結日から**7日以内**に、専属専任媒介契約では契約締結日から**5日以内**（いずれも休業日を**除く**）に、依頼を受けた物件を**指定流通機構へ登録**しなければなりません。

上記**ア～エ**について、**依頼者に不利な特約は無効**です。

プラスα
ウの業務処理状況の報告については、電子メールで行うこともできます。

注意
ウは休業日を含めて日数を数えるのに対して、**エ**は休業日を除いて日数を数えます。

要点整理　媒介契約の規制のまとめ

	一般媒介	専任媒介	専属専任媒介
有効期間	規制なし	3ヵ月を超えることができない	
更新手続		依頼者の申出が必要	
報告義務		2週間に1回以上	1週間に1回以上
指定流通機構への登録		契約締結の日から7日以内	契約締結の日から5日以内

＊注：貸借の媒介・代理には、一切規制がありません。

③　指定流通機構への登録

H25～29.R3(10).4.6

専任または専属専任媒介契約を締結した宅建業者は、物件に関する次の**ア～オ**の事項を、**指定流通機構**に**登録**しなければなりません。

［指定流通機構への登録事項］
- **ア**　所在、規模、形質
- **イ**　売買すべき価額（交換の場合は評価額）
- **ウ**　法令に基づく制限で主要なもの
- **エ**　取引の申込みの受付に関する状況
- **オ**　専属専任媒介契約である場合は、その旨

プラスα
一般媒介契約の場合、指定流通機構に登録する義務はありませんが、**任意**に登録することはできます。

プラスα
登録する宅地・建物の所有者の氏名・住所は登録不要です。また、登記された権利の種類や内容についても同様です。例えば、**ローンの抵当権**などをイメージするとわかりやすいでしょう。

登録した宅建業者は、指定流通機構が発行した登録を証する書面を、遅滞なく、依頼者に引き渡さなければなりません。なお、宅建業者は、**登録を証する書面の引渡しに代えて、電磁的方法**により**提供**することができます。

これらの規定に反する特約は無効です。

また、宅建業者は、指定流通機構に登録した物件について売買・交換契約が成立したときは、遅滞なく、次の**ア〜ウ**の事項を、**指定流通機構**に**通知**しなければなりません。

［指定流通機構への通知事項］
ア　登録番号
イ　取引価格
ウ　契約成立年月日

④　申込みがあった際の依頼者への報告義務　H29.30.R5

媒介契約を締結した宅建業者は、当該媒介契約の目的物である宅地または建物の売買または交換の**申込み**があったときは、遅滞なく、その旨を依頼者に**報告**しなければなりません。この規定に**反する特約**は**無効**です。

注意
宅建業者は、「業務処理状況の報告義務」の場合とは異なり、専任媒介・専属専任媒介の場合だけでなく、一般媒介の場合にも報告義務を負います。

発展コラム　指定流通機構（REINS）

Column

(通称「レインズ」:Real Estate Information Network Systemの各頭文字)

「指定流通機構」とは、国土交通大臣が指定した「不動産情報機構」のことです。

各宅建業者が依頼を受けた物件を中央のホストコンピューターに登録し、これを各宅建業者の端末にフィードバックすることにより、依頼を受けた物件の情報提供の場を広げ、安全かつ迅速な不動産取引を実現させることを目的としたシステムです。

第7章 重要事項の説明

重要ランク S

不動産ひとつひとつの“個性”を明らかにして、契約の判断材料にしてもらうのが「ジュウセツ」なんだ！

1 重要事項の説明時期・相手方等

H25〜R6

宅建業者は、宅地・建物の取引により**権利を取得しようとする者**（例えば買主・借主など）に対して、その**契約が成立するまでの間**（＝**契約の締結前**）に、宅建業法で定められた一定の事項を記載した**重要事項説明書を作成・交付**して、**宅建士**に、その説明をさせなければなりません。

また、宅建業者は、**重要事項説明書の交付に代えて**、相手方の**承諾**を得れば、電子メールによる等の**電磁的方法**により**提供**することができます。この場合、「重要事項説明書を交付した」とみなされます。

注 意
重要事項説明する相手方から「電磁的方法でよい」と口頭で**依頼**があった場合でも、改めて**電磁的方法で提供**することについて**書面または電磁的記録による承諾を得る必要**があります。

プラスα
宅建士による説明がなかった場合、宅建業者が**説明義務違反**を問われます。

重要
説明する宅建士は、**専任の宅建士である必要はありません**。

[重要事項の説明]

説明時期		必ず、契約の**締結前**にしなければなりません。
説明義務者		宅建業者が、**宅建士**に説明をさせなければなりません。
説明の相手方		売買の買主・交換の当事者・貸借の借主など、権利を取得しようとする者です。
説明方法	書面の作成・交付	宅建業者が**書面を作成**し、これに宅建士が記名したうえで、相手方に交付して説明しなければなりません。
説明方法	宅建士証の提示	宅建士が説明するときは、**請求の有無を問わず**、**宅建士証を提示**しなければなりません。
説明を行う場所		特に制限はありません。

つまり、**重要事項の説明義務**は宅建業者が負い、**説明の担当者**は宅建士なんだ。
このことはとても重要だから、しっかり押さえてね！

ニャカ先生のひとこと

なお、相手方が**宅建業者**の場合は、**書面の交付のみで足り、口頭での説明を省略することができます**。

取引に複数の宅建業者が関与している場合、**すべての業者**に**説明義務**があります。

例えば、売主から依頼を受けた宅建業者Aと買主から依頼を受けた宅建業者Bが、共同で媒介をする場合、**A・Bいずれも説明義務**を負います。

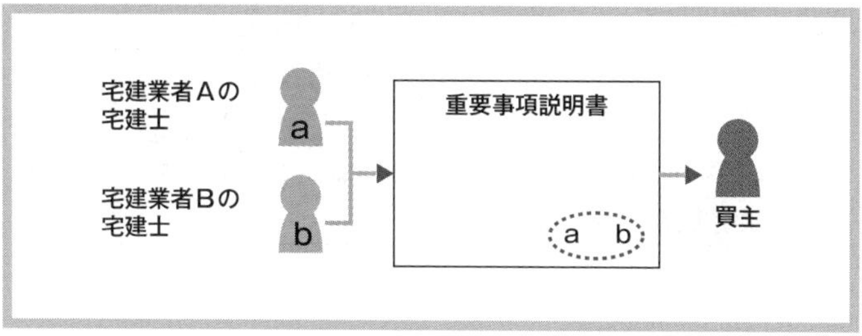

ただし、AとBの宅建士a・bは、**共同**で重要事項説明書に記名することが必要だけど、説明自体は、**どちらか**が代表してすればいいんだ。

宅地・建物の売買・交換・貸借のいずれの取引でも、**重要事項の説明**に**テレビ会議等のＩＴを活用**することができます（**ＩＴ重説**）。以下の条件を満たせば、**対面による重要事項の説明と同様に扱われます**。

- 十分な品質の映像・音声により、双方向でやり取りできる環境
- 重要事項説明書（宅建士の記名）を、あらかじめ交付すること（電磁的方法による提供を含む）
- 宅建士が、重要事項の説明書等を確認しながら説明を受けることができる状態にあることと映像・音声の状況を、開始前に確認
- 宅建士証を画面上で提示・視認

プラスα
映像や音声に障害が生じた場合には、**直ちに説明を中断**し、その状況が**解消された後**に、説明を再開しなければなりません。

注意
重要事項説明書には、宅建士の記名が必要ですが、押印は不要です。
なお、この点は37条書面も同様です。

要点整理 重要事項の説明

❶ 説明時期	契約を締結する前	
❷ 説明義務者	宅建業者	
❸ 相手方	売買の買主、交換の当事者、貸借の借主	
❹ 説明方法	相手方が宅建業者以外	●書面の作成・交付（宅建士の記名が必要） ●宅建士による説明 ➡宅建士証の提示義務あり（請求の有無を問わない）
	相手方が宅建業者	●書面の作成・交付（宅建士の記名が必要） ●宅建士による説明は不要（宅建士証の提示も不要）
❺ 説明場所	特に制限はない	

2 説明すべき重要事項

説明すべき重要事項は、「**物件情報に関する事項**」と「**取引条件に関する事項**」の２つに大きく分けられます。

さらに、それらの事項以外にも、「宅地・一戸建て・マンション」といった**物件の種類**や「売買・貸借」といった**取引態様**などにより、説明項目が**追加・変更**されています。

注意
①：たとえ物件の引渡し時点では抹消される予定の抵当権の登記でも、その説明を省略することはできません。

重要
②：**建物の貸借**の場合、容積率や用途規制といった**法令上の制限**は、ほとんど説明不要となります。

1 物件情報に関する事項

H25～29.R元.2(12).3(10).6

① 登記簿上の権利	宅地・建物の上に存する登記された権利の種類・内容、登記名義人、または登記簿の表題部に記録された所有者の氏名（法人にあっては、その名称）を説明します。 宅地上に建物が存する場合、借地権の存否及び借地権の内容を説明します。
② 法令上の制限	都市計画法、建築基準法その他の法令に基づく制限に関する事項の概要を説明します。

③　私道に関する負担	私道の負担がない場合は、「負担がない」旨を説明します。 なお、**建物の貸借の場合は**、説明不要です。
④　飲用水・電気・ガスの供給、排水のための施設の整備の状況	各施設が整備されていない場合は、**整備の見通しと整備に係る特別の負担**に関する事項を説明します。
⑤　未完成物件の場合の完成時の形状・構造	宅地造成または建物建築に関する工事の完了前であるときは、その完了時における形状、構造その他の事項を説明します。 なお、図面を**必要とする場合**は、**図面を交付**して説明します。

2　取引条件に関する事項

H25〜R2(10).3(10)(12)〜5

①　代金・交換差金・借賃以外に授受される金銭の額及び目的	賃貸借契約の権利金や敷金、または手付金などの額とその目的を説明します。 「代金・交換差金・借賃の額」自体は、**説明不要**です。
②　契約の解除に関する事項	手付解除など、契約解除の要件・方法・効果を説明します。
③　損害賠償額の予定・違約金に関する事項	損害賠償額の予定や違約金の定めがある場合は、その額と内容を説明します。 定めがない場合は、その旨を説明します。
④　手付金等の保全措置の概要	**手付金等の保全措置**の方法（保証委託であるか保証保険であるかなど）と関係機関（金融機関名など）を説明します。 宅建業者が自ら売主**となる場合**のみ、**説明が必要**です。

プラスα
①：金銭の保管方法などは、説明不要です。

⑤　支払金・預り金の保全措置の概要	支払金または預り金を受領しようとする場合に、保全措置を講ずるかどうか、その措置を講ずる場合の**措置の概要**(機関の種類、その名称・商号)を説明します。
⑥　金銭の貸借のあっせん	代金・交換差金に関する金銭の貸借（ローン）のあっせんの内容と、ローンが成立しないときの措置として、売買契約を解除することができる旨、及び解除権の行使が認められる期限を設定する場合にはその旨を説明します。
⑦　契約不適合責任の履行に関する措置	宅地・建物の種類または品質に関する**契約不適合責任の履行**に関し**保証保険契約の締結**その他の措置を講ずるかどうか、及びその措置を講ずる場合におけるその**措置の概要**＊を説明します。

用語解説
⑤支払金・預り金：代金・交換差金・借賃・権利金・敷金等の金銭で、❶受領額が50万円未満、❷保全措置が講じられた手付金等、❸登記以後に受領するもの、❹報酬、のいずれにも該当しないもののこと。

＊：住宅瑕疵担保履行法に基づく住宅販売瑕疵担保保証金の供託に関しても、説明しなければなりません。

3　特別法等に関する事項（省令）　H25.30〜R6

以下は、いろいろな法律で定められている規制内容について、説明すべき事項です。

①　造成宅地防災区域	宅地・建物が、宅地造成及び特定盛土等規制法により指定された**造成宅地防災区域**内にあるときは、その旨を説明します。
②　土砂災害警戒区域	宅地・建物が、土砂災害防止対策推進法により指定された**土砂災害警戒区域**内にあるときは、その旨を説明します。
③　津波災害警戒区域	宅地・建物が、津波防災地域づくりに関する法律により指定された**津波災害警戒区域**内にあるときは、その旨を説明します。
④　水害ハザードマップ	水害ハザードマップがあるときは、**水害ハザードマップにおける宅地・建物の所在地**を説明します。

プラスα
④：取引対象となる宅地・建物の位置を含む**水害ハザードマップ**を洪水・内水・高潮のそれぞれについて提示し、宅地・建物の概ねの位置を示して行います。水害ハザードマップは、その宅地・建物が存する市町村・特別区が配布する印刷物・HP等に掲載されたものの印刷物であって入手可能な最新のものを用います。

	市町村・特別区が、取引の対象となる宅地・建物の位置を含む水害ハザードマップを作成せず、または印刷物の配布・ホームページ等への掲載等をしていないことが確認できた場合は、提示すべき水害ハザードマップが存在しない旨を説明します。
⑤　石綿の使用の有無（建物のみ）	建物について、石綿の使用の有無の調査の結果が記録されているときは、**その内容**を説明します。 「その内容」として、調査の実施機関、調査の範囲、調査年月日、石綿の使用の有無及び石綿の使用の箇所を説明します。
⑥　耐震診断（建物のみ）	建物が、耐震診断を受けたものであるときは、**その内容**を説明します。 昭和56年6月1日以降に新築の工事に着手した建物は、除かれます。
⑦　住宅性能評価（新築住宅のみ）	**建物**が、住宅品質確保法に規定する**住宅性能評価**を受けた新築住宅であるときは、その旨を説明します。

注意
⑤：宅建業者自らが石綿の使用の有無を調査する必要はありません。

注意
⑥：宅建業者自らが耐震診断を実施する必要はありません。

重要
⑦：**貸借**では説明不要です。

4　区分所有建物の場合の説明に追加すべき事項

H25.26.28.29.R元.2⑽⑿.3⑽.6

次の①～⑨は、**区分所有建物**（マンション）の場合に特有の項目で、一般の項目に追加して説明しなければなりません。

なお、マンションの**売買・交換**の場合は、①～⑨の項目の**すべてが説明事項**となりますが、マンションの**貸借**の場合は①②**のみ**が説明事項となります。

①　専有部分の用途その他の利用の制限	専有部分について、用途その他の利用の制限に関する規約の定め（**その案を含む**）があるときは、その内容を説明します。 ペット飼育の禁止、ピアノ使用の禁止などについてです。

② 管理の委託先	管理が委託されているときは、その委託を受けている者の**氏名及び住所**（商号・名称及び主たる事務所の所在地）を説明します。
③ 敷地に関する権利	一棟の建物の敷地に関する権利の種類及び内容として、次の事項を説明します。 **敷地の面積**：総面積としての実測面積、登記簿上の面積等 **権利の種類**：所有権、地上権、賃借権等の区別 **権利の内容**：持分割合等
④ 共用部分	共用部分に関する規約の定め（**その案を含む**）があるときは、その内容を説明します。 共用部分の管理や規約共用部分の定めなどについてです。
⑤ 専用使用権	一棟の建物またはその敷地の一部を特定の者にのみ使用を許す旨の規約の定め（**その案を含む**）があるときは、その内容を説明します。 専用庭や専用駐車場等の、いわゆる専用使用権に関することについてです。
⑥ 修繕積立金	一棟の建物の計画的な維持修繕のための費用の積立てを行う旨の規約の定め（**その案を含む**）があるときは、その内容、及び既に積み立てられている額を説明します。また、その**滞納があるときは、その額**を説明しなければなりません。
⑦ 通常の管理費用	建物の所有者が負担しなければならない通常の管理費用の額を説明します。また、その滞納があれば、その額を説明しなければなりません。
⑧ 特定の者への費用の減免	修繕積立金や管理費等、所有者が負担しなければならない費用を特定の者にだけ減免する旨の規約の定め（**その案を含む**）があるときは、その内容を説明します。

プラスα
⑤：専用使用権に関する使用料を徴収しているときは、その旨及びその帰属先を説明します。

プラスα
⑧：例えば、未分譲の住戸に係る管理費等に関し、「所有者である売主に限り、２年間免除する」というような、費用減免の規約が該当します。

⑨　維持修繕の実施状況	一棟の建物の維持修繕の実施状況が記録されているときは、その内容を説明します。 ●この内容の説明義務は、維持修繕の実施状況の記録が保存されている場合に限って課されます。 ●宅建業者が、管理組合・マンション管理業者・売主に当該記録の有無を照会し、それが存在しないことが確認された場合は、その照会をもって調査義務を果たしたことになります。

ペットが
飼えないなんて…。

5　既存の建物の場合の説明に追加すべき事項

H30.R元.R2⑽⑿.3⑿.4.6

既存の建物（**中古物件**）の場合には、次の事項も**追加して説明**しなければなりません。

①　建物状況調査を実施しているかどうか、及びこれを実施している場合におけるその結果の概要	建物の**構造耐力上主要な部分**または**雨水の浸入を防止**する部分の調査について、建物状況調査の実施の有無、実施している場合の結果の概要を説明します。
②　設計図書、点検記録その他の建物の建築及び維持保全の状況に関する書類の保存の状況	**既存建物**の建築及び維持保全の状況に関する書類の保存状況を説明します。 ●書類の記載内容の説明は不要です。 ●書類の作成義務がない場合や書類が交付されていない場合には、その旨を説明することが望ましいとされています。

注意
①：**建物状況調査**は、実施後1年（鉄筋コンクリート造または鉄骨鉄筋コンクリート造の共同住宅等の場合は2年）以内のものに限ります。

注意
②：**既存建物の売買・交換の場合のみ**の説明事項です。

6　貸借の場合の説明に追加すべき事項

H25.27.30〜R3(10).6

貸借の場合には、次の事項も**追加して説明**しなければなりません。

①　台所、浴室、便所その他の設備の整備状況	台所・浴室等の設備の整備状況について説明します。
②　契約の期間・更新	契約期間の定めがない場合は、その旨を説明します。
③　特殊な借地権・建物賃貸借	借地借家法に規定する**定期借地権**、**定期建物賃貸借**をしようとするとき、高齢者の居住の安定確保に関する法律に規定する終身建物賃貸借をしようとするときは、その旨を説明します。
④　用途その他の利用の制限	宅地・建物の用途その他の利用に係る制限に関する事項を説明します。
⑤　敷金その他金銭の精算	敷金その他いかなる名義をもって授受される金銭であるかを問わず、契約終了時において精算することとされている**金銭の精算**に関する事項を説明します。 定めがない場合は、その旨を説明します。
⑥　管理の委託先の氏名・住所（商号・所在地）	宅地・建物の管理が委託されているときは、その委託を受けている者の**氏名及び住所**（法人にあっては、その**商号**・**名称**及び**主たる事務所の所在地**）を説明します。
⑦　借地上の建物の取壊しに関する事項	契約終了時における借地上の建物の取壊しに関する事項を定めようとするときは、その内容を説明します。

注意
①は建物のみ、⑦は宅地のみの説明事項です。

プラスα
④：例えば、事業用としての利用の禁止などです。

プラスα
⑥：委託業務の内容自体は、説明不要です。

7　定期建物賃貸借の事前説明を兼ねる場合

定期建物賃貸借の場合、重要事項説明書に次の各事項を記載すれば、**事前説明書の交付、及び事前説明を兼ねる**ことができます。

- 本件賃貸借は定期建物賃貸借であり、契約の更新がなく、期間の満了により終了すること
- 重要事項説明書の交付をもって、事前説明書の交付を兼ねること
- 宅建士が行う重要事項説明は、賃貸人が行う事前説明を兼ねること

8　割賦（かっぷ）販売契約の場合の追加事項　発展

H26.R4

「**割賦販売**」とは、代金の全部または一部について、目的物の**引渡し後1年以上**の期間にわたり、かつ、**2回以上**に分割して受領することを条件として販売することをいいます。

この場合、以下の事項を**追加して説明**しなければなりません。

- 現金販売価格
- 割賦販売価格
- 宅地または建物の引渡しまでに支払う金銭の額及び賦払金の額並びにその支払の時期及び方法

注意
- 割賦販売の追加事項は、実際の例がほとんどないため、試験での出題は、比較的少ないです。
- 「割賦販売」は「一般的な住宅ローンを利用した販売」とは異なります。

9　信託受益権の場合　発展

R2⑽

宅建業者は、自らを委託者とする宅地・建物に係る**信託受益権の売主**となる場合、売買の相手方に対して、信託受益権に係る信託財産である宅地・建物に関し、その売買契約が成立するまでの間に、原則として、宅建士をして、**法定された一定の事項**＊について、それらを記載した書面を交付して、説明をさせなければなりません。

注意
信託受益権の場合、宅建業者は、**相手方が宅建業者でも**、宅建士をして、重要事項説明書を交付して説明させなければなりません。

プラスα
＊：「**法定された一定の事項**」
原則として、通常の宅地・建物の取引の場合とほぼ同様の事項について説明が必要、と考えてかまいません。

ただし、次の場合には、**例外**として、重要事項の説明を**省略**することができます。

用語解説
特定投資家：
国、地方公共団体等の公的機関のほか、上場会社や資本金５億円以上の株式会社等で、投資経験等を考慮して事前説明等を不要とされた投資家のこと。

- ●金融商品取引法に規定する**特定投資家**（特定投資家以外の顧客とみなされる者を除く）及び特定投資家とみなされる者を信託の受益権の売買の相手方とする場合
- ●信託の受益権の売買契約の**締結前1年以内**に、売買の相手方に対し当該契約と同一の内容の契約について**書面を交付して説明**をしている場合
- ●売買の相手方に対し金融商品取引法に規定する**目論見書**（書面を交付して説明が必要な事項のすべてが記載されているものに限る）**を交付**している場合

要点整理内の各キーワードを、何度も繰り返して確認してみてね！

要点整理 説明すべき重要事項

1　物件情報に関する事項
- ❶　登記簿上の権利
- ❷　法令上の制限
- ❸　私道に関する負担
- ❹　飲料水等生活関連施設の整備の状況
- ❺　未完成物件の完成時の形状・構造

2　取引条件に関する事項
- ❶　代金・交換差金・借賃以外に授受される金銭の額・目的
- ❷　契約の解除
- ❸　損害賠償額の予定・違約金
- ❹　手付金等の保全措置の概要
- ❺　支払金・預り金の保全措置の概要
- ❻　金銭の貸借のあっせん
- ❼　契約不適合責任の履行に関する措置

3　特別法等に関する事項（省令）
- ❶　造成宅地防災区域内にあるか
- ❷　土砂災害警戒区域内にあるか
- ❸　津波災害警戒区域内にあるか
- ❹　水害ハザードマップがあるか
- ❺　石綿の使用の有無の調査があるか

❻　耐震診断を受けたものであるか
❼　住宅性能評価を受けた新築住宅か

4　**区分所有建物の場合に追加すべき事項**
❶　専有部分の用途その他の利用の制限
❷　管理の委託先
❸　敷地に関する権利
❹　共用部分
❺　専用使用権
❻　修繕積立金
❼　通常の管理費用
❽　特定の者への費用の減免
❾　維持修繕の実施状況

5　**既存の建物の場合に追加すべき事項**
❶　建物状況調査の実施の有無、実施している場合の結果の概要
❷　建物の建築及び維持保全の状況に関する書類の保存の状況

6　**貸借の場合に追加すべき事項**
❶　台所・浴室・便所その他の設備の整備状況
❷　契約の期間・更新
❸　特殊な借地権・建物賃貸借
❹　用途その他の利用の制限
❺　敷金その他金銭の精算
❻　管理の委託先等
❼　借地上の建物の取壊しに関する事項

7　**定期建物賃貸借の事前説明を兼ねる場合**
❶　契約の更新がないこと
❷　事前説明書の交付を兼ねること
❸　宅建士が行う重要事項説明は賃貸人が行う事前説明を兼ねること

8　**割賦販売契約の場合に追加すべき事項**
❶　現金販売価格
❷　割賦販売価格
❸　宅地・建物の引渡しまでに支払う金銭の額、賦払金の額、支払の時期・方法

9　**宅建業者が信託受益権の売主となる場合**
●信託財産に関して法定された事項

第8章 37条書面(契約書)

重要ランク S

後々のトラブル防止のために、契約内容を書式にしたものが「37条書面」なんだよ！

1 37条書面の交付時期・義務者・相手方等

H25.26.28～R6

プラスα
書面について、その**交付場所**の制限はありません。

注意
37条書面に記名する宅建士は、重要事項説明書の場合と同様に、**専任の宅建士である必要はありません**。また、重要事項説明書に記名した宅建士と同一人である必要はありません。

プラスα
37条書面を電磁的方法によって提供する場合、次の基準に適合することが必要です。
- **相手方**が、相手方のファイルへの記録を出力して**書面を作成**できること
- ファイルに記録された**記載事項**について、**改変が行われていないかどうか**を確認できる措置を講じていること
- 書面の交付を行う宅建士が明示されること　等

両当事者への交付が必要なんだよ！

① **宅建業者**は、**契約の締結後、遅滞なく、一定の事項を記載**した書面（**37条書面**）を作成し、**宅建士に記名**させたうえで、**取引の当事者に交付**しなければなりません。

② 宅建士は**記名をするのみ**ですから、**説明は不要**であり、その作成・交付は宅建業者の従業者等がすることができます。

③ **宅建業者**は、**37条書面の交付に代えて**、取引の当事者の**承諾**を得て、37条書面に記載すべき事項を**電磁的方法**により**提供**することができます。この場合、37条書面を交付したものとみなされます。

④ 取引に複数の宅建業者が関与している場合、**すべての業者**が**書面の作成・交付義務**を負います。また、たとえ取引の**相手方**が**宅建業者**であっても、37条書面の作成・交付を**省略することはできません**。

要点整理　37条書面の交付

❶ 交付時期	契約締結後、遅滞なく	
❷ 交付義務者	宅建業者（宅建士ではない）	
❸ 相手方	宅建業者が自ら当事者となって売買・交換をするとき	相手方
	売買・交換・貸借の代理・媒介をするとき	売主・買主、交換の両当事者、貸主・借主
❹ 交付方法	書面は宅建業者が作成し、宅建士に記名させ、交付しなければならない（説明は不要）	

⚠注意
37条書面には、宅建士の記名が必要ですが、押印は不要です。
なお、この点は重要事項説明書も同様です。

❷ 37条書面の記載事項

H25～R6

37条書面には、**必ず記載**しなければならない事項（「**必要的記載事項**」）と、「**定め**」、つまり**特約**が**ある場合だけ記載**しなければならない事項（「**任意的記載事項**」）の２つがあります。また、「**貸借**の場合には**記載が不要**」とされるものもありますので、注意が必要です。

以下、「**重要事項説明書**」の**記載事項**と比較しましょう。

⚠注意
通常は、売買契約書や賃貸借契約書が37条書面として用いられますが、これらの契約書が**適法な37条書面**であるためには、法定された記載事項がモレなく記載され、かつ、宅建士の記名が必要です。

[必要的記載事項]（○＝記載が必要、×＝記載不要）　**比較整理**

必ず記載しなければならない事項	貸借の場合	重要事項の説明
❶ 当事者の氏名・住所	○	－
❷ 宅地・建物を特定するために必要な表示（所在・地番等）	○	－
❸ 既存の建物であるときは、建物の構造耐力上主要な部分等の状況について当事者の双方が確認した事項	×	○*
❹ 代金・交換差金（こうかんさきん）・借賃の額、支払時期、方法	○	×
❺ 宅地・建物の引渡し時期	○	×
❻ 移転登記の申請時期	×	×

＊：なお、「条文上の表現」は、「建物状況調査…を実施している場合におけるその結果の概要」となります。

[任意的記載事項]（○＝記載が必要、×＝記載不要）　比較整理

定めがある場合にのみ記載しなければならない事項	貸借の場合	重要事項の説明
❼ 代金・交換差金・借賃以外の金銭の授受に関する定めがあるときは、その額・授受の時期・目的	○	○
❽ 契約の解除に関する定めがあるときは、その内容	○	○
❾ 損害賠償額の予定・違約金に関する定めがあるときは、その内容	○	○
❿ 代金・交換差金についての金銭の貸借（ローン）のあっせんに関する定めがある場合は、その不成立のときの措置	×	○
⓫ 天災その他不可抗力による損害の負担（危険負担）に関する定めがあるときは、その内容	○	×
⓬ 種類または品質に関する契約不適合責任についての定めがあるときは、その内容	×	×
⓭ 種類または品質に関する契約不適合責任の履行に関して講ずべき保証保険契約の締結等の措置の定めがあるときは、その内容	×	○（貸借の場合は×）
⓮ 宅地・建物の租税公課の負担に関する定めがあるときは、その内容	×	×

❸ 供託所等の説明

H25.30.R3(12)

注意
宅建士が行う必要はありません。

注意
供託した供託金（保証金）の額や納付した分担金の額は、説明事項ではありません。

宅建業者は、宅地・建物の売買契約等が**成立するまでの間**に、相手方等に対して、**営業保証金等を供託した供託所等**に関する事項を説明するようにしなければなりません。

なお、取引の相手方が**宅建業者**の場合は、供託所等の**説明をする必要はありません**。

1　説明時期・方法・相手方

時　期	宅地・建物の契約が**成立するまでの間**
方　法	**口頭**での説明でよい
相手方	取引の相手方等（**宅建業者**に対しては不要）

2　説明事項

①　保証協会の社員でない宅建業者の場合

営業保証金を供託した供託所・その所在地

②　保証協会の社員の場合

ア　保証協会の社員である旨

イ　保証協会の名称、住所、事務所の所在地

ウ　保証協会が弁済業務保証金を供託した供託所・その所在地

「37条書面の記載事項」も、アンダーライン部分だけでいいから何度も繰り返し確認してね！

要点整理　37条書面（契約書）の記載事項

注意　貸借の場合、❸❻❿⓬⓭⓮については、記載は不要。

[必要的記載事項]

❶　当事者の氏名・住所

❷　宅地・建物を特定するために必要な表示（所在・地番等）

❸　既存の建物であるときは、建物の構造耐力上主要な部分等の状況について当事者の双方が確認した事項

❹　代金・交換差金・借賃の額、支払時期、方法

❺　宅地・建物の引渡し時期

❻　移転登記の申請時期

[任意的記載事項]

❼　代金・交換差金・借賃以外の金銭の授受に関する定めがあるときは、その額、授受の時期、目的

❽　契約の解除に関する定めがあるときは、その内容

❾　損害賠償額の予定・違約金に関する定めがあるときは、その内容

❿　代金・交換差金についての金銭の貸借（ローン）のあっせんに関する定めがある場合は、その不成立のときの措置

⓫　天災その他不可抗力による損害の負担（危険負担）に関する定めがあるときは、その内容

⓬　種類または品質に関する契約不適合責任についての定めがあるときは、その内容

⓭　種類または品質に関する契約不適合責任の履行に関して講ずべき保証保険契約の締結等の措置の定めがあるときは、その内容

⓮　宅地・建物の租税公課の負担に関する定めがあるときは、その内容

第9章 8種制限

重要ランク S

不動産のプロである宅建業者には、取引の際に「8種類のハンデ」がつけられるんだ！

「8種制限」とは

H25.27.28.30.R2(10)

宅建業者と宅建業者でない一般消費者では、不動産取引に関する知識や経験に、大きな差があります。そこで、両者を対等・平等にするために、**民法の原則を修正した8種類のルール**が定められており、これを**8種制限**といいます。

8種制限が適用されるのは、「**売主が宅建業者**」で「**買主が宅建業者以外**」**の場合**に**限られます**。

したがって、宅建業者間の取引や、売主が宅建業者以外の者で買主が宅建業者である取引には、**一切適用がありません**。

[8種制限の適用関係] (○=適用あり、×=適用なし)

売主	買主	適用
宅建業者	宅建業者でない	○
宅建業者	宅建業者	×
宅建業者でない	宅建業者	×
宅建業者でない	宅建業者でない	×

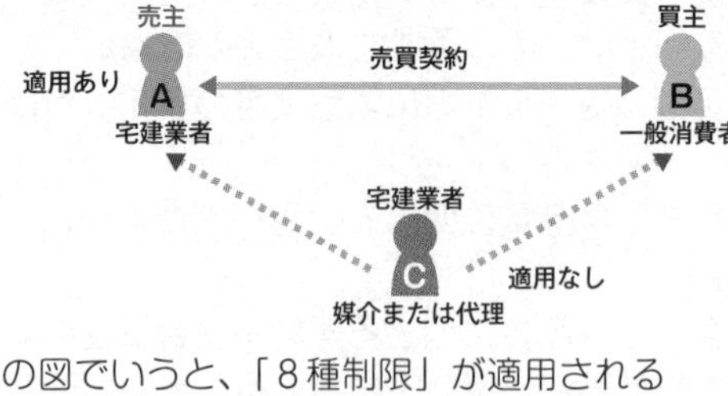

この図でいうと、「8種制限」が適用されるのは、売主となる宅建業者Aだけで、媒介・代理を行う宅建業者は、**適用外**となるんだ。

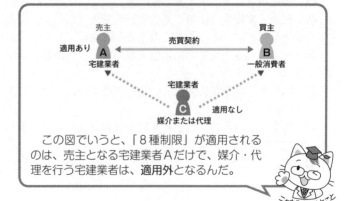

「8種制限」とは、次の**8つの規定**をいいます。

- ❶ 自己の所有に属しない宅地・建物の売買契約締結の制限
- ❷ 事務所等以外の場所でした買受けの申込みの撤回等（クーリング・オフ）
- ❸ 損害賠償額の予定等の制限
- ❹ 手付の額の制限等
- ❺ 手付金等の保全措置
- ❻ 担保責任についての特約の制限
- ❼ 割賦販売契約の解除等の制限
- ❽ 割賦販売における所有権留保等の禁止

1 自己の所有に属しない宅地・建物の売買契約締結の制限

H26.27.28.R元 .3(12)

1　規制の内容（原則）

宅建業者は、自ら売主として、宅建業者でない買主との間で、自己の所有に属しない宅地・建物の売買契約を締結することはできません。

自己の所有に属しない宅地・建物の売買とは、次の①②の2つの場合です。

① 他人に所有権がある物件（他人物）の売買
② 未完成物件の売買

いずれにしても、買主のリスクが大きくて、トラブルになるおそれが高いからだね。

重要
「所有者**との間で契約が締結されているか**」がポイントであって、所有者に代金を支払っているかどうか、登記の移転や引渡しを受けているかどうかは無関係です。

2　他人物売買の例外

売主である宅建業者が、所有者との間で**物件を取得する契約**を締結していれば、例外として売買契約を締結することが

できます。

物件を取得する契約は、**予約であってもかまいません**。しかし、**停止条件付きの契約**が締結されているにすぎない場合は、売買契約を締結することはできません。

プラスα
この図のＡＢ間で、所有権を直接ＡからＣに移転することを約束する契約（第三者のための契約）を締結することは、制限されていません。

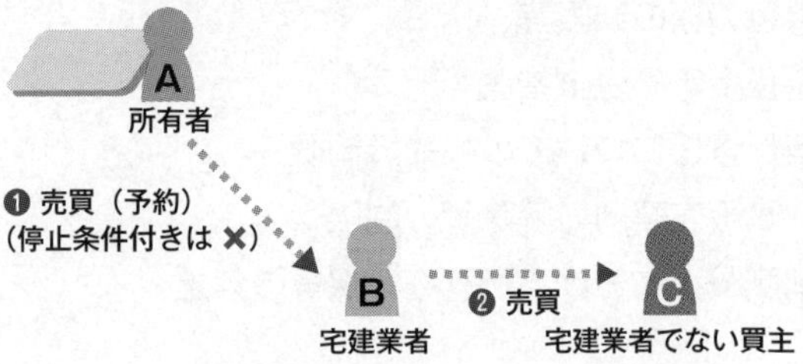

この図で、宅建業者ＢがＡとの間で物件取得の契約またはその「予約」を締結している場合は、Ｂは自ら売主として、Ｃと売買契約を締結することができるんだけど、Ａとの間の物件取得の契約が「停止条件付き」であるときは、ＢはＣと売買契約を締結できないんだ。

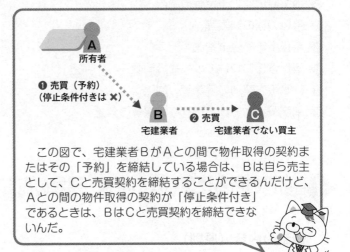

3　未完成物件の売買の例外

未完成物件であっても、「**手付金等の保全措置**」が講じられている場合は、例外として、売買契約を締結することができます。

要点整理　他人物売買等の場合の制限

原則	宅建業者が自ら売主として、宅建業者以外の者との間で、自己の所有に属しない宅地・建物の売買契約をすることはできない
例外❶	所有者との間で物件取得の契約を締結している場合は可 ⚠注意　ただし、その所有者との売買契約が停止条件付きの場合は不可
例外❷	未完成物件で、手付金等の保全措置が講じられている場合は可

2 クーリング・オフ

H25～R6

つい、サイン
しちゃう
気持ちは
わかるけど……。

1　規制の内容

例えば、物件の現地見学会を兼ねた無料招待旅行での宴席のように、冷静な判断が期待できないと考えられる場所で行った買受けの申込みや契約については、宅建業者でない買主が、**一定の期間**、無条件に申込みを**撤回**し、または**契約を解除**（以下、「クーリング・オフ」といいます）**できる**とされています。

2　クーリング・オフができない「事務所等」

「買主が冷静な判断ができる」と考えられる次の場所（「事務所等」）で申込みや契約を行った場合は、そもそもクーリング・オフをすることができません。

クーリング・オフができない「事務所等」

専任の宅建士を設置すべき場所（土地に定着）

❶　宅建業者の事務所

❷　事務所以外の出張所・現場事務所等で契約を締結し、または申込みを受ける場所

❸　一団の宅地・建物の分譲を行う案内所で、土地に定着するもの（モデルルーム・案内所等で契約を締結し、または申込みを受ける場所）

❹　上記❶～❸の場所で、宅地・建物の売買に関する説明をした後、その宅地・建物に関し展示会その他の催しを土地に定着する建物内で実施する際の実施場所

▲

上記❶～❹の場所は、主たる業者が設置する場合と、代理・媒介の依頼を受けた業者が設置する場合の両方を含む

❺　相手方（買主）から申出があった場合の、買主の自宅または勤務先

●クーリング・オフが適用される場所かどうかは、その場所が「土地に定着していて、しかも専任の宅建士を置くべき場所」かどうかを考えればいいんだ。そういう場所であれば、専任の宅建士が実際にいるか、とか、案内所等の届出がされているか、ということは関係なく、クーリング・オフはできないんだ。

●それと、ひとつの契約の流れの中で「申込みの場所」と、「契約締結の場所」が異なっている場合は、次の表のように、「申込みの場所」を基準に、クーリング・オフができるか否かを判断することになるんだ。

申込みの場所	契約の場所	クーリング・オフ
事　務　所　等	事務所等以外	×
事務所等以外	事　務　所　等	○

［クーリング・オフができる場所の具体例］

●宅建業者の申出による、買主の自宅または勤務先
●テント張り、仮設小屋の現地案内所
●ホテルで申込みをし、宅建業者の事務所で契約した場合
●売主である宅建業者の知り合いの宅建業者の事務所

［クーリング・オフができない場所の具体例］

●宅建業者の事務所で専任の宅建士が不在中にした申込み等
●売主である宅建業者から媒介の依頼を受けた宅建業者の事務所

3　クーリング・オフができない「例外」

次の①②の場合は、「事務所等以外の場所」で買受けの申込みや契約を締結したときであっても、**例外的**に、**クーリング・オフをすることができません**。

①　宅建業者からクーリング・オフができる旨及びその方法を、書面で告知された日から起算して8日を経過した場合（初日算入）

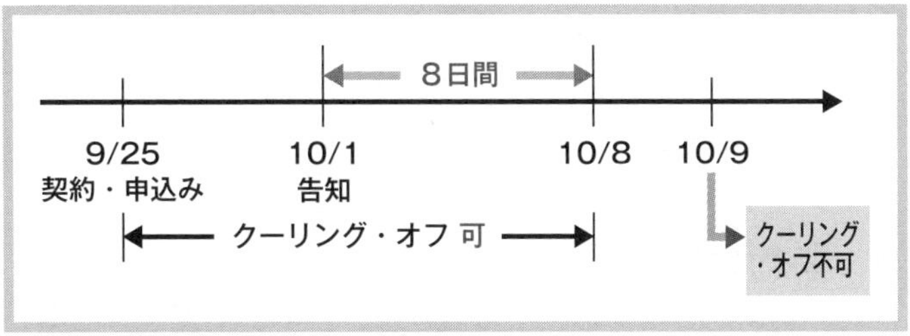

このように、10月1日に書面による告知があったときは、10月8日まではクーリング・オフをすることができます。

なお、クーリング・オフができる旨及びその方法について、宅建業者に告知義務はありませんので、買主に告知しなかった場合でも、宅建業法違反とはなりません。

宅建業者が「クーリング・オフができる旨を告知しなかった」「書面でなく口頭で告知しただけ」だったら「8日間の起算」はいつまでも始まらないから、買主は、いつでもクーリング・オフOKなんだ。

②　物件の引渡しを受け、かつ、代金全額を支払った場合

買主が物件の**引渡し**を受けて、しかも**代金全額**を支払っていれば、**契約の履行が完了**していることになるため、その後の**クーリング・オフはできません**。

したがって、たとえ、クーリング・オフに関する告知がない場合や、告知から8日間以内であっても、履行が完了していればクーリング・オフはできません。

プラスα

「告知書面」の記載事項：

❶買主の氏名（法人の場合、商号または名称）・住所
❷売主である宅建業者の商号または名称・住所・免許証番号
❸告げられた日から起算して8日を経過する日までの間は、宅地・建物の引渡しを受け、かつ、その代金の全部を支払った場合を除き、書面によりクーリング・オフができること
❹クーリング・オフがあったときは、宅建業者は、クーリング・オフに伴う損害賠償や違約金の支払を請求できないこと
❺クーリング・オフは、クーリング・オフを行う旨を記載した書面を発した時にその効力を生ずること
❻クーリング・オフが行われた場合で、手付金その他の金銭が支払われているときは、宅建業者は、遅滞なく、その全額を返還すること

注意

登記がされたか否かは無関係です。

4　クーリング・オフの方法・効果

①　クーリング・オフの方法

買主によるクーリング・オフの**意思表示**は、必ず**書面**でしなければなりません。また、クーリング・オフの効果は、**書面を発した時**に生じます。

> **プラスα**
> **発信主義**をとるので、到達前に、すでにクーリング・オフの効力が**生じている**ことになります。

②　クーリング・オフの効果

買主がクーリング・オフをした場合、売主は**違約金や損害賠償を請求**することは**できません**。

また、すでに受領していた手付金などがあるときは、速やかに**全額を返還**しなければなりません。

> **プラスα**
> 買主は、クーリング・オフできる場合でも、相手方に債務不履行があれば、それを理由に契約解除ができます。手付解除も同様です。なお、これらは、クーリング・オフ期間が経過した場合であっても可能です。

5　特約の効力

クーリング・オフに関する規定について、宅建業者でない**買主に不利となる特約**は、**無効**となります。

[無効となる特約の例]

- クーリング・オフした際は、売主が手付金の半額を没収するという旨の特約

➡手付金等は全額返還する必要があるから無効だよ。

- 物件の引渡しをした後は、クーリング・オフできないという旨の特約

➡引渡しをしていても、**代金全額を支払ってさえいなければ**クーリング・オフできるから、無効だね。

要点整理　クーリング・オフ

クーリング・オフ	●事務所等以外の場所でした申込み・契約は、白紙撤回・無条件で解除できる ●必ず書面で行う ●買主に不利な特約は無効となる
クーリング・オフができない「事務所等」	●宅建業者の事務所 ●一定の案内所（土地に定着かつ専任の宅建士の設置義務のあるもの） ●買主から申出があった場合の、買主の自宅・勤務先
クーリング・オフができなくなる場合	●書面による告知後、8日経過した ●引渡しを受け、かつ、代金全額を支払った

注意
クーリング・オフに関する2つの書面（クーリング・オフができる旨等の告知書面・クーリング・オフの意思を表示する書面）は、いずれも電磁的方法で代替できません。

③ 損害賠償額の予定等の制限

H25.27〜30.R3(10)(12).4

1　規制の内容

宅建業者が自ら売主として、宅建業者でない買主との間で宅地・建物の売買契約を締結する場合、当事者の債務不履行を理由とする契約の解除に伴う**損害賠償額の予定**及び**違約金の定め**をするときは、これらを**合算して、代金の2割**を超えることはできません。法外な違約金から消費者を保護するためです。

注意
「それぞれ」ではなく「**合算して**」2割以内ということがポイントです。

もし仮に、当事者間で損害賠償額の予定を定めなかった場合は、消費者保護のために設けられた宅建業法上の「代金の2割以内」という**制限がなくなってしまう**ことに、注意が必要だよ。
すると、民法の規定どおりになって、証明した実損額全部を、お互いに請求できることになってしまうんだ。それって、お客さんには酷だよね。

2　特約の効力

この規定に反する特約は、代金の２割を**超える部分についてのみ無効**となります。

⚠注 意
特約の全部が無効になるわけではないことに注意しましょう。

[代金を2,000万円とする場合の例]

●損害賠償額の予定400万円、違約金400万円

➡双方を合算して代金の４割となるので、２割を超える部分は無効だよ。

●損害賠償額の予定400万円、手付金400万円

➡損害賠償額の予定は、代金の２割以内なので有効だよ。
「手付金」は関係ないことに十分注意してね。

要点整理　損害賠償額の予定等の制限

- ●損害賠償額の予定と違約金は、合算して代金の２割を超えてはならない。
- ●２割を超えた定めは、超えた部分のみ無効。

❹ 手付の額の制限等

H25～R2⑽.3⑿.4

1　規制の内容

宅建業者が自ら売主として、宅建業者でない買主との間で宅地・建物の売買契約を締結する場合、**交付される手付**は**すべて解約手付**とみなされ、その**額**には**上限**が設けられています。

必ずしも法律の知識が十分とは限らない一般消費者を保護するためだよ。

2　手付の性質の制限

手付は「**解約手付**」と**みなされる**ため、**相手方が履行に着手するまでは**、買主は手付を**放棄**することによって、また、売主は**倍額**を現実に提供することによって、契約を解除することができます。

これに反する特約で**買主に不利**なものは、**無効**となります。

3　手付の額の制限

手付の額は**代金の２割**を超えることが**できません**。これを**超える部分**は**無効**となります。

例えば、１億円の物件の売買で手付金を3,000万円とした場合、**代金の２割を超える部分**である1,000万円は**無効**となるんだ。

そして買主は、2,000万円を放棄すれば解除できるし、無効となる1,000万円については返還請求ができるんだよ。

プラスα

「**履行に着手**」の例には、売主が移転登記の依頼をした場合や買主が内金の支払をした場合等が該当します。

重要

自分が履行に着手していても、**相手方が履行に着手していなければ**、手付解除ができます。

重要

たとえ、後述❺「**手付金等の保全措置**」を講じても、２割を超えて受領することはできません。

ここで、次の「特約」が有効か無効かを、具体的に見てみよう。

●「買主が手付解除したときは、売主は別途、違約金を請求する」旨の特約

➡手付解除の場合、買主は手付を放棄しさえすればよいのだから、この特約は無効だよ。

●「買主は、自ら履行に着手したときは手付解除をすることができない」旨の特約

➡手付解除ができなくなるのは「相手方が履行に着手したとき」だから、買主が自ら履行に着手していても、売主である相手方が履行に着手していなければ、手付解除は可能なんだよ。この特約は買主に不利だから、無効となるんだね。

●「売主は、受領した手付金全額を現実に提供することで、手付解除できる」旨の特約

➡売主が手付解除をするには、「倍額の現実の提供」が必要だよね。受領した手付金全額を返しただけでは足りないから無効となるんだよ。

●「売主は、買主が履行に着手した後であっても、手付の倍額を現実に提供することで契約解除ができる」旨の特約

➡買主が履行に着手した後は、売主は手付解除ができなくなるんだ。これを認める特約は買主に不利となるから、無効だよ。

●「買主は、売主が履行に着手した後であっても、手付を放棄して契約を解除できる」旨の特約

➡本来、売主が履行に着手した後は、買主は手付解除できないんだ。だけど、売主の着手後も買主に手付解除を認めるという特約なら、買主に有利だから有効となるよ。

要点整理 手付の額の制限等

- 手付は代金の額の2割以内（2割を超えた部分は、無効）
- 手付は、すべて解約手付とされる（買主➡放棄、売主➡倍額の現実の提供、解除➡相手方の履行着手まで）
- 買主に不利な特約は、無効

5 手付金等の保全措置

H25～28.30～R2⑽.3⑽⑿.5.6

1　規制の内容

手付金を支払って契約をした後、物件の引渡し前に売主の宅建業者が倒産したりすると、「買主は、物件を取得できず、手付金も返還されない」という最悪の事態に陥ります。

宅建業者は、万一そのような事態になったとしても**手付金が確実に買主に返還**されるように、**自ら売主となる宅地・建物の売買**について、**一定額を超える「手付金等」を受領**するときは、**事前**に一定の**保全措置**を講じなければなりません。

こんな場合でも
大丈夫！

⚠注意　「手付金等」とは

ここでいう、**保全措置が必要な**「**手付金等**」とは、**契約締結後、引渡し前までに授受**される金銭で、名目のいかんを問わず**代金に充当**されるものをいいます。

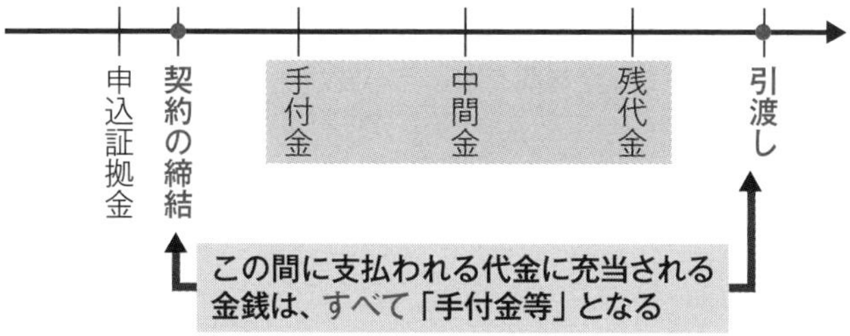

プラスα
引渡しと同時に支払われるものは「手付金等」には含まれません。

プラスα
契約締結前に支払われる申込証拠金は、厳密には「手付金等」ではありませんが、それが契約後に代金に充当される場合は、買主保護の観点から、保全措置が必要とされています。

プラスα
宅建業者が義務に違反して保全措置を講じない場合、買主は手付金等の支払を拒むことができ、また、債務不履行責任を負いません。

宅建業者は、手付金等を**受領する前**に**保全措置**を講じなければならないんだ。つまり、受領した後に保全措置を講じることは、宅建業法違反となるんだよ。

2 例外

次の場合は、保全措置を講ずる必要はありません。

重要
完成物件か未完成物件であるかは、契約締結時に**完成**しているか否かで判断します。

① 受領する手付金等の額が少額である場合

完成物件	代金の10%以下、かつ、1,000万円以下
未完成物件	代金の5%以下、かつ、1,000万円以下

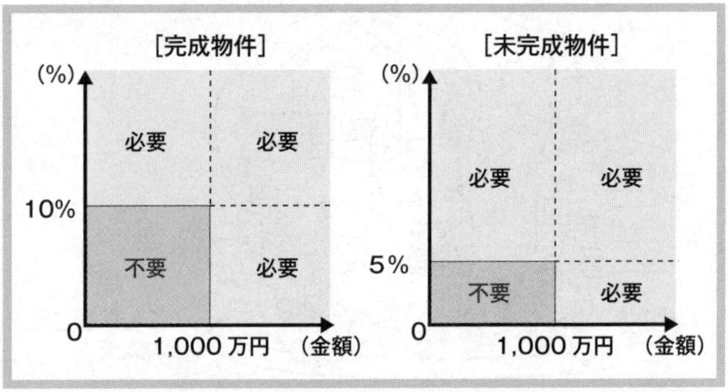

この基準を超える手付金等を受領する場合は、超えた部分だけではなく、手付金等の**全額を保全**する必要があります。

例えば、5,000万円の未完成物件で、契約時に200万円の手付金を受領し、後日に中間金として100万円を受領する場合でいえば、中間金を受領する時点では、前に受領した200万円と合わせると合計が300万円になって、代金の5％を超えることになる。だから、300万円全額について保全措置を講じる必要が生じるんだよ。

②　買主が登記した場合

買主への所有権移転登記がされたとき、または買主が所有権保存の登記をしたときは、**手付金等の額を問わず**、手付金等の保全措置を講じる必要はありません。

具体例で、**保全措置が**必要かどうかを考えてみようね。

●１億円の完成物件で、1,000万円の手付金を受領する場合

➡代金の10％で、それに1,000万円ちょうどなので保全措置は不要だよ。

●１億円の未完成物件で、800万円の手付金を受領する場合

➡代金の５％（500万円）を超えているので、保全措置が必要だよ。

●5,000万円の完成物件で、買主への所有権移転登記後に1,500万円の手付金等を受領する場合

➡買主が登記しているので、保全措置は不要だよ。

●１億円の完成物件で、引渡しと同時に１億円の代金全額を受領する場合

➡引渡しと同時に受領する金銭は、手付金等に該当しないから、保全措置は不要だよ。

3　保全措置の方法

保全措置の方法には、次の❶〜❸の３つがあります。

保全措置の方法	内　　　容
❶ 銀行等による保証（保証委託契約）	債務不履行による契約解除等、宅建業者が手付金等を返還しなければならない事情が生じた場合、その返還債務について銀行等の金融機関が連帯保証する
❷ 保険事業者による保険（保証保険契約）	債務不履行による契約解除等、宅建業者が手付金等を返還しなければならない事情が生じた場合、保険会社等の保険事業者が保険金としてその補塡をする
❸ 指定保管機関による保管（手付金等寄託契約）	宅建業者に代わって指定保管機関が手付金等を代理受領し、その返還請求権に質権を設定した上で、買主への返還に備えて保管をする

プラスα

❶では連帯保証を約する書面、❷では保険証券等の書面、❸では手付金等寄託契約を証する書面を**買主に交付**しなければなりません（いずれの書面の交付も、買主の承諾を得れば、電磁的方法で代替可）。
また、❶の保証期間、❷の保険期間、❸の保管期間は、少なくとも宅建業者が受領した**手付金等に係る宅地・建物の引渡し**までであることが必要です。

★プラスα
前出「第５章❶」で学習した保証協会は、任意業務として「手付金等保管事業」を行うことができ、❸の指定保管機関の１つとなっています。

どの方法により保全するか、宅建業者は**任意に選択**することができますが、**未完成物件**の場合、❸の「**指定保管機関による保管**」を用いることはできません。

（○＝できる、×＝できない）

	❶銀行等による保証	❷保険事業者による保険	❸指定保管機関による保管
完成物件	○	○	○
未完成物件	○	○	×

要点整理　手付金等の保全措置

［保全措置が不要となる場合］

完成物件	10%以下、かつ、1,000万円以下
未完成物件	5%以下、かつ、1,000万円以下

- 買主が所有権登記をしたとき
- 引渡しがされたとき

［保全措置の方法］

完成物件	銀行・保険・指定保管機関
未完成物件	銀行・保険

❻ 担保責任の特約の制限

H25～R2⑽.4

1　規制の内容

宅建業者が自ら売主として、宅建業者でない買主との間で宅地・建物の売買契約を締結する場合に、その目的物の契約不適合責任に関し、原則として、**民法の規定よりも買主に不利な特約をすることはできません**。買主保護のためです。

［民法の規定］

民法上、目的物の種類または品質が契約内容に適合しない場合、買主は、次の権利を行使することができます。

権利の内容	●追完請求権　●代金減額請求権 ●損害賠償請求権　●契約解除権
通知期間	買主は、不適合を知った時から1年以内に通知しないと、行使できない

注意
損害賠償請求権は、売主に帰責性がある場合のみに、認められます。

この規定を基準として、**買主に不利な特約は無効**となります。特約が無効となった場合は、**民法の規定が適用**されます。

例えば、「種類・品質に関する契約不適合責任を**一切負わない**」といった内容の特約は、無効となるんだ。

2　例外

買主が、売主に対して種類または品質に関して契約不適合である旨を通知する期間を「物件の**引渡しの日から2年以上**」とする旨の特約は、有効です。

注意
「契約の日から2年」ではなく、「引渡しの日から2年」である点に注意しましょう。

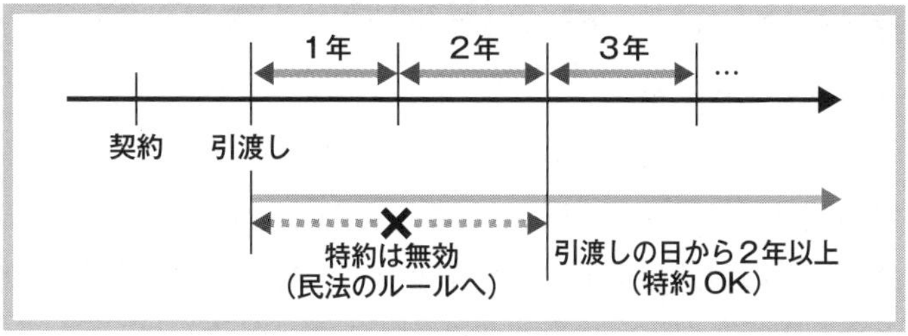

したがって、「引渡しの日から2年未満」とする特約は無効です。

例えば、通知期間を「引渡しの日から1年間」とする特約は無効となり、民法の規定に戻って「知った時から1年間」となります。

要点整理　担保責任についての特約の制限

- 通知期間を引渡しの日から2年以上とする特約は、有効。
- 引渡しの日から2年未満の期間を定めた場合、その特約は無効となり、通知期間は、民法の「不適合を知った時から1年間」となる。

7 割賦販売契約の解除等の制限

用語解説
賦払金：
割賦販売における1
回1回の支払金のこ
と。

⚠ 注意
本規定に反する特約
は無効となります。

　宅建業者が自ら売主として、宅建業者でない買主との間で宅地・建物の割賦販売契約を締結する場合、買主が賦払金について履行遅滞となったときは、宅建業者は、**30日以上の期間を定めて書面で履行を催告**し、その期間内に履行がされない場合でなければ、これを理由に契約を解除し、または支払時期の到来していない賦払金の支払を請求できません。

| 割賦販売契約 | → | 買主の履行遅滞 | → | 30日以上の期間を定め、書面で催告 | 不履行 → | ●契約解除 ●残代金請求 |

8 割賦販売における所有権留保等の禁止

1　規制の内容

　宅建業者が、自ら売主として、宅建業者でない買主との間での宅地・建物の割賦販売契約を締結する場合、宅建業者は、物件の**引渡しまでに**、**原則として**、**登記その他の売主の義務を履行**しなければなりません。また、引渡し後においては、担保目的で、その物件を譲り受けてはなりません。

用語解説
担保目的で物件を譲
り受けることを「譲
渡担保」といいます。

2　例　外

　次の場合は、引渡し後の所有権の登記の留保が認められます。

> ●賦払金の支払いが代金の3／10以下の場合
> ●3／10を超える金額の支払を受けても、残金（残代金債務）について抵当権、保証人等の担保措置を講じる見込みがないとき

[８種制限の比較のまとめ] 比較整理

種類	規制内容	例外規定等	注意点
❶ 自己の所有に属しない宅地・建物の売買契約締結の制限	●他人物売買の禁止 ●未完成物件の売買の禁止	●所有者と**物件取得の契約**をしている（予約も○、停止条件付きは×） ●手付金等の**保全措置**を講じた	――
❷ クーリング・オフ	事務所等以外の場所でした申込み・契約は、白紙撤回・無条件解除できる	●書面による**告知後８日経過**した ●**引渡し**を受け、かつ、**代金全額を支払った**	●撤回は書面で行う ●撤回は**発信**した時 ●買主に不利な特約は無効
❸ 損害賠償額の予定等の制限	損害賠償額の予定と違約金は、合算して**代金の２割**を超えてはならない	――	２割を超えた定めは、**超えた部分のみ無効**（部分無効）
❹ 手付の額の制限等	●手付は代金の**２割**以内 ●手付はすべて**解約手付**（買主は放棄、売主は倍返し、相手方の履行着手まで）	２割を超えた部分は無効	買主に**不利な特約は無効**
❺ 手付金等の保全措置	手付金等を**受領する前に保全措置**を講じなければならない ●完成物件…… 銀行・保険・**指定保管機関** ●未完成物件… 銀行・保険	●完成物件 10％、かつ、**1,000万円**以下 ●未完成物件 ５％、かつ、**1,000万円**以下 ●買主が所有権**登記**をした ●引渡し以後に受領する代金	左記を超える場合、**全額の保全**が必要
❻ 担保責任についての特約の制限	契約不適合責任に関する**民法の規定**より、**買主に不利な特約**は無効	通知期間を「**引渡しの日から２年以上**」とする**特約のみ有効**	買主に不利な特約は無効（左の期間を除く）
❼ 割賦販売契約の解除等の制限	**30日以上の期間を定めて書面で催告**が必要	左記を満たさないと、解除等は無効	買主に不利な特約は無効
❽ 所有権留保等の禁止	割賦販売における所有権留保等が禁止される	●受領金が**代金の３割以下** ●３割を超えても、残代金について担保措置を講じる見込みがない	――

第10章 報酬額の制限

重要ランク S

お客さんが法外な金額を請求されないように、宅建業者がもらえる報酬には「上限額の制限」があるんだ。

1 報酬額の規制

1　報酬の限度額の規制

H28.R2(12).5

宅建業者は、媒介または代理によって宅地・建物の取引を成約させた場合、その**依頼者**から、**報酬**（**仲介手数料**）を受領できます。

報酬は、原則として、**契約を成立させてはじめて受領**できますが（**成功報酬主義**）、宅建業者が受領できるのは、**依頼者からのみ**に限られます。

① 受領できる**報酬の限度額**は、媒介・代理といった**取引態様に応じて**定められています。

> **罰則**
>
> この「限度額」を超えて報酬を受領すると、100万円以下の罰金が科されます。

> たとえ依頼者の好意によるものでも、限度額を超える金銭は、請求・受領することができないことに注意してね。

② 宅建業者は、相手方等に対し、**不当に高額な報酬を要求**する行為を**してはなりません**。

罰則

不当に高額な報酬を要求すると、たとえ受領しなくても、1年以下の懲役、100万円以下の罰金、またはこれらが併科されます。

2　報酬額の掲示

R3(10)

宅建業者は、**事務所ごと**に、公衆の見やすい場所に、国土交通大臣が定めた**報酬の額を掲示**しなければなりません。

掲示をしなければならない場所は、事務所に限定されていることに注意してね。つまり、「案内所などには不要」ということなんだ。

3　報酬に関するその他の規制

① 「広告費用」の扱い

H26.28～R元.2(12)～6

広告費用などの経費は、報酬とは別に受領できません。

ただし、こうした**広告費用**などのうち、**依頼者からの依頼**で行ったことによって生じた費用で、**依頼者の承諾を得ているもの**は、**契約の成否にかかわらず**、**報酬**とは**別に請求**できます。

② 「特別の費用」の扱い

宅建業者が、依頼者からの「**特別の依頼**」によって行う「**遠隔地における現地調査等**」に要する費用については、「依頼者からの**特別の依頼**により支出を要する**特別の費用**で、その負担について**事前に依頼者の承諾**があるもの」として**別途受領**することは、**禁止されていません**。

2 報酬の限度額の計算方法 - 売買・交換の場合

H25.26.27.30.R元～4.6

1　売買・交換の「媒介」

宅建業者が物件の**売買・交換の媒介**の依頼を受けた場合に、**依頼者の「一方」から受領できる報酬の限度額**は、次のように計算します。

【依頼者の一方から受領できる報酬の限度額】

基本の式：「取引価格」×３％＋６万円

これが、**取引価格が400万円を超える場合**に用いる、**報酬額の計算**の「**基本の式**」です（「**速算式**」といいます）。

① 計算のベースとなる「**取引価格**」は、売買の場合は**代金の額**、交換の場合は**高いほうの物件の価額**を用います。なお、いずれも**消費税抜きの価格**です。

② 報酬として受領できる「**取引全体の限度額**」は、「**基本の式**」で求めた金額の**２倍**です。これは、複数の宅建業者が携わる場合も、同じです。

なお、取引価格が「**200万円以下**」の場合は「**取引価格×５%**」、また、「**200万円超～400万円以下**」の場合は「**取引価格×４%＋２万円**」という速算式を用います。

2　売買・交換の「代理」

① **売買・交換の代理**の依頼を受けた場合に、依頼者の**一方から受領できる限度額**は、「**基本の式**」で求めた金額の**２倍**です。

② 「**取引全体の限度額**」は、**1**の「**媒介**」の場合と同様に、「**基本の式**」で求めた金額の**２倍**です。

それでは、これらの知識をもとに、次の❶～❹の［**具体例**］で、報酬額の計算方法を見ていきましょう。

報酬計算の問題が解けるようになるには、**具体的な事例**で覚えていくのが最もスムーズなんだ。

以下の基本的な［**具体例**］が全部理解できたら、あとはそのパターンの応用だから、過去問などで、ドンドン報酬計算の問題にチャレンジしよう。本試験でも必ず得点できるよ！

［具体例-❶：売買の「媒介」の場合］

Q　宅建業者Aは、売主Bと買主Cの**双方**から媒介の依頼を受け、B・C間に、B所有の宅地（価格6,000万円）の売買契約を成立させました。

Aが、B・Cから受領できる報酬の限度額は、いくらでしょうか。

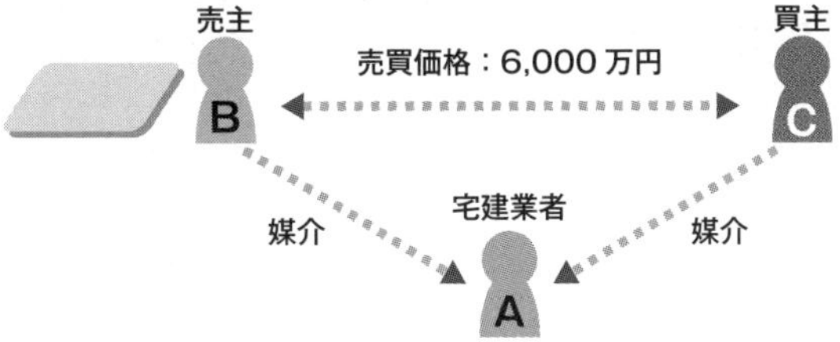

A
❶　まず「基本の式」で計算します。
➡6,000万円×3％＋6万円＝186万円

❷　Aは、媒介の依頼者BとCそれぞれから、「186万円」を限度額として、報酬を受領できます。

❸　「取引全体」で受領できる報酬の限度額は、「372万円」です。

[具体例-❷：売買の「代理」の場合]

Q　宅建業者Aは、売主Bから代理の依頼を受け、Bと買主Cの間に、B所有の建物（価格6,000万円）の売買契約を成立させました。

Aが受領できる報酬の限度額は、いくらでしょうか。

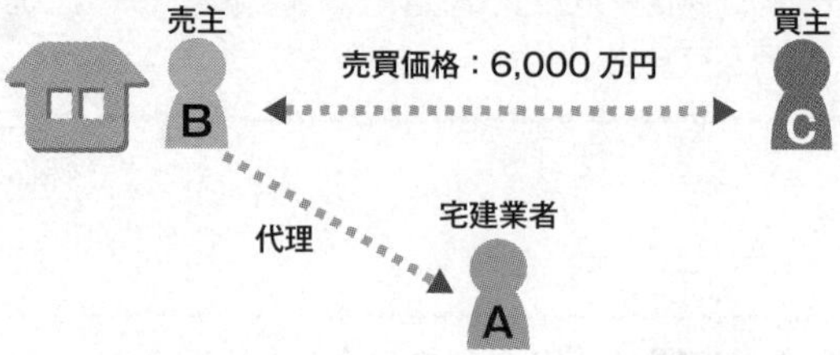

A ❶　まず「基本の式」で計算します。

➡6,000万円×3％＋6万円＝ 186万円

❷　代理の場合に受領できる報酬の限度額は、「基本の式」の「2倍」までですので、「186万円×2＝372万円」となります。

❸　したがって、Aは、代理の依頼者Bから、「372万円」を限度額として受領できます。

［具体例-❸：売買で複数の「媒介業者」が携わる場合］

Q　宅建業者Aは、売主Bから媒介の依頼を受け、また、宅建業者Cは、買主Dから媒介の依頼を受け、A・Cが共同して、B・D間に、B所有の宅地（価格6,000万円）の売買契約を成立させました。

A・Cが受領できる報酬の限度額は、それぞれいくらでしょうか。

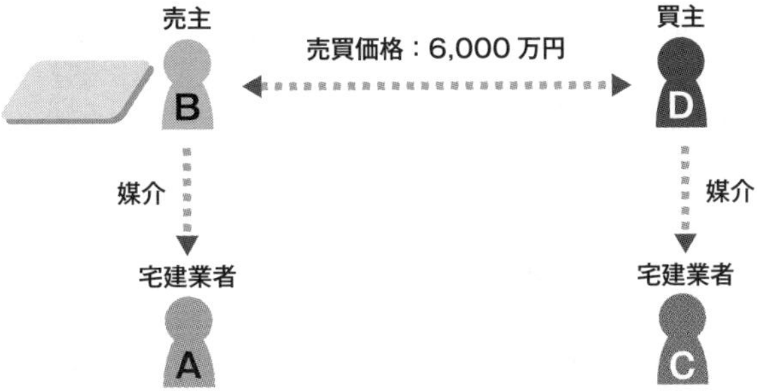

A　❶　報酬を受領できるのは、Aは依頼者Bからのみ、Cは依頼者Dからのみです。

❷「基本の式」で計算します。

➡ 6,000万円×3％＋6万円＝186万円

❸　Aは依頼者Bから「186万円」を、Cは依頼者Dから「186万円」を限度額として、それぞれ受領できます。

❹「取引全体の限度額」は、「372万円」です。

［具体例-❹：売買で「媒介業者」と「代理業者」が携わる場合］

Q 宅建業者Aは、売主Bから媒介の依頼を受け、また、宅建業者Cは、買主Dから代理の依頼を受け、A・Cが共同して、B・D間に、B所有の宅地（価格6,000万円）の売買契約を成立させました。

A・Cが受領できる報酬の限度額は、それぞれいくらでしょうか。

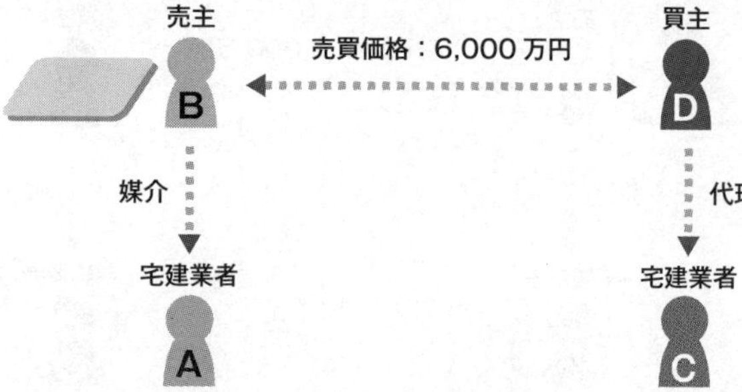

A ❶ まず「基本の式」で計算します。

➡**6,000万円×3％＋6万円＝** 186万円

❷ 媒介業者Aは、Bから「186万円」を、代理業者Cは、Dから、その**2倍**の「372万円」を、それぞれ限度額として受領できます。

❸ 「取引全体の限度額」は、「基本の式」で求めた金額の2倍である「372万円」です。

したがって、A・Cは、「自己の限度額」かつ「取引全体の限度額」（媒介したAは186万円、代理したCは372万円、かつ、A・Cの合計で372万円）の範囲内で、報酬を受領できます。

プラスα

例えば「媒介したAが172万円、代理したCが200万円」というように、互いに取り決めて配分できます。

3　低廉な空家等の特例

社会問題化している空家対策の一環として、前出**1**・**2**の報酬額の計算の「例外」として、通常の報酬限度額を超えた報酬を受領することを認めた「特例」が設けられたんだよ。

ニャカ先生のひとこと

この特例の適用対象となる「**低廉な空家等**」とは、**消費税抜きの本体価額**もしくは**交換価額**（交換する宅地・建物の価額に差がある場合は、**高いほう**）が**800万円以下**の**宅地・建物**をいいます。

> **注意**
> 「低廉な空家等」の特例の対象は、価額が800万円以下の**宅地・建物すべてに適用**されます。つまり、「空家」だけに限定されません。また、「使用の状態」も問いません。

①　「媒介」の場合

宅建業者は、**低廉な空家等**（宅地・建物）の**売買・交換**の**媒介**の場合、価額が**800万円以下**であれば、**実際の取引価格にかかわらず**、媒介業務に必要な費用を勘案して、前出❷**1**の「**基本の式**」で計算した金額を**超えて**、報酬を受領できます。

この場合に、依頼者から受領できる限度額は、**30万円以内**です。

なお、媒介契約の締結に際し、**あらかじめ**、依頼者に対して報酬額について**説明**し、**合意**を得る必要があります。

②　「代理」の場合

代理の場合に、依頼者から受領できる報酬の限度額は、**媒介**の場合の**2倍**である**60万円以内**です。

ただし、「**売買・交換の相手方**から受ける報酬額」と「代理の依頼者から受ける報酬額」の**合計額**が、**60万円以内**でなければなりません。

なお、代理契約の締結に際し、**あらかじめ**、依頼者に対して報酬額について**説明**し、**合意**を得る必要があります。

［具体例：低廉な空家等の売買の「媒介・代理」の場合］

Q　宅建業者Aは、売主Bから代理の依頼を受け、また、宅建業者Cは、買主Dから媒介の依頼を受け、A・Cが共同して、B・D間にB所有の宅地（価格500万円）の売買契約を成立させました。

A・Cが受領できる報酬の限度額は、それぞれいくらでしょうか。

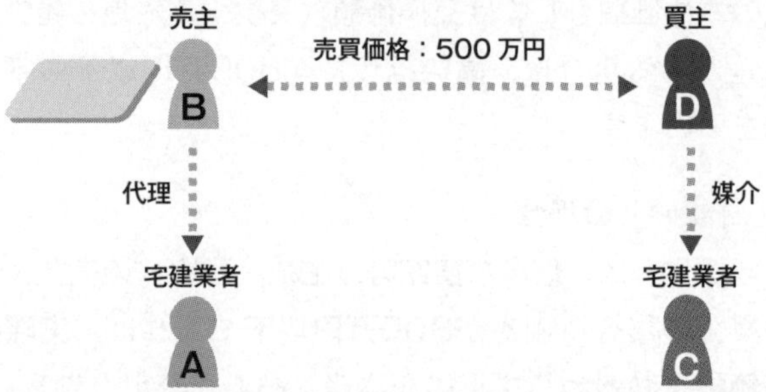

A
❶　AはBからのみ、CはDからのみ、それぞれ報酬を受領できます。

❷　この取引における宅地の価格は「500万円」、つまり「800万円以下」ですから、「低廉な空家等の特例」が適用されます。

❸　したがって、**あらかじめ**、A・CがB・Dに**説明**して**合意**を得ていれば、代理したAは「60万円」を、媒介したCは「30万円」を、それぞれ限度額として受領できます。

❸　なお、「取引全体の限度額」は60万円です。したがって、その範囲内で、例えば「Aが40万円・Cが20万円」といったように、報酬を配分することが可能です。

❸ 報酬の限度額の計算方法 - 賃貸借の場合

H26.27.29.R元 .2(12)～6

1　賃貸借の「媒介・代理」

賃貸借の場合に受領できる報酬の限度額は、媒介・代理のどちらでも、**借賃の1ヵ月分**です。また、「**取引全体の限度額**」も同様に、**借賃の1ヵ月分**です。

つまり、媒介でも代理でも、差はありません。

ただし、「賃貸借」には、次の**2つの例外**があります。

①　居住用建物の「媒介」の場合

居住用建物の賃貸借の「**媒介**」の場合に、依頼者の「**一方**」**から受領できる限度額**は、**借賃1ヵ月分の1／2**です。

ただし、**依頼者の承諾**があるときは、原則どおり、**借賃1ヵ月分**を受領できます。

この場合も、「**取引全体の限度額**」は、**借賃の1ヵ月分**です。

②　居住用建物「以外」の「媒介・代理」で権利金がある場合

宅地や店舗のように、**居住用建物以外**の賃貸借の媒介・代理の場合で、**権利金**（権利設定の対価として支払われるもので、**返還されないもの**）があるときは、(ア)**権利金を売買代金**とみなして「**基本の式**」**で計算した額**と、(イ)**借賃1ヵ月分**を**比較**して、**高いほう**が**限度額**となります。

このように、「賃貸借の媒介・代理」の場合の限度額の考え方としては、「賃料1ヵ月分」が大原則なんだ。

だから、その「例外」である「**❶居住用建物の媒介の場合**」と「**❷**居住用建物「以外」で**権利金がある場合**」の2つを、以下の **[具体例]** で理解すれば、賃貸借の報酬計算は、大体OKだよ。

注意
なお、「使用貸借」の媒介の場合は、「通常の借賃の額」を基準に、報酬の限度額を算定します。

プラスα
「居住用建物」とは、**専ら居住の用**に供する建物を指し、店舗その他居住以外の用途を兼ねるもの（**兼用住宅**）は含まれません。

注意
「依頼者の承諾」は、宅建業者が媒介の依頼を受けるにあたって（つまり「事前」に）得ておくことが必要であり、依頼後に承諾を得ても、「承諾を得ていた」とはいえません。

[具体例-❶：居住用建物の賃貸借の「媒介」の場合]

Q 宅建業者Aは、貸主Bと借主Cの双方から媒介の依頼を受け、B所有の居住用マンションの1室につき、借賃1ヵ月20万円で、Cとの間で、賃貸借契約を成立させました。

Aが受領できる報酬の限度額は、いくらでしょうか。

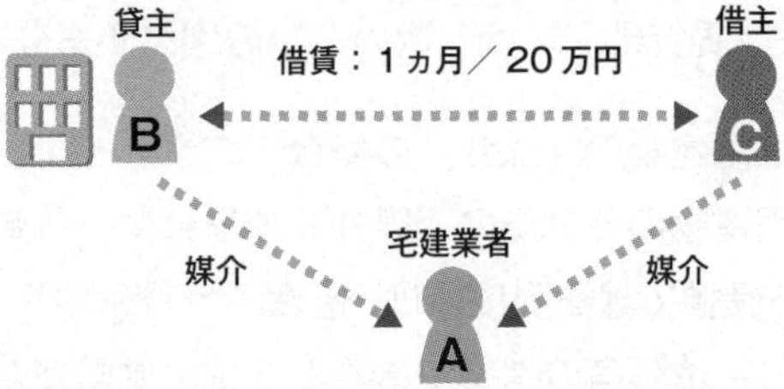

A 居住用建物の賃貸借の媒介の場合は、依頼者からの承諾の有無によって、次の❶❷の2パターンとなります。

❶ 依頼者の承諾がない場合：

依頼者それぞれからは、「借賃1ヵ月の1／2」を限度として受領できます。したがって、Bから「10万円」、Cから「10万円」が、それぞれ受領できる限度額となります。

❷ 依頼者の承諾がある場合：

依頼者の一方からは、「借賃1ヵ月分」を限度として受領できます。したがって、例えば、Aが借主Cの承諾を得ていれば、Cから「20万円」を限度として受領することも可能です。

この場合、「取引全体の限度額」は「借賃1ヵ月分」ですが、その配分の割合に、特に制限はありません。

プラスα
例えば、宅建業者Aが、借主Cから「取引全体の限度額」である「まるまる20万円」を受領した場合、貸主Bからの報酬の受領は「不可」となります。

［具体例-❷：居住用建物「以外」で権利金がある賃貸借の「媒介」の場合］

Q 宅建業者Aは、貸主Bと借主Cから媒介の依頼を受け、B所有の宅地の賃貸借契約（借賃1ヵ月20万円、権利金（返還されないもの）500万円）を成立させました。

Aが、B・Cから受領できる報酬の限度額は、いくらでしょうか。

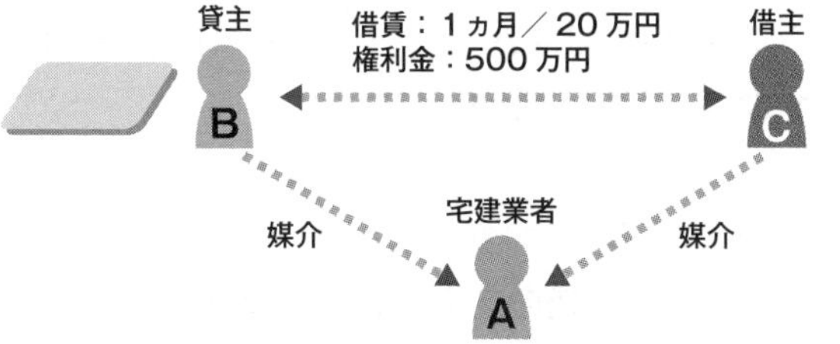

A ❶ 借賃をベースに報酬額を計算すると、Aは、B・Cから「合計で20万円」受領できます。

❷ 一方、権利金をベースに「基本の式」で計算すると、

➡ 500万円×3％＋6万円＝21万円

となります。

したがって、Aは、B・Cから、「それぞれ21万円ずつ」を限度として受領できます。

❸ ❶❷を比較すると、❷の「権利金ベース」で計算したほうが「高いほう」となりますので、Aは、B・Cから、「合計で42万円」を限度として受領できます。

⚠ 注意

「敷金等、後日返還される予定の金銭」を、権利金として計算することはできません。

プラスα

「取引全体の限度額」は、権利金ベースの2倍の「42万円」のほうが高いほうとなるので、42万円となります。

2　長期の空家等の貸借の特例

⚠注意
「長期の空家等」という表現ですが、「宅地」も含まれることに注意しましょう。

社会問題化している空家対策の一環として、宅建業者による空家等の媒介・代理を促進するため、媒介・代理に要する費用を勘案して、通常の報酬限度額を超えた報酬を受領することを認めた特例だよ。

この特例の適用の対象となる「**長期の空家等**」とは、「**現に長期間にわたって**居住・事業などの用途に**供されていないもの**」または「**将来にわたり**居住・事業などの用途に**供される見込みがない**」**宅地・建物**をいいます。

①　「媒介」の場合

宅建業者が行う**長期の空家等**の貸借の「**媒介**」の場合に、依頼者の「**双方**」から受ける報酬は、**合計**して「**借賃2ヵ月分**」（＝借賃１ヵ月分の**2倍**）以内が、受領できる限度額となります。

ただし、**借主**から受ける報酬額が**借賃1ヵ月分以内**（さらに、それが「**居住用**」の長期の空家等である場合は、依頼者の承諾を得ているときを除き、**借賃1／2ヵ月分以内**）である場合に限ります。

⚠注意
「代理」の場合でも、報酬の限度額は、「媒介」の場合と同様に、「取引全体で借賃の2ヵ月分以内」ということです。

②　「代理」の場合

長期の空家等の貸借の「**代理**」の場合に受領する報酬の限度額は、次のとおりです。

ア　**貸主**である**依頼者のみ**から受領する場合は、「**借賃2ヵ月分**」（＝借賃１ヵ月分の**2倍**）以内

イ　**代理の依頼者**と**貸借の相手方**の「**双方**」から受領する場合は、**合計**して「**借賃2ヵ月分**」（借賃１ヵ月分の**2倍**）以内。ただし、これは、**借主**から受ける報酬額が、**借賃1ヵ月分以内**である場合に限ります。

なお、この特例の適用を受けて、**報酬を通常の限度額を超えて受領**しようとする場合は、媒介契約・代理契約の締結に際し、**あらかじめ**、報酬額について依頼者に対して**説明**し、**合意**を得る必要があります。

[具体例-❶：長期の空家等の貸借の「媒介」の場合]

Q　宅建業者Aは、貸主Bから媒介の依頼を受け、また、宅建業者Cは、借主Dから媒介の依頼を受け、A・Cが共同して、B所有の「長期の空き店舗」の賃貸借契約（借賃1ヵ月7万円）を成立させました。
　A・Cが受領できる報酬の限度額は、それぞれいくらでしょうか。

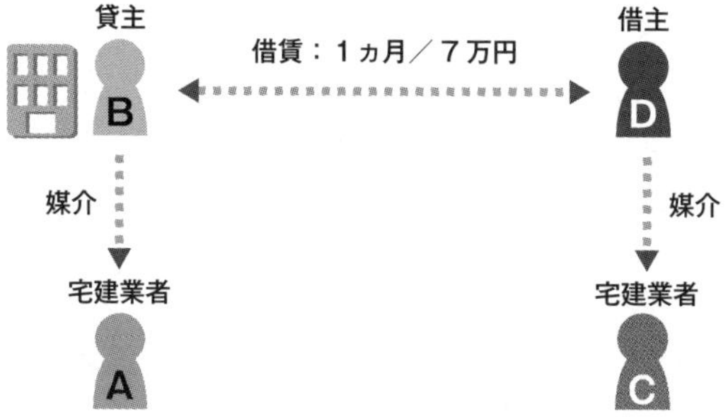

A
❶　Aは貸主Bからのみ、Cは借主Dからのみ、それぞれ報酬を受領できます。
❷　A・Cが、報酬額について、あらかじめ、それぞれの依頼者B・Dに説明して合意を得ていれば、借主Dからの報酬額が、借賃1ヵ月分の「7万円」以内である場合に限り、「取引全体の限度額」は、借賃2ヵ月分の「14万円」となります。

プラスα
特例が適用されるには、媒介契約の締結に際して「あらかじめ報酬額について依頼者に説明して合意を得ておく」ことがポイントです。

[具体例-❷：長期の空家等の貸借の「代理」の場合]

Q 宅建業者Aは、貸主Bから賃貸借の代理の依頼を受け、借主Cとの間に、B所有の「長期の空家」の賃貸借契約（借賃１ヵ月７万円）を成立させました。

Aが受領できる報酬の限度額は、いくらでしょうか。

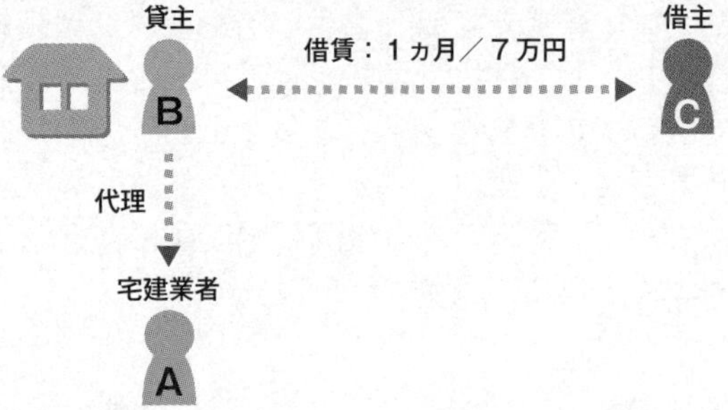

A ❶ Aが、依頼を受けた貸主Bのみから報酬を受領する場合で、報酬額について、あらかじめ、Bに説明して合意を得ていれば、受領できる限度額は、借賃２ヵ月分である「14万円」となります。

❷ また、Aが、賃貸借契約の**代理の依頼者**である貸主Bと、Bの契約の相手方である借主C（**Aの依頼者**）の「**双方**」から報酬を受領する場合で、報酬額について、あらかじめ、貸主Bに説明して合意を得ていれば、**借主C**から受ける報酬額が、**借賃１ヵ月分**ある「**7万円」以内**（特例の適用を受けない「通常の限度額」以内）であるときに限って、受領できる限度額は、合計して借賃２ヵ月分である「14万円」となります。

プラスα

もし、宅建業者Aが、**借主Cから**のみ代理の依頼を受けて報酬を受領する場合は、この特例は適用されないため、受領できる報酬は、「**通常の限度額**」内である**借賃１ヵ月分**（７万円）以内となります。

要点整理　報酬額の規制

注：いずれも消費税は別途考慮

[売買・交換の場合]

	取引形態	依頼者一方からの限度額	取引全体の限度額
原則 -1	売買・交換の媒介	価格×3%＋6万円（基本の式）＊1 ➡「A」とする	Aの2倍
原則 -2	売買・交換の代理	Aの2倍	
例外 -1	低廉な空家等の媒介　＊2	30万円以下	——
例外 -2	低廉な空家等の代理　＊2	60万円以下	60万円以下

＊1：代金が「400万円超（税抜き）」の場合
＊2：代金等が「800万円以下（税抜き）」の場合

[賃貸借の場合]

	取引形態	依頼者一方からの限度額	取引全体の限度額
原　則	賃貸借の媒介・代理	1ヵ月分の借賃 ➡「B」とする	B
例外 -1	居住用建物の賃貸借の媒介	依頼者の承諾なし $= B \times \frac{1}{2}$ 依頼者の承諾あり ＝B	B
例外 -2	居住用建物「以外」の賃貸借の媒介・代理	権利金×3%＋6万円 ➡「C」とする BとCを比較し、高いほう＊1	Cの2倍とBを比較し、高いほう
例外 -3	長期の空家等の媒介・代理	——	B×2　＊2

＊1：代理の場合 ➡「Cの2倍」と「B」とを比較し、高いほう
＊2：借主である依頼者から受領する報酬額が、原則、1ヵ月分の借賃以内の場合に限る

4 報酬と消費税

H27

1 消費税と取引との関係

消費税が宅建業者の取引に関連するのは、次の①②の２つの場合です。

① 物件価格にかかる消費税

土地の売買・交換・賃貸借については、消費税は**課税されません**。また、**居住用建物の賃貸借**についても、**同様**です。

したがって、消費税が課税されるのは、次のものに限られます。

- 建物の売買代金（交換差金（さきん）があるときは、それを含む）
- 居住用「以外」の建物の借賃・権利金

② 報酬にかかる消費税

消費税の**課税事業者**が受領する報酬には、消費税が課税されます。例えば、非課税の取引である「土地の売買」を媒介しても、その報酬には**10%**の消費税がかかります。

一方、消費税の**免税事業者**が受領する報酬には、消費税は課税されませんが、**仕入れにかかる消費税分**として、**4%を加算**することが認められています。

2 消費税と報酬額の計算方法

消費税を加算した報酬額の計算方法は、次のとおりです。

まず、取引価格（もしくは借賃）に消費税が含まれていれば、税抜価格（借賃）にする

▼

「基本の式」などで通常の報酬計算を行う

▼

限度額
- 課税事業者 ➡ 算出した限度額に10%を加算した額
- 免税事業者 ➡ 算出した限度額に４%を加算した額

[具体例：消費税を加算した報酬の計算方法]

Q　宅建業者A（消費税課税事業者）は、売主Bから媒介の依頼を受け、また、宅建業者C（消費税免税事業者）は、買主Dから媒介の依頼を受け、A・Cが共同して、B・D間に、B所有の宅地・建物（宅地が6,000万円、建物が税込み3,300万円）の売買契約を成立させました。
　A・Cが受領できる報酬の限度額は、それぞれいくらでしょうか。

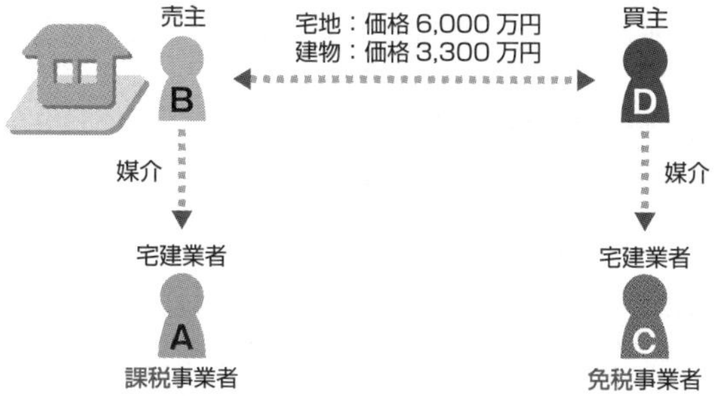

A ❶　まず、物件価格を「税抜価格」にします。宅地はそのまま(6,000万円)、建物は「3,300万円÷1.1＝3,000万円」となるので、それを合算すると、「9,000万円」となります。
❷「基本の式」で計算します。
➡ **9,000万円×3％＋6万円＝276万円**
❸　**課税事業者**Aが受領する報酬の限度額は「276万円×1.1＝303万6,000円」、また、**免税事業者**Cの限度額は「276万円×1.04＝287万400円」となります。

注意
宅地は非課税の価格、**建物**は**課税**された価格です。

第11章 業務上の諸規制

重要ランク S

標識の設置義務や事実不告知の禁止など、宅建業者の仕事にはたくさんのルールがあるんだ。

1 事実不告知等の禁止

H27.28.30.6

⚠注意
故意がなければ違反にはなりません。

宅建業者は、契約締結の勧誘に際し、または申込みの撤回・解除、もしくは債権の行使を妨げるため、次の①～④に該当する事項について、**故意**に事実を告げず、または不実のことを告げる行為をしてはなりません。

① **35条書面の記載事項**
② **供託所等に関する説明事項**
③ **37条書面の記載事項**
④ **上記①～③のほか、次の事項に関し、宅建業者の相手方等の判断に重要な影響を及ぼすもの**

- 宅地・建物の所在、規模、形質、現在もしくは将来の利用の制限、環境、交通等の利便、代金、借賃等対価の額、支払方法、その他の取引条件
- 当該宅建業者、もしくは取引関係者の資力、信用に関する事項

罰則
この規定に違反した場合は、2年以下の懲役、300万円以下の罰金またはこれが併科されます。

要点整理 事実不告知等の禁止

業務に関する一定の重要な事項について、故意に事実を告げず、または不実のことを告げてはならない。

❷ 威迫行為等の禁止

H26.28～R2⑿.3⑽.5.6

威迫とは、威嚇したり脅迫したりすることです。信頼産業を目指す宅建業者にとって当然に禁止される事柄ですが、あえて具体的に、次のような**禁止事項**が規定されています。

⚠注意
威迫行為等の禁止の規定に違反した場合、監督処分の対象となりますが、罰則の規定はありません。

① 契約締結の勧誘に際し、相手方等に対して利益を生ずることが確実であると誤解させるような**断定的判断**を提供する行為

② 契約を締結させ、または申込みの撤回もしくは解除を妨げるため、相手方等を**威迫**する行為

③ その他上記①②に類する次の行為

ア 契約締結の勧誘に際し、

- 目的物である宅地または建物の**将来の環境または交通その他の利便**について誤解させるような**断定的判断**を提供すること
- 正当な理由なく、当該契約を締結するかどうかを判断するために必要な時間を与えることを拒むこと
- 勧誘に先立って宅建業者の商号または名称、勧誘を行う者の氏名、勧誘をする目的である旨を告げずに、勧誘を行うこと
- 相手方が契約を締結しない旨の意思（勧誘を引き続き受けることを希望しない旨の意思を含む）を表示したにもかかわらず、**勧誘を継続**すること
- 迷惑を覚えさせるような時間の電話または訪問による勧誘
- 深夜または長時間の勧誘その他の私生活または業務の平穏を害するような方法により、その者を困惑させること

イ 相手方等が**契約の申込みの撤回**を行うに際し、既に受領した**預り金**を**返還**することを**拒む**こと

ウ 相手方等が手付を放棄して契約の解除を行うに際し、正当な理由なく当該**契約の解除**を**拒み**、または**妨げる**こと

❸ 守秘義務

R元.2(12).3(10).4

宅建業者、またはその**使用人その他の従業者**は、正当な事由がある場合を除いて、業務上知り得た**秘密**を他に**漏らしてはなりません**。これは宅建業者やその使用人その他の従業者でなくなった後も**同様**です。

なお、守秘義務が免除される「**正当な事由**がある場合」とは、例えば、**裁判の証人**となる場合や、**本人の承諾**を得た場合などです。

罰則

この規定に違反した場合は、50万円以下の罰金に処せられます。

ただし、守秘義務違反は、親告罪（事実が公になると被害者に不利益が生じるおそれのある犯罪や、比較的軽微な犯罪等）なので、被害者等からの告訴がない限り、公訴（裁判）を提起することができないんだ。

要点整理　守秘義務

宅建業者、使用人その他の従業者は、業務上知り得た秘密を漏らしてはならない。	注意 ●業務に就かなくなった後も規制される ●正当事由（本人の許諾等）があれば免除される

悪質勧誘は
やめましょう。

4 不当な履行遅延の禁止

H26

宅建業者は、その業務に関して行うべき宅地・建物の**登記・引渡し・対価の支払**を不当に遅延する行為をしてはなりません。

罰則

この規定に違反した場合、6ヵ月以下の懲役、100万円以下の罰金またはこれが併科されます。

注意
禁止の対象は「登記・引渡し・対価の支払」の3つに限られます。

⑤ 信用の供与による契約締結誘引の禁止

H26～30.R2⑿.3⑽.5

⚠注意
本規定は誘引行為それ自体を禁止しているため、誘引があれば契約を締結しなくても違反となります。

宅建業者は、**手付**について、相手方に貸し付けるなど**信用を供与**して、**契約の締結を誘引**することが**禁止**されています。

軽はずみな契約の締結を防止するとともに、相手方の手付解除を事実上制約してしまうことを避けるためだよ。

罰則
この規定に違反した場合、6ヵ月以下の懲役、100万円以下の罰金またはこれが併科されます。

「信用の供与」として禁止される行為の「具体例」を挙げてみるね。

- 手付の貸付け・立替え・分割払や後払の承認
- 手付を約束手形で受領すること
- 買主である依頼者が、宅建業者でない売主に対して手付の支払の予約をする場合に、その媒介を行った宅建業者が、依頼者の当該債務の保証をすること

⚠注意
次の行為は、禁止されないよ。そもそも、手付について「信用の供与」にあたらないからだね。

- 売買代金や手付の額を減額すること
- 手付に関する金銭の貸借のあっせんをすること

要点整理　信用供与による契約誘引の禁止

手付について、貸付け、その他信用供与により契約の締結を誘引してはならない。

禁止される行為	手付の貸付け・立替え・分割・後払
禁止されない行為	売買代金・手付の額の減額や、手付に関する金銭の貸借のあっせん

6 従業者の教育

H27.R4

宅建業者は、その従業者に対し、その業務を適正に実施させるため、**必要な教育**を行うよう努めなければなりません。

7 従業者に証明書を携帯させる義務

H25.28.29.R元.2(10).4.5

宅建業者は、従業者に、**従業者証明書を携帯**させなければ、その者を業務に従事させてはなりません。

また、従業者は、**取引の関係者から請求**があったときは、**証明書を提示**しなければなりません。

記章・バッジ等をもって従業者証明書に代えることはできないよ。それと、従業者である宅建士は、宅建士証とあわせて、従業者証明書を携帯しなければならないんだ。

従業者証明書の提示を求められたときに宅建士証を提示しても、従業者証明書の提示義務を果たしたことにならないからなんだよ。

罰則

従業者が証明書を携帯しないで業務に従事していた場合、雇用者である宅建業者が50万円以下の罰金に処せられます。

注意

宅建業者の代表取締役であっても、パート・アルバイトなど臨時的に業務に従事する者であっても、従業者証明書を携帯しなければなりません。

要点整理　従業者証明書の携帯義務

- 従業者に従業者証明書を携帯させなければ業務に従事させてはならず、従業者は取引の関係者から請求があれば、従業者証明書を提示しなければならない。
- 宅建士証とは別に、従業者証明書の携帯が必要。

8 従業者名簿の備付け

H26.28.29.R2⑽.3⑽.5

宅建業者は、その**事務所ごとに従業者名簿**を備え、次の❶～❻の事項を記載しなければならず、**取引の関係者から請求**があったときは、この名簿を**閲覧**に供しなければなりません。また、名簿は、**最終の記載をした日から10年間保存**しなければなりません。

⚠注意
名簿の記載事項❶について、従業者の「住所」は記載事項ではありません。

[名簿の記載事項]
❶ 従業者の氏名
❷ 主たる職務内容
❸ 宅建士であるか否かの別
❹ 当該事務所の従業者となった年月日
❺ 当該事務所の従業者でなくなったときは、その年月日
❻ 従業者証明書の番号

宅建業者の従業者であることを明確にすることによって、依頼者その他取引の関係者の保護を図ろうとする趣旨なんだ。

名簿・帳簿・報酬額・標識……それと専任の宅建士のボク。

これで、必殺“5点セット”が完成さ!!

⑨ 帳簿の備付け

H25.28.29.R元.2⑿.3⑽.5

宅建業者は、その**事務所ごと**に**業務に関する帳簿**を備え、宅建業に関して取引のあったつど、次の❶〜❽の事項を記載しなければなりません。

[帳簿の記載事項]
❶　取引の年月日
❷　物件の所在・面積・概況（宅地の地目や建物の用途等）
❸　取引態様（当事者・代理・媒介）の別
❹　相手方または依頼者、代理人等の氏名・住所
❺　取引に関与した他の宅建業者の商号または名称
❻　売買金額、交換物件の品目及び交換差金、賃料
❼　報酬の額
❽　その他取引に関する特約その他参考となる事項

宅建業者は、この帳簿を各**事業年度の末日をもって閉鎖**し、**閉鎖後５年間保存**しなければなりません。

なお、「宅建業者が**自ら売主**となる**新築住宅**に関する帳簿」については、**閉鎖後10年間**の**保存義務**があります。

要点整理　名簿と帳簿の保存期間・閲覧義務

従業者名簿	最終の記載日から10年間保存	閲覧義務あり
帳　　簿	事業年度末日で閉鎖後５年間保存＊	閲覧義務なし

＊：自ら売主となる新築住宅については10年間保存

プラスα
保存する名簿・帳簿の形式は、例えばコンピュータによる一定のデータファイル・磁気ディスク等の電子媒体でもかまいません。

注意
帳簿は、従業者名簿と異なり、閲覧に供する義務はありません。

罰則
従業者名簿・帳簿のどちらも、備付け義務に違反したときは、50万円以下の罰金に処せられます。

プラスα
従業者名簿は「ジュー」年間と覚えれば、帳簿の「５年間」と混同しません！

⑩ 標識の掲示

H25～28.R元.3(10)

1　標識を掲示する場所

宅建業者は、次の場所には、その場所ごとに、公衆の見やすい場所に、自己の**標識**を掲示しなければなりません。

① **事務所**

② **案内所等**

- 継続的に業務を行うことができる施設を有する場所で事務所以外のもの
- 一団の宅地・建物の分譲を案内所を設置して行う場合、その案内所
- 他の宅建業者が行う一団の宅地・建物の分譲の代理・媒介を案内所を設置して行う場合、その案内所
- 宅建業者が業務に関し展示会その他これに類する催しを実施する場合、これらの催しを実施する場所（展示会場）

③ **宅建業者が一団の宅地・建物の分譲をする場合、当該宅地・建物の所在する場所（現地）**

なお、「宅地・建物の所在する場所（現地）」では、分譲業者（売主業者）が標識の掲示義務を負います。

> 宅建業者が業務を行うため設けた場所であれば、事務所はもちろんのこと、案内のみを行うテント張りの案内所や物件の所在地にも標識を掲示しなければならないんだけれど、その場所を「設置した宅建業者」が掲示義務を負う、という点には注意してね。

注意
契約の締結または申込みの有無に関係なく、掲示が必要です。

罰則
本規定に違反した場合は、50万円以下の罰金に処せられます。

プラスα
複数の宅建業者が共同で展示会等を開催する場合、**すべての業者**が自己の標識を掲示しなければなりません。

2　標識の様式・記載事項

標識には、次の事項が記載されます。

① **免許証番号、免許の有効期間**

② **商号または名称、代表者の氏名、主たる事務所の所在地**

- **他業者の代理・媒介**を行う場合は、代理または媒介の別、及び**当該他業者**である売主の**商号**または**名称**

も記載しなければなりません。

●**クーリング・オフ**が適用される場所については、その旨も記載しなければなりません。

過去の出題例で「標識の掲示等」を考えてみよう。

Q　宅建業者A（甲県知事免許）が甲県に建築した1棟100戸建てのマンションを、宅建業者B（国土交通大臣免許）に販売代理を依頼し、Bが当該マンションの隣地（甲県内）に案内所を設置して契約を締結する場合、A及びBは、当該案内所、及びマンションの所在する場所について、宅建業法第50条第1項に規定する標識をそれぞれ掲示をしなければならない。

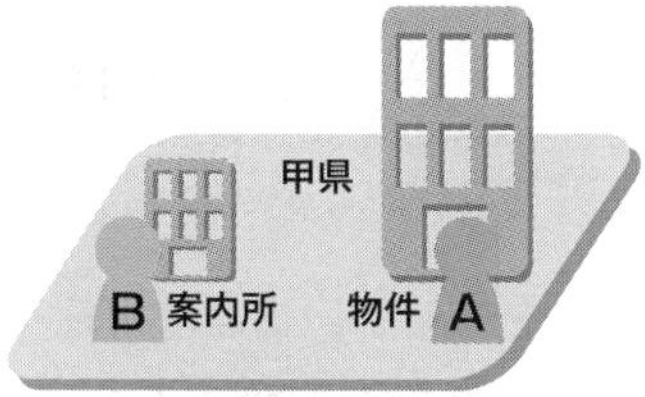

AがBにマンションの販売代理を委託して、Bが案内所を設置

A　案内所を設置したのはBだから、案内所に標識の掲示義務があるのはBだけなんだ。また、マンションの分譲業者（売主業者）はAだから、マンションの所在地に標識の掲示義務があるのはAだけなんだよ。　答:×

要点整理　標識の掲示義務

●事務所、その他一定の業務を行う場所ごとに、見やすい場所に**標識**を掲示しなければならない。

●**宅地・建物の所在する場所**にも掲示しなければならない。

[各種設置義務等の要否]　(○=必要、×=不要)

設置義務	事　務　所	案　内　所　等	
		契約・申込みを	
		する	しない
専任の宅建士の設置	○ (1／5以上)	○ (1人以上)	×
報酬額の掲示	○	×	×
従業者名簿の備付け	○	×	×
業務に関する帳簿の備付け	○	×	×
標識の掲示	○		

11 案内所等の届出

H26.27.29.R元.3(10).5.6

★プラスα
「契約を締結し、または申込みを受ける案内所」とは、「**専任の宅建士を1人以上置くべき案内所**」のことです。

罰則
本規定に違反した場合、50万円以下の罰金に処せられます。

1　届出事項

宅建業者は、契約を締結し、または申込みを受ける案内所等を設置する場合は、**業務を開始する10日前**までに、次の①～④の事項を、**免許権者と案内所の所在地を管轄する知事の両方**に届け出なければなりません。

①　所在地
②　業務内容
③　業務期間
④　専任の宅建士の氏名

2　届出手続

届出は、実際に案内所を設置した宅建業者がしなければならず、販売の代理等を依頼した宅建業者は、届出義務を負いません。

なお、宅建業者は、免許権者と案内所の所在地を**管轄する知事**に、**直接届出**をしなければなりませんが、**免許権者が国土交通大臣**の場合は、所在地を**管轄する知事**を「**経由して**」**届出**をする必要があります。

過去の出題例で「案内所等の届出」について考えてみよう。

Q　宅建業者A（甲県知事免許）が甲県に建築した1棟100戸建てのマンションを、宅建業者B（国土交通大臣免許）に販売代理を依頼し、Bが当該マンションの隣地（甲県内）に案内所を設置して契約を締結する場合、A及びBは、当該案内所について、業務開始の10日前までに宅建業法第50条第2項に規定する届出をしなければならない。

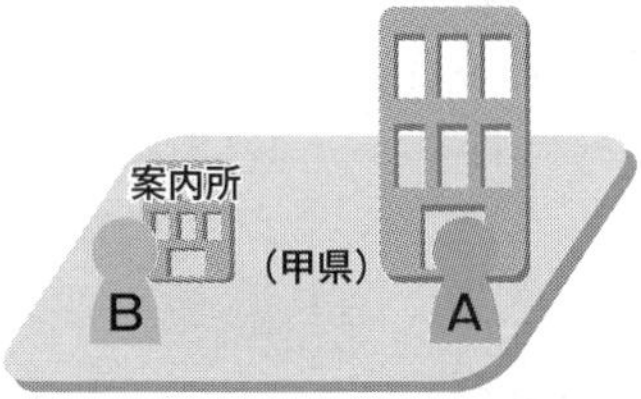

AがBにマンションの販売代理を委託して、Bが案内所を設置

A　この案内所は「契約を締結する場所＝専任の宅建士を設置すべき場所」だから、業務開始の10日前までに届出が必要だね。届出義務を負うのは案内所を設置した宅建業者だから、Aはその義務を負わず、Bだけが、免許権者である国土交通大臣と所在地の甲県知事の両方に届出をしなければならないんだよ。　答：×

要点整理　案内所等の届出義務

契約を締結し、または**申込みを受ける案内所等**（専任の宅建士の設置場所）を設置する場合、**業務開始の10日前**までに、**免許権者と案内所の管轄知事の双方**に届出をしなければならない。

第12章 監督・罰則等

重要ランク A

ルールを破った宅建業者にがっつり課される、数々のペナルティーを見てみよう！

1 監督処分の全体像（宅建業者・宅建士）

監督処分とは、業務停止処分や免許取消処分など、**免許権者等が行う行政処分**のことをいいます。

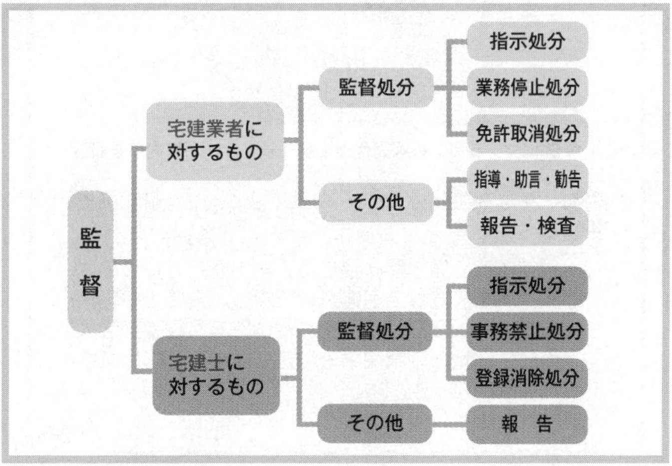

❷ 宅建業者に対する監督処分

宅建業者に対する監督処分には、「**1　指示処分**」「**2　業務停止処分**」「**3　免許取消処分**」の**3種類**があります。

1　指示処分

H25.26.27.29.30.R3(12)

指示処分とは、宅建業者に対して、違反行為を是正させる命令などをいいます。

①　指示処分ができる者

指示処分ができるのは、違反行為をした宅建業者の**免許権者**と、違反行為が行われた**場所を管轄する知事**の**双方**です。

例えば、青森県知事の免許を受けている宅建業者が、秋田県で違反行為をした場合は、青森県知事と秋田県知事の両方が**指示処分**をすることができるんだ。

②　指示処分の対象事由

指示処分の対象となる違反行為は、次の❶～❻です。

❶　宅建業法の規定に違反したとき
❷　業務に関し取引の関係者に損害を与えたとき、または損害を与えるおそれが大きいとき
❸　業務に関し取引の公正を害する行為をしたとき、または取引の公正を害するおそれが大きいとき
❹　業務に関し他の法令に違反し、宅建業者として不適当であると認められるとき
❺　宅建士が指示処分・事務禁止処分または登録消除処分を受けた場合において、宅建業者の責めに帰すべき理由があるとき
❻　住宅瑕疵担保履行法の保証金の供託等の規定に違反したとき

③　指示処分が行われた場合

> **注意**
> 指示処分に従わないことを理由に、宅建業者が懲役や罰金などの罰則を受けることはありません。

宅建業者に対して指示処分が行われた場合、指示処分の年月日と内容が、**宅建業者名簿に登載**されます。また、宅建業者が指示処分に従わない場合は、業務停止処分を受けることがあります。

なお、業務停止処分・免許取消処分の場合とは異なり、指示処分について**公告**されることは**ありません**。

要点整理　指示処分ができる者

処分権者	処分の対象者
免許権者 （国土交通大臣・都道府県知事）	免許を与えた宅建業者
管轄知事 （都道府県知事）	その知事の管轄区域内で業務を行うすべての宅建業者

2　業務停止処分

H26.27.28.29.R元.6

> **注意**
> 業務地を管轄する知事が、指示処分・業務停止処分を行ったときは、遅滞なく、処分の年月日・内容を、①大臣免許の業者の場合は国土交通大臣に対して報告し、②他の知事免許の業者の場合は当該他の知事に対して通知しなければなりません。

業務停止処分とは、宅建業者の業務の**全部または一部の停止**を命じるものです。

指示処分よりも重い処分なので、処分の対象となる違反行為が、ある程度限定されているんだ。

①　業務停止処分ができる者

業務停止処分ができるのは、指示処分の場合と同様に、**免許権者**と、違反行為が行われた**場所を管轄する知事**の**双方**です。

②　業務停止期間

1年以内の期間です。

③　業務停止処分の対象事由

業務停止処分の対象となる行為は、次の❶～❾です。

❶　指示処分に従わないとき

❷　宅建業法の規定に基づく国土交通大臣または知事の処分に違反したとき

❸　業務に関し他の法令に違反し、宅建業者として不適当であると認められるとき

❹　宅建業に関し不正または著しく不当な行為をしたとき

❺　宅建士が指示処分・事務禁止処分または登録消除処分を受けた場合で、宅建業者の責めに帰すべき理由があるとき

❻　次の規定に違反したとき

- 名義貸しの禁止
- 専任の宅建士の設置義務
- 誇大広告等の禁止
- 取引態様の明示義務
- 媒介契約書の交付義務
- 媒介契約において評価額の根拠の明示義務
- 重要事項の説明義務
- 契約締結時期の制限
- 37条書面の交付義務
- 自己の所有に属しない宅地・建物の売買契約締結の制限
- 手付金等の保全義務
- 所有権留保等の禁止
- 不当な履行遅延の禁止
- 守秘義務
- 不当に高額な報酬の要求、限度額を超える報酬の受領の禁止
- 事実不告知等の禁止

注意

業務停止処分の対象事由を詳細に覚える必要はありません。ただし、**❸の他の法令に違反したケース**と**❺の宅建士が処分されたケース**の2つについては、しっかり確認しておきましょう。

プラスα

国土交通大臣が国土交通大臣免許業者に対して、重要事項の説明義務や37条書面の交付義務違反等、消費者の利益保護に関わる業務規制に関する一定の規定に違反したことを理由として監督処分をしようとする場合、あらかじめ、内閣総理大臣と協議しなければなりません。
なお、**都道府県知事免許業者**の場合は、**このような規定はありません。**

●手付貸付けによる信用の供与の禁止
●威迫行為等の禁止
●従業者名簿の備付け義務、従業者証明書を携帯させる義務
●営業保証金を供託した旨の届出をしないで業務を行うことの禁止
●営業保証金の不足額の供託
●事務所新設時の分担金の納付義務（保証協会の社員の場合）
●還付充当金の納付義務（保証協会の社員の場合）
●弁済業務保証金分担金の納付義務（保証協会の社員の場合）
●保証協会の社員の地位を喪失した場合の営業保証金の供託義務

❼　営業に関し成年者と同一の行為能力を有しない未成年者の法定代理人（法人である場合は、役員も含む）が過去５年以内に宅建業に関し不正または著しく不当な行為をしたとき

❽　法人の役員または政令で定める使用人、または個人の政令で定める使用人が、過去５年以内に宅建業に関し不正または著しく不当な行為をしたとき

❾　住宅瑕疵担保履行法の保証金の不足額の供託の規定に違反したとき

プラスα
都道府県知事が公告をする場合は、公報のほかに、ウェブサイトへの掲載その他の適切な方法で行うことができます。
なお、国土交通大臣が公告する場合は、官報のみです。

④　業務停止処分が行われた場合

業務停止処分が行われた場合、**宅建業者名簿に、その処分をした年月日と処分の内容が登載**されます。

また、官報または公報によって、違反行為をした宅建業者が業務停止処分を受けた旨が**公告**されます。

⑤　違反した場合等の措置

前記③の**業務停止処分事由に該当**して**情状が特に重い**とき、または業務停止処分に違反した場合、宅建業者は免許取消処分を受けます。

罰則

業務停止処分に違反した場合は、3年以下の懲役または300万円以下の罰金もしくはこれを併科されます。

要点整理　業務停止処分ができる者

処分権者	処分の対象者
免許権者 （国土交通大臣・都道府県知事）	免許を与えた宅建業者
管轄知事 （都道府県知事）	その知事の管轄区域内で 業務を行うすべての宅建業者

3　免許取消処分

H26.27.29.R元.2(12).3(12).5.6

免許取消処分とは、宅建業者から宅建業の免許を剥奪（はくだつ）する処分で、監督処分の中では**最も重い**ものです。

免許取消処分には、一定の事由に該当した場合は、必ず免許が取り消されることになる**必要的取消処分**と、必ずしも取り消されるとは限らない**任意的取消処分**があります。

①　免許取消処分ができる者

免許取消処分ができる者は、**免許権者のみ**です。**免許権者以外**の者は、免許取消処分をすることはできません。

免許取消処分ができる者 ＝ 免許権者のみ

② 必要的免許取消処分の対象事由

宅建業者が以下の事由に該当する場合、**免許権者**は、その者の免許を、**必ず**取り消さなければなりません。

❶ 破産手続開始の決定を受けて復権を得ない者となった場合
❷ 禁錮以上の刑に処せられた場合
❸ 宅建業法違反・傷害罪・背任罪等で罰金刑に処せられた場合
❹ 暴力団員等となった場合
❺ 心身の故障により宅建業を適正に営むことができない者として国土交通省令で定める者（＝精神の機能の障害により宅建業を適正に営むにあたって必要な認知、判断、意思疎通を適切に行うことができない者）となった場合
❻ 暴力団員等がその事業活動を支配する者となった場合
❼ 営業に関し成年者と同一の行為能力を有しない未成年者の法定代理人（法人である場合は、役員も含む）、法人の役員または政令で定める使用人、個人の政令で定める使用人が、上記❶～❺または次のどちらかに該当している場合
- 免許の不正取得、業務停止処分事由に該当し情状が特に重い、業務停止処分に違反、のどれかによって免許取消処分を受けてから５年が経過していない（法人の場合、聴聞の公示日前60日以内に役員だった者も含む）
- 上記の聴聞の公示日から処分決定日までに相当の理由がなく廃業の届出をし、その届出から５年が経過していない（法人の場合、聴聞の公示日前60日以内に役員だった者も含む）

❽ 免許換えの手続を怠った場合
❾ 免許を受けてから１年以内に事業を開始せず、または引き続き１年以上事業を休止した場合
❿ 廃業等の届出がなく、破産・合併・破産手続開始の決定以外の理由による解散・廃業の事実が判明した場合
⓫ 不正手段によって免許を受けた場合

注意
「❷～❹、⓫～⓭」については再び免許を受けることは５年間できません。

注意
❾：１年以内に事業を開始しなかったことにつき、たとえ相当の理由があっても、免許は必ず取り消されます。

⑫　業務停止処分事由に該当し、情状が特に重い場合
⑬　業務停止処分に違反して業務を行った場合

③　任意的免許取消処分の対象事由

宅建業者が次の❶～❸の事由に該当する場合、免許権者は、その者の免許を取り消すことができます。

❶　免許に付された条件に違反したとき
❷　免許権者が宅建業者の事務所の所在地、または宅建業者の所在を確知できないときに、官報または公報でその旨を公告し、その公告の日から30日経過しても当該宅建業者から申出がない場合
❸　宅建業者が営業保証金を供託済みである旨の届出をしない場合

④　免許取消処分が行われた場合

宅建業者が免許取消処分を受けた旨は、官報または公報によって、**公告**されます。

要点整理　宅建業者に対する監督処分と処分権者

（○＝処分できる、×＝処分できない）

処分権者	国土交通大臣	甲県知事	
対象／処分	国土交通大臣免許業者	甲県知事免許業者	甲県内で業務を営む他の知事または国土交通大臣免許業者
指示処分	○	○	○
業務停止処分	○	○	○
免許取消処分	○	○	×

❸ 宅建士に対する監督処分

宅建士に対する監督処分には、「**1　指示処分**」「**2　事務禁止処分**」「**3　登録消除処分**」の３種類があります。

1　指示処分

H25.R5.6

指示処分とは、違反行為をした宅建士に対し、その業務の是正や改善を命ずる処分をいいます。

①　指示処分ができる者

指示処分ができるのは、違反行為をした宅建士が**登録をしている知事と、違反行為が行われた場所を管轄する知事**の**双方**です。

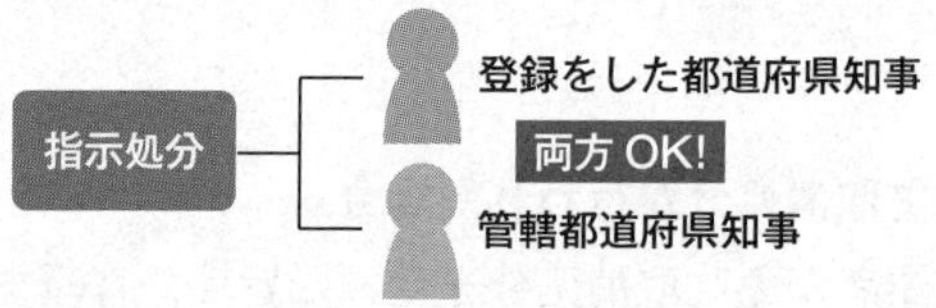

②　指示処分の対象事由

指示処分の対象となる違反行為は、次の❶～❸の３つです。

❶　自己が専任の宅建士として従事している事務所以外の事務所の専任の宅建士である旨の表示を許し、宅建業者がその旨を表示したとき

❷　他人に自己の名義の使用を許し、その他人がその名義を使用して宅建士である旨を表示したとき

❸　宅建士として行う事務に関し、不正または著しく不当な行為をしたとき

プラスα
❶は、いわゆる「専任貸し」、❷は「名義貸し」、❸は「35条と37条に関する宅建士の事務について行った不正行為」です。

③　指示処分が行われた場合

宅建士が指示処分を受けた場合は、その旨が、**宅建士資格登録簿に記載**されます。

2　事務禁止処分

H25.30.R6

事務禁止処分とは、重要事項の説明など、宅建士が「宅建士としてすべき事務」を行うことを禁止する処分です。

①　事務禁止処分を行うことができる者

指示処分と同様、**登録をした知事と違反行為が行われた場所を管轄する知事**の**双方**です。

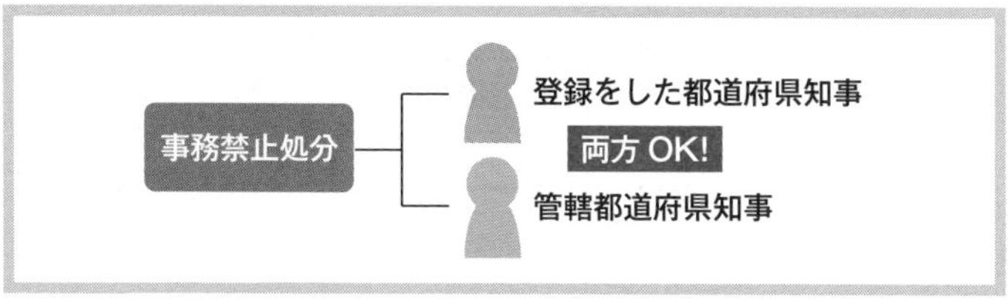

②　事務禁止期間

1年以内の期間です。

③　事務禁止処分の対象事由

事務禁止処分の対象となる違反行為は、次の❶～❸（前出「**1　② 指示処分の対象事由**」と共通）に該当する場合に加えて、「❹指示処分に従わなかったとき」の4つです。

❶　自己が専任の宅建士として従事している事務所以外の事務所の専任の宅建士である旨の表示を許し、宅建業者がその旨を表示したとき

❷　他人に自己の名義の使用を許し、その他人がその名義を使用して宅建士である旨を表示したとき

❸　宅建士として行う事務に関し、不正または著しく不当な行為をしたとき

❹　指示処分に従わなかったとき

⚠注 意
宅建士証は、処分を受けた知事ではなく、交付を受けた知事に提出します。

用語解説
宅建士資格者：
登録は受けているが、宅建士証の交付を受けていない者のこと。

④　事務禁止処分が行われた場合

事務禁止処分が行われた場合、処分の内容とその年月日が、**資格登録簿に記載**されます。

事務禁止処分を受けた宅建士は、速やかに、**宅建士証**を、その**交付を受けた知事に提出**しなければなりません。

宅建士「資格者」に対して、指示処分・事務禁止処分が行われることはないんだ。
宅建士証の交付を受けていない者は、そもそも「宅建士」ではないため、宅建士として行う事務を行えないからだよ。

3　登録消除処分

H25.30.R2(12).3(10).5

宅建士の登録を抹消する処分です。この処分は、宅建士だけでなく、**宅建士資格者に対しても同様**に行われます。

①　登録消除処分ができる者

登録消除処分ができるのは、**登録した知事**です。登録した知事以外の者は、登録消除処分はできません。

登録消除処分ができる者　＝　**登録した都道府県知事のみ**

②　宅建士に対する登録消除処分事由

宅建士が次の❶～❺の事由に該当する場合、登録をした知事は、その登録を**必ず消除**しなければなりません。

❶　次の登録の欠格要件に該当する場合
- 営業に関し成年者と同一の行為能力を有しない未成年者となった場合
- 破産手続開始の決定を受けて復権を得ない者となった場合
- 禁錮以上の刑に処せられた場合

- 暴力団員等となった場合
- 宅建業法違反、傷害罪、背任罪等で罰金以上の刑に処せられた場合
- 免許の不正取得、業務停止処分事由に該当し情状が特に重い、業務停止処分に違反のどれかにより免許取消処分を受けて５年経過していない（法人の場合、聴聞の公示日前60日以内の役員も含む）
- 上記の聴聞の公示日から処分決定日までに相当の理由なく廃業の届出をし、届出から５年経過していない（法人の聴聞公示日前60日以内の役員も含む）
- 心身の故障により宅建士の事務を適正に行うことができない者として国土交通省令で定める者（＝精神の機能の障害により宅建士の事務を適正に行うにあたって必要な認知、判断、意思疎通を適切に行うことができない者）となった場合

❷　不正手段により登録を受けた場合

❸　不正手段により宅建士証の交付を受けた場合

❹　事務禁止処分事由に該当し、情状が特に重い場合

❺　事務禁止処分に違反し、事務を行った場合

③　宅建士「資格者」に対する登録消除処分事由

宅建士資格者が、次の事由に該当する場合、登録をした知事は、登録を**消除**しなければなりません。

- 前記「②❶」の各「登録の欠格要件」に該当する場合
- 不正手段により登録を受けた場合
- 宅建士としての事務を行い、情状が特に重い場合

④　**登録消除処分が行われた場合**

登録を消除された宅建士は、速やかに、**宅建士証**を、その**交付を受けた知事に返納**しなければなりません。

要点整理　宅建士に対する監督処分と処分権者

（○＝処分できる、×＝処分できない）

処分権者	国土交通大臣	甲県知事	
対象 ／ 処分の種類	—	甲県知事登録の宅建士	甲県内で事務を行う他の知事の登録を受けた宅建士
指示処分	×	○	○
事務禁止処分	×	○	○
登録消除処分	×	○	×

注意
宅建士に対する監督処分については、**宅建業者**に対する監督処分である「業務停止処分・免許取消処分」と**異なり**、「公告」の制度はありません。

4　聴　聞

R元.6

聴聞とは、免許権者等が監督処分を行うに際して、相手方に意見を述べさせたり、証拠書類等を提出させたりする機会を与える事前手続です。

プラスα
聴聞は、指定された期日に出頭して行いますが、あらかじめ陳述書（ちんじゅつしょ）及び証拠書類等を提出しておくこともできます。

1　聴聞が必要とされる処分

①　**原則**

宅建業者に対する指示処分、業務停止処分、免許取消処分、及び宅建士等に対する指示処分、事務禁止処分、登録消除処分のすべてについて、**原則として聴聞が必要**です。

②　**例外**

次の2つを理由とする免許取消しについては、聴聞の手続が不要です。

❶　宅建業者の事務所の所在地を確知できないとき
❷　宅建業者の所在（法人の場合は、役員の所在）を確知できないとき

2　聴聞の手続

①　公開による聴聞

聴聞の審理は、原則として、**公開**により行わなければなりません。

②　聴聞の期日及び場所の通知と公示

免許権者等が聴聞を行うときは、その1週間前までに、本人に対し、次の❶～❹の4項目を、**書面により通知**しなければなりません。

❶　予定される不利益処分の内容及び根拠となる法令の条項
❷　不利益処分の原因となる事実
❸　聴聞の期日及び場所
❹　聴聞に関する事務をつかさどる組織の名称及び所在地

また、聴聞の期日及び場所については、公示しなければなりません。

なお、本人が、聴聞の期日に正当な理由なく出頭しないときには、意見の陳述や証拠書類等の提出の機会を与えられることなく、聴聞が終結される場合があります。

5　指導・検査等

H27.29.30.R元.5

宅建業の適正な運営の確保や、宅建業の健全な発達を図るため、国土交通大臣及び知事の調査権等が認められています。

1　指導・助言・勧告

国土交通大臣は、すべての宅建業者に、知事は、その管轄区域内で宅建業を営む宅建業者に対して、指導・助言・勧告を行うことができます。

2　宅建業者に対する報告の要求・検査

国土交通大臣は、宅建業を営むすべての宅建業者に対して、**知事**は、**その管轄区域内で宅建業を営むすべての宅建業者**に対して、報告を求め、または帳簿、書類その他業務に関係のある物件について、立入検査を行うことができます。

> **罰則**
> この報告をせず、または虚偽の報告をし、あるいは検査を拒む等した宅建業者に対しては、罰則（50 万円以下の罰金）が科されます。

3　宅建士に対する報告の要求

国土交通大臣は、すべての宅建士に対して、**知事**は、**登録をした宅建士**及び**その管轄区域内で事務を行う宅建士**に対し、その事務について報告を求めることができます。

> **罰則**
> この報告をせず、または虚偽の報告等をした宅建士に対しては、罰則（50 万円以下の罰金）が科されます。

6 罰　則

H25.R2(12).3(10)(12).4

宅建業者等が、次のような違反事由に該当する場合、前出の**監督処分とは別**に、次のような**罰則**が科せられます。

本試験では、罰則の具体的な数字を覚えていなくても罰則の有無を知っていれば解ける問題が多いから、数字を丸暗記する必要はないよ！

[主な罰則一覧]

罰　　則	違　反　事　由
3年以下の懲役 もしくは300万円以下の 罰金またはこれの併科	❶ 不正手段で免許取得 ❷ 無免許営業 ❸ 名義貸しで営業をさせた ❹ 業務停止命令に違反して営業した
2年以下の懲役 もしくは300万円以下の 罰金またはこれの併科	事実不告知等**の禁止**に違反
1年以下の懲役 もしくは100万円以下の 罰金またはこれの併科	不当に高額の報酬を要求した
6か月以下の懲役 もしくは100万円以下の 罰金またはこれの併科	❶ 営業保証金の供託済届出前の営業開始 ❷ 誇大広告等**の禁止**に違反 ❸ 不当な履行遅延の禁止に違反 ❹ 手付貸与等の禁止に違反
100万円以下の罰金	❶ 免許申請書類に虚偽記載をした ❷ 無免許の者が表示または広告をした ❸ 名義貸しで表示または広告をさせた ❹ 法定数の専任の宅建士の補充措置を怠った ❺ 限度額を超えて報酬を受領した
50万円以下の罰金	❶ **業者名簿の**変更届出義務に違反 ❷ 案内所等の届出義務に違反 ❸ 信託会社等が届出義務に違反 ❹ 37条書面の交付義務に違反 ❺ 報酬額の掲示**義務**に違反 ❻ 従業者証明書を携帯させる義務に違反 ❼ 標識の掲示**義務**に違反 ❽ 守秘義務に違反（親告罪） ❾ 従業者名簿**の設置・記載義務**に違反 ❿ 帳簿**の設置・記載義務**に違反
10万円以下の過料	❶ 宅建士証の返納・提出義務に違反 ❷ 重要事項説明時の宅建士証の提示義務に違反

① **法人の代表者**・法人等の**代理人・従業者等**が一定の違反行為をしたときは、本人に罰則が科せられるほか、**法人等にも同様**に罰金刑が科せられます（**両罰規定**）。

② 違反行為が、事実の不告知または不正の手段による免許の取得等に関するような重大なものであるときは、その法人に**1億円以下の罰金刑**が科せられます。

第13章 住宅瑕疵担保履行法

重要ランク S

新築住宅を販売した宅建業者が負う「10年間の責任」を確実に履行させるためのルールだよ。

1 制度の趣旨

用語解説
瑕疵：
種類または品質に関して契約の内容に適合しない状態のこと。

売主である宅建業者は、住宅の品質確保の促進等に関する法律（**住宅品質確保法**）に基づき、**分譲**した**新築住宅**の**主要構造部分等の瑕疵**について、10年間の瑕疵担保責任を負っています。

この「10年責任」を"絵に描いた餅"とすることがないように、この法律（**住宅瑕疵担保履行法**）によって、宅建業者等に対して、瑕疵担保責任を履行するための**資力確保の措置**が義務づけられています。

2 用語の定義

H29.30.R2⑿.5

注意
人の居住の用以外の用に供する家屋の部分との共用に供する部分を含みます。

1 「住宅」

住宅とは、**人の居住の用に供する家屋**または**家屋の部分**をいいます。

したがって、店舗併用住宅のような場合も、居住部分にあわせて、店舗と共用する部分も、住宅として扱われます。

2 「新築住宅」

新築住宅とは、**新たに建設**された住宅で、**人の居住の用に供したことがなく**、建設工事の完了の日から起算して**1年を経過しない**ものをいいます。

3 「特定住宅瑕疵担保責任」

特定住宅瑕疵担保責任とは、**新築住宅の売主**が買主に対して、**引渡し**の時から**10年間**負う責任のことです。

この「責任」とは、**住宅の構造耐力上主要な部分**、または**雨水の浸入のおそれのある部分**の**瑕疵**について、**追完請求**（目的物の修補などの請求）・**代金減額請求**・**損害賠償請求**・**契約解除**に応じることです。

プラスα
この瑕疵担保責任の規定に反する特約で、買主に不利となるものは無効となります。また、担保責任の存続期間である「10年」は、特約で、20年まで延長することができます。

3 履行確保等の措置

H25.26.27.30～R6

宅建業者は、**自ら売主**となって**宅建業者でない買主**との間で**新築住宅の売買契約**を締結する場合、**特定住宅瑕疵担保責任の履行を確保するための措置**を講じることが義務づけられています。

そして、「履行確保の措置」には、次のように、「**1 保証金の供託**」と「**2 保険契約の締結**」（保険加入）の２種類の方法があり、**どちらかを選択**することができるとともに、例えば、一部に関しては保証金を供託し、残りの戸数に関しては保険加入とする、というように、**両者を併用**することも**可能**です。

注意
買主が宅建業者であるときは、履行確保等の措置は不要です。

1 保証金の供託

① 宅建業者は、毎年、**基準日（3月31日）**から**3週間**を経過する日までの間において、その基準日の前10年間に、自ら売主となる売買契約に基づいて買主に引き渡した新築住宅の戸数に応じた額の保証金（**住宅販売瑕疵担保保証金**）を、当該宅建業者の**主たる事務所**の**最寄りの供託所**に**供託**しなければなりません。

この場合の、販売新築住宅の合計戸数の算定にあたっては、販売新築住宅のうち、その床面積の合計が**55㎡以下**のものは、**2戸をもって1戸**とします。

プラスα
供託金の額は、過去10年間の販売戸数に基づき一定の計算式で求められますが、１戸のみの場合で2,000万円、100戸であれば1億円と、いずれにしても高額になります。それに対して、保険契約の場合は、1戸当たり、おおむね7～9万円程度となっています。

② 損害を受けた消費者は、宅建業者による特定住宅瑕疵担保責任に基づく損害賠償等の履行がされない場合、次のような一定の手続を経て、保証金に対して還付請求をすることができます。

[保証金の供託から消費者への還付までの流れ]

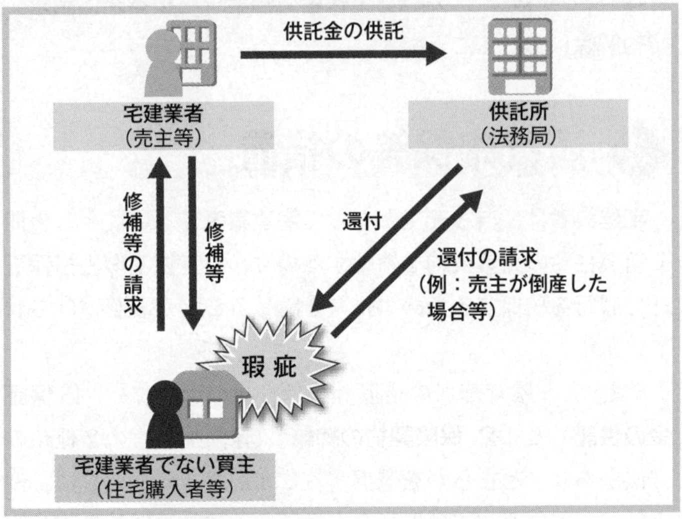

本来、瑕疵担保責任の履行としての損害賠償は、宅建業者と宅地・建物の取引をしたことによって生じた債権だから、営業保証金の還付請求の対象となるんだ。

だけど、欠陥住宅の瑕疵担保責任にかかる賠償金は、それでも賄えないほどの高額になるケースが多いため、営業保証金制度とは別個に、このような措置が定められたんだよ。

2　保険契約の締結

宅建業者は、売主としての責任の下に、消費者に対する瑕疵担保責任の履行に備えて、住宅瑕疵担保責任保険法人と一定の保険契約（**住宅販売瑕疵担保責任保険契約**）を締結することができます。

① この保険契約によって、消費者に対して瑕疵担保責任の履行を行った**宅建業者**は、その損失を「**保険金**」として受領することができます。

② 万一、宅建業者が倒産して責任を履行することが不可能となった場合などには、**直接**、消費者が、その**保険金の交付**を受けることができます。

［保険契約の締結から消費者が保険金を受領するまでの流れ］

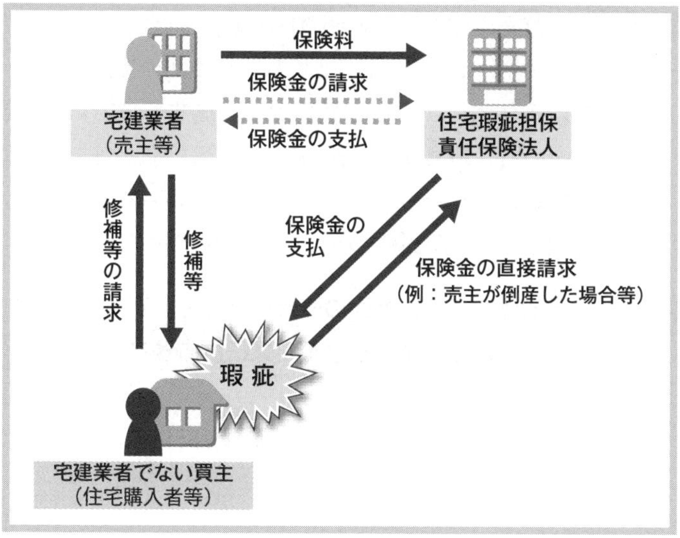

プラスα
この保険契約に係る住宅戸数は、住宅販売瑕疵担保保証金の算定戸数から除かれます。

プラスα
この保険契約は、次のような一定の要件に適合しなければなりません。
①宅建業者が保険料を支払うことを約するものであること
②新築住宅の買主がその新築住宅の売主である宅建業者から**引渡しを受けた時から10年以上の期間**にわたって有効であること　等

4 履行確保等の措置を行った旨の届出 H25.26～R2⑽.3⑿.6

① 宅建業者は、基準日から**3週間以内**に、保証金の供託及び保険契約の締結の状況について、**免許を受けた国土交通大臣**または**都道府県知事**に**届け出**なければなりません。

② この届出を怠った場合、宅建業者は、基準日の翌日から起算して**50日**を経過した日以後において、**新たに**、自ら売主となる**新築住宅の売買契約を締結**することが**禁止**されます。

5 供託所の所在地等に関する説明 H25～29.R元.5

① 住宅販売瑕疵担保保証金の供託を行った宅建業者（供託宅建業者）は、自ら売主となる新築住宅の買主に対し、その新築住宅にかかる**売買契約を締結するまで**の間に、供託所の所在地及びその他当該保証金に関して国土交通省令で定められた事項について、それらの事項を記載した**書面を交付して説明**しなければなりません。

② 供託宅建業者は、**書面の交付に代えて**、買主の**承諾**を得て、書面に記載すべき事項を**電磁的方法**により**提供**することができます。

この場合、供託宅建業者は、**書面を交付**したものとみなされます。

6 他の制度との関係

売主の担保責任（「目的物の種類・品質に関する契約不適合責任」または「瑕疵担保責任」）に関する、**民法**の一般原則・**宅建業法**の**8種制限**・**住宅品質確保法**・**住宅瑕疵担保履行法**の関係は、次のとおりです。

[民法・宅建業法]

	民法の一般原則	宅建業法 （「自ら売主」8種制限） 売主：宅建業者 買主：宅建業者でない者
責任の内容	●追完請求 ●損害賠償請求	●代金減額請求 ●契約解除
通知期間	不適合を知った時から 1年以内	「引渡しの日から2年以上」とする特約は有効
特約の扱い	（買主に不利でも）有効	買主に不利な特約は無効
資力の確保	不要	―― （2つの「**保証金制度**」あり）

[住宅品質確保法との関係]

住宅品質確保法に基づき、**新築住宅**の**売主**である宅建業者は、「構造耐力上の主要な部分」または「雨水の浸入を防止する部分」について、**宅建業者でない買主**に引き渡した時から**10年間**、買主に対して、「**特定住宅瑕疵担保責任**」という責任を負います。

	住宅品質確保法 （特定住宅瑕疵担保責任）	住宅瑕疵担保履行法 売主：宅建業者、買主：宅建業者でない者
責任の内容	●追完請求 ●代金減額請求 ●損害賠償請求 ●契約解除	左記「特定住宅瑕疵担保責任」の**履行確保**を図る
責任の期間	引渡しの時から10年間 （特約で20年まで延長可能）	
特約の扱い	買主に**不利**な特約は**無効**	
資力の確保	（制度なし）	**必要**（供託または保険）

住宅品質確保法は、**重大な欠陥**について**10年間**の責任を**強制的に適用**しているんだけど、住宅瑕疵担保履行法は、それに重ねて、責任の**実質的な履行を確保**するために定められているんだね。

第３編

法令上の制限

法令上の制限は、“その道ならではの専門知識” を求められる、最もプロフェッショナルな科目です。
国土利用計画法や農地法の手続を経て土地を買い、都市計画法などの手続を経て宅地を造成し、そして、建築基準法などの手続を経て建物を建築する、といった各場面で、“プロ” としての知識が必要とされるのです。

ここでの学習で、“専門家” を目指しましょう！

第３編　法令上の制限

❶ 本試験の傾向分析と対策

■12年間（H25 ～ R6・計14回）の出題実績

平成25年度～令和６年度・12年間の本試験の出題内容を、本編に沿って分類すると、次のようになります。

なお、複合問題など、分類するうえで判断が分かれるような出題については、関連性や重要性がより高いものの中に含めています。

（★ の数は出題数です）

章 ＼ 出題年度	H25	H26	H27	H28	H29	H30	R元	R２(10月)	R２(12月)	R３(10月)	R３(12月)	R４	R５	R６
1　都市計画法①（都市計画）	★	★	★	★	★	★	★	★	★	★	★	★	★	★
2　都市計画法②（開発許可制度）	★	★	★	★	★	★	★	★	★	★	★	★	★	★
3　建築基準法①（総則・単体規定）	★	★	★★	★	★	★	★	★	★	★	★	★	★	★
4　建築基準法②（集団規定）	★	★	★	★	★	★	★	★	★	★	★	★	★	★
5　盛土規制法（旧・宅地造成等規制法を含む）	★	★	★	★	★	★	★	★	★	★	★	★	★	★
6　土地区画整理法	★	★	★	★	★	★	★	★	★	★	★	★	★	★
7　農地法	★	★	★	★	★	★	★	★	★	★	★	★	★	★
8　国土利用計画法	★	★※	★	★	★※	★	★	★	★	★	★	★	★	★
9　その他の諸法令		★			★									

※：「**９　その他の諸法令**」の選択肢の１つとして出題

■出題の傾向分析・得点目標

法令上の制限は、近年は**８問出題**されています。権利関係、宅建業法とともに「主要３分野」といわれていますが、特に**暗記の占める比重**が大きく、ほかにも増して**合理的・効率的な学習対策**が必要な分野といえるでしょう。

法令上の制限で特記すべきこととして、学習の初期に苦手意識を持つ受験者が多いことが挙げられます。

非日常的で、専門的な用語が多用されている行政法規のため、やむを得ないといえますが、**条文に忠実な出題が多い**ことから、**ある程度まで学習をすると実は得点しやすい分野**といえます

そして、実は「**合格者と不合格者の差が最も大きい分野**である」という事実を充分認識し、留意するとよいでしょう。

出題範囲が比較的安定していることから、**得点目標**は**8問中5問**以上です。

以下、ここでの“**攻略ポイント**”を見ていきましょう。

●都市計画法

都市計画法は、なんといっても「**開発許可制度**」の理解を最優先させるべきです。許可の要否・許可手続・建築制限といった細目に至るまで、全般的にしっかり学習してください。

●建築基準法

建築基準法は出題範囲が広く、そのわりに出題数が少ないため、得点しにくい科目です。深追いは避けて、まずは「**集団規定**」に絞って学習しましょう。

●上記以外・「その他の諸法令」

盛土規制法（**旧・宅地造成等規制法**）、**農地法**、**国土利用計画法**の問題は、失点できないと考えて、テキストの読み込みと過去問の繰り返しを実践しましょう。

それに対して、**土地区画整理法**は深追いを避け、頻出分野に絞った合理的な学習を心がけましょう。

なお、国土利用計画法については、年によっては「単独で１問」（計４肢）ではなく、「**その他の諸法令**」の中での**１肢**としてのみ出題されることもありますので、学習時間の配分などに注意しましょう。

第3編　法令上の制限

❷ 総論・全体構造と学習法

「法令上の制限」とは

宅建業者は、不動産の取引が成立するまでの間に、**宅建士**に「**重要事項の説明**」をさせなければなりません。

その説明事項の１つに、『**都市計画法・建築基準法その他法令に基づく制限で契約内容の別に応じて政令で定めるものに関する事項の概要**』という事項があり、具体的には、都市計画法・建築基準法・盛土規制法・土地区画整理法・農地法・国土利用計画法等で構成されています。

いずれの法律も、「**土地の利用等に対して一定の制限を加える**」という共通の性質があることから、これらは、「**法令上の制限**」と総称されています。

宅建士として「**重要事項の説明**」を的確に行うためには、**この知識が絶対不可欠**だから、本試験でも出題されるんだね。

法令上の制限の全体像

法令上の制限の全体像を理解するためには、「**どの規制がどの段階で行われるのか**」ということに着目して、頭の中を整理するとよいでしょう。

第１段階	土地を**購入**する段階での規制	❶ **国土利用計画法** ❷ **農地法**
第２段階	土地を**造成**する段階での規制	❶ **都市計画法** ❷ **土地区画整理法** ❸ **盛土規制法**
第３段階	建物を**建築**する段階での規制	❶ **建築基準法** ❷ **都市計画法** ❸ **土地区画整理法**

以下、この「**3段階**」に分けて、**全体像を確認**していきましょう。

第１段階　～土地を購入する段階での規制～

例えば、ある土地にマンションを建てたいと考えた場合、まずは**土地を取得**する必要があります。この段階では、国土利用計画法や農地法などによる規制がメインとなります。

❶ 国土利用計画法

地価が上昇しすぎると、**国土の合理的な利用**を図ることが難しくなります。そこで、国土利用計画法は、一定面積以上の土地を取引する場合に、都道府県知事等への届出をさせるなどの規制を行って、**地価の抑制**を図っています。

❷ 農地法

食料の自給を確保するためには、まず、**米などを生産する農地を守らなければなりません**。そこで、生産の減少をまねくおそれのある農地の「宅地化」などについて、農業委員会や都道府県知事等の許可を必要とし、その制限をしています。

第２段階　～土地を造成する段階での規制～

入手した土地がそのまま建物を建てることができないような地形である場合などには、建物を建築する前に**土地の造成**を行う必要があります。

この段階では、都市計画法、土地区画整理法、宅地造成及び特定盛土等規制法などによる規制がメインになります。

❶ 都市計画法

街づくりを計画的に行うためには、街づくりのプランを作るだけでなく、**プランどおりの街**になるように、**土地の造成工事や建築物の建築をコントロール**しなければなりません。そこで、都市計画法は、建築物を建築する目的で土地の造成工事を行う場合に、都道府県知事の許可（開発許可）を必要とするなどの規制を行っています。

❷ 土地区画整理法

雑然とした区画の街を、**道路や公園が整備**された**整然とした街**にするためには、**土地の区画を整理**することになります。このような区画整理の手法を定め、あわせて造成工事等の規制を行っています。

❸ 盛土規制法

盛土や切土などを行う場合、**崖崩れなどの災害**が発生するおそれがあり、それを**防止**しなければなりません。そこで、盛土規制法は、「災害のおそれが高い」とされた一定の場所で宅地造成等工事を行う場合には、都道府県知事の許可が必要とされるなどの規制を行っています。

第3段階　～建物を建築する段階での規制～

造成した土地に**建物を建築**する段階では、建築基準法などの規制が大きく関与します。

❶ 建築基準法

土地を取得して造成工事が完了したとしても、どんな建物でも建ててよいわけではありません。やはり、**安全面に問題**があったり、**周囲の環境に悪影響**を及ぼすような**建物の建築を防止**する必要があります。また、調和のとれた街づくりを行うために、**建物の用途・形態・高さなどを規制**しなければなりません。

そこで、建築基準法では、建物を建築する際の**さまざまな基準**を定めています。

❷ 都市計画法

計画的な街づくりをするために、都市計画法は、さまざまな都市計画を定めていますが、その**計画を実現**するために、建築物の建築行為も規制されます。

❸ 土地区画整理法

土地の区画を整理する事業を行うためには、土地の造成工事だけでなく、同様に建物の建築も制限すべきです。そこで、土地区画整理法は、**区画整理を行う場所で建築物の建築**を行う場合にも、都道府県知事等の許可を必要とする等の規制を行っています。

以上のように、「**法令上の制限**」で出題される法律は、それぞれ明確な目的に沿って具体的に規制を行っていることがわかります。

長くて複雑な用語が条文中に多く、一見難解そうに見えるのですが、押さえるべきポイントは限られています。おそれることはありません。

「法令上の制限」を攻略するために

「法令上の制限」は、他の科目に比べて、**暗記**を要する**重要な事項**や**数字**が多いことがひとつの特色です。

例えば、建築基準法における建蔽率や容積率、用途地域の規制などが挙げられます。また、各法律ごとに類似していて紛らわしい用語があり、それらをすべて正確に理解するのは至難のワザです。しかし、まったくの理解なしで片っ端から暗記していくのは、あまり効率的とはいえません。

重要なのは、**過去に出題された範囲**に絞って、**繰り返し学習**することでしょう。言い換えれば、**過去問で何度も出題された項目は徹底的に潰していくことが大切で**、それが**得点する一番の近道**といえます。

それでは、ポイントをしっかり絞って、「**法令上の制限**」を**上手に攻略**しましょう！

第１章 都市計画法①（都市計画）

重要ランク A

キレイで住みやすい街を、計画的につくろう！

次の「フローチャート」のような単純な仕組みにもかかわらず、なじみのない法律用語が多くてイメージしにくいからか、苦手科目**ランキング**の上位に挙げられてしまうのが**都市計画法**なんだ。

でも、**慣れてしまえば**簡単に得点できる法律だよ。頑張ろうね！

ニャカ先生のひとこと

1 都市計画法の全体像

都市計画法による街づくりは、概ね、次の流れで行います。

［都市計画の全体像 ― 街づくりの流れ］

❶ 街づくりをする場所を決める	……	都市・準都市計画区域の指定
		⬇
❷ 街の「設計図」を描く	……	都市計画の決定
		⬇
❸ 設計図に違反する行為を規制する	……	都市計画の制限
		⬇
❹ 設計図のとおりに街をつくる	……	都市計画事業の施行

❷ 都市計画区域・準都市計画区域の指定

お役人さんたちが
大激論中です。

1 「都市計画区域」とは

街の設計図を描くためには、例えば「この駅を中心とした区域内で、整然とした街をつくろう」というように、まず、街づくりをする場所を決めなければなりません。このように、街づくりをする場所を、**都市計画区域**といいます。

都市計画区域は、「市または一定の町村の中心の市街地を含み、かつ、自然的及び社会的条件並びに人口、土地利用、交通量その他一定の事項に関する現況及び推移を勘案(かんあん)して、**一体の都市として総合的に整備**し、**開発**し、及び**保全**する必要がある区域」について指定されます。

プラスα
多くの場合、例えば市のHPなどで、その市の都市計画図を紹介しています。実際の都市計画がどのようなものか実感できますから、是非、確認されることをお勧めします。

2　都市計画区域の指定手続

R2(12)

［都道府県が都市計画区域を指定する場合の手続の流れ］

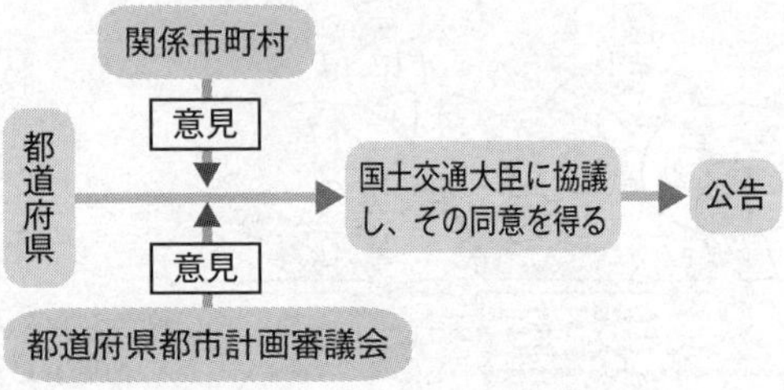

都市計画区域は、**都道府県が指定**するのが原則です。

都道府県は、あらかじめ、関係市町村及び都道府県都市計画審議会の意見を聴くとともに、国土交通大臣に協議し、その同意を得て、都市計画区域を指定します。

ただし、**2以上**の都府県にわたる都市計画区域は、**国土交通大臣**が、あらかじめ、関係都府県の意見を聴いて指定します。

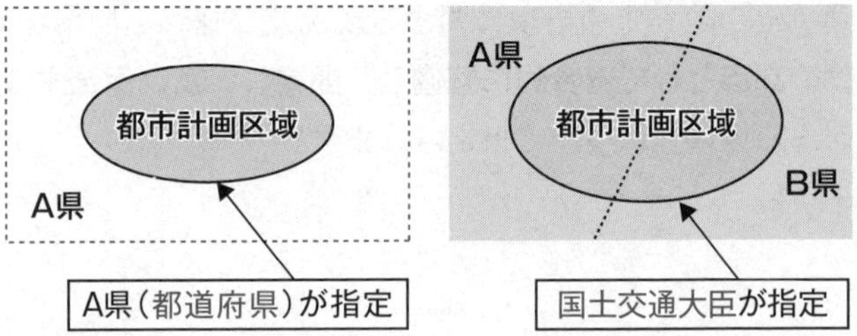

都市計画区域は、こんなふうに、必要があるときは市町村や都府県の区域を越えて指定することができるんだよ。

3　準都市計画区域とは　H27.R2(12)

都市計画区域外の乱開発を防ぐため、「相当数の建築物等の建築・建設やこれらの敷地の造成が現に行われ、または行われると見込まれる区域を含み、かつ、自然的・社会的条件等を勘案して、そのまま土地利用を整序し、または環境を保全するための措置を講ずることなく放置すれば、**将来における一体の都市としての整備**、**開発**及び**保全**に**支障が生じる**おそれがあると認められる一定の区域」について、**都道府県**は、**準都市計画区域**を指定することができます。

準都市計画区域は、「都市計画区域」外であっても、「好き勝手に開発できず、建築行為も制限されている場所」というイメージだよ。

要点整理　都市計画区域等の指定権者

都市計画区域の指定	●原則：都道府県 ●例外：国土交通大臣（2以上の都府県にわたる場合）
準都市計画区域の指定	都　道　府　県

③ 都市計画の内容

1　都市計画の種類

街づくりをするための設計図には、「この辺は商業地にしよう」「閑静な住宅街にしよう」「道路や公園の造成や駅前の再開発をしよう」といった、具体的な計画が描かれます。

このように、設計図に描かれる**1つ1つの計画**を「**都市計画**」といい、主なものは次のとおりです。

[主な「都市計画」の種類]

- 都市計画区域の整備、開発及び保全の方針（マスタープラン）
- 区域区分（市街化区域・市街化調整区域）
- 地域地区
- 都市施設
- 市街地開発事業・市街地開発事業等予定区域
- 地区計画等

各都市計画が決定されると、その計画区域内では建築行為が規制されるなど、市民にさまざまな影響が及びます。

2　都市計画区域の整備・開発・保全の方針（マスタープラン）

都市計画区域を指定した後、街の設計図を描くにあたっ

て、「その都市計画区域をどのように整備し、開発し、保全するか」といった**基本方針**を定めておかないと、一貫的な設計図が作れません。

そこで、“個々のパーツ”となる計画を決める前に、「**設計図の基本方針＝マスタープラン**」を、まず決めておく必要があります。それが、この**都市計画**です。

3　区域区分（市街化区域・市街化調整区域）　H30.R5

①　区域区分とは

区域区分とは、**都市計画区域内**を、**積極的に街づくり**をする**市街化区域**と、農林漁業用の地域として**街づくりを抑制**する**市街化調整区域**の**2つに区分**することをいいます。

都市計画区域内をすべて市街地にしてしまうと、環境の悪化などによって住みにくい都市となってしまうからだね。

市街化区域と**市街化調整区域**の定義は、次のとおりです。

要点整理　市街化区域・市街化調整区域

市街化区域	すでに**市街地**を形成している区域、及び、おおむね**10年以内**に優先的かつ計画的に市街化を図るべき区域
市街化調整区域	市街化を**抑制**すべき区域

試験対策上は「すでに市街地」「10年以内」「抑制」などのキーワードを押さえておこう。

なお、市街化調整区域は、市街化を抑制する区域であって、市街化を**禁止**する区域ではないことに注意してね。

注意
三大都市圏などの大都市や、政令指定都市（その区域の人口50万未満を除く）の全部または一部を含む都市計画区域については、必ず**区域区分**が定められます。

プラスα
❷の「**区域区分が定められていない都市計画区域**」のことを「非線引き区域」または「非線引き都市計画区域」ともいいます。

なお、区域区分は、すべての都市計画区域で行われるわけではありません。地方の実状に合わせて、区域区分を定めないことも可能です。

したがって、日本の国土は、❶区域区分された**都市計画区域**、❷区域区分が**定められていない**都市計画区域、❸**準都市**計画区域、❹**その他**の４つに分けられます。

【日本の国土】

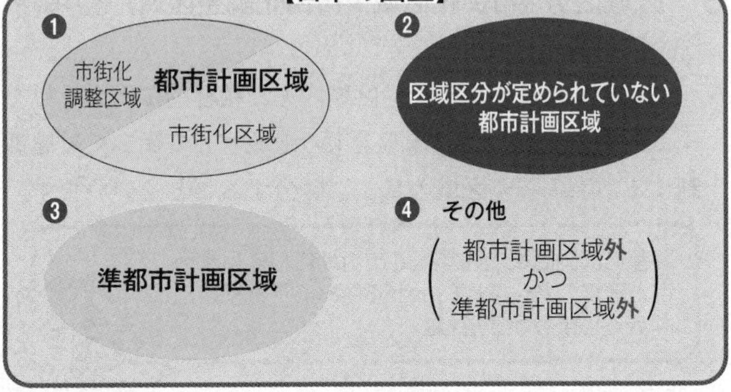

② **決定権者**

区域区分に関する都市計画は、**都道府県**（**指定都市の区域では、指定都市**）が決定します。

令和３年度末現在で、**市街化区域**の総面積145万3,000haに対し、**市街化調整区域**は376万haと、**市街化区域の2.5倍以上**もあるんだ。
でも、その狭い市街化区域に、日本の総人口の７割強を占める約9,000万人が住んでいるんだよ。

4　地域地区

地域地区は、区域区分より、さらに**具体的な都市計画**として定められるものです。

①　用途地域

H27.30.R元.2⑽.3⑿.4.6

地域地区の中で、最も基本的であり重要なのが、「**建築物の用途**」**に着目**して、地域の区分を定めた「**用途地域**」です（基本的地域地区）。

全部で**13種類**ありますが（次ページ表の❶〜⓭）、これらによって、例えば、閑静な住宅街の中に騒々しい店舗ができてしまうようなことがなくなり、良好な住宅街や活気ある商業エリア、あるいは生産性の高い工業地帯のように、それぞれ個性ある街並みが実現されます。

そして、これらの用途地域は、健全で機能的な市街地の形成を目的としていますので、都市計画区域のうち、**市街化区域**には、**少なくとも用途地域を定めなければならず**、その一方で、**市街化調整区域**には、**原則として用途地域を定めません**。

区域区分が定められていない都市計画区域及び準都市計画区域内では、**必要に応じて**用途地域を定めることができるんだよ。

プラスα
用途地域以外の地域地区は、主に用途地域を補完する役目を果たす、補助的な地域地区であることから、「補助的**地域地区**」と総称されています。

注 意

例えば、第一種低層住居専用地域と第二種低層住居専用地域の違いは、「主として」という言葉があるかどうかだけです。

用途地域それぞれの定義については、右の表の赤文字にあたる**キーワード**を覚えておこう。その上で、下の「イメージ図」で各地域の具体像をしっかり押さえようね！

[用途地域]

種類		定義
住居系	❶ 第一種低層住居専用地域	低層住宅に係る良好な住居の環境を保護するため定める地域
	❷ 第二種低層住居専用地域	主として低層住宅に係る良好な住居の環境を保護するため定める地域
	❸ 第一種中高層住居専用地域	中高層住宅に係る良好な住居の環境を保護するため定める地域
	❹ 第二種中高層住居専用地域	主として中高層住宅に係る良好な住居の環境を保護するため定める地域
	❺ 第一種住居地域	住居の環境を保護するため定める地域
	❻ 第二種住居地域	主として住居の環境を保護するため定める地域
	❼ 準住居地域	道路の沿道としての地域の特性にふさわしい業務の利便の増進を図りつつ、これと調和した住居の環境を保護するため定める地域
	❽ 田園住居地域	農業の利便の増進を図りつつ、これと調和した低層住宅に係る良好な住居の環境を保護するため定める地域
商業系	❾ 近隣商業地域	近隣の住宅地の住民に対する日用品の供給を行うことを主たる内容とする商業その他の業務の利便を増進するため定める地域
	❿ 商業地域	主として商業その他の業務の利便を増進するため定める地域
工業系	⓫ 準工業地域	主として環境の悪化をもたらすおそれのない工業の利便を増進するため定める地域
	⓬ 工業地域	主として工業の利便を増進するため定める地域
	⓭ 工業専用地域	工業の利便を増進するため定める地域

用途地域のイメージ図

❶ 第一種低層住居専用地域

低層住宅のための地域です。小規模な店舗等を兼ねた住宅、小中学校等が建てられます。

❷ 第二種低層住居専用地域

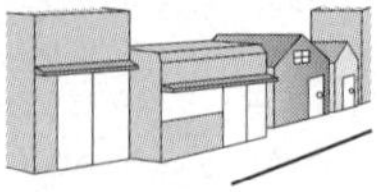

主として低層住宅のための地域です。小中学校等のほか、150 ㎡までの一定の店舗が建てられます。

❸ 第一種中高層住居専用地域

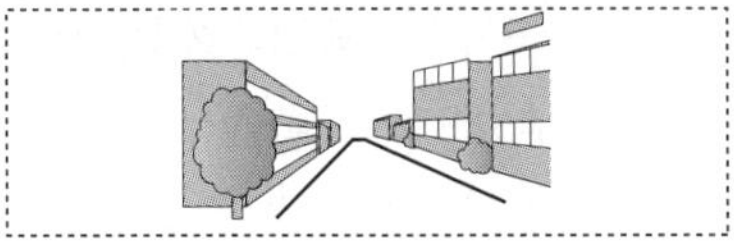

中高層住宅のための地域です。病院、大学、500 ㎡までの一定の店舗等が建てられます。

❹ 第二種中高層住居専用地域

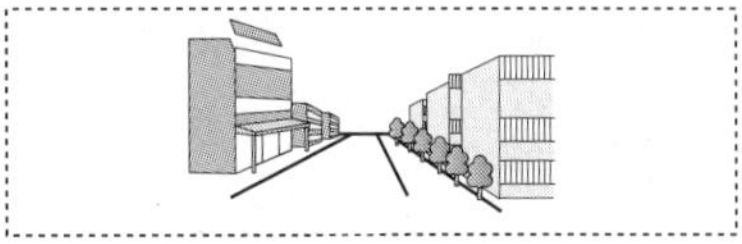

主として中高層住宅のための地域です。病院、大学等のほか、1,500 ㎡までの一定の店舗や事務所等必要な利便施設が建てられます。

❺ 第一種住居地域

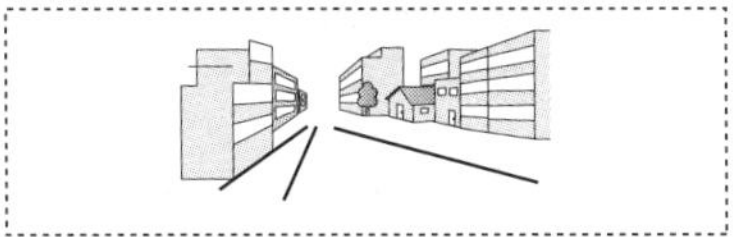

住居の環境を守るための地域です。3,000 ㎡までの店舗、事務所、ホテル等は建てられます。

❻ 第二種住居地域

主として住居の環境を守るための地域です。10,000 ㎡までの店舗、カラオケボックス、事務所、ホテル等は建てられます。

❼ 準住居地域

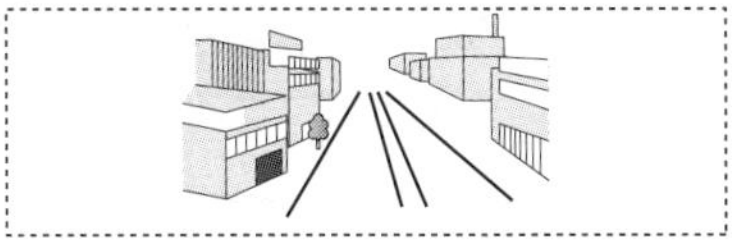

道路の沿道において、自動車関連施設等の立地と、これと調和した住居の環境を保護するための地域です。

❽ 田園住居地域

農業の利便の増進と、それと調和した低層住宅に係る良好な住居環境を保護する地域です。建物の建築等には、原則、市町村長の許可が必要です。

❾ 近隣商業地域

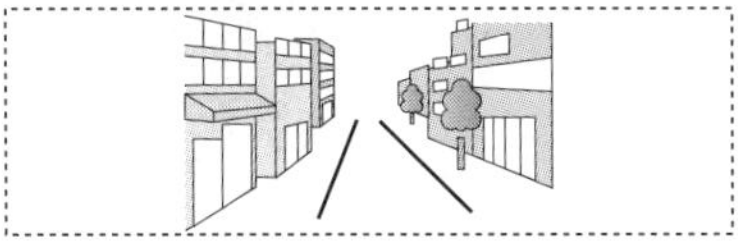

周辺の住民が日用品の供給（買物等）をするための地域です。住宅や店舗のほかに小規模の工場も建てられます。

❿ 商業地域

主として商業等の利便増進のため、銀行、映画館、料理店、百貨店等が集まる地域です。住宅や小規模の工場も建てられます。

⓫ 準工業地域

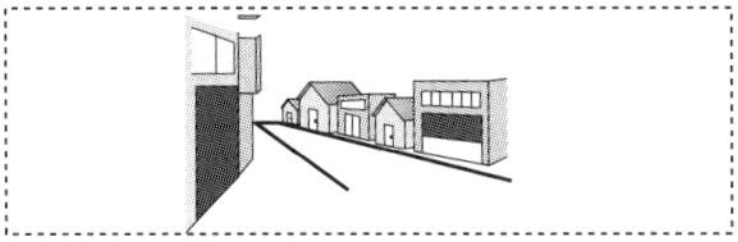

主として軽工業の工場や、サービス施設等が立地する地域です。環境を悪化させるおそれが大きい工場のほかは、ほとんど建てられます。

⓬ 工業地域

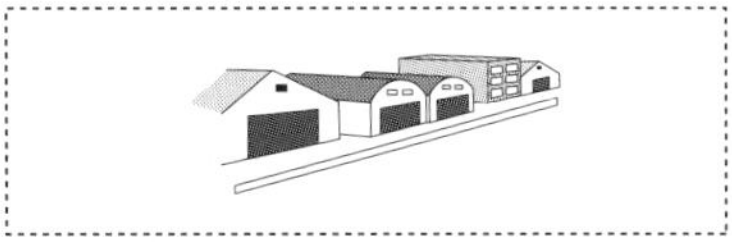

主として工業の利便増進のため、どんな工場でも建てられる地域です。住宅や 10,000 ㎡までの店舗は建てられますが、学校、病院、ホテル等は建てられません。

⓭ 工業専用地域

工業の利便を増進するための地域です。どんな工場でも建てられますが、住宅、物品販売用の店舗、学校、病院、ホテル等は建てられません。

重要
つまり、**特別用途地区**が定められるのは、**用途地域内のみ**に限られます。

② 特別用途地区

R元

例えば、商業地域では、バーや映画館等の娯楽施設を建築できますが、そのなかに学校がある場合は、子どもに悪影響を与える店舗を規制しなければなりません。そこで、**用途地域による規制を補完**するため、「用途地域内の一定の地区における当該地区の特性にふさわしい土地利用の増進・環境の保護等の特別の目的の実現を図る」ものが、**特別用途地区**です。

そして、指定の目的に応じて、**地方公共団体の条例**で、建物の用途などについて、きめ細かい規制が行われます。

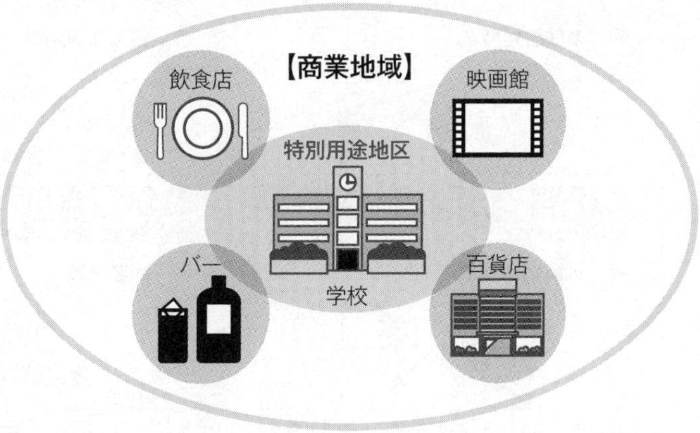

③ 特定用途制限地域

H25.R3(12).5

特定用途制限地域とは、「**用途地域が定められていない土地の区域**（市街化調整区域を除く）**内**で、制限すべき特定の建築物等の用途の概要を定める地域」をいいます。

用途地域の指定がない比較的自由な区域だからといって、環境を破壊するような工場や風俗施設などの建物が無秩序に建てられるのは放置できないよね。
そこで、これらを防ぐ目的で、特定用途制限地域が定められるんだ。

④　特例容積率適用地区

特例容積率適用地区は、「第一種中高層住居専用地域、第二種中高層住居専用地域、第一種住居地域、第二種住居地域、準住居地域、近隣商業地域、商業地域、準工業地域または工業地域内において、建築物の容積率の限度からみて未利用となっている建築物の容積の活用を促進して、土地の高度利用を図るため定める地区」をいいます。

重要
特例容積率適用地区を定めることができるのは、「第一種・第二種**低層住居専用**地域、**田園**住居地域、**工業専用**地域を除いた」用途地域と覚えましょう。

例えば、東京の繁華街のように、大きな容積率が許された街にも、古くからの寺社など容積率を十分に活用していない建物があるよね。特例容積率適用地区では、そのような建物で未利用分の容積率を、隣に建築するビルに移転することを認めているんだ。

⑤　高層住居誘導地区

H26.R3(12)

高層住居誘導地区とは、「住居と住居以外の用途とを適正に配分し、利便性の高い高層住宅の建設を誘導するため定める地区」をいい、第一種住居地域、第二種住居地域、準住居地域、近隣商業地域または準工業地域で、**容積率が40／10または50／10**と指定されている地域で定められます。

都心に住む人の減少に歯止めをかける目的で、容積率等の**緩和措置**をとり、**高層住宅の建築を誘導**するためです。

プラスα
高層住居誘導地区内では、容積率の最高限度（緩和される）のほか、必要により、建蔽率の最高限度（緩和される）、敷地面積の最低限度が定められます。

「高層住居」という名称から、第一種・第二種中高層住居専用地域と結びつきそうだけど、**住居以外の用途も配分する地区**のため、**第一種・第二種中高層住居専用地域**には高層住居誘導地区を定めることはできない点に注意してね。

重要
つまり、**高度地区**が定められるのは、**用途地域**内のみに限られます。

⑥　高度地区　R元.4

高度地区は、「**用途地域内**において、市街地の環境を維持するために**建築物の高さ**の最高限度（最高限度高度地区）を定め、または土地利用の増進を図るために、その最低限度（最低限度高度地区）を定める地区」です。

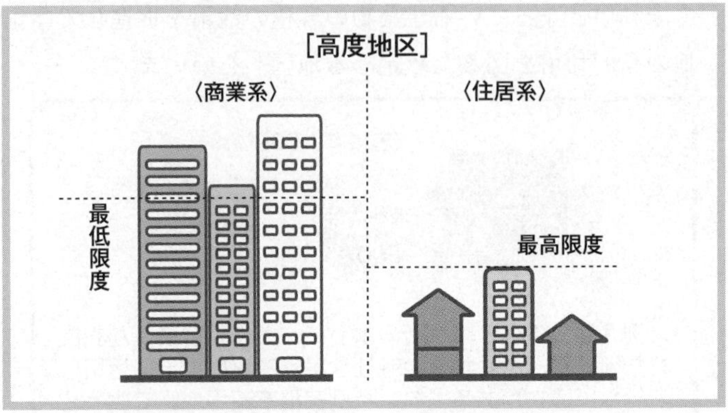

例えば、住居系の用途地域内では建物の高さの**最高限度**を定め、商業系の用途地域では、高さの**最低限度**が定められるんだ。

重要
高度利用地区も、高度地区と同じく、**用途地域内**でのみ定めることができます。

注意
高度地区と**高度利用地区**の区別のポイントは、**高度地区**は建築物の「高さ」について定める地区であるのに対し、**高度利用地区**は建築物の「容積率」等について定める地区である点です。

⑦　高度利用地区　H26.28.R5

用途地域内において、「市街地における土地の**合理的かつ健全な高度利用**と都市機能の更新とを図るため、**容積率**の最高限度及び最低限度、**建蔽率**の最高限度、建築面積の最低限度、及び壁面の位置の制限を定める地区」を、**高度利用地区**といいます。

高度利用地区では、建築面積の**最低限度**の設定や容積率の**増加**が行われ、さらに**壁面の位置**が定められるんだよ。
それによって、細分化（さいぶんか）された低容積率の地域を再開発する場合に、ペンシルビルの乱立の防止や土地の有効活用、適度な空間の確保を行うことによって、環境を向上させることができるんだ。

⑧　特定街区　R元

特定街区とは、「市街地の整備やその改善を図るため、街区の整備または造成が行われる地区について、その街区内における建築物の容積率、高さの最高限度、及び壁面の位置の制限を定める街区」をいいます。

特定街区の具体例としては、新宿の都庁周辺の**超高層ビル街**や池袋のサンシャイン60をイメージしよう。

⑨　景観地区

景観地区とは、「市街地の良好な景観の形成を図るため定める地区」をいいます。

景観地区内で建築物の建築等をしようとする者は、あらかじめ、その計画が、都市計画に定められた建築物の形態意匠の制限に適合するものであることについて、市町村長の認定を受けなければなりません。

⑩　風致地区　H27.30

風致地区とは、「都市の風致を維持するために定める地区」をいいます。

風致地区内では、建築物の建築、宅地の造成、木竹の伐採等をしようとする者は、原則として、都道府県知事等の許可を受けなければなりません。

例えば、皇居周辺など人工的で良好な景観を保全するような場合が、**景観地区**の対象となるんだよ。
他方、鎌倉市内、京都の嵯峨野周辺など、市街地で保全すべき自然環境が、**風致地区**の対象となるんだ。

注意
特定街区では、建築物の容積率、高さの最高限度、及び壁面の位置の制限が、都市計画で規定（緩和）され、建築基準法上の容積率等の規定は適用されません。

プラスα
地方公共団体の**条例**で、都市の風致を維持するため**必要な規制**をすることができます。

要点整理 「地域地区」のポイント

特別用途地区	用途地域内の一定の地区における当該地区の特性にふさわしい土地利用の増進・環境の保護等の特別の目的の実現を図るため、当該用途地域の指定を補完して定める地区
高層住居誘導地区	住居と住居以外の用途とを適正に配分し、利便性の高い高層住宅の建設を誘導するため、第一種住居地域・第二種住居地域・準住居地域・近隣商業地域・準工業地域で、一定の容積率が指定されている地域において定められる地区
高度地区	用途地域内において、市街地の環境を維持し、または土地利用の増進を図るため、建築物の高さの**最高限度**または**最低限度**を定める地区
高度利用地区	用途地域内の市街地における土地の合理的かつ健全な高度利用と都市機能の更新とを図るため、容積率の**最高限度及び最低限度**、建蔽率の**最高限度**、建築面積の最低限度、及び壁面の位置の制限を定める地区
特定街区	市街地の整備改善を図るため、街区の整備または造成が行われる地区について、その街区内における建築物の容積率、高さの最高限度、及び壁面の位置の制限を定める街区

5　都市施設

R2(12).6

★プラスα
用語に慣れるまでは「都市施設＝道路」と読みかえて学習を進めると、理解しやすくなります。

①　都市施設とは

道路・公園・下水道など**公共的な施設**を整備する都市計画を総称して、**都市施設**といいます。

このような都市施設が、具体的に都市計画の中に組み込まれると、それは**都市計画施設**といわれ、その後、それらの計画に基づいて、国や都道府県等が実際に工事を行い、街の骨格をつくることになります。

[主な都市施設の種類]

道路・公園・下水道・河川
学校・病院・市場・と畜場・火葬場
一団地の住宅施設、一団地の官公庁施設　等

② 都市施設を定める区域

都市計画は、都市計画区域内で定められるのが原則ですが、**都市施設**は、例外的に、**都市計画区域外**でも定めることができます。

例えば、ゴミ処理場は、ダイオキシンの発生などの問題があるため、都市計画区域外の、人里離れた場所に建設するようなケースを想定してね。

③ 道路・公園・下水道・義務教育施設の特則

市街化区域及び区域区分が定められていない都市計画区域については、少なくとも**道路・公園・下水道**の３つを定めなければなりません。

また、第一種低層住居専用地域から田園住居地域の「**住居系の８つの用途地域**」(➡前出P.406 **[用途地域]** を参照)については、**義務教育施設**も、あわせて定めなければなりません。

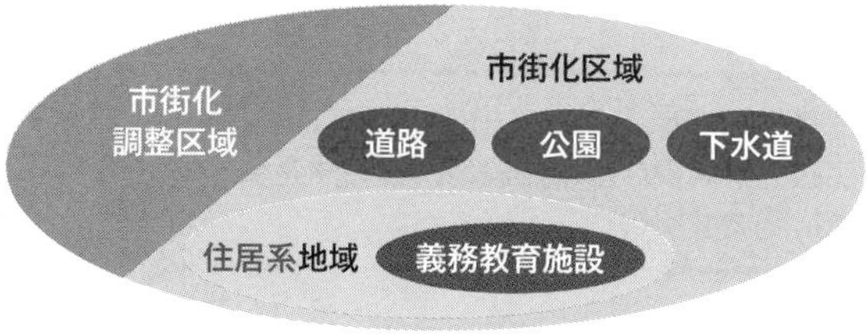

プラスα
例えば、計画が決定された道路を、**都市計画道路**といいます。

注意
卸売市場、火葬場、と畜場、汚物処理場、ごみ焼却場その他処理施設の用途に供する建築物は、原則として、都市計画で、その敷地の位置が決定しているものでなければ、新築または増築をすることができません。
➡後出「第４章❻用途制限　３」

要点整理　都市施設

- 都市施設は、都市計画区域**外**にも定めることができる。
- 市街化区域及び区域区分が定められていない都市計画区域には、都市施設のうち**道路・公園・下水道**を必ず定める。

6　市街地開発事業　H26.R2⑿.6

> **注意**
> **市街地開発事業**は、市街化区域または区域区分が定められていない都市計画区域内においてのみ定められ、市街化調整区域及び準都市計画区域においては定めることができません。

市街地開発事業とは、一定の区域を総合的な計画に基づいて新たに開発または再開発する事業で、区画整理を実施したり、ニュータウンを造ったりする都市計画をいいます。

市街地開発事業は、新都市基盤整備事業や土地区画整理事業といった**7種の事業の総称**なんだ。ただ、試験対策上は7種の名称まで覚える必要性が低いから、ここでは記述を省略するよ。

ニャカ先生のひとこと

7　市街地開発事業等予定区域　発展　H28

大規模な都市施設の整備事業や市街地開発事業を行おうとする場合、具体的な計画ができあがった後に用地を確保しようとしても、民間の開発に先を越され、間に合わないおそれがあります。

そこで、都市計画の**最終決定を待たずに**用地の確保等に着手するために用意されているのが、**市街地開発事業等予定区域**という都市計画です。

予定区域は、早期に用地確保が必要となる、比較的**大規模な都市施設**や**市街地開発事業**の6種に限って認められているんだ。

ニャカ先生のひとこと

8　都市施設・市街地開発事業に関連する建築等の制限

都市施設・市街地開発事業に関する都市計画が決定されると、最終的には行政の手によって道路やニュータウンなどが造られることになります。

通常は、次のような手順で行われます。

都市計画決定	→ 計画段階 →	事業認可	→ 実行段階 →	完　成
告示		告示		

まず、道路やニュータウンを造る計画が決定され、その旨が告示されます（**都市計画の決定**）。しかし、これだけでは建設工事に着手することはできません。実際に着工するには、予算面や工事の妥当性について最終的に都道府県知事等の認可を受け、その旨の告示により初めて着工できます（**事業認可**）。

したがって、事業認可を受ける**前**と**後**（事業の**計画段階**と**実行段階**）とでは、「工事が開始されているかどうか」という重要な違いがあるので、そこに課せられる制限の中容も、当然に違ってきます。

①　都市計画施設の区域・市街地開発事業の施行区域内の制限

H25.29

都市施設または市街地開発事業の計画が決定され、事業認可を受ける前、すなわち工事着手前の計画段階での制限は、「都市計画施設の区域または市街地開発事業の施行区域内の制限」といわれ、その内容は、次のとおりです。

原　則	建築物の建築	知事等の許可
例　外	●軽易（けいい）な行為 ●非常災害のため必要な応急措置 ●都市計画事業の施行としての行為	許可不要

プラスα
都市計画事業の対象区域は、事業認可を受ける前の計画段階においては「都市計画施設の区域」または「市街地開発事業の施行区域」と呼ばれ、事業認可を受けた後の実行段階においては「都市計画事業の事業地」と呼ばれるようになります。

注意
都市計画施設の区域・市街地開発事業の施行区域内の制限では、許可申請に係る建築物の階数が2以下で地階がなく、主要構造部が木造・鉄骨造等で、かつ、容易に移転し、または除却することができる場合など、一定の基準に該当する場合、都道府県知事等は許可をしなければなりません。

重要
建築物の建築のみが制限され、工作物の建設や土地の形質の変更などは規制されない点に要注意です。

② 都市計画事業の事業地内の制限 H25.29.R2(10)

この段階では、都市計画事業が「実行段階」になり、実際に工事が始まりますので、「計画段階」に比べて、より厳しい規制が課されます。

注意
事業地内は工事現場であるため、許可不要の**例外はありません**。例えば、非常災害のための応急措置として行う場合であっても、事業の施行の障害となるおそれがある以上、都道府県知事等の許可が必要となります。

ア 建築等の制限（例外はなし）

事業の施行の障害となるおそれのある ●建築物の建築 ●工作物の建設 ●土地の形質の変更 ●5ｔを超える移動の容易でない物件の設置・堆積	知事等の許可

イ 土地の収用等 発展

実行段階では、用地の確保が急務とされるため、土地収用等が必要となりますが、都市計画法による事業認可をもって「土地収用法の事業認定があった」とみなされるため、あらためて土地収用法の事業認定を受ける必要はありません。

要点整理 都市計画制限のまとめ

（○＝許可が必要、×＝許可不要）

	建築物の建築	土地の形質変更	5ｔ超の物件の設置・堆積	許可不要の例外
都市計画施設の区域内・市街地開発事業の施行区域内	○	×	×	あり
事業地内	○＊	○	○	なし

＊：工作物の建設についても許可必要

発展コラム -1　市街地開発事業等予定区域内の制限

Column

大規模なニュータウン等を造る場合は、用地確保等のため、都市計画が決定される前の段階から、まず、区域や施行予定者といった、基本的事項のみを都市計画として決定し（予定区域の決定）、その後、詳細な計画を煮詰めた段階で都市計画の本計画を決定する、という手順を踏みます。

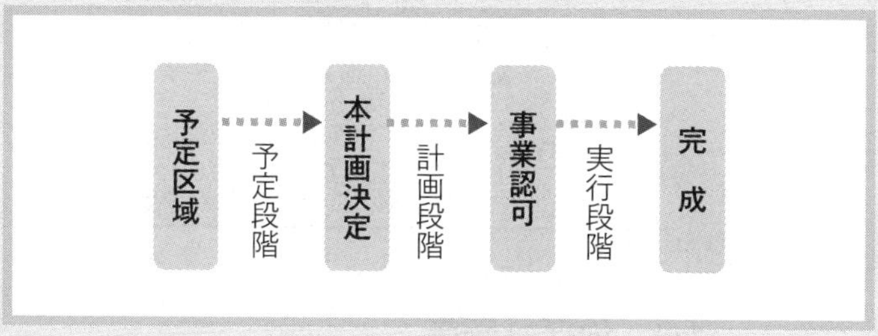

この予定段階での制限を、市街地開発事業等予定区域内の制限といいます。この制限は、事業認可（または承認）の告示があるまで継続されます。

規制の内容は、次のとおりです。

原　則	●建築物の建築 ●工作物の建設 ●土地の形質の変更	知事等の許可
例　外	●通常の管理行為、軽易な行為 ●非常災害のため必要な応急措置 ●都市計画事業の施行としての行為	許可不要

9　田園住居地域内における建築等の規制　H30

田園住居地域内の農地（耕作の目的に供される土地）の区域内で、次の行為をする場合は、**市町村長の許可**を受けなければなりません。

原　則 （許可必要）	①　土地の形質の変更 ②　建築物の建築その他工作物の建設 ③　土石その他の政令で定める物件の堆積	**市町村長**の 許可が必要
例　外 （許可不要）	①　通常の管理行為、軽易な行為その他の行為で政令で定めるもの ②　非常災害のため必要な応急措置として行う行為 ③　都市計画事業の施行として行う行為、またはこれに準ずる行為として政令で定める行為	

10　地区計画等

①　地区計画等とは　R3(10)

プラスα
地区計画「等」のうち、試験対策上は代表的な「地区計画」に絞って**学習**するのが効率的です。

「**地区計画等**」とは、**地区計画**、**防災街区整備地区計画**、**歴史的風致維持向上地区計画**、**沿道地区計画**、**集落地区計画**の５つの計画の**総称**です。

地区計画等を決定するのは、**市町村**です。

どれも比較的狭い範囲の地区内で、その地区の特性を活かした街並みを実現させるための計画なんだよ。

②　地区計画　H28.R2⑽.3⑽

地区計画とは、「建築物の建築形態、公共施設その他の施設の配置等からみて、一体としてそれぞれの区域の特性にふさわしい態様を備えた良好な環境の各街区を整備し、開発し、及び保全するための計画」をいいます。

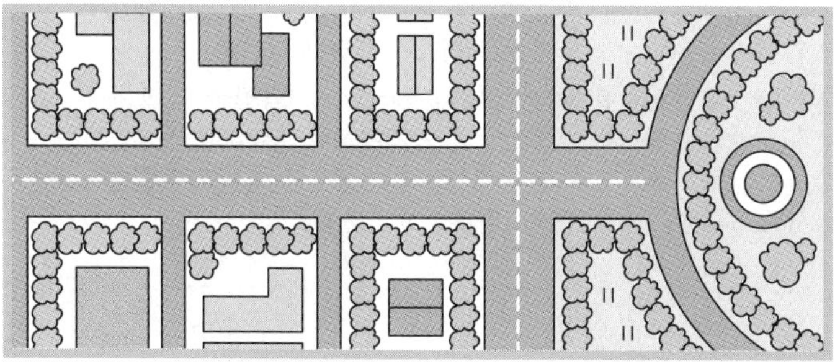

地区計画の特徴は、行政が地区の積極的な整備活動を行うとともに、住民の土地利用も併せて制限することにあるんだ。つまり、都市計画の多様な要素をすべて合わせたようなものであることから、「小さな都市計画」とも呼ばれるんだよ。

③　地区計画の指定基準　H26.R2⑽.5.6

地区計画は、次のどちらかに該当する土地の区域に指定されます。

用途地域が定められている土地の区域	すべての土地の区域で地区計画を定めることが**できる**
用途地域が定められていない土地の区域	●住宅市街地の開発その他建築物やその敷地の整備に関する事業が行われる、または行われた土地の区域 ●不良な街区の環境が形成されるおそれがある一定の土地の区域 ●優れた街区の環境などが形成されている土地の区域

プラスα

地区計画は、市街化調整区域においても、定めることができますが、その場合、その周辺の局所的な市街化を防ぐよう配慮するなど、計画的な市街化を図るうえで支障がないように定める必要があります。
なお、準都市計画区域では、地区計画を**定めることができません**。

発展コラム -2　再開発等促進区・開発整備促進区　H27

地区計画には、**再開発等促進区・開発整備促進区**を定めることができます。

❶**再開発等促進区**とは、大規模な工場の跡地のように、ある程度まとまった低・未利用地において、道路・公園などの都市基盤の整備と優良な建築物等を一体的に整備する等の良好なプロジェクトを導入し、**都市部の再開発を促進する**もので、六本木ヒルズ等が、その具体例です。

❷**開発整備促進区**とは、第二種住居地域、準住居地域、工業地域等のように、スーパーマーケットやシネコン等による**大規模集客施設の立地**が建築基準法で一般的に**制限**されているところで、このような**施設の整備が特に必要**と認められる場合に、例外的に**可能**とするものです。

Column

④　地区整備計画　R2(10).3(10)

地区整備計画とは、道路・公園等の**公共施設**（「地区施設」）や**建築物等の整備**、あるいは**土地の利用**などに関する、具体的な整備計画をいいます。

地区整備計画では、道路や公園などの地区施設の配置や、建築物の用途制限、容積率の最高限度または最低限度、建蔽率の最高限度などが、必要に応じて定められるんだ。
ただし、市街化調整区域内の地区整備計画では、**容積率の最低限度、建築面積の最低限度、高さの最低限度**の３つを定めることはできないよ。

★プラスα
地区計画の制限では「**30日前・市町村長・届出**」の３つがキーワードです。

★プラスα
市町村長は、**届出**に係る行為が地区計画に適合しないと認めるときは、設計変更等の**勧告**をすることができます。なお、勧告をした市町村長は、必要に応じて、届出をした者に対して土地売却の**あっせん**等の措置をとるよう努めるものとされています。

⑤　地区計画の区域内の制限　H29

地区計画の区域（地区整備計画が定められている区域等に限る）内では、原則として、**届出制**となります。

原　則 （届出）	●土地の区画形質の変更 ●建築物の建築 ●工作物の建設　　等	行為に着手する日の30日前までに、市町村長に届出が必要
例　外 （届出不要）	通常の管理行為、軽易な行為、非常災害のため必要な応急措置、国・地方公共団体の行為、都市計画事業の施行としての行為、開発許可を要する行為　等	

⑥　地区計画の区域内の農地における制限

地区計画の区域内の**所定の農地**の区域内では、**条例**で、次のように**許可制**とすることができます（任意）。

●土地の形質の変更 ●建築物の建築その他工作物の建設 ●土石その他の政令で定める物件の堆積	市町村は、条例で、**市町村長の許可**を受けなければならないとすることができる

要点整理　地区計画のまとめ

決定権者	制限の内容
市町村	建築物の建築・土地の区画形質の変更等をしようとする者は、行為に着手する日の30日前までに、市町村長に届け出なければならない

11　準都市計画区域に定めることができる都市計画

H26.28.30.R2⑿.4

都市計画区域には、すべての都市計画を定めることが可能ですが、準都市計画区域に定めることができる都市計画は、次の❶～❽の８つに**限られています**。

❶　用途地域　　❷　特別用途地区
❸　特定用途制限地域
❹　高度地区（高さの最高限度のみ）
❺　景観地区　　❻　風致地区
❼　緑地保全地域　　❽　伝統的建造物群保存地区

プラスα
準都市計画区域には、区域区分は定めません。

比較整理
「❹高度地区」との**対比**で、ここには高度利用地区が**入って**いないことに注意しましょう。

準都市計画区域は、開発を抑制する区域だから、都市施設や市街地開発事業のように「開発を進めるための都市計画は定めない」と考えておこう。

④ 都市計画の決定　発展

1　都市計画の決定手続の流れ

指定した都市計画区域の中に、具体的にさまざまな都市計画を導入することを**都市計画の決定**といいます。

都市計画の決定は、原則として、**都道府県**または**市町村**が、一定の手続によって行います。

ポイントは、「どのように住民の意見を汲み取って、住民に情報を公開するか」という点だよ。

もしお役人さんが黙って勝手に計画を立ててしまったら……!?

そこで、次の3点に注意しておきましょう。

- 「案」の作成時に、必要がある場合は、公聴会の開催等、住民の意見を反映させるために必要な措置を講じます。
- 都市計画の案は公告され、その公告の日から2週間公衆の縦覧に供されます。
- 住民等は、縦覧期間に、意見書を提出することができます。

[都道府県が都市計画を決定する場合の手続の流れ]

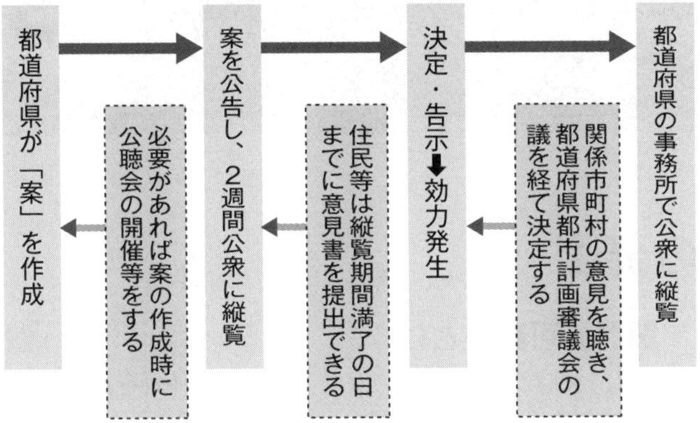
都道府県が「案」を作成
必要があれば案の作成時に公聴会の開催等をする
案を公告し、2週間公衆に縦覧
住民等は縦覧期間満了の日までに意見書を提出できる
決定・告示⬇効力発生
関係市町村の意見を聴き、都道府県都市計画審議会の議を経て決定する
都道府県の事務所で公衆に縦覧

2　都市計画の決定権者

H27

都市計画は、原則として**都道府県**または**市町村**が**決定**します。都道府県と市町村のどちらが決定するかは、都市計画の種類によります。

都道府県が定めた都市計画と、市町村が定めた都市計画が、**内容的に抵触**する場合は、その限りにおいて、**都道府県**が定めた都市計画が**優先**します。

プラスα
市町村は、一定の都市計画を決定しようとするときは、あらかじめ、**都道府県知事**に**協議**しなければなりません（都道府県知事の同意は不要）。

都市計画の決定手続については、法律ではかなり詳細な規定があるけど、それは行政サイドの手続にすぎないから、深入りしないほうがベターだね。ここでの事項を押さえておけば、試験対策上は、ほぼ十分だよ。

ニャカ先生のひとこと

3　都市計画の提案

土地所有者等（**土地の所有者・借地権者**）や独立行政法人都市再生機構など一定の法人等は、都道府県または市町村に対し、都市計画（一定のものを除く）の決定・変更を**提案**することができます。

ただし、提案に係る都市計画の素案の対象となる土地の区域内の土地所有者の**2／3以上の同意**を得ることが必要です。

注意
土地所有者等（土地所有者・借地権者）以外の者でも、都市計画の決定・変更を提案できることに注意しましょう。

第2章 都市計画法②（開発許可制度）

重要ランク S

計画的な街づくりを妨害する「乱開発」を取り締まるルールが、開発許可制度だよ。

1 開発許可の要否

1 開発許可制度とは

R6

例えば、マンションを建てるために山の斜面を削って宅地造成のための工事をするような行為を、**開発行為**といいます。

大規模な開発行為が無制限に行われると、乱開発などにより秩序ある都市環境が保てなくなるおそれがあります。そこで、一定の開発行為を行うには、**事前**に**都道府県知事**の**許可**を受けなければならないとする制度を設けました。

これが**開発許可制度**です。

2 開発行為とは

H25.29.R元

開発行為とは、主として**建築物の建築**、または**特定工作物の建設の用**に供する目的で行う、**土地の区画形質の変更**をいいます。

目的
●建築物の建築
●特定工作物の建設
→ 土地の区画形質の変更

プラスα
「土地の区画形質の変更」とは、土地の区画変更と形質変更を合わせた言葉であり、宅地造成に伴う土地の区割りや切土・盛土等を指します。一般には、宅地の造成行為と考えてかまいません。

「開発行為」に該当しなければ、そもそも**開発許可は不要**になることに注意してね。

特定工作物には、次のように**第一種特定工作物**と**第二種特定工作物**の２つがあります。

第一種 特定工作物	周辺地域の環境の悪化をもたらすおそれのある工作物 コンクリートプラント、アスファルトプラント、クラッシャープラント、危険物貯蔵庫　等
第二種 特定工作物	大規模な工作物 ❶ゴルフコース（面積不問） ❷１ha（10,000㎡）以上の 野球場・庭球場・陸上競技場・遊園地・動物園・墓園　等

⚠注 意

●第一種特定工作物は、「○○プラント」と覚えておけばよいでしょう。
なお、「○○」の部分まで細かく覚えなくても大丈夫です。

●第二種特定工作物は、１ha以上のスポーツ・レジャー施設や墓園等ですが、ゴルフコースだけは、規模の大小を問わず該当します。

開発行為に該当するかどうか、具体例で考えてみよう。

●**100㎡の戸建住宅を建築するための土地の区画形質の変更**

➡建築物の建築のための行為であり、開発行為に該当するよ。

●**500㎡の危険物貯蔵庫を建設するための土地の区画形質の変更**

➡危険物貯蔵庫は第一種特定工作物であり、開発行為に該当するよ。

●**5,000㎡のミニゴルフコースを建設するための土地の区画形質の変更**

➡ゴルフコースは規模を問わず第二種特定工作物であり、開発行為に該当するよ。

●**8,000㎡のテニスコート（庭球場）を建設するための土地の区画形質の変更**

➡テニスコートは１ha以上が第二種特定工作物であり、それ未満の面積のものは開発行為に該当しないよ（＝開発許可は不要）。

3　開発許可の要否

開発行為をする者は、原則として都道府県知事の許可を受けなければなりません。

ただし、次の①〜③は、**例外的に許可が不要**となります。

★プラスα
市街化区域の適用について、東京（例えば首都圏整備法に規定する既成市街地など）・大阪・名古屋の三大都市圏の一定の区域では、許可不要の面積は500㎡未満と低く抑えられています。

①　小規模開発の例外　H25.26.29.30.R元.2(12).3(10).6

それぞれの地域によって、開発許可が不要となる面積が定められています。

市街化区域	1,000㎡未満の開発行為
区域区分の定めのない都市計画区域、準都市計画区域	3,000㎡未満の開発行為
都市計画区域及び準都市計画区域外	1ha（10,000㎡）未満の開発行為

なお、**市街化調整区域**では、「**小規模開発の例外**」は**ありません**。例えば、住宅を建築するために100㎡の開発行為をする場合でも、許可が必要です。

⚠注意
都市計画区域の内外を問わず、開発許可が必要です。

②　農林漁業用建築物の例外　H26.29.30.R元

市街化区域以外の区域において、次の目的で開発行為を行う場合は、許可不要となります。

- 農林漁業の用に供する建築物の建築
- 農林漁業を営む者の居住用建築物の建築

なお、**市街化区域**には、**この例外は適用されません**。

⚠注意
「農林漁業の用に供する建築物」とは、畜舎、温室などをいいますが、農林水産物の「処理・貯蔵・加工」の用に供する建築物は、**許可不要の例外とはなりません**。

市街化区域内で、農林漁業用建築物を建築するための開発行為をする場合であっても、その規模が1,000㎡未満であれば、上記①の「小規模開発の例外」にあたり、許可不要となるよ。

ニャカ先生のひとこと

③　公益的要請による例外等　H25.26.29.30.R元.2(12).3(10).4.6

次のア〜カの開発行為は、その規模や実施される区域に関係なく、許可不要です。

ア　公益上必要な下記の建築物（公益的建築物）の建築の用に供する開発行為で、開発区域及びその周辺の地域における適正かつ合理的な土地利用及び環境の保全を図るうえで支障がないもの

●駅舎その他の鉄道施設　●図書館・博物館
●公民館　●変電所　●公園施設

イ　**都市計画事業の施行**として行う開発行為
ウ　**土地区画整理事業の施行**として行う開発行為
エ　**市街地再開発事業などの施行**として行う開発行為
オ　**非常災害のため必要な応急措置**として行う開発行為
カ　通常の管理行為、軽易な行為その他の行為で政令で定めるもの

プラスα
「～事業の施行として行う開発行為」＝「許可が不要」と覚えましょう。

開発許可が必要となるかどうかを、具体例で考えてみよう。

●市街化区域内で農業者の住宅を建築するために行う1,000㎡の開発行為

➡市街化区域では、「農林漁業を営む者の居住用建築物の建築」の例外はなく、1,000㎡未満ではないので、許可が必要だよ。

●市街化調整区域内で公民館を建設するために行う1,000㎡の開発行為

➡公民館は「公益上必要な建築物」なので、地域・規模に関係なく許可不要だよ。

●市街化区域内で一般住宅の建築、または危険物貯蔵庫を建設するために行う500㎡の開発行為

➡市街化区域内で、かつ、1,000㎡未満なので、許可不要だよ。

●区域区分の定めのない都市計画区域内で、農業の用に供する建築物を建築するために行う４,000㎡の開発行為

➡「市街化区域」以外での農林漁業用建築物は、例外にあたり、許可不要だよ。

●都市計画区域及び準都市計画区域外でゴルフ場を建設するために行う１ha の開発行為

➡都市計画区域及び準都市計画区域外でも1ha以上の開発行為は許可が必要だよ。

要点整理　開発許可の要否

●開発行為：建築物の建築または特定工作物の建設の用に供する目的で行う土地の区画形質の変更

●特定工作物：○○プラント・ゴルフコース、及び1ha以上の規模の野球場・庭球場・陸上競技場・遊園地・動物園・墓園　等

●開発許可の要否は、次のように❶と❷の2段階に分けて判断すること

❶ その行為は「開発行為」に該当するか → 該当しない → **許可不要**

↓

該当する

↓

❷ 許可不要の例外に該当するか

市街化区域	市街化調整区域	区域区分のない区域・準都市計画区域	都市計画区域・準都市計画区域外
1,000㎡未満		3,000㎡未満	1ha(10,000㎡)未満
	農林漁業用の建築物または農林漁業者の居住用建築物		
●駅・図書館・公民館等の公益的建築物のための開発行為 ●都市計画事業・土地区画整理事業・市街地再開発事業等の施行として行う開発行為 ●非常災害のため必要な応急措置として行う開発行為 ●通常の管理行為・軽易な行為　等			

→ いずれかに該当する → **許可不要**

↓

どれにも該当しない → **許可必要**

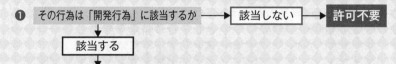

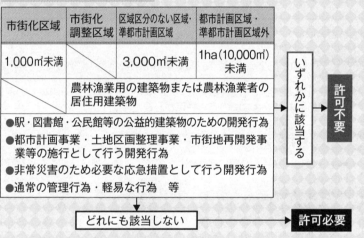

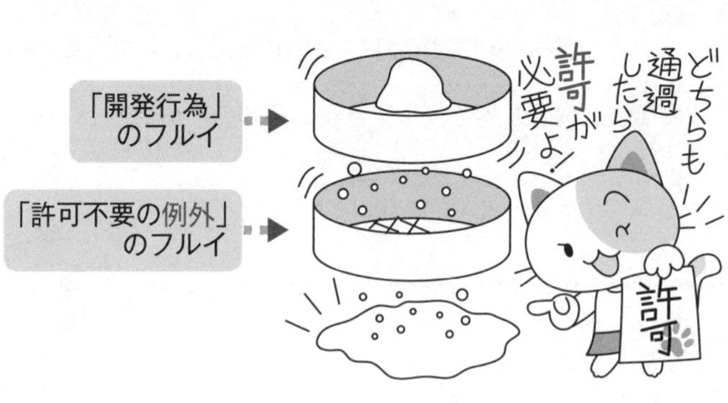

「開発許可の要否」は
このように考えてね。

2 開発許可の手続

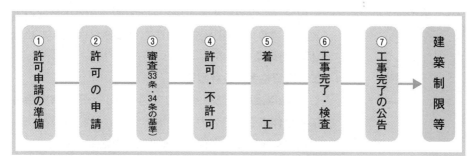

何事も、
手順が大事です。

1　開発許可の手続

開発許可を受けてから最終的に建物をつくるまでには、申請書を用意し、実際に宅地造成をするなど、次のようにいくつかの手続を踏まなければなりません。

①許可申請の準備 ― ②許可の申請 ― ③審査(33条・34条の基準) ― ④許可・不許可 ― ⑤着工 ― ⑥工事完了・検査 ― ⑦工事完了の公告 → 建築制限等

①　許可申請の準備　H28.R3(12)

ア　許可申請書の作成

許可を受けようとする者は、まず申請書を作成し、次の事項を記載しなければなりません。

- 開発区域の位置・区域・規模
- 予定建築物等の**用途**
- 開発行為に関する設計
- 工事施行者
- 工事の着手・完了予定年月日　等

注意
予定建築物等に関する事項としては、用途だけを記載すればOKです。その規模・構造・設備などについては、記載する必要はありません。

イ　公共施設の管理者の同意書と協議書　R2⑽.5

開発許可を申請しようとする者は、あらかじめ、開発行為に**関係がある**公共施設の管理者と**協議**し、その**同意**を得なければならず（**同意書の添付**が必要）、また、開発行為により**設置される**公共施設を管理することとなる者（例えば、水道・電気・ガス事業者）等とは、**協議**しなければなりません（**協議書の添付**が必要）。

「**開発行為に関係がある公共施設**」とは、例えば、以前から存在する道路や下水道で、開発行為に利用するもののことなんだ。そして、「**開発行為によって設置される公共施設**」とは、開発行為によって新しく造られる公園や道路等のことだよ。

⚠注意
土地所有者等の「相当数の」同意を得ていればよく、「全員の」同意でなくてもOKです。また、開発許可を申請しようとする者は、土地の所有権などを、あらかじめ取得する必要はありません。

ウ　土地所有者等の同意書

開発許可を申請する者は、開発許可に係る区域内の土地所有者等の、**相当数の同意**を得なければなりません（**同意書の添付**が必要）。

エ　有資格者の設計図書

1ha以上の開発行為の**設計図書**は、**一定の有資格者により作成**されなければなりません。ずさんな設計で、大規模な開発行為が行われると危険だからです。

要点整理　許可申請に必要な書類等

- 開発行為に「**関係のある**」公共施設については、その管理者と**協議**し、**同意**を得る。
- 開発行為により「**設置される**」公共施設については、その管理者となる者と**協議**する。

②　許可の申請

許可権者は、**都道府県知事**（指定都市等にあっては、その長）です。

③ 審査 発展

R4

開発許可の申請があった場合、都道府県知事はその申請内容を法定の「許可基準」に照らして審査します。この基準には、都市計画法33条の**技術的基準**（**33条の基準**）と34条の**市街化調整区域内の開発行為のみ**適用される基準（**34条の基準**）があります。

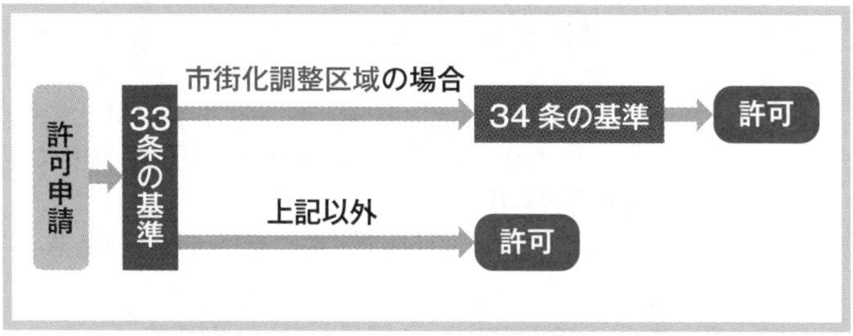

[33条の基準]（主なもの）

ア　共通の開発許可の基準（「自己の居住用」の開発行為に適用）

- 予定建築物等の用途が用途地域等の用途の制限に適合していること
- 排水路その他の排水施設が下水を有効に排出し、溢水（いっすい）等による被害が生じないような構造及び能力で適当に配置されるように設計が定められていること

イ　「自己の居住用」以外の開発許可の基準

（主として自己の居住用建築物〔自宅〕の建築の用に供する目的で行う開発行為以外の開発行為）

- 道路・公園その他の公共の用に供する空地が、環境の保全上、災害の防止上、通行の安全上または事業活動の効率上支障がないような規模及び構造で適当に配置され、かつ、開発区域内の主要な道路が、開発区域外の相当規模の道路に接続するように設計が定められていること＊1

注意

市街化区域は、「33条の基準」をクリアすれば許可されますが、**市街化調整区域**は、「33条の基準」に加え、「34条の基準」もクリアしなければ許可されません。
市街化調整区域は**開発を抑制**するための区域なので、基準が**より厳しく**なっているのです。

プラスα

「**共通**」の基準か、「**業務用**」の場合だけの基準かどうかを、区別しておきましょう。

- ●水道その他の給水施設が、想定される需要に支障をきたさないような構造及び能力で適当に配置されるように設計が定められていること＊1
- ●開発区域内に、災害危険区域･地すべり防止区域･土砂災害特別警戒区域等、開発行為を行うのに適当でない区域内の土地を含まないこと＊1
- ●申請者に、当該開発行為を行うために必要な資力及び信用があること＊2

＊1：「他人の居住用の開発行為」や「他人の業務用の開発行為」だけでなく、「自己の業務用の開発行為」**にも適用される基準**

＊2：「自己の業務用の開発行為」には**適用されない基準**

[34条（市街化調整区域）の基準]（主なもの）

- ●主として開発区域の周辺地域に居住する者の利用に供する公益上必要な建築物またはこれらの者の日常生活に必要な物品の販売等を営む建築物等の建築の用に供する開発行為であること
- ●市街化調整区域内において生産される農作物等の処理・貯蔵・加工に必要な建築物の建築等の用に供する開発行為であること
- ●都道府県知事が開発審査会の議を経て、開発区域の周辺における市街化を促進するおそれがなく、かつ、市街化区域内において行うことが困難または著しく不適当と認める開発行為であること

注意
「災害危険区域・地すべり防止区域・土砂災害特別警戒区域等、開発行為を行うのに適当でない区域内の土地」は、一般的に「災害レッドゾーン」と呼ばれます。この「災害レッドゾーン」では、他人の居住用や業務用の開発行為だけでなく、「自己の業務用の開発行為」も禁止されます。

プラスα
市街化調整区域内のいわゆる「**災害レッドゾーン**」や「**浸水ハザードエリア**」（水防法の浸水想定区域等のうち、災害時に人命に危険を及ぼす可能性の高いエリア）等においては、安全上及び避難上の対策等を許可の条件とするなど、**開発許可の厳格化**が図られています。

④ 許可・不許可

H28.6

ア 申請に対する処分

都道府県知事は、申請があったときは、遅滞なく、許可または不許可の**処分**をしなければなりません。

プラスα
許可・不許可の処分は、文書により、申請者に通知しなければなりません。

イ 開発登録簿

都道府県知事は、開発許可をしたときは、その年月日、

予定建築物（用途地域内の建築物・第一種特定工作物を除く）**の用途**、制限を定めた場合はその内容などを**開発登録簿**に**登録**したうえで、その開発登録簿を、常に**公衆の閲覧**に供するように保管し、かつ、請求があったときは、その**写しを交付**しなければなりません。

ウ　用途地域の定めのない区域の開発許可・建蔽率等の制限

都道府県知事は、**用途地域が定められていない土地の区域**における**開発許可**をする場合、必要があると認めるときは、その開発区域内の土地について、建蔽率、建築物の高さ、壁面の位置、その他建築物の敷地・構造・設備に関する**制限**を定めることができます。

重要
ウの制限が定められた場合、その開発区域内の建築物はそれに違反して建築してはなりませんが、都道府県知事が、環境の保全上支障がないか、公益上やむを得ない、と認めて許可したときは、建築することができます。

「**用途地域の定めのない区域**」では、建築基準法による建蔽率等の規制がされていない・不十分な場合があるから、都道府県知事が、開発許可の際にこれらの制限を定められるようにしたんだよ。

エ　不許可の場合

都道府県知事が開発許可の申請を「不許可」等とした場合、申請者は、**開発審査会**に対して**審査請求**をすることができます。また、裁判所に対して、その処分の取消しの**訴えなどを提起**することができます。

注意
裁判所に対する訴えは、審査請求を経なくても、することができます。

⑤ 着　工

H27.28.R2⑽.3⑿.5

開発許可を受ければ、**開発行為に着手**できます。

ア　許可内容の変更

開発許可を受けた者が、**許可申請書の記載事項**に係る次の内容を変更しようとする場合は、改めて**都道府県知事の許可**を受けなければなりません。

- 開発区域の位置・区域・規模の変更
- 予定建築物等の用途の変更　等

プラスα
予定建築物の敷地の形状の変更や、工事着手予定日・完了予定日の変更など軽微な変更の場合は、事**後**に、遅滞なくその旨を、**都道府県知事に届け出ればよい**ことになっています。

ただし、**開発許可が不要なものに変更**する場合は、都道府県知事の許可を受ける必要は**ありません**。

イ　開発許可に基づく地位の承継

開発許可を受けた者が死亡してその立場を相続した者（**一般承継人**）と、許可を受けた土地を売買等により譲り受けた者（**特定承継人**）とでは、地位の承継方法について、次のような違いがあります。

プラスα
特定承継の場合は、自ら許可を申請しても許可を受けられないような者が、土地の譲渡等の行為を利用して法律の規制を免れようとするおそれがあるからです。

［承継によって開発行為を続行するための要件］

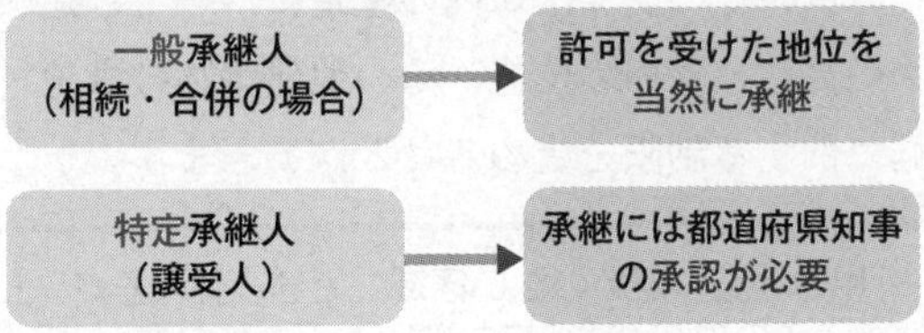

ウ　工事の廃止の届出

開発許可を受けた者が、開発行為に関する**工事を廃止**したときは、遅滞なく、その旨を**都道府県知事に届け出**なければなりません。

⑥　工事完了・検査

ア　工事完了の届出

開発許可を受けた者は、当該開発区域の全部について、開発行為に関する**工事が完了**したときは、その旨を**都道府県知事に届け出**なければなりません。

イ　検　査

都道府県知事は、工事完了の届出があったときは、**遅滞なく**、当該工事が開発許可の内容に適合しているかどうか、**検査**をしなければなりません。

ウ　検査済証の交付

都道府県知事は、検査の結果、工事が開発許可の内容に適合していると認めたときは、一定の**検査済証**を、開発許可を受けた者に対して**交付**しなければなりません。

⑦　工事完了の公告

R2⑽.5

都道府県知事は、検査済証を交付したときは、遅滞なく、当該**工事が完了した旨を公告**しなければなりません。

この工事完了の公告により、開発区域内の土地について、次のような効果が生じます。

ア　公共施設の管理権の帰属

開発行為により設置された**公共施設**は、工事完了の公告の日までは**開発許可を受けた者が管理**し、その公告の日の**翌日以後**は、原則として、その公共施設が存する**市町村が管理**することとなります。

なお、工事完了の公告の日の翌日以後の「例外」として、**他の法律**に基づく管理者が**別**にあるとき、または、**事前**（許可申請前）**の協議**により公共施設の管理者について**別段の定め**をしたときは、**その者が管理**します。

イ　公共施設用地（敷地）の所有権の帰属

開発行為により設置された公共施設の**用地**（**敷地**）の**所有権**は、原則として、**工事完了の公告の日の翌日**において、その公共施設の**管理者に帰属**することになります。

注意
工事完了の公告後については、「施設そのものの管理」の問題と、「公共施設の用地の所有権帰属」の問題を、しっかり区別しましょう。

要点整理　開発許可の手続

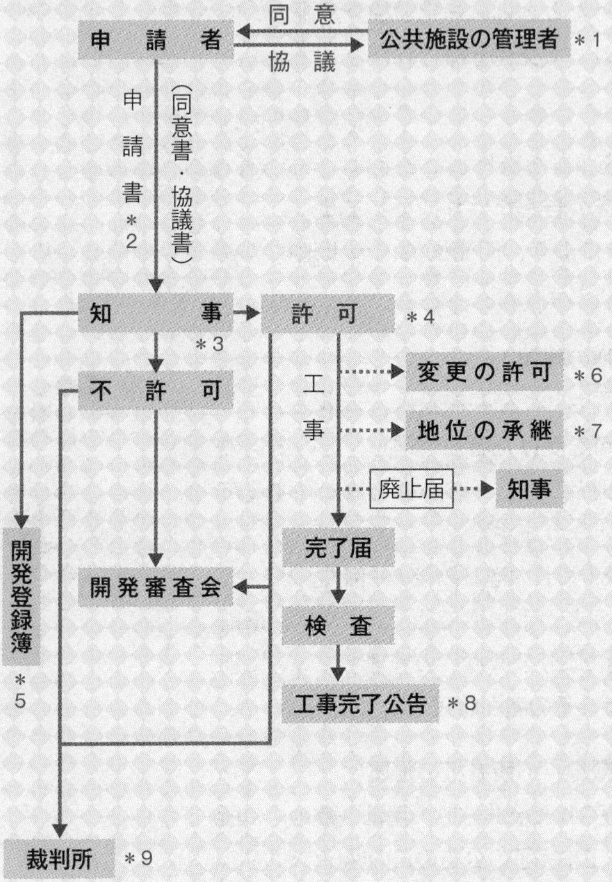

＊1　申請者は、開発行為に**関係がある**公共施設については管理者と協議し、その同意を得、開発行為により**設置される**公共施設については管理者となるべき者と協議する。

＊2　1ha 以上の開発行為の場合、申請書に添付する設計図書は、一定の有資格者が作成したものでなければならない。

＊3　都道府県知事は、申請があったときは、遅滞なく、許可または不許可の処分を、文書によってしなければならない。

＊4　都道府県知事は、**用途地域が定められていない土地の区域**における開発許可をする場合、必要があると認めるときは、当該開発区域内の土地について、建蔽率、建築物の高さ、壁面の位置、その他建築物の敷地・構造・設備に関する**制限を定めることができる。**

＊5　都道府県の閲覧所で**公衆の閲覧**に供する。

＊6　開発許可申請書に記載した開発区域の位置や区域・規模、予定建築物等の用途、開発行為に関する設計などを**変更**しようとするときは、原則として**知事の許可**が必要。

＊7　一般承継の場合は手続は不要、**特定承継**の場合は**知事の承認**が必要。

＊8　公共施設及びその敷地は、原則として市町村に帰属する。

＊9　開発審査会の裁決を経なくても、裁判所に**訴訟を提起**することができる。

2　建築制限等

H27.30.R2(10).3(12)

①　開発許可を受けた開発区域内の建築制限

開発区域内の建築制限については、**工事完了の公告**の「前」「後」で、分けて考える必要があるんだ。

ア　工事完了の公告前の建築制限

工事完了の**公告前**の開発区域内では、**原則**として、**建築物の建築**と**特定工作物の建設**が禁止されます。建築等が行われると、進行中の開発行為の妨げになるからです。

ただし、次の3つの場合は、**例外的**に建築等が許可されます。

- 開発行為に関する工事用の仮設建築物等の建築等
- 都道府県知事が支障がないと認めたとき
- 開発行為に不同意の者が、その権利の行使として行う建築等の行為

注意
工事完了の公告前に開発区域内の土地を分譲することは、規制の対象にはなりません。なぜなら、土地の分譲が行われても、所有権が移転するだけで、現実の工事の妨げになることはないからです。

イ　工事完了の公告後の建築制限

工事完了の**公告後**の開発区域内では、開発許可を申請した際に**予定されていた建築物等以外の建築物等**を**新築・新設**したり、または予定建築物を**用途変更等**によりそれ以外のものとすることは**禁止**されます。

都道府県知事が開発許可を与えているのは、そもそも、予定された特定の建築物等に対してだからだよ。

しかし、これにも次の2つの**例外**があります。

- 都道府県知事が**許可**したとき
- 用途地域等が定められているとき

重要
市街化区域には用途地域が定められているので、市街化区域における開発区域内については、工事完了の公告後は、用途制限を守る限り、予定建築物以外の用途の建築物等を建築することも可能です。

例えば、開発区域内の土地が準住居地域である場合、準住居地域内の**用途制限の範囲内**であれば、予定建築物以外の用途とすることも許されます。

要点整理　開発許可を受けた開発区域内の建築制限

	完了の公告前	完了の公告後
原　則	建築物等の建築禁止	予定建築物等以外の建築禁止
例　外	●開発行為に関する工事用の仮設建築物等の建築 ●知事が認めたとき ●開発行為に不同意の者が、権利行使として行う建築行為	●知事が許可したとき ●用途地域等が定められているとき

②　市街化調整区域のうち開発許可を受けた開発区域以外の区域における建築制限

H27.R2⑽.5

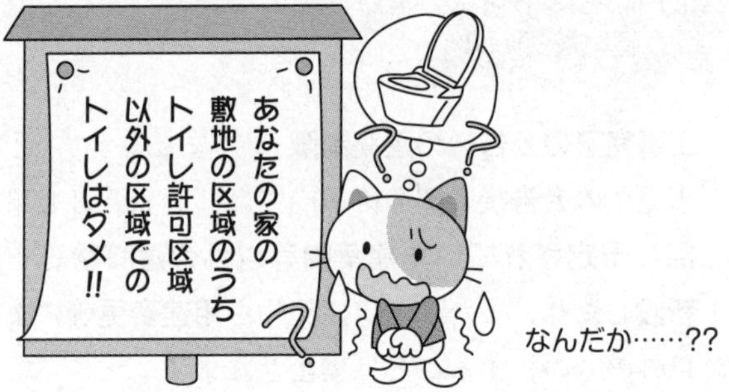

あなたの家の敷地の区域のうちトイレ許可区域以外の区域でのトイレはダメ!!
なんだか……??

市街化調整区域では、開発行為が厳しく規制されています。そして、開発行為を伴わない建築行為も、同様に規制されています。

そのため、**市街化調整区域のうち開発許可を受けた開発区域以外の区域**においては、**都道府県知事の許可**を受けなければ、建築物または第一種特定工作物を新築・新設し、または用途変更等をすることはできません。

［都市計画区域］

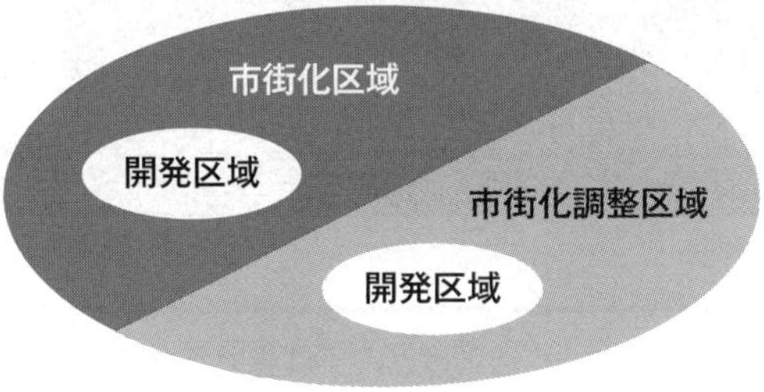

ただし、次の場合は、**例外**として、都道府県知事の**許可**がなくても新築等が**可能**です。

❶ 農林漁業の用に供する建築物、または農林漁業を営む者の居住用建築物
❷ 駅舎・図書館・公民館等の公益的建築物
❸ 都市計画事業の施行として行うもの
❹ 非常災害のため必要な応急措置として行うもの
❺ 通常の管理行為・軽易な行為
❻ 仮設建築物の新築
❼ 都市計画事業等が施行された土地において行うもの

等

注意
「市街化調整区域のうち開発許可を受けた開発区域以外の区域」というフレーズに注意。
左の図のグレーの部分ですが、要するに、単なる市街化調整区域のことです。

プラスα
❶～❺は、「開発許可の不要な場合」と同じなので、覚えやすいでしょう。
なお、❶～❺に関しては、土地の造成行為・建築行為のいずれについても、**都道府県知事の許可**（開発許可・建築許可）が不要であることに注意してください。

要点整理　市街化調整区域の建築制限

- 市街化調整区域のうち開発許可を受けた開発区域以外の区域においては、都道府県知事の許可を受けなければ、建築物または第一種特定工作物を新築・新設し、または用途変更等することはできない。
- ただし、農林漁業用の建築物、駅舎・図書館・公民館等の公益的建築物、都市計画事業等の施行として行うもの、非常災害のため必要な応急措置として行うもの、通常の管理行為・軽易な行為、仮設建築物の新築、都市計画事業等が施行された土地において行うもの等は、都道府県知事の許可なく、することができる。

第3章 建築基準法①（総則・単体規定）

重要ランク A

単体規定は、個々の建築物の安全・衛生を確保するため、「全国の建築物のすべて」に、一律に適用されるんだ。

建築基準法は、暗記の要素が強い科目だけど、実は覚えるべき分量はそれほど多くないんだ。

本試験での頻出事項をしっかり暗記することが大切だから、
優先的に覚えるべき箇所を正確に把握しようね。

1 総　則

1　建築基準法とは

地震や台風、火災などの災害が多いわが国では、国民の生命、健康及び財産の保護を図るため、**建築物の構造**や**設備**等に関して遵守すべき**最低限の基準**を、建築基準法が定めています。

建築物は、それ自体の
安全性とともに
近隣との関係も重要です。

2　単体規定と集団規定

建築基準法の規定は、「総則」のほか、大きく「**単体規定**」と「**集団規定**」の２つに分かれます。

本章で学習する**単体規定**は、**１つ１つの建築物**が備えていなければならない**安全・衛生を確保**するため、**全国一律に適用**される規定です。

これに対して、次章（**第４章**）で学習する**集団規定**は、建築物を「**集合体**」としてとらえて規制するもので、原則として、**都市計画区域**及び**準都市計画区域内**に**限って適用**されます。

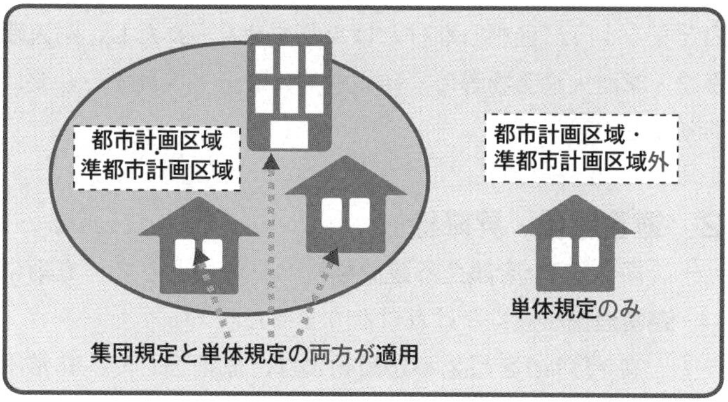

注意
都市計画区域・準都市計画区域外であっても、都道府県知事が指定**する区域内**では、**地方公共団体は**、**条例**で、建築物またはその敷地と道路との関係、建築物の容積率・建蔽率・建築物の高さその他の建築物の敷地または構造に関して**必要な制限**を定めることができます。
なお、**用途**に関する制限は定めることができません。

3　建築基準法の適用除外

H30.R4

次の**ア**～**ウ**の建築物には、建築基準法は**適用されません**。

ア　文化財保護法により国宝・重要文化財等に指定または仮指定された建築物

イ　上記アの建築物（国宝等）の原形を再現する建築物で、特定行政庁が建築審査会の同意を得てやむを得ないと認めたもの

ウ　**既存不適格建築物**（建築基準法の施行または適用の際、現に存する建築物または現に工事中の建築物で、施行前の規定には適合していたが**施行後の規定には適合しない部分**を有するもの）

② 単体規定

単体規定は技術的な規定が多く、数もかなりあるんだ。全部を学習するのは効率が悪すぎるので、ここでは特に重要なものを選んでいるよ。
まずはそれをちゃんと理解してから、過去問などでさらに知識を補充しようね。

1　防火壁等　H28.R2⑽

延べ面積が**1,000㎡を超える**建築物は、原則として、防火壁または防火床によって、各区画の床面積が**1,000㎡以内**となるように区画しなければなりません。ただし、**耐火建築物・準耐火建築物等**は、防火壁等によって区画する必要はありません。

プラスα
● 「避雷針」と「非常用昇降機」の語呂合わせ：

二重（20）の避雷針を備えた三井（31）ビルのエレベーター

2　避雷設備・昇降機　H25.26.28.R2⑽⑿.6

① 高さ**20mを超える建築物**には、原則として、有効に**避雷設備**を設けなければなりません。

② 高さ**31mを超える**建築物には、原則として、**非常用の昇降機**を設けなければなりません。

3　アスベスト・シックハウス対策　H25.R3⑽.5

建築物は、石綿その他の物質の建築材料からの飛散または発散による衛生上の支障がないように、次の基準に適合させなければなりません。

石綿	●建築材料に石綿を添加**しない** ●石綿をあらかじめ添加した**建築材料**を原則として使用**しない**	**すべての**建築物が対象
石綿以外	［クロルピリホス］ ●建築材料にクロルピリホスを添加**しない** ●クロルピリホスをあらかじめ添加した**建築材料**を原則として使用**しない**	**居室を有する**建築物が対象
	［ホルムアルデヒド］ ●居室の内装の仕上げについて、**発散量**に応じて**規制**されている	

4　敷地の衛生・安全

建築物の敷地は、原則として、これに接する道の境より高くなければならず、建築物の地盤面も、原則として、接する周囲の土地より高くなければなりません。

また、建築物の敷地には、雨水及び汚水を排水・処理するための適当な下水管、または、ためますその他の施設を設けなければなりません。

5　開口部の確保　H26.R3(12)

① 住宅等の一定の建築物の居室については、「採光」のための窓その他の開口部を設け、採光に有効な部分の面積は、床面積に対して、**住宅**では、原則として1／7以上としなければなりません。

　ただし、床面において50ルックス以上の照度を確保できるよう**照明設備を設置**している住宅の居室では、「**1／10**以上であればよい」と**緩和**されています。

② **居室**には、原則として、「換気」のための窓その他の開口部を設け、その換気に有効な部分の面積は、その居室の床面積に対して、1／20以上としなければなりません。

6　便所　H29

下水道法に規定する処理区域内においては、便所は、水洗便所（汚水管が公共下水道に連結されたものに限る）以外の便所としてはなりません。

プラスα
便所から排出する汚物を、終末処理場を有する公共下水道以外に放流しようとする場合においては、屎尿浄化槽を設けなければなりません。

7　屋上広場等　H30

屋上広場または2階以上の階にあるバルコニーその他これに類するものの周囲には、安全上必要な**高さ**が**1.1m以上**の手すり壁・さく・金網を設けなければなりません。

8　災害危険区域

R元.4.5

地方公共団体が、条例で、**津波・高潮・出水等の危険が著しい区域**を**災害危険区域**として**指定**した場合、その区域内での**居住用建築物の建築の禁止**など、建築物の建築に関する**制限**で**災害防止上必要**なものは、**条例**で定められます。

要点整理　重要な単体規定

❶　延べ面積が 1,000㎡を超える建築物は、原則として、防火壁または防火床によって各区画の床面積を 1,000㎡以内とするよう区画しなければならない。

ただし、耐火建築物・準耐火建築物等の一定の場合は、防火壁等によって区画する必要はない。

❷　●高さ 20 m超の建築物 ➡ 避雷設備
●高さ 31 m超の建築物 ➡ 非常用の昇降機

❸　石綿（アスベスト）・シックハウス対策

石綿	●建築材料に石綿を添加しない ●石綿をあらかじめ添加した建築材料を原則として使用しない		すべての建築物が対象
石綿以外	クロルピリホス	●建築材料にクロルピリホスを添加しない ●クロルピリホスをあらかじめ添加した建築材料を原則として使用しない	居室を有する建築物が対象
	ホルムアルデヒド	●居室の内装の仕上げについて、発散量に応じて規制されている	

③ 建築確認

“お墨付き”だよ!!

建築主は、**一定の建築工事**については、工事の着手前に、その工事が建築物の敷地・構造・建築設備に関する法令に適合することについて、**建築主事・建築副主事**（一定の資格を持った公務員）または**指定確認検査機関**（一定の条件を満たした民間の機関）の**確認**（**建築確認**）を受け、**確認済証の交付**を受けなければなりません。

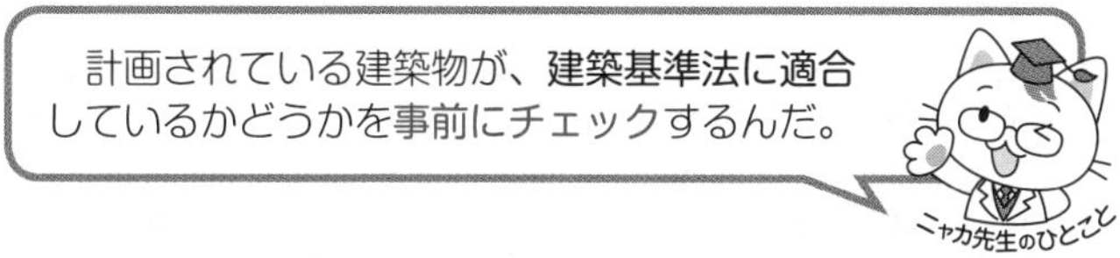

計画されている建築物が、建築基準法に適合しているかどうかを事前にチェックするんだ。
ニャカ先生のひとこと

なお、**建築副主事**が行う建築確認等については、「大規模建築物」に該当する**一定の建築物以外の小規模な建築物に関するものに限定**されます。

プラスα
建築副主事が建築確認などを**担当できない「大規模建築物」**とは、建築士法３条に規定される建築物（新築する場合に、設計・工事監理が一級建築士に限られる一定の建築物）のことです。P446の「大規模な建築物」とは異なるので、区別するため「大規模建築物」としています。

1　建築確認の要否

H26.27.29.30.R2⑽.3⑿.4.6

すべての建築工事に、建築確認が必要とされるわけではなく、次のように、**建築行為の種類**、建築物の**種類・規模**、建築する**区域**などによって、**建築確認の要否**は異なります。

プラスα
特殊建築物の種類をすべて丸暗記する必要はありません。不特定または多数の者が出入りする建物というイメージを持っておけばよいでしょう。

注意
戸建ての住宅や事務所が、特殊建築物には含まれていないことに要注意です。

（◎＝全国どこでも確認必要、×＝確認不要、○＝都市計画区域及び準都市計画区域内のみ確認必要）

	新　築	増・改築、移転		大規模修繕・大規模模様替	用途変更＊3
一定の特殊建築物＊1で、その用途に供する部分の床面積の合計が200㎡を超えるもの	◎	◎	例外（後出2参照）	◎	◎
大規模な建築物　＊2	◎	◎		◎	×
その他の建築物（一般建築物）	○	○		×	

＊1：一定の特殊建築物：
映画館、病院、ホテル、共同住宅、学校、倉庫、バー、自動車車庫、物品販売業を営む店舗等

＊2：大規模な建築物：次のどちらかに該当するもの。なお、例えば、木造・鉄筋コンクリート造といった「**建築物の構造**」とは無関係
❶階数が２以上
❷延べ面積が200㎡超

＊3：建築物の用途変更により、結果的に「**200㎡を超える特殊建築物**」となる場合は、**建築確認が必要**
・下記❶❷は、できあがりが特殊建築物であるため、確認が必要だが、❸は**確認が不要**
・❶に該当する場合でも、寄宿舎を下宿にするなど、類似の用途に変更する場合は、**確認が不要**

（確認必要＝○、不要＝×）

❶ 特殊建築物 ➡ 他の特殊建築物	○
❷ 一般建築物 ➡ 特殊建築物	○
❸ 特殊建築物 ➡ 一般建築物	×

プラスα
「大規模な建築物」：
階数２以上、延べ面積200㎡超
➡「大のビール党は、２階に大瓶200本！」

「**特殊建築物**と**大規模な建築物**に関しては、**全国どこでも**、**何にする場合**でも確認が必要。その一方で、一般建築物は都市計画区域内で建築（新築・増改築・移転）をする場合だけ確認が必要」というザックリしたイメージを持つことが大切なんだ。

2 「建築確認が不要」となる例外

H27.30.6

防火・準防火地域外の場所で増築・改築・移転をする場合、その部分の床面積の合計が**10㎡以内**であれば、**建築確認は不要**です。

❶「防火地域・準防火地域」外 ❷10㎡以内 ❸増築・改築・移転	➡	❶～❸すべてが そろえば 建築確認不要

重要
この例外は、防火・準防火地域「外」の場所にのみ適用され、防火・準防火地域には適用されません。要するに、防火・準防火地域で増築・改築・移転をする場合は、**常に**建築確認が必要ということになります。

建築確認が必要かどうか、次の具体例で考えてみよう。

●都市計画区域内で、50㎡の住宅の新築をすること

➡都市計画区域「内」の新築は、規模にかかわらず**確認が必要**だよ。

●都市計画区域及び準都市計画区域外で、500㎡の住宅をコンビニエンスストアに用途変更すること

➡「用途に供する部分が200㎡を超える**特殊建築物への用途変更**」は、**全国どこでも**確認が必要だよ。

●準防火地域で、住宅を８㎡増築すること

➡防火地域・準防火地域外で行う**10㎡以内の増改築**は**確認が不要**だけれど、防火地域・準防火地域内であれば、必ず確認がいるんだよ。

3　建築確認・完了検査の手続

建築確認が必要となる建築物について、確認申請から工事を完了して使用開始するまでの流れは、次のようになります。

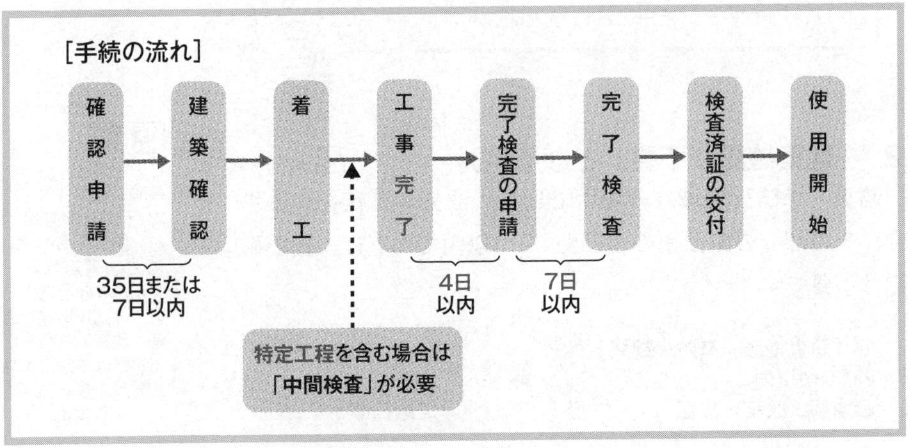

①　確認までの期間

確認申請の提出を受けた建築主事等は、各建築物について、**次の期間内に審査**し、建築基準関係規定に適合することを確認したときは、建築主に、**確認済証の交付**をしなければなりません。

	受理から確認までの期間
特殊建築物・大規模な建築物	35日以内
その他の建築物	7日以内

プラスα
一定の構造計算を要する建築物については、建築主は、都道府県知事等の「構造計算適合性判定」を受ける必要があります。

重要

- **確認済証の交付**を受けた後でなければ、工事に着手することはできません。
- 防火地域・準防火地域外の区域内における住宅等を除き、**建築主事等**は、建築確認をしようとするときは、原則として、消防長または消防署長の同意を得なければなりません。

プラスα
建築確認を受けた建築物の工事施工者は、工事現場の見やすい場所に、一定の様式に従った確認済等の表示をしなければなりません。

②　中間検査

建築主は、工事が「**特定工程**」を含む場合、その工程に係る工事の完了後に中間検査を受け、**中間検査合格証の交付**を受けなければならず、後続の工程に係る工事は、この中間検査合格証の交付後でなければ施工することができません。

用語解説
特定工程：
階数が３以上である共同住宅の床及びはりに鉄筋を配置する工事の工程のうち、２階の床及びこれを支持するはりに鉄筋を配置する工事の工程などのこと。

③　完了検査

H30

建築主は、建築確認を受けた工事が完了したときは、工事完了の日から**４日以内に到達**するように、建築主事等に**完了検査の申請**を行わなければなりません。

検査実施者は、完了検査の申請を受理した日から**７日以内**に、工事に係る建築物等が建築基準関係規定に適合しているかどうかを**検査**する必要があります。

そして、検査の結果、検査実施者は、建築物が建築基準関係規定に適合していると認めたときは、建築主に対して**検査済証を交付**しなければなりません。

④　使用開始

H29.R3(10)

特殊建築物及び大規模な建築物を新築した場合等については、原則として、**検査済証の交付**を受けた後でなければ、その建築物を**使用することができません**。

ただし、次の場合は、例外として**仮使用**ができます。

- 特定行政庁、建築主事等・指定確認検査機関が、仮使用の認定をしたとき
- 完了検査の申請が受理された日から７日**を経過**したとき

注意
この使用開始の時期の制限は、特殊建築物及び大規模な建築物についてのみ適用されるものであり、**一般建築物には適用**されません。

要点整理　建築確認の要否（原則と例外）

（◎＝全国どこでも確認必要、○＝都計・準都計区域で確認必要、×＝不要）

	新築	増・改築,移転		大規模修繕・大規模模様替	用途変更
一定の特殊建築物で、その用途に供する部分の床面積が200㎡を超えるもの	◎	◎	（例外）	◎	◎
大規模な建築物	◎	◎		◎	×
その他の建築物	○	○		×	×

●例外：防火・準防火地域以外における10㎡以内の増・改築、移転は、建築確認が不要

4 建築協定 発展

H27

1　建築協定

建築協定とは、住民たちが自主的に、建築物の敷地や構造、用途、形態や意匠等に関し、**建築基準法の基準を超える基準**を定めることができる制度のことです。

閑静な住宅街で
こんなことが
起きないように……。

2　建築協定の手続

① 建築協定は、**市町村の条例**で建築協定を締結できる旨を定められた区域に限って、締結することができます。
都市計画区域等の内外は問いません。

② 建築協定は、**土地の所有者等**（所有者・地上権者・賃借権者）の「**全員**」の**合意**による必要があります。

③ 建築協定の合意が成立した場合は、**建築協定書**を特定行政庁に提出し、その**認可**を受けなければなりません。

3　建築協定の効力

建築協定の効力は、建築協定の**認可の公告後**に、協定区域内の**土地の所有者等**となった者に対しても**及びます**。

4　協定の変更

建築協定の内容を変更しようとするときは、土地の所有者等の**全員が合意**し、そのうえで**特定行政庁の認可**を受ける必要があります。

5　協定の廃止

建築協定を廃止する場合は、**全員の合意は不要**です。協定区域内の土地所有者等の**過半数の合意**を得、**特定行政庁の認可**を受けることによって、廃止することができます。

要点整理　建築協定の締結・変更・廃止

締結	全員の合意	＋ 特定行政庁の認可 ＋ 公告
変更	全員の合意	＋ 特定行政庁の認可 ＋ 公告
廃止	過半数の合意	＋ 特定行政庁の認可 ＋ 公告

プラスα

- 借地権の目的となっている土地の場合は、**借地権者の合意**だけでよく、土地所有者の同意は不要です。
- 建築協定の基準が借家人の権限に関する場合には、借家人も土地の所有者等とみなされます。

第4章 建築基準法②（集団規定）

重要ランク A

「集団規定」は、建物が集中している「都市部」に、ほぼ限定して適用されるんだ。

ここでは、「都市計画区域・準都市計画区域内のみに適用」される、集団規定といわれるものを学習しようね。

1 道 路

1 建築基準法上の「道路」とは

H29.30.R3(12).4

① 原則

道路とは、道路法による道路など、「**幅員4m以上の道**」のことです。

② 例外（いわゆる「**2項道路**」）

（準）都市計画区域の指定・変更、条例の制定・改正により、集団規定が適用されるに至った際、現に建築物が立ち並んでいる幅員**4m未満**の道で、**特定行政庁が指定**したものは、道路とみなされます。

この道路は、建築基準法42条「2項」に規定されているため、「**2項道路**」といわれています。

建築物が接する道路は、災害時の避難・消火等の際に重要な役割を担うとともに、通風や日照・交通の安全性においても大切なものなんだ。

そこで、「**建築物のための道**」という視点から、建築基準法はさまざまな規定を定めているんだよ。

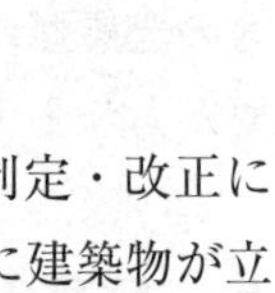

★プラスα

道路とは、右のほか、次の❶～❹のものを指します。

❶**法律**に基づいて造られた道路

❷都市計画区域・準都市計画区域の指定・変更、条例の制定・改正により、建築基準法の集団規定が適用された際、**現に存在する道**（公道・私道を問わない）

❸道路法等による事業計画のある道路で**特定行政庁が指定**したもの

❹道路法等によらないで築造する道で、特定行政庁から位置指定を受けたもの（「**位置指定道路**」という）

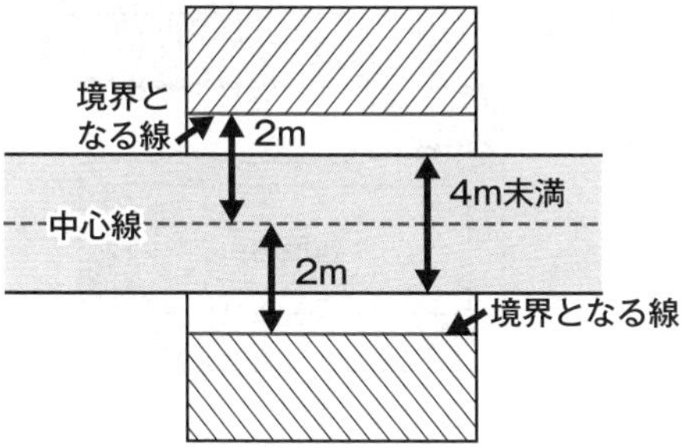

２項道路の境界線は、原則として「道路の中心線より水平距離２mの線」とされ、その部分は敷地面積に含みません。

これによって、建築物は境界線まで下げないと再築することができなくなり（セットバック）、将来的には、**４m道路が確保**されることになります。

要点整理　道路とは

原　則	幅員４m以上
例　外	２項道路 （集団規定が適用されるに至った際、現に建築物が立ち並んでいる幅員４m未満の道で、特定行政庁が**指定**したもの）

用語解説

特定行政庁：
特定の地域における建築行政の責任者のことをいい、**建築主事**（一定の資格者検定に合格し、建築確認などの事務を司る公務員）を置く市町村ではその市町村長、その他の市町村の区域では都道府県知事が該当します。

2　接道義務

H25.R元.5

①　原則

建築物の敷地は、次頁の図のように、道路に**２m以上**接していなければなりません。

建築物の敷地が道路に接していないと、万一火事になった際、消防車による消火活動ができない、などの危険があるからだよ。

ニャカ先生のひとこと

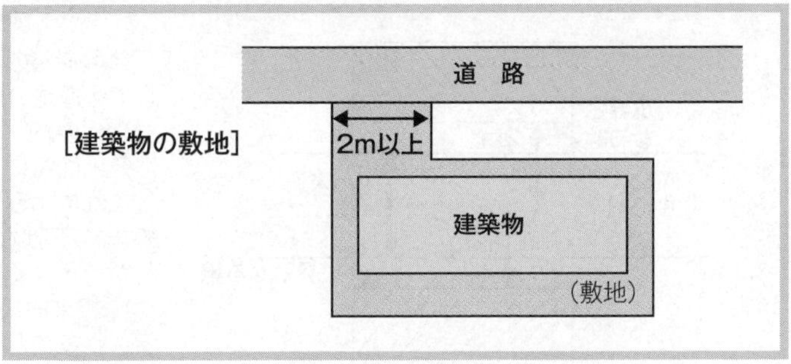

②　**例外**

次の２つの敷地では、接道義務が**軽減**・**免除**されます。

❶その敷地が幅員４ｍ以上の道（**道路に該当するものを除き**、避難・通行の安全上必要な一定の基準に適合するものに限る）に２ｍ**以上**接する建築物のうち、利用者が少数であるとしてその用途及び規模に関し一定の基準に適合するもの（【例】延べ面積500㎡以内の一戸建て住宅等）で、特定行政庁が交通上・安全上・防火上・衛生上支障がないと認めるもの

❷敷地の周囲に広い空地がある建築物等で、特定行政庁が交通上・安全上・防火上・衛生上支障がないと認めて**建築審査会の同意**を得て許可したもの

用語解説

建築審査会：
特定行政庁の処分に同意を与えたり、建築行政に対する不服申立てについて裁決をする機関をいいます。建築主事を置く市町村及び都道府県に設置されます。

③　**制限の付加**

特殊建築物等については、**地方公共団体**は、**条例**で、敷地に接する道路の幅員、敷地が道路に接する部分の長さ等について**必要な制限を付加**（**強化**）することができます。

プラスα

制限を「付加」することだけが認められ、「緩和」することは認められません。

3　道路内の建築制限

H27.R2(10).5

建築物または敷地を造成するための擁壁は、道路内に（または道路内に突き出して）建築・築造してはなりません。

しかし、次の場合は、例外的に建築・築造できます。

ア　**地盤面下**に設ける建築物

イ　公衆便所・巡査派出所等で、**特定行政庁**が通行上支障がないと認めて**建築審査会の同意**を得て**許可**したもの

ウ　一定の高架道路等の路面下などに設けられる建築物で、特定行政庁が認めるもの

エ　公共用歩廊（アーケード）その他で、**特定行政庁**が建築審査会の同意を得て**許可**したもの

要点整理　道路に関する規制

接道義務	原則	建築物の敷地は、道路に２m以上接することが必要
	例外	❶敷地が幅員４m以上の道（道路に該当するものを除き、避難・通行の安全上必要な一定の基準に適合するものに限る）に２m以上接する建築物のうち、利用者が少数であるものとしてその用途及び規模に関し一定の基準に適合するもので、特定行政庁が交通上、安全上、防火上及び衛生上支障がないと認めるもの ❷敷地の周囲に広い空地がある建築物等で、特定行政庁が交通上、安全上、防火上及び衛生上支障がないと認めて建築審査会の同意を得て許可したもの
	制限の付加	地方公共団体は条例で、接道義務に関する制限を付加できる（緩和は不可）
建築制限	原則	建築物または敷地を造成するための擁壁は道路内に建築できない
	例外	●地盤面下の建築物 ●公衆便所、巡査派出所等で、特定行政庁が通行上支障がないと認めて建築審査会の同意を得て許可したもの ●公共用歩廊等で特定行政庁が許可したもの　等

４　壁面線による制限　発展　H30.R2(12)

壁面線は、商店街の買物客の通行スペースの確保や、住宅地の前庭の確保等のために、**道路に沿って指定**されます。

［壁面線の指定］

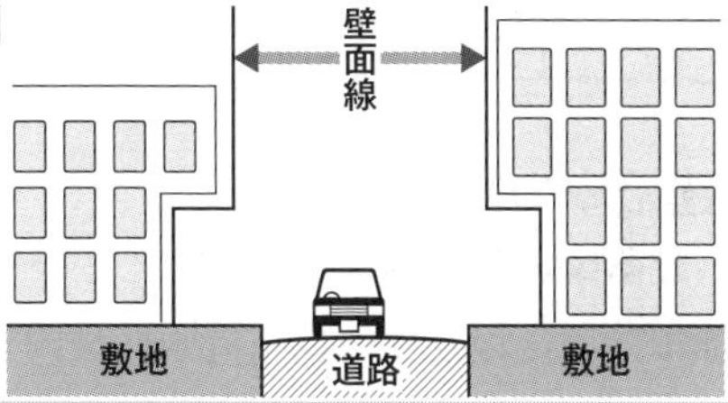

壁面線が**特定行政庁**により**指定**されると、原則として、建築物の壁もしくはこれに代わる柱または高さ2mを超える門・塀は、指定された壁面線を超えて建築することができなくなります。また、特定行政庁の**許可**により、建蔽率や容積率の**緩和の特例**が認められます。

2 建蔽率（けんぺいりつ）の制限

H25〜29.R元.2(12).3(10)(12).5.6

1 建蔽率とは

建蔽率とは、敷地に適度な空地を確保することで、日照や風通しを確保するとともに、火災の延焼を防止することを目的とする規制で、**建築物の建築面積の敷地面積に対する割合**をいいます。

★プラスα
建築面積：
「1階部分の面積」と考えればOKです。

建蔽率は、次の式で表します。

$$\text{建蔽率} = \frac{\text{建築面積}}{\text{敷地面積}}$$

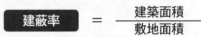

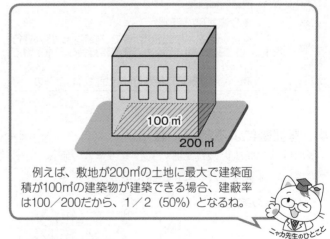

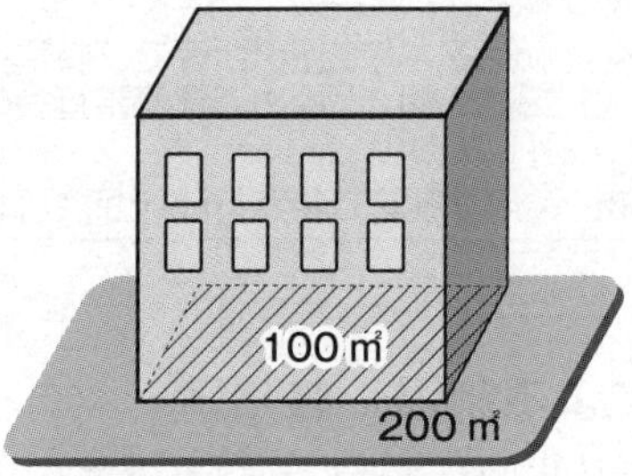

例えば、敷地が200㎡の土地に最大で建築面積が100㎡の建築物が建築できる場合、建蔽率は100／200だから、1／2（50%）となるね。

ニャカ先生のひとこと

2 建蔽率の規制

① 建蔽率の最高限度

都市計画区域及び準都市計画区域内では、用途地域ごとに、次の表のような建蔽率の最高限度が指定されます。

[建蔽率の最高限度]

用途地域	建蔽率の最高限度	
第一種・第二種低層住居専用地域、第一種・第二種中高層住居専用地域、田園住居地域、工業専用地域	$\frac{3\cdot4\cdot5\cdot6}{10}$	左の数値より、都市計画において定める
第一種・第二種住居地域、準住居地域、準工業地域	$\frac{5\cdot6\cdot8}{10}$	
近隣商業地域	$\frac{6\cdot8}{10}$	
商業地域	$\frac{8}{10}$（法定）	
工業地域	$\frac{5\cdot6}{10}$	左の数値より、都市計画において定める
用途無指定区域	$\frac{3\cdot4\cdot5\cdot6\cdot7}{10}$	左の数値より、特定行政庁が都道府県都市計画審議会の議を経て定める

注意
「8／10」となるところを確認しておきましょう。

② 建蔽率の割増し特例

ア　特定行政庁が指定した角地（かどち）

街区の角にある敷地、または、これに準じる敷地で**特定行政庁が指定**したものについては、「指定建蔽率に1／10を加えた数値」とされます。

イ　防火地域内の耐火建築物等

敷地が**防火地域内**で、**かつ**、耐火建築物またはこれと同等以上の延焼防止性能を有する建築物（**耐火建築物等**）を建築する場合は、指定建蔽率に**1／10**を加えた数値とされます。

なお、**建蔽率の限度**が8／10とされている地域では、**防火地域内**に**耐火建築物等**を建築する場合、建蔽率の制限は**適用されません**（後出「**3　ア**」参照）。

ウ　準防火地域内の耐火建築物等または準耐火建築物等

準防火地域内で、**かつ**、**耐火建築物等もしくは準耐**

注意
角地であっても、特定行政庁の指定がなければ、割増しの特例が適用されません。

重要
アと**イ**の両方、または**ア**と**ウ**の両方に該当する場合は2／10が加算されます。

火建築物等（準耐火建築物またはこれと同等以上の延焼防止性能を有する建築物）を建築する場合は、「指定建蔽率に1／10を加えた数値」とされます。

プラスα
以下の計算は、できなくても大丈夫です。ざっくりと、「割合によって計算する」ということを押さえましょう。

③ 敷地が建蔽率の異なる地域にわたる場合

敷地が建蔽率の異なる地域にわたるときは、各地域の建蔽率に、各地域の面積割合を乗じた数値を合算します。

発展 次の例で、建蔽率の上限を具体的に計算してみようね。
（注：敷地は特定行政庁が指定した「角地」で、「防火地域の指定」はなし）

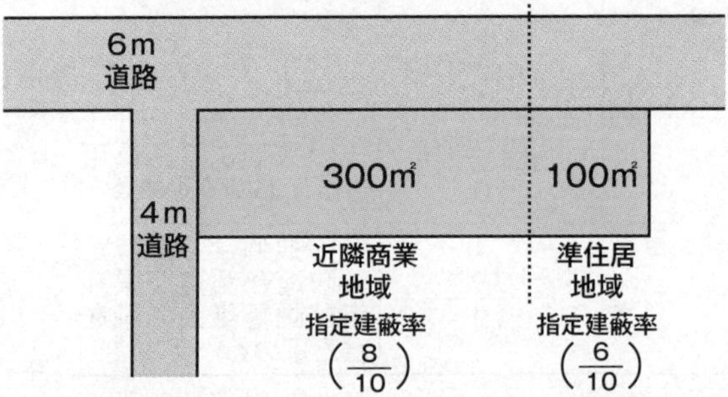

都市計画で指定された建蔽率は、近隣商業地域は8／10、準住居地域は6／10だけど、それに「角地加算」がされて、近隣商業地域は9／10、準住居地域は7／10となるんだ。

ここで、準住居地域の部分についても角地加算がされる点に注意してほしい。なぜかというと、全体として「ひとつの敷地」だから、準住居地域の部分も含めて敷地全体が「角地」とみなされるからなんだ。

これらの結果、この敷地の建蔽率の上限は、次のようになるんだよ。

$\frac{9}{10} \times \frac{300}{400}$（近隣商業地域の面積割合）$= \frac{27}{40}$

＋

$\frac{7}{10} \times \frac{100}{400}$（準住居地域の面積割合）$= \frac{7}{40}$

$= \frac{34}{40}$（85%）

3 建蔽率の適用除外

次の**ア～ウ**の建築物には、**建蔽率の規制は適用**されません。つまり、「敷地いっぱいまで建築OK」ということです。

ア　**商業地域内**または**都市計画**により**建蔽率が8／10と**された地域内で、かつ、**防火地域内にある耐火建築物等**

イ　巡査派出所、公衆便所、公共用歩廊（アーケード）など

ウ　公園、広場、道路、川その他これらに類するものの内にある建築物で、特定行政庁が、安全上、防火上及び衛生上支障がないと認めて許可したもの

要点整理　建蔽率の規制

	原　則	①指定角地	②防火＋耐火等	③準防火＋耐火等・準耐火等	「①」＋「②」
商業地域	$\frac{8}{10}$	$+\frac{1}{10}$	規制なし	$+\frac{1}{10}$	規制なし
商業地域以外の用途地域	それぞれの用途地域による（都市計画で決定）	$+\frac{1}{10}$	$+\frac{1}{10}$ ＊注	$+\frac{1}{10}$	$+\frac{2}{10}$
用途無指定区域	$\frac{3 \cdot 4 \cdot 5 \cdot 6 \cdot 7}{10}$ から特定行政庁が定める	$+\frac{1}{10}$	$+\frac{1}{10}$	$+\frac{1}{10}$	$+\frac{2}{10}$

＊注：建蔽率が8／10とされた地域で、かつ防火地域内にある耐火建築物等には、建蔽率の規制は適用されない。

3　容積率の制限

H27.28.29.R2(10)

1　容積率とは

容積率とは、道路、下水道などの公共施設の整備に見合った大きさの建築物を建築することによって、人や車などによる都市の過密化（かみつか）を防止することを目的とする規制で、建築物の**延べ面積の敷地面積に対する割合**をいいます。

容積率は、次の式で表します。

$$\text{容積率} = \frac{\text{延べ面積}}{\text{敷地面積}}$$

プラスα

延べ面積：建築物の各階の床面積の合計のことです。

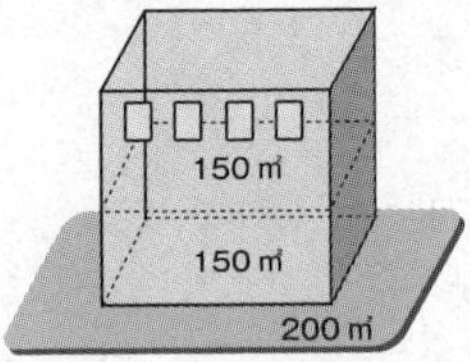

例えば、200㎡の土地に、最大で延べ面積が300㎡の建築物が建築できる場合、計算すると300（㎡）／200（㎡）となるから、その容積率は15／10（150%）だね。

2　容積率の規制

①　指定容積率

都市計画区域及び準都市計画区域内では、都市計画等により、用途地域ごとに、「**容積率の最高限度**」が指定されます。

プラスα
指定容積率の表は、無理に覚える必要はありません。「**各用途地域ごとに、一定の数値の範囲から都市計画等で指定される**」ことを知っておけばOKです。

[指定容積率]

用途地域	容積率の最高限度	
第一種・第二種低層住居専用地域、田園住居地域	$\frac{5 \cdot 6 \cdot 8 \cdot 10 \cdot 15 \cdot 20}{10}$	左の数値より都市計画において定める
第一種・第二種中高層住居専用地域、第一種・第二種住居地域、準住居地域、近隣商業地域、準工業地域	$\frac{10 \cdot 15 \cdot 20 \cdot 30 \cdot 40 \cdot 50}{10}$	
商業地域	$\frac{20 \cdot 30 \cdot 40 \cdot 50 \cdot 60 \cdot 70 \cdot 80 \cdot 90 \cdot 100 \cdot 110 \cdot 120 \cdot 130}{10}$	
工業地域・工業専用地域	$\frac{10 \cdot 15 \cdot 20 \cdot 30 \cdot 40}{10}$	
用途無指定区域	$\frac{5 \cdot 8 \cdot 10 \cdot 20 \cdot 30 \cdot 40}{10}$	左の数値より特定行政庁が都道府県都市計画審議会の議を経て定める

重要
建築物の前面道路が複数あるときは、道幅は、その最も広いものを基準とします。

②　前面道路の幅員による容積率　H29

各建築物の具体的な容積率は、前記の表の指定容積率の範囲内である必要があり、かつ、敷地が接する前面道路の幅

員が**12m未満**のときは、その幅員に次の表の数値を掛けて得られた数値（**道幅容積率**）の範囲内でなければなりません。

	道路の幅員に掛ける数値
住居系用途地域	4／10
その他の用途地域・用途無指定区域	6／10

プラスα

❶　前面道路の幅員が**12m以上**の場合、指定容積率が**そのまま適用**されます。

❷　前面道路の幅員が12m未満の場合、指定容積率と道幅容積率を比較して、より厳しいほうの数値が適用されます。

道幅容積率	前面道路の幅員×**住居系の用途地域**（4／10）
	前面道路の幅員×**その他の用途地域**（6／10）

次の敷地に建築できる建築物の、**最大の延べ面積**を考えてみよう。

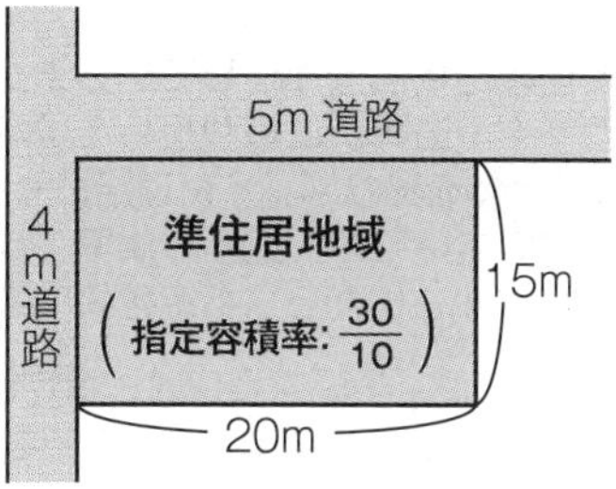

（注：特定行政庁による指定はなし）

住居系の用途地域だから、道路の「メートル」に掛ける値は4／10だね。道路は広いほうの「5m」を基準に考えればいいんだ。

➡ ●**敷地面積＝20m×15m＝300㎡**
●**道幅容積率＝$5\times\frac{4}{10}=\frac{20}{10}$**

ここでの指定容積率は30／10だから、これより厳しい（小さい）道幅容積率を用いることになる。

だから、最大延べ面積は、「**300㎡×20／10＝600㎡**」となるんだよ。

③ 敷地が容積率の異なる地域にわたる場合

敷地が複数の用途地域にわたるなど、容積率の異なる地域にわたるときは、各地域の容積率に、各地域の**面積割合を乗じた数値**を**合算**します。

例えば、敷地が2つの用途地域にまたがるときは、各地域ごとの容積率を求め（指定容積率と道幅容積率のうち少ないもの）、それに各地域の**面積の割合を掛け算した数値**を**合算**したものが、その敷地の容積率とされます。

プラスα
以下の計算は、できなくても大丈夫です。ざっくりと、「割合によって計算する」ということを押さえましょう。

発展 それでは、次の敷地の容積率の上限を求めてみようね。

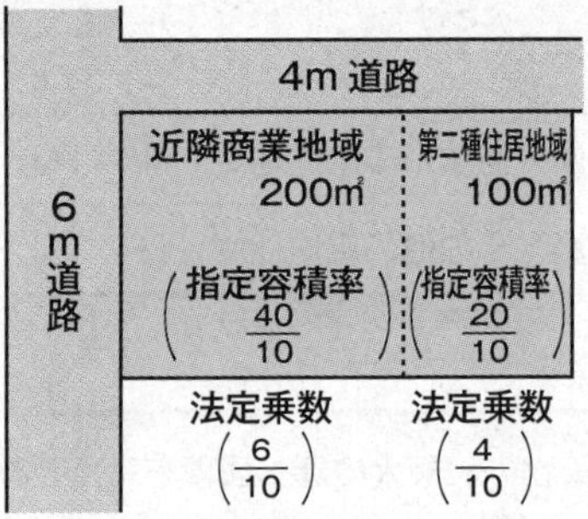

まずここでは、第二種住居地域部分が接している道路の道幅に注意しなければならないよ。そこだけ見ると「4m道路」にしか接していないけど、近隣商業地域の部分も含めた1つの敷地として全体を見れば、6m道路にも接しているよね。

だから、第二種住居地域については、道幅容積率「6×4／10＝24／10」より、指定容積率（20／10）のほうが小さいから、指定容積率の値を用いるんだ。

次に、近隣商業地域については、道幅容積率は、指定容積率（40／10）より小さい「6×6／10＝36／10」となるから、道幅容積率の値を用いるんだ。

結果として、この敷地の容積率の上限は、

$$\frac{20}{10}\times\frac{100}{300}(\text{第二種住居地域の面積割合})=\frac{20}{30}$$
$$+$$
$$\frac{36}{10}\times\frac{200}{300}(\text{近隣商業地域の面積割合})=\frac{72}{30}$$
$$=\frac{92}{30}$$

となるんだよ。

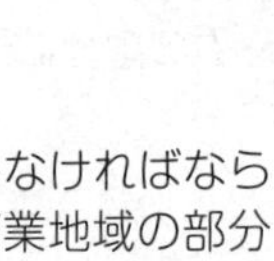

3　容積率の特例等 $\boxed{\text{📄}}$ H27.R2⑽

①　エレベーター・共同住宅・老人ホーム等の共用廊下等

次の図の「□」のように、政令で定める**昇降機（エレベーター）**の昇降路の部分、**共同住宅**、老人ホーム等の**共用の廊下**または**階段**の用に供する部分の床面積は、容積率の算定に際し、建築物の**延べ面積に算入されません**。

□＝容積率算定上の延べ面積に算入されない共用廊下等

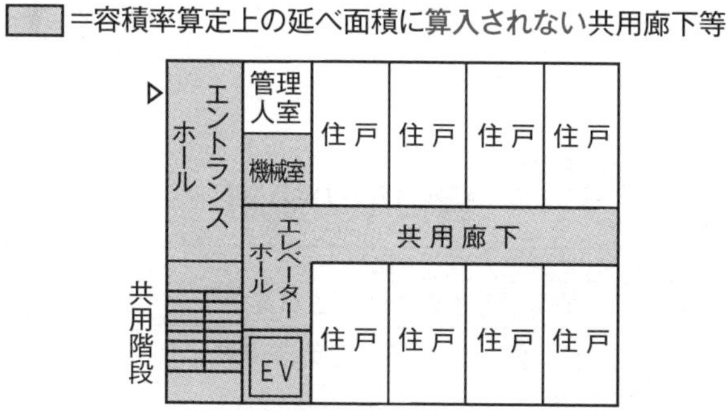

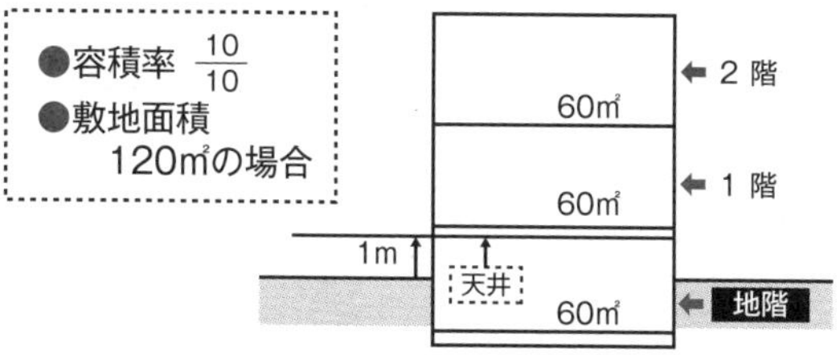

★プラスα
住宅・老人ホーム等に設ける給湯設備の機械室等で一定のものの床面積についても、①と同様に、延べ面積に算入されません。

★プラスα
設置されている建物の用途や設置場所によらず、「宅配ボックスを設ける部分（宅配ボックス設置部分）」は、一律に延べ床面積に算入されません。
ただし、各階の床面積の合計の1／100が限度となります。

②　地階に住宅部分を有する建築物

次の**ア・イ**の条件を満たす住宅・老人ホーム等の地階の床面積は、住宅の用途に供する部分の床面積の合計の**1／3**を限度として、容積率の算定に際して、延べ面積に算入されません。

ア　住宅または老人ホーム等の用途に供する地階であること
イ　地階の天井が地盤面からの高さ1m以下にあること
等

それでは、「建築可能な床面積」を考えてみよう。

●容積率 $\frac{10}{10}$
●敷地面積 120㎡の場合

2階　60㎡
1階　60㎡
1m↑
天井
地階　60㎡

120㎡の敷地面積で容積率が10／10なら、本来は120㎡までの延べ面積しかとれないよね。でも、住宅の延べ床面積の1／3を容積率算定の際に除外してよいのだから、残りの2／3で計算すればいいんだ。そして、最終的な延べ面積をxとすると、

$$\frac{2}{3}x=120\ (㎡)$$

となる。ここから、「x＝180㎡」という答えになるんだ。

ニャカ先生のひとこと

要点整理　容積率の規制

●前面道路の幅員が12m以上 ➡指定容積率がそのまま適用される	
●前面道路の幅員が12m未満の場合 ➡右のAとBを比較し、厳しいほうの数値が具体的容積率となる	A：指定容積率 B：道幅（m）×　（原則） 住居系用途地域　4／10 その他の用途地域　6／10

④ 防火地域・準防火地域の規制　H26.28.R元.2⑿.3⑽.5

1　防火地域・準防火地域内の建築物

都市計画で防火地域・準防火地域と指定された地域内では、火災の危険を防ぐため、建築物の構造について、次のような規制が行われます。

用語解説

延焼防止建築物：延焼防止時間（建築物が通常の火災による周囲への延焼を防止できる時間）が、耐火建築物と同等以上となるような延焼防止性能を有する建築物のこと。なお、「**準延焼防止建築物**」は、これに準じる延焼防止性能を有する建築物のこと。

①　耐火建築物または延焼防止建築物にしなければならないもの

防火地域	3階以上、または延べ面積が100㎡超の建築物
準防火地域	4階以上（地階を除く）、または延べ面積が1,500㎡超の建築物

②　準耐火建築物または準延焼防止建築物にしなければならないもの

防火地域	2階以下、かつ、延べ面積が100㎡以下の建築物
準防火地域	●3階（地階を除く）、かつ、延べ面積が1,500㎡以下の建築物 ●2階以下（地階を除く）、かつ、延べ面積が500㎡を超え1,500㎡以下の建築物

③　より緩やかな延焼防止基準を満たす必要があるもの

防火地域	（該当なし）
準防火地域	2階以下（地階を除く）、かつ、延べ面積が500㎡以下の建築物

なお、次のものは、上記①～③の規制の**対象外**となります。

●高さ2m以下の門または塀
●準防火地域内にある建築物（木造等を除く）に付属するもの

★プラスα
1つの建築物内で、**耐火性能が高い壁等で区画した部分が2以上ある建築物**の場合、それらの部分は、防火規定上、それぞれ「**別々の建築物**」として扱われます。
このことにより、低い階の部分の木造化が可能となります。

2　防火地域・準防火地域内に共通の規定

防火地域・準防火地域内には、次のように、屋根と外壁に関する共通の規定があります。

❶ 屋根	一定の**技術的基準**に**適合**するもので、**国土交通大臣**が定めた**構造方法**を用いるもの、または国土交通大臣の**認定**を受けたものとしなければならない
❷ 外壁	**外壁が耐火構造**の建築物は、その外壁を**隣地境界線に接して設けること**ができる

★プラスα
「屋根・外壁」というキーワードをしっかりと覚えておきましょう。そうすれば、細かい内容についてまで覚えていなくても、おおむね試験問題の解答を導くことができます。

3　防火地域「特有」の規制

防火地域内にある看板・広告塔・装飾塔等の工作物で、次のどちらかに該当するものは、その主要な部分を不燃材料で造り、または覆わなければなりません。

●建築物の屋上に設けるもの
●高さ3mを超えるもの

なお、**準防火地域内**には、この規制は**適用**されません。

4 建築物が防火地域等の内外にわたる場合

建築物が防火地域と準防火地域等、規制の異なる区域にわたる場合（**A**）は、その全部について規制の厳しいほうの**規定が適用**されます。ただし、建築物が異なる区域外において防火壁で区画されている場合（**C**）は、その防火壁の外については、その地域の規制が適用されます。

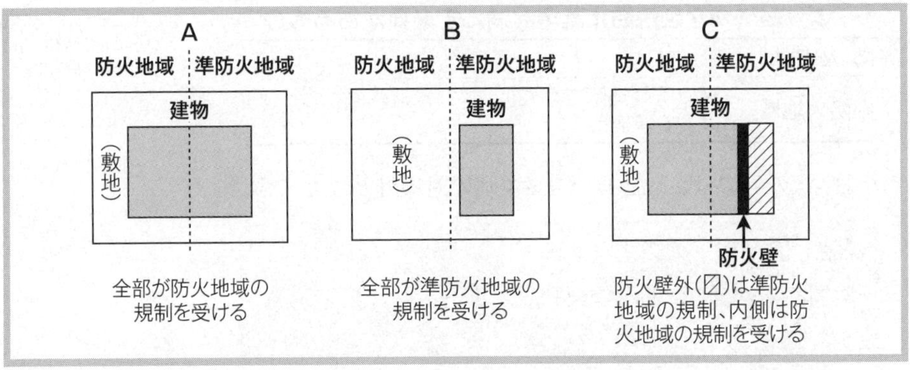

A	B	C
防火地域 ┆ 準防火地域	防火地域 ┆ 準防火地域	防火地域 ┆ 準防火地域
建物	建物	建物 / 防火壁
（敷地）	（敷地）	（敷地）
全部が防火地域の規制を受ける	全部が準防火地域の規制を受ける	防火壁外（🗧）は準防火地域の規制、内側は防火地域の規制を受ける

❺ 高さ制限等

1 敷地面積の最低限度の制限

⭐**プラスα**
敷地面積の最低限度の制限は、すべての用途地域において、適用することができます。

建築物の敷地面積の最低限度は、都市計画によって、200㎡を限度に定めることができます。

> 例えば、建築物の敷地面積の最低限度が150㎡と定められた場合、150㎡未満の土地には建築物を建築することができなくなるんだよ。
>
> ニャカ先生のひとこと

2 低層住居専用地域・田園住居地域に特有の規制

🔖H28.30.R4

⚠**注意**
高さの最高限度は都市計画で必ず定められますが、外壁の後退距離は、必ず定められるものではありません。

第一種低層住居専用地域、第二種低層住居専用地域または田園住居地域内では、良好な住環境を保護するため、外壁の後退距離及び高さの制限があります。

①　外壁の後退距離

建築物の外壁またはこれに代わる柱の面から敷地境界線までの距離（外壁の後退距離）は、都市計画により、1.5mまたは１mを限度に定めることができます。

②　高さの最高限度

建築物の高さの最高限度は、都市計画により、10mまたは 12mを限度に定められます。

3　斜線制限　H25

斜線制限とは、建築物の各部分の高さを、前面道路の反対側の境界線や隣地境界線からの水平距離に一定数値を乗じて得られた数値以下にするための規制です。

プラスα
ビルの上のほうが斜めに切られたような形になっていることがありますが、それが**斜線制限**によるものです。

斜線制限には、次の①**道路斜線制限**、②**隣地斜線制限**、③**北側斜線制限**の３種類があるんだ。それぞれの適用区域をしっかり覚えてね。

①　道路斜線制限　R3(12)

建築物は、前面道路の反対側の境界線より、一定の割合の勾配で示された線の内側でなければ建築することができません。

建築物が道路に与える圧迫感を除去し、道路の通風や採光を確保する目的です。

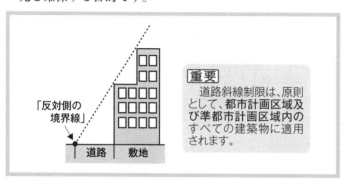

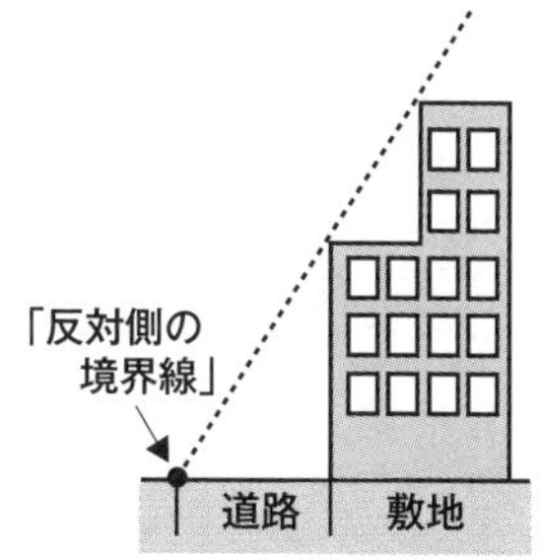

重要
道路斜線制限は、原則として、**都市計画区域及び準都市計画区域内のすべての建築物に適用**されます。

② **隣地斜線制限**

隣地境界線から一定の高さ（立ち上がり）をとり、その点から定められた勾配で示された線の内側に、建築物の建築を規制する制限です。

隣地の日照や通風等を確保するためです。

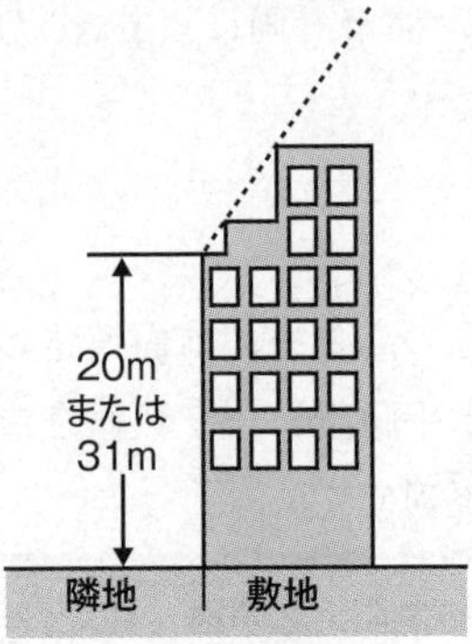

重要
第一種、第二種低層住居専用地域または田園住居地域では、建築物の高さが都市計画で10mまたは12mと定められているため、隣地斜線制限の適用を受けません。

③ **北側斜線制限** H25.R2(12)

敷地の北側境界線までの距離に一定の割合を乗じて得た数値に、立ち上がりの高さを加えた数値以下に建築物の高さを規制する制限です。

北側の敷地等の日照の確保が目的です。

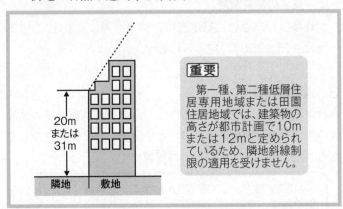

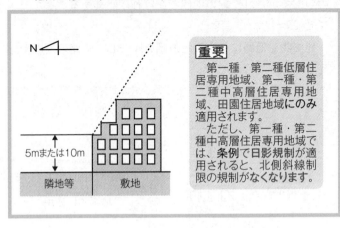

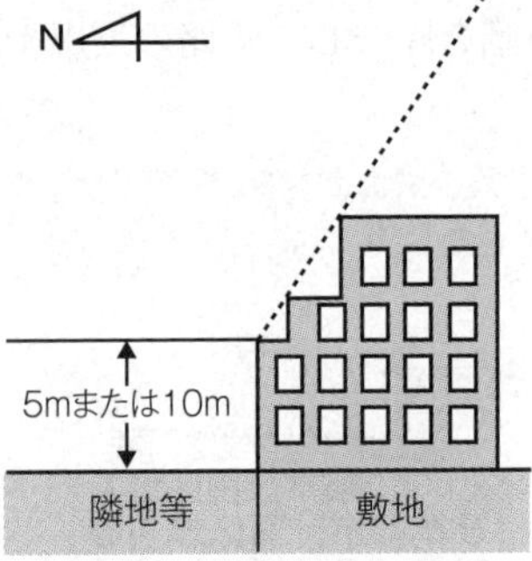

重要
第一種・第二種低層住居専用地域、第一種・第二種中高層住居専用地域、田園住居地域**にのみ**適用されます。
ただし、第一種・第二種中高層住居専用地域では、**条例**で**日影規制**が適用されると、北側斜線制限の規制が**なくなります**。

4　日影規制（にちえい(ひかげ)きせい）

R2(10).5

①　日影規制

日影規制とは、建築物が隣地等に落とす日影の量（**冬至日**に測定）を規制することで、間接的に建築物の高さを制限して、隣地等の日照を確保することを目的としています。

> **プラスα**
> 地方公共団体の**条例**による指定がないと日影規制は適用されません。

②　規制対象区域と規制対象建築物

都市計画区域及び準都市計画区域内で、次の各区域のうち、**地方公共団体**が「**条例**」で**指定**する区域内の建築物について、日影規制が**適用**されます。

	対象区域	規制の対象となる建築物
条例の指定	第一種・第二種低層住居専用地域、田園住居地域	軒の高さが7mを超える建築物、または、地階を除く階数が3以上の建築物 ➡「A」
条例の指定	第一種・第二種中高層住居専用地域、第一種・第二種住居地域、準住居地域、近隣商業地域、準工業地域	高さが10mを超える建築物 ➡「B」
条例の指定	用途地域の指定のない区域	上記「A」または「B」の規制が、条例で指定される

> **プラスα**
> 商業地域、工業地域、工業専用地域の3つが日影規制の適用対象外で、それ以外の用途地域は、すべて対象となります。

また、**対象区域外**の建築物でも、高さが**10mを超える**建築物で、**冬至日**（とうじび）において、**対象区域内の土地に日影**を生じさせるものは、対象区域内にあるものとみなされて日影規制が**適用**されます。

③ 複合日影　発展

同一敷地内に２以上の建築物がある場合においては、これらの建築物は１つの建築物とみなされ、日影規制が適用されます。

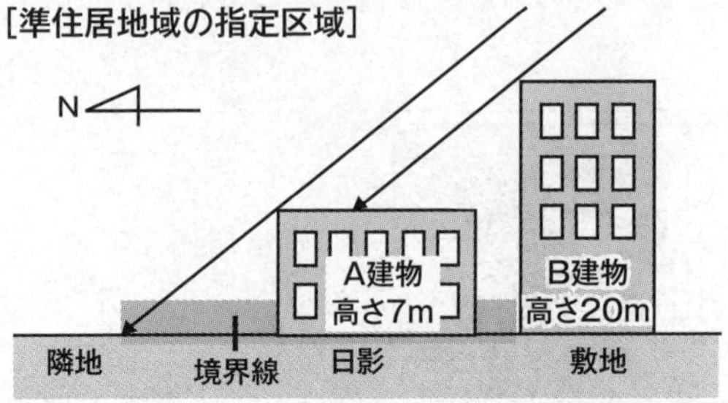

A建物は高さ10mを超えないので、本来は日影規制を受けないんだけど、同一敷地内に10mを超えるB建物があるから、２つの建物を１つと考えて、その日影が規制されるんだ。

⚠注意
表中の赤色の部分は、試験対策上特に重要ですので、しっかり覚えておきましょう。

要点整理　斜線制限と日影規制の適用区域

（〇＝適用、×＝不適用、★＝日影規制が適用された場合は不適用）

	一低	二低	田住	一中	二中	一住	二住	準住	近商	商業	準工	工業	工専	無指定
道路斜線	〇	〇	〇	〇	〇	〇	〇	〇	〇	〇	〇	〇	〇	〇
隣地斜線	×	×	×	〇	〇	〇	〇	〇	〇	〇	〇	〇	〇	〇
北側斜線	〇	〇	〇	★	★	×	×	×	×	×	×	×	×	×
日影規制	〇	〇	〇	〇	〇	〇	〇	〇	〇	×	〇	×	×	〇

6 用途制限

H25.28～R4.6

1　用途制限とは

用途制限とは、**都市計画法**で定められた**各用途地域内**について、それぞれ建築できる**建築物の用途を規制**するものです。

以下、代表的な**建築物の種類**と、それらが**建てられる用途地域との関係**を見ていきましょう。

重要　**「用途制限」の覚え方**

用途制限の主な内容は、後で「要点整理」で示す一覧表のとおりだけど、全部暗記することはとても難しいから、試験対策上は、過去の本試験問題を解きながら、その問題の解答に必要な部分を覚えるようにするといいよ。そして、次のような点に気をつけると覚えやすいし、記憶の定着度も増すんだよ。

❶ **特徴的なものを先に覚える**

例えば、診療所・公衆浴場・神社・寺院・教会は、どの用途地域にも建てることができるんだ。だけど反対に、個室付浴場は、建てることができる区域が商業地域しかないんだ。

このように、建築できる区域が**非常に広い**ものと**狭い**ものを、最初に覚えるといいよ。

❷ **まぎらわしいものに注意する**

同じく学校関係でありながら、幼稚園・小・中・高校と大学・高専・専修・各種学校とでは建築可能な区域に違いがあるんだ。それと、病院と診療所、飲食店と料理店も異なるよ。

このように、**"似て非なる"**部分は本試験でも出題されやすいので、きちんと覚えなきゃダメだよ。

それでは、それぞれの各用途地域内に建てられる建築物によって、その地域の街並みをイメージしてみてね！

①　すべての用途地域内で建築できる建築物

神社等の**宗教施設**や**保育所**、**診療所**等は、すべての用途**地域**に建築できます。

> なお、**保育所**と幼稚園、**診療所**と病院はそれぞれ類似しているけど、異なるものだよ。
> 幼稚園や病院は**工業地域**と**工業専用地域**で建**築できない**ことには、注意してね（後述③参照）。

（網掛け）：建築可能（以下⑧の表まで同様）

地域 建築物の種類	第一種低層住専	第二種低層住専	田園住居	第一種中高層住専	第二種中高層住専	第一種住居	第二種住居	準住居	近隣商業	商業	準工業	工業	工業専用
神社・寺院・教会等													
保育所等・公衆浴場・診療所													
巡査派出所・公衆電話所等													
老人福祉センター・児童厚生施設等	＊	＊	＊										

＊：一定規模以下のものに限り建築可能

②　住宅・図書館等

住宅・共同住宅・一定の店舗兼用住宅、**図書館**、**博物館**、**老人ホーム**等は、**工業専用地域を除いて**、他の用途地域であればどこでも建築できます。

×：建築禁止（以下⑧の表まで同様）

地域 建築物の種類	第一種低層住専	第二種低層住専	田園住居	第一種中高層住専	第二種中高層住専	第一種住居	第二種住居	準住居	近隣商業	商業	準工業	工業	工業専用
住宅・共同住宅・寄宿舎・下宿													×
兼用住宅のうち店舗・事務所等の部分が一定規模以下のもの													×
図書館・博物館等													×
老人ホーム・福祉ホーム等													×

③　学校・病院系

幼稚園から高等学校までは、**工業地域**と**工業専用地域**で建築**できません**。大学や専修学校等は、これに加えて第一種・第二種低層住居専用地域、田園住居地域でも建築できません。そして、**病院**は**大学と同じ扱い**です。

地域／建築物の種類	第一種低層住専	第二種低層住専	田園住居	第一種中高層住専	第二種中高層住専	第一種住居	第二種住居	準住居	近隣商業	商業	準工業	工業	工業専用
幼稚園・小学校・中学校・高等学校												×	×
大学・高等専門学校・専修学校等	×	×	×									×	×
病院	×	×	×									×	×

④　店舗・飲食店

店舗や飲食店の用途制限は、床面積によって6段階に分かれています。

覚えておきたいのは、一番小さい「**150㎡以下**のもの」と一番大きい「**10,000㎡超**のもの」の2つです。

前者は、第一種低層住居専用地域と工業専用地域だけが建築できません。対して後者は、商業系の用途地域と準工業地域でのみ建築できます。

地域／建築物の種類	第一種低層住専	第二種低層住専	田園住居	第一種中高層住専	第二種中高層住専	第一種住居	第二種住居	準住居	近隣商業	商業	準工業	工業	工業専用
床面積の合計が150㎡以下の一定の店舗・飲食店等	×	＊2	＊2	＊2	＊2								＊1
床面積の合計が500㎡以下の一定の店舗・飲食店等	×	×	＊3	＊2	＊2								＊1
床面積の合計が1,500㎡以下の一定の店舗・飲食店等	×	×	×	×	＊2								＊1
床面積の合計が3,000㎡以下の一定の店舗・飲食店等	×	×	×	×	×								＊1
床面積の合計が10,000㎡以下の一定の店舗・飲食店等	×	×	×	×	×	×							＊1
床面積の合計が**10,000㎡を超える**一定の店舗・飲食店等	×	×	×	×	×	×	×	×				×	×

＊1：物品販売店舗・飲食店は建築禁止
＊2：2階以下のみをその用途に供するものであれば建築可能
＊3：2階以下で、地域で生産された農産物の販売を目的とする店舗（農産物販売所）その他の農業の利便を増進するために必要な店舗、飲食店（農家レストラン等）であれば建築可能

⑤　事務所・レジャー施設・ホテル等

事務所も、規模によりますが、表中の「第二種住居地域」より右の地域では、すべて建築できます。

ボーリング場やスケート場、またはホテル・旅館も、第二種住居地域より右の地域であれば、規模にかかわらず建築できますが、ボーリング場等は工業専用地域の建築が許されず、ホテル等は、これに加えて、工業地域でも建築できません。

地域 建築物の種類	第一種低層住専	第二種低層住専	田園住居	第一種中高層住専	第二種中高層住専	第一種住居	第二種住居	準住居	近隣商業	商業	準工業	工業	工業専用
事務所等	×	×	×	×	＊1	＊2							
ボーリング場・スケート場・水泳場等	×	×	×	×	×	＊2							×
ホテル・旅館	×	×	×	×	×	＊2						×	×

＊1：当該用途に供する部分が2階以下、かつ、1,500㎡以下の場合に限り建築可能
＊2：当該用途に供する部分が3,000㎡以下の場合に限り建築可能

⑥　遊技場系

マージャン屋やぱちんこ屋等は、10,000㎡以下であればボーリング場等と同様に第二種住居地域以降工業地域まで建築できますが、10,000㎡を超えると商業系と準工業地域のみでしか建築できません。

対して、カラオケボックス等は、第二種住居地域より右の地域で、どこでも建築できます。

地域 建築物の種類	第一種低層住専	第二種低層住専	田園住居	第一種中高層住専	第二種中高層住専	第一種住居	第二種住居	準住居	近隣商業	商業	準工業	工業	工業専用
床面積の合計が15㎡を超える畜舎	×	×	×	×	×	＊1							
床面積の合計が10,000㎡以下のマージャン屋・ぱちんこ屋・射的場・勝馬投票券販売所等	×	×	×	×	×	×							×
床面積の合計が10,000㎡を超えるマージャン屋・ぱちんこ屋・射的場・勝馬投票券販売所等	×	×	×	×	×	×	×	×				×	×
カラオケボックス・ダンスホール	×	×	×	×	×	×	＊2	＊2				＊2	＊2

＊1：当該用途に供する部分が3,000㎡以下の場合に限り建築可能
＊2：当該用途に供する部分が10,000㎡以下の場合に限り建築可能

⑦　自動車関連・車庫・倉庫系

車庫は、２階以下で300㎡以下であれば、第一種中高層住居専用地域より右の地域では、すべて建築できますが、３階以上または300㎡を超えると、準住居地域より右の地域でないと、建築できません。

倉庫業を営む倉庫も、準住居地域より右の地域でないと、建築できません。

建築物の種類＼地域	第一種低層住専	第二種低層住専	田園住居＊2	第一種中高層住専	第二種中高層住専	第一種住居	第二種住居	準住居	近隣商業	商業	準工業	工業	工業専用
自動車教習所	×	×	×	×	×	＊1							
2階以下で300㎡以下の車庫	×	×	×										
3階以上または300㎡超の車庫	×	×	×	×	×	×	×						
倉庫業を営む倉庫	×	×	×	×	×	×	×						
150㎡以下の自動車修理工場	×	×	×	×	×	×	×						

＊1：当該用途に供する部分の床面積の合計が3,000㎡以下の場合に限り可能
＊2：農産物の生産・集荷・処理・貯蔵に供するもの、農業の生産資材の貯蔵に供するものは、建築可

⑧　劇場・映画館系

劇場や映画館等は、建築できる用途地域の少ない建築物です。200㎡未満のミニシアターは準住居地域から準工業地域に建築できますが、200㎡以上になると準住居地域には建築できません。また、10,000㎡を超える複合型の映画館等も同様の規制となります。

なお、個室付浴場は、商業地域のみに建築できます。

建築物の種類＼地域	第一種低層住専	第二種低層住専	田園住居	第一種中高層住専	第二種中高層住専	第一種住居	第二種住居	準住居	近隣商業	商業	準工業	工業	工業専用
客席部分の床面積が200㎡未満の劇場・映画館・演芸場・観覧場・ナイトクラブ	×	×	×	×	×	×	×					×	×
客席部分の床面積が200㎡以上の劇場・映画館・演芸場・観覧場・ナイトクラブ	×	×	×	×	×	×	×	×				×	×
キャバレー・料理店	×	×	×	×	×	×	×	×	×			×	×
個室付浴場に係る公衆浴場等	×	×	×	×	×	×	×	×	×		×	×	×

2　建築物の敷地が異なる用途地域にわたる場合

H25.30

建築物の敷地が異なる用途地域にわたる場合は、その**敷地全部**について、**敷地の過半が属する用途地域の規制**に服します（「**過半主義**」）。

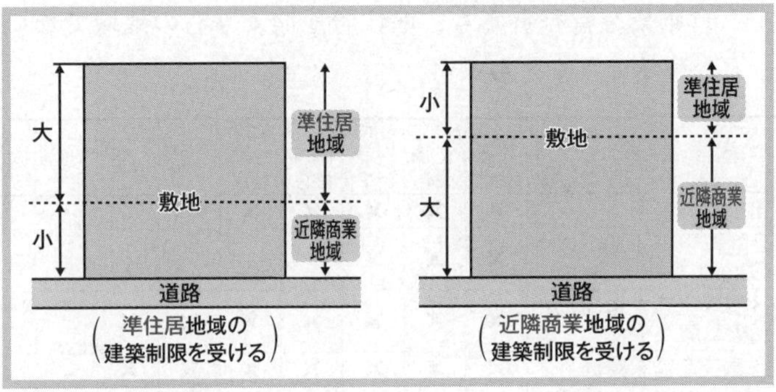

★プラスα
防火地域等の内外にわたる場合の考え方と異なり、**建築物の位置は関係ない**ことに注意しましょう。

3　忌避（きひ）施設等の特則

R3(10)

都市計画区域内において、卸売市場、火葬場、と畜場、汚物処理場、ごみ焼却場、産業廃棄物処理施設等については、用途制限の規定に適合させたうえ、**都市計画で位置が決定**していなければ、原則として、新築・増築をすることができません。

ただし、**特定行政庁**が、所定の都市計画審議会の議を経て、その敷地の位置が都市計画上支障がないと認めて**許可**したなどの場合は、**例外**です。

要点整理　用途制限

（注）［　　］では建築できるが、［×］では特定行政庁の許可がなければ建築できないものとなる。

地域＼建築物の種類	一種低層	二種低層	＊7 田園住居	一種中高層	二種中高層	一種住居	二種住居	準住居	近隣商業	商業	準工業	工業	工業専用
神社・寺院・教会等、保育所、公衆浴場、診療所、公衆便所、巡査派出所、公衆電話所等													
住宅、共同住宅、寄宿舎、図書館、老人ホーム等													×
幼稚園～高校（学校）												×	×
各種専門学校、短大、大学、病院	×	×	×									×	×
150㎡以下の店舗、飲食店	×	＊3	＊3	＊3	＊3								＊4
500㎡以下の〃	×	×	＊6	＊3	＊3								＊4
500㎡超の〃	×	×	×	×	＊1	＊2	＊5	＊5				＊5	＊4 ＊5
事務所	×	×	×	×	＊1	＊2							
カラオケボックス、ダンスホール	×	×	×	×	×	×	＊5	＊5				＊5	＊5
200㎡未満の映画館、劇場、演芸場・ナイトクラブ	×	×	×	×	×	×	×					×	×
200㎡以上の〃	×	×	×	×	×	×	×	×				×	×
料理店	×	×	×	×	×	×	×	×	×			×	×
ホテル、旅館	×	×	×	×	×	＊2						×	×
忌避施設等	×	×	×	×									

＊1：当該用途に供する部分が2階以下で、かつ、床面積の合計が 1,500㎡以下であれば建築できる
＊2：当該用途に供する部分の床面積の合計が 3,000㎡以下であれば建築できる
＊3：当該用途に供する部分が2階以下であれば建築できる
＊4：物品販売店舗と飲食店は建築できない
＊5：当該用途に供する部分の床面積の合計が 10,000㎡を超えるものは建築できない
＊6：当該用途に供する部分が2階以下で、地域で生産された農産物の販売を目的とする店舗その他の農業の利便を増進するために必要な店舗、飲食店であれば建築可能
＊7：農産物の生産･集荷･処理･貯蔵に供するもの、農業の生産資材の貯蔵に供するものは、建築可

注意：各用途地域に建築することができない用途の建築物であっても、公益上やむを得ない等の理由により**特定行政庁が許可**したときは、建築することができる。

第5章 盛土規制法

重要ランク A

危険な盛土の崩落などの防止に必要な「厳しい規制」をかけるため、2023年に改正施行された法律だよ！

近年、宅地造成に伴う災害に加えて、山中などでの**危険な盛土等による被害**が、各地で多発しています。

その防止のため、従来の「宅地造成等規制法」の内容を一新・改称した「宅地造成及び特定盛土等規制法」（通称：盛土規制法）が制定され、もともと行われていた「**宅地造成の工事等**」に対する規制だけでなく、**危険な盛土等**や、**単なる土捨て行為・一時的な堆積**などについても、**スキマなく規制**されることになりました。

土砂災害を防ぐために、まず「**危険なエリアの指定**」を行い、その中で、実効性の高い規制や対策をとるんだ。

3つの「危険なエリア」の指定 ▶ **各「危険なエリア」内でさまざまな規制・安全確保の対策を実施**

【盛土規制法の全体構造】

- **❶ 宅地造成等工事規制区域**
  - 宅地造成等の「許可」制
  - 一定の行為の「届出」制
  - 土地の「保全等」
- **❷ 特定盛土等規制区域**
  - 特定盛土等・土石の堆積の「届出」制
  - 特定盛土等・土石の堆積の「許可」制
  - 一定の行為の「届出」制
  - 土地の「保全等」
- **❸ 造成宅地防災区域**
  - 造成宅地の「災害防止措置等」

◆1◆「危険なエリア」の指定と基礎調査　H26.R2⑩⑫.6

1　危険なエリアの指定

盛土の崩落などの土砂災害の危険から人命を守るため、**都道府県知事**は、さまざまな規制や安全確保対策を実施する必要がある「**危険なエリア**」を、❶**宅地造成等工事規制区域**、❷**特定盛土等規制区域**、❸**造成宅地防災区域**として**指定**できます。

⚠注意
指定都市等では、「都道府県知事」ではなく「市長」が、法律に基づいて各手続を行います。

[危険なエリア**の種類**]

❶ 宅地造成等工事規制区域➡◆2◆	市街地・集落・それらの周辺など、宅地造成・盛土等が行われた場合に人家などに危害を及ぼしうるエリアとして指定する区域
❷ 特定盛土等規制区域➡◆3◆	**市街地**・**集落**などから離れているものの、地形等の条件から、盛土等が行われた場合に人家などに危害を及ぼしうるエリアとして指定する区域
❸ 造成宅地防災区域➡◆4◆	**地すべり的崩落**が発生するおそれが高い既存**の造成宅地**に対して指定する区域

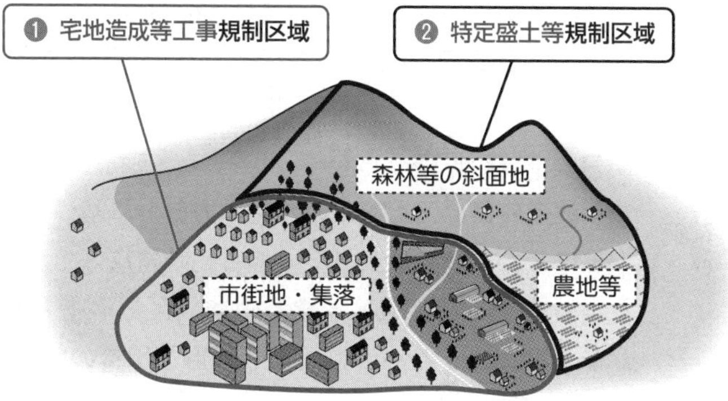

❶宅地造成等工事規制区域は、「人が居住」していて、崖崩れ等が起こると**直ちに人的被害が生じるおそれが高い区域**だよ。さほど人が多くない「**集落**」や、市街地・集落に「**隣接・近接**」している場所も含まれることに注意してね。

❷特定盛土等規制区域は、「人がほとんどいない」ところだから、ここで崖崩れ・土石流が起きても人的被害が生じるおそれは低いんだけど、それが万一**市街地等まで到達**したら、**多大な人的被害を引き起こすおそれが高い区域**だよ。

そして、上記❶❷に対して、❸造成宅地防災**区域**は「以前造成された危険な既存**の造成地**」というイメージだよ。

盛土規制法における「**宅地**」とは、**農地等**（**農地・採草放牧地・森林**）および**公共施設用地**（道路・公園・河川等）**以外**の土地をいいます。

宅建業法上の「宅地」（建物の敷地に供せられる土地等）とは、意味が異なる**ことに注意**してね。

2　基本方針

主務大臣（国土交通大臣・農林水産大臣）は、宅地造成・特定盛土等・土石の堆積に伴う土砂災害の防止に関する**基本的な方針**（**基本方針**）を定めなければなりません。

「基本方針」には、「災害防止対策・基礎調査」、前出❶の「**3つの区域**」について、その基本的な方向性が示されているんだよ。

3　基礎調査

都道府県は、上記**2**の「**基本方針**」に基づき、おおむね5年ごとに、**危険なエリア**である宅地造成等工事規制区域・特定盛土等規制区域・造成宅地防災区域の指定や災害防止対策などを行うために必要な「**地形・地質の状況などの調査**」（**基礎調査**）を行います。

⚠注意
指定都市等の区域内の土地では、指定都市等が基礎調査を行います。

①　土地の立入り

都道府県知事は、**基礎調査**のために**他人の占有する土地**に立ち入って測量・調査を行う必要があるときは、必要限度内で、その土地に、自ら**立ち入り**、または命じた者・委任した者に**立ち入らせる**ことができます。

この場合、土地の**占有者**は、**正当な理由**がない限り、**立入りを拒み**、または**妨げてはなりません**（違反には、罰則あり）。

② **損失の補償**

都道府県は、**基礎調査**のための土地の立入り等により、他人に損失を与えたときは、損失を受けた者に対して、**通常生ずべき損失**について**補償**しなければなりません。

2 宅地造成等工事規制区域

H25〜R6

ムチャです……。

1　宅地造成等工事規制区域の指定

都道府県知事は、宅地造成等に伴って**災害が生ずるおそれが大きい市街地等区域**であって、**宅地造成等に関する工事**（**宅地造成等工事**）に対して規制する必要がある区域を、「**宅地造成等工事規制区域**」として指定できます。

- 都市計画区域の**内・外**関係なく**指定**できることに注意が必要だよ。
- 指定権者は、都道府県知事だよ。「国土交通大臣」とするひっかけには気をつけてね！

用語解説
市街地等区域：市街地・市街地になろうとする土地の区域・集落の区域（これらの区域に隣接・近接する土地の区域を含む）のこと。

第5章
盛土規制法

2 宅地造成等工事の「許可」

砂遊びに
許可は不要だけどね。

★プラスα
宅地造成等工事規制区域内で行われる「宅地造成・特定盛土等」について、当該区域の指定後に都市計画法の開発許可を受けた場合は、「許可を受けた」とみなされ、あらためて許可を受ける必要はありません。

宅地造成等工事規制区域内で宅地造成等に関する工事を行う場合、工事主は、工事に着手する前に、原則として、都道府県知事の許可を受けなければなりません。

「工事主」とは	❶ 「宅地造成・特定盛土等・土石の堆積に関する工事」の請負契約の「注文者」
	❷ 請負契約によらずに、自ら❶の「工事」をする者

3 許可が必要な「宅地造成等」

宅地造成等工事規制区域内で許可が必要な「宅地造成等」とは、次の宅地造成・特定盛土等・土石の堆積の総称です。

[宅地造成等工事規制区域内で知事の許可が必要な「宅地造成等」]

宅地造成	宅地以外の土地を宅地にするために行う盛土その他の土地の形質の変更で、右の❶～❺のいずれかの規模のもの 【例】宅地を造成するための盛土	❶ 盛土で高さ1m超の崖を生じるもの ❷ 切土で高さ2m超の崖を生じるもの ❸ 同時に行う盛土と切土により、高さ2m超の崖を生じるもの
特定盛土等	宅地または農地等において行う盛土その他の土地の形質の変更で、右の❶～❺のいずれかの規模のもの 【例】山中の残土処分場での盛土	❹ 盛土で高さ2m超のもの （崖の高さを問わない） ❺ 盛土または切土をする土地の面積が500㎡超のもの
土石の堆積	宅地または農地等において行う一時的な土石の堆積（一定期間の経過後に除却するもの）で、右の❻または❼の規模のもの 【例】土石のストックヤード（一時保管場所）での仮置き	❻ 高さが2m超、かつ面積が300㎡超のもの ❼ 面積が500㎡超のもの

【宅地造成・特定盛土等】（❶～❺）

❶

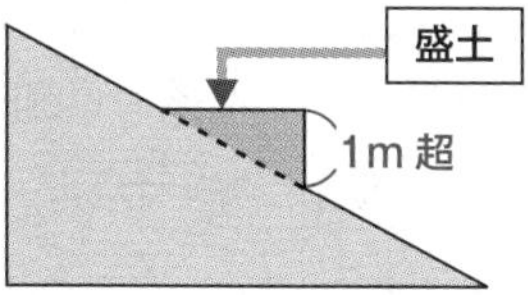

盛土で高さ1m超の崖を生じるもの

用語解説
崖：
地表面が水平面に対し30度を超える角度をなす土地で、硬岩盤（風化の著しいものを除く）以外のもの。

❷

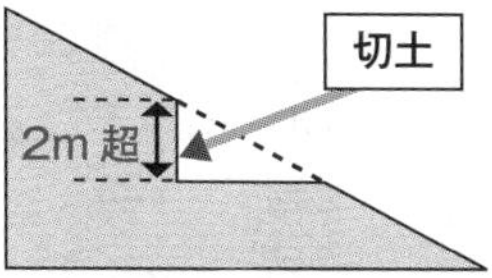

切土で高さ2m超の崖を生じるもの

❸

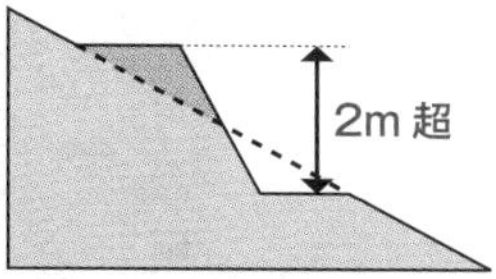

同時に行う盛土と切土により、高さ2m超の崖を生じるもの

❹

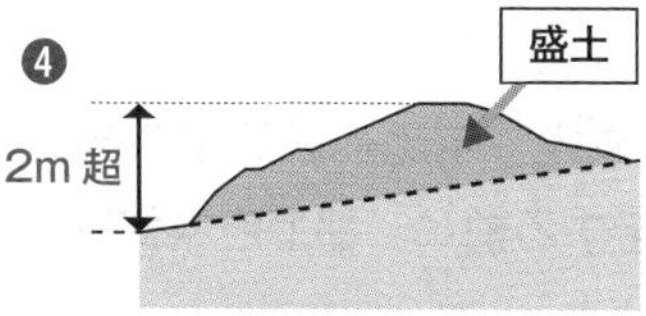

盛土で高さ2m超のもの
（崖の高さを問わない）

❺

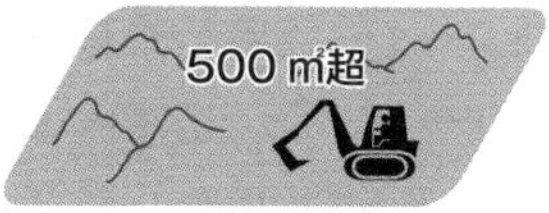

盛土または切土をする土地の面積が 500㎡超のもの

【土石の堆積】（❻❼）

❻

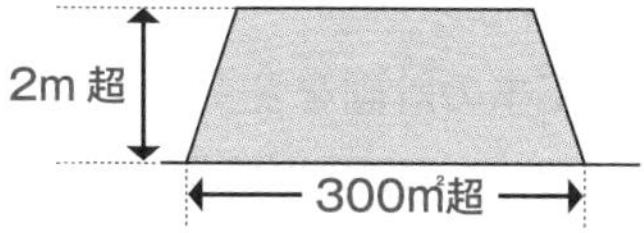

高さが2m超、かつ、面積が300㎡超のもの

❼

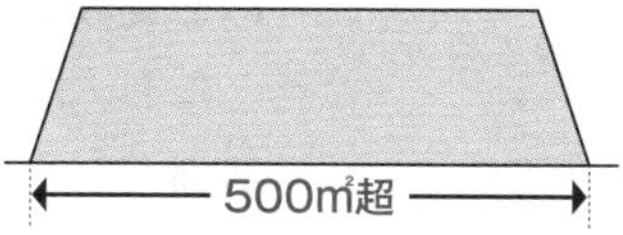

面積が 500㎡超のもの

4　宅地造成等工事の許可の手続

宅地造成等工事を行うときは、まずは①**許可の申請**を行い、②**知事の許可**を受けてから、③**着工**となります。

また、工事完了後には、原則として、都道府県知事による⑥**完了検査**を受け、技術的基準に適合していれば、⑦**検査済証の交付**を受けることになります。

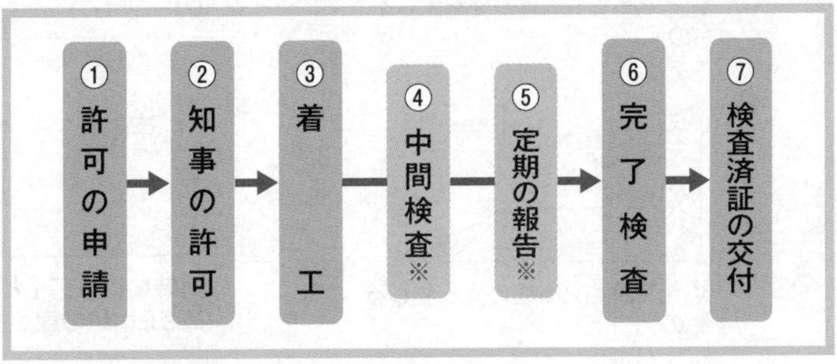

※：一定の「特に大規模」な場合のみ必要

①　許可の申請

宅地造成等工事規制区域内で**宅地造成等工事**を行う場合、**工事主**は、**工事に着手する前**に、**都道府県知事**に**許可**を申請しなければなりません。

②　知事の許可

都道府県知事は、許可の申請があったときは、遅滞なく、**許可または不許可の処分**をしなければなりません。ただし、許可にあたり、工事の施行に伴う**災害を防止するため必要な条件を付す**ことができます。

なお、許可を受けた者は、**工事の計画を変更**するときは、原則として、**都道府県知事の許可**（**変更の許可**）を受けなければなりません。

ただし、**軽微な変更**をしたときは、遅滞なく、その旨について**都道府県知事に届出**をすれば足ります。

[工事計画の変更]

原則	都道府県知事の許可（＝変更の許可）
例外	軽微な変更 ➡遅滞なく、都道府県知事に届出

プラスα
工事主は、許可申請前に、周辺住民に対し、工事内容を周知するための説明会を開催するなど、必要な措置を講じなければなりません。

プラスα
知事は、許可をしたときは、すみやかに工事内容を公表し、関係市町村長に通知しなければなりません。

プラスα
知事は、許可の申請者に対して、**許可の処分をしたときは許可証を交付し、不許可の処分をしたとき**は、文書でその旨を通知しなければなりません。

プラスα
「軽微な変更」とは、例えば、**工事施行者の氏名・名称等の変更**のことです。

③　着　工

宅地造成等工事規制区域内で行う宅地造成等工事は、原則として、政令で定める**技術的基準**に従い、擁壁・排水施設の設置など、**宅地造成等に伴う災害を防止するため必要な措置**を講じたものでなければなりません。

なお、当該**措置**のうち、高さ**5m超の擁壁の設置**、および、盛土・切土をする土地の面積が**1,500㎡超の土地**における**排水施設の設置**をするには、**一定の有資格者による設計**が必要です。

④　中間検査

許可を受けた者は、許可を受けた**宅地造成・特定盛土等（一定の「特に大規模」なもの**※1に限る）**に関する工事**が、**「特定工程」**※2を含む場合で、その特定工程の工事を終えたときは、**都道府県知事の検査**を申請しなければなりません。

そして、特定工程後の工事は、都道府県知事から**中間検査合格証の交付**を受けた**後**でなければ、することができません。

⑤　定期の報告

宅地造成・特定盛土等・土石の堆積（一定の「特に大規模」なもの※1に限る）**に関する工事**の**許可**を受けた者は、原則として、**3ヵ月ごと**に、宅地造成等に関する工事の実施の状況等の一定の事項を、都道府県知事に**報告**しなければなりません。

⑥　完了検査

許可を受けた者は、許可を受けた**工事を完了**したときは、工事完了の日から4日以内に、**都道府県知事の検査**を申請しなければなりません。

⑦　検査済証の交付

都道府県知事は、完了検査の結果、工事が宅地造成等工事の**技術的基準**に適合していると認めた場合は、許可を受けた者に、**検査済証を交付**しなければなりません。

プラスα
都道府県知事は、一定の場合には、都道府県の**規則**で、宅地造成等工事規制区域内で行われる宅地造成等工事に関する**技術的基準**を、強化または付加できます。

※1：後出「❸3① **特定盛土等規制区域の許可」の規模と同じです。**この点は、左の⑤でも同様です。
※2：工事完了後では確認することが困難な「盛土前または切土後の地盤面に行う排水施設の設置工事」にかかる工程のこと

注意
宅地造成等工事のうち土石の堆積に関する**工事の許可**を受けた者は、堆積した全ての土石を除却する工事を完了したときは、**都道府県知事の確認**を申請しなければなりません。
都道府県知事は、「堆積していた全ての土石が除却された」と認めたときは、確認済証を、許可を受けた者に交付しなければなりません。

5　宅地造成等工事の「許可制」に関する監督処分

都道府県知事は、宅地造成等工事の許可制に関する違反者に対して、次の**監督処分**を行うことができます。

監督処分の種類	処分の対象者
許可取消しの処分	❶ 偽りその他不正な手段により許可を受けた者 ❷ 許可に付した条件に違反した者
工事の施行停止等の命令	無許可で施行する宅地造成等工事の**工事主等**
土地の使用禁止等の命令	無許可で宅地造成等工事が施行された土地の**所有者等**

6　工事等の届出

注意
❶〜❸の場合について、「許可を受けなければならない」というひっかけには注意しましょう。

次の❶〜❸の者は、**都道府県知事**に対する**届出**が必要です。

届出義務者	届出期間
❶ 宅地造成等工事規制区域の指定の際、その宅地造成等工事規制区域内で行われている宅地造成等工事の**工事主**	指定があった日から21日以内
❷ 宅地造成等工事規制区域内の土地（公共施設用地を除く）で、次の**ア**・**イ**の全部または一部の除却**工事を行う者**（宅地造成等工事の許可を受けた者等を除く） ア　高さが2m超の擁壁・崖面崩壊防止施設 イ　地表水等を排除するための排水施設または地すべり抑止ぐい等	工事に着手する日の14日前まで
❸ 宅地造成等工事規制区域内で、公共施設用地を**宅地または農地等に転用した者**（宅地造成等工事の許可を受けた者等を除く）	転用した日から14日以内

用語解説
崖面崩壊防止施設：崖の安定を保つために鋼製枠や大型かご枠などによって崖面を覆う施設のこと。

❶のように、すでに工事をしていた場合に、後から規制区域に指定**して許可を要求**するのはちょっと酷だよね。でも、危険な工事であることに変わりはなくて、マズい…。それと、❸のように、道路や河川などの**公共施設用地**として造成した土地を、**宅地や農地等**に転用した場合に「ノー・チェック」とするのも、とっても危険だよね。

そこで、❶❸のように「事後であっても**届出が必要**」と厳しく規制したんだ。

7　土地の保全義務等

① **宅地造成等工事規制区域内**の土地（公共施設用地を除く）の**所有者**・**管理者**・賃借人などの**占有者**（**所有者等**）は、**宅地造成等**に伴う災害が生じないよう、その土地を**常時安全な状態に維持**するように**努めなければなりません**（努力義務）。

これを、**土地の保全義務**といいます。

② 都道府県知事は、宅地造成等工事規制区域内の土地（公共施設用地を除く）の所有者等に対して、次のように、**災害防止措置**を講じるよう**勧告**・**改善命令**をすることができます。

［宅地造成等工事規制区域内における勧告・改善命令］

	ケース	対象者	措置の内容
勧告	宅地造成等に伴う災害**の防止のため必要がある**と認める場合	●土地の所有者 ●土地の管理者・占有者 ●工事主・工事施行者	擁壁等の設置など宅地造成等に伴う災害の防止のため必要な措置をとることを勧告できる
改善命令	宅地造成・特定盛土等に伴う災害の防止のため必要な擁壁等が設置されていない等のときで、これを**放置**すると宅地造成等に伴う**災害の発生のおそれが大きい**と認める土地がある場合	●土地・擁壁等の所有者 ●土地・擁壁等の管理者・占有者 ●不完全な工事によって災害発生のおそれを生じさせた**土地所有者等以外の者**	一定限度内で、相当の猶予期限を付けて、擁壁等の設置等の工事を行うことを命ずることができる

注意
ここでの「宅地造成等」には、**宅地造成等工事規制区域の指定**前に行われた宅地造成等も含まれます。

プラスα
都道府県知事は、宅地造成等工事規制区域内の土地（公共施設用地を除く）の所有者・管理者・占有者に対して、その土地の状況やその土地で施行中の工事の状況について、報告を求めることができます。

注意
「勧告」は法的強制力がないのに対して、「改善命令」は法的強制力があることに気を付けましょう。

3 特定盛土等規制区域

R6

1　特定盛土等規制区域の指定

特定盛土等規制区域とは、**特定盛土等**または**土石の堆積**が行われた場合に、土地の傾斜度・渓流の位置その他の**自然的条件**・周辺地域での**土地利用の状況**・**社会的条件**からみて、

⚠注意
「都市計画区域の内・外関係なく指定できる」点と、「指定権者が都道府県知事」である点は、**宅地造成等工事規制区域での規制と同様**です。

これに伴う災害によって**居住者等**（**市街地等区域その他の区域の居住者その他の者**）**の生命・身体に危害を生ずるおそれが特に大きい**と認められる区域のことです。

❶で見たとおり、特定盛土等規制区域とは、簡単にいえば、**市街地や集落などから**離れていて人がほとんどいないものの、斜面地であるなど地形等の条件から「盛土等が行われれば**市街地等区域の人家等に危害を及ぼしうるエリア**として指定される区域」だったね。

都道府県知事は、**基本方針**に基づき、かつ、**基礎調査**の結果を踏まえて、**宅地造成等工事規制区域「外」**の土地の区域内で、「**特定盛土等規制区域**」を指定することができます。

2　特定盛土等・土石の堆積に関する工事の「届出」

⚠注意
工事の計画について一定の変更を行った場合も届出が必要ですが、軽微な変更の場合は、**届出不要**です。

⚠注意
「2つの規制区域」の外では、「届出が必要」という規定はありません。
「区域外でも届出が必要」というひっかけに注意しましょう。

特定盛土等規制区域内において行われる次の規模以上の特定盛土等または**土石の堆積**に関する工事の**工事主**は、**工事に着手する日の30日前**までに、原則として、**工事の計画**について、**都道府県知事**に対して**届出**をしなければなりません。

[届出が必要な特定盛土等・土石の堆積]

特定盛土等	❶盛土で高さが1m超の崖を生じるもの
	❷切土で高さが2m超の崖を生じるもの
	❸同時に行う盛土と切土により、高さ2m超の崖を生じるもの
	❹盛土で高さが2m超のもの（崖の高さを問わない）
	❺盛土または切土をする土地の面積が500㎡超のもの
土石の堆積	❻高さが2m超、かつ面積が300㎡超のもの
	❼面積が500㎡超のもの

届出が必要な「特定盛土等・土石の堆積」の規模は、前出❷3の**宅地造成等工事の許可**が必要な「**特定盛土等・土石の堆積**」の規模と共通だよ。

3　特定盛土等・土石の堆積に関する工事の「許可」

① **特定盛土等規制区域内**で行われる、次の一定の「**特に大規模**」な**特定盛土等・土石の堆積**に関する工事の**工事主**は、当該**工事に着手する前**に、原則として、**都道府県知事の許可**を受けなければなりません。

[許可が必要な一定の「特に大規模」な特定盛土等・土石の堆積]

特定盛土等	❶ 盛土で高さが2m超の崖を生じるもの
	❷ 切土で高さが5m超の崖を生じるもの
	❸ 同時に行う盛土と切土により、高さ5m超の崖を生じるもの
	❹ 盛土で高さが5m超のもの（**崖の高さを問わない**）
	❺ 盛土または切土をする土地の面積が3,000㎡超のもの
土石の堆積	❻ 高さが5m超、かつ面積が1,500㎡超のもの
	❼ 面積が3,000㎡超のもの

② 表中❶～❺は、前出◆2◆4「④**中間検査**」、また、表中❶～❼は、前出◆2◆4「⑤**定期の報告**」**が必要な規模と同一**です。

③ 特定盛土等・土石の堆積に関する工事の**許可を受けた者**は、前出**2**の「**工事の届出**」は**不要**です。

「特定盛土等規制区域内での規制」に関しては、上記以外の「許可の手続・監督処分・工事等の届出・土地の保全義務等」の規定は、「**宅地造成等工事規制区域内での規制**」とほぼ共通だから、あらためて別に学習しなくてもOKだよ！

◆4◆ 造成宅地防災区域

H28.R元.3(10).4.5

今は安全にみえる昔に造成した宅地でも、地震や豪雨で**地すべりなどの大災害が発生**することも起こりえるよね。そんなおそれが高い既存の**造成宅地**を、「造成宅地防災**区域**」として指定して、安全対策を実施できるようにしたんだ。

1　造成宅地防災区域の指定

既存の造成宅地のうち、宅地造成等工事規制区域として指定されていないエリアでも、地震や集中豪雨で**地すべり的崩落**が発生するおそれがあります。

そこで、都道府県知事は、**宅地造成・特定盛土等**（**宅地**において行うものに**限る**）に伴う災害によって**相当数の居住者等に危害を生ずるものの発生のおそれが大きい**一団の**造成宅地**（**宅地造成等工事規制区域内の土地を除く**）の**内**で、一定の基準に該当する**区域**を、「**造成宅地防災区域**」として指定できます。

★プラスα
都道府県知事は、区域の指定の事由がなくなったと認めるときは、指定を解除しなければなりません。

「宅地造成等工事規制区域内の土地を除く」とは、造成宅地防災区域を指定できる場所は「宅地造成等工事規制区域外だけ」ということだよ。
よく出題されているから、特に注意してね!!

2　災害防止のための措置等

① **造成宅地防災区域内**の造成宅地の**所有者**・管理者・占有者（**所有者等**）は、宅地造成・特定盛土等に伴う災害が生じないよう、その造成宅地について**擁壁等の設置などの必要な措置**を講ずるよう**努めなければなりません**。

② 都道府県知事は、造成宅地の**所有者等**に対して、必要に応じて**勧告**や**改善命令**をすることができます。

5　罰　則

盛土規制法への違反には、非常に重い罰則が適用されます。

例えば、「無許可で行った宅地造成等に関する工事」の場合であれば、①その行為者には**3年以下の懲役刑**または**1,000 万円以下の罰金刑**を科すことができます。

また、それを、②**法人**の代表者・従業者などが行った場合には、**両罰規定**により、その法人に**最高で3億円以下の罰金刑**が科されます。

要点整理　3つの「規制区域」内での規制のまとめ

【用語の定義】

宅地造成	宅地以外の土地を宅地にするために行う盛土その他の土地の形質の変更で、一定規模のもの
特定盛土等	宅地または農地等において行う盛土その他の土地の形質の変更で、一定規模のもの
土石の堆積	宅地または農地等において行う一時的な土石の堆積（一定期間の経過後に除却するもの）で、一定規模のもの

【規制区域内での主な規制】

<table>
<tr><th>区域</th><th>工事の種類</th><th colspan="2">必要な許可・届出</th></tr>
<tr><td>宅地造成等工事規制区域内</td><td>宅地造成等に関する工事
（＝宅地造成・特定盛土等・土石の堆積に関する工事）</td><td colspan="2">知事の許可</td></tr>
<tr><td rowspan="2">特定盛土等規制区域内</td><td rowspan="2">特定盛土等・土石の堆積に関する工事</td><td>原則</td><td>知事への届出</td></tr>
<tr><td>例外</td><td>知事の許可
（一定の「特に大規模」なもののみ）</td></tr>
</table>

【許可・届出が必要な「宅地造成・特定盛土等・土石の堆積」の規模】

<table>
<tr><th rowspan="2"></th><th>宅地造成等工事規制区域内</th><th colspan="2">特定盛土等規制区域内</th></tr>
<tr><th>許可</th><th>届出</th><th>許可</th></tr>
<tr><td>宅地造成</td><td rowspan="2">❶ 盛土で高さ１m超の崖を生じるもの
❷ 切土で高さ２m超の崖を生じるもの
❸ 同時に行う盛土と切土により、高さ２m超の崖を生じるもの
❹ 盛土で高さ２m超のもの（崖の高さを問わない）
❺ 盛土または切土をする土地の面積が500㎡超のもの</td><td colspan="2">（規制対象外）</td></tr>
<tr><td>特定盛土等</td><td rowspan="2">左と同じ</td><td>❶ 盛土で高さ２m超の崖を生じるもの
❷ 切土で高さ５m超の崖を生じるもの
❸ 同時に行う盛土と切土により、高さ５m超の崖を生じるもの
❹ 盛土で高さ５m超のもの（崖の高さを問わない）
❺ 盛土または切土をする土地の面積が3,000㎡超のもの</td></tr>
<tr><td>土石の堆積</td><td>❻ 高さが２m超、かつ面積が300㎡超のもの
❼ 面積が500㎡超のもの</td><td>❻ 高さが５m超、かつ面積が1,500㎡超のもの
❼ 面積が3,000㎡超のもの</td></tr>
</table>

第6章 土地区画整理法

重要ランク B

経済的な価値の高い、整然とした街並みをつくるためのルールだよ。

1 土地区画整理事業

⚠注意
要するに、土地区画整理事業は、**都市計画区域内**においてのみ、実施されます。

1　土地区画整理事業とは

H30.R3(12)

土地区画整理事業とは、**都市計画区域内の土地**について、道路・公園・広場・河川などの**公共施設の整備改善**や宅地の利用増進を図るために行われる、**土地の区画形質の変更**（造成工事や池沼の埋立てなど）、および、**公共施設の新設**または**変更**に関する事業をいいます。

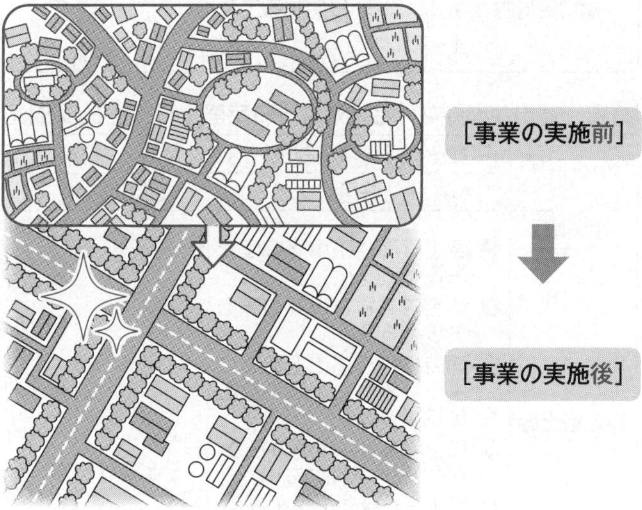

安全で機能的な街にチェンジ！

2　土地区画整理事業の手法　発展

土地区画整理事業は、**減歩**と**換地**という手法によって行われます。

① 「**減歩**」とは、宅地の所有者から、その宅地の一部を一定の割合で、無償で提供してもらうことです。そして、提供された宅地は、道路・公園などの用地となったり、売却されて工事費用に充当されたりします。

② 「**換地**」とは、従前の宅地（事業の施行前の宅地）に代えて、施行後の宅地を交付することです。

この2つの手法によって、あらためて土地の買収（土地収用）等をすることなく、土地区画整理事業を行うことができるんだね。

3　施行者

土地区画整理事業の**施行者**は、次の❶～❹です。

❶　公的**施行**		都道府県、市町村、国土交通大臣、独立行政法人都市再生機構、地方住宅供給公社が行うもの ●都市計画として定められた土地区画整理事業の「施行区域」内で行われる
民間施行	❷　個人（個人施行）	宅地についての所有者、借地権者（またはこれらの者から同意を得た者）が、1人（1人施行）で、または数人が共同（共同施行）して行うもの ●相続等の一般承継があった場合には、その一般承継人が施行者となる
	❸　土地区画整理組合（組合施行）	宅地についての所有者、借地権者が7人**以上**共同して、土地区画整理組合を設立して行うもの
	❹　区画整理会社（会社施行）	宅地について所有権または借地権を有する者を株主とする株式会社が行うもの

なお、❶の「**公的施行**」の場合には、**土地所有者・借地権者・有識者の意見をスムーズに反映**させて公的機関の独断専行を防ぐために、施行する土地区画整理事業ごとに、**土地区画整理審議会**が設置されます（「民間施行」の場合には設置されません）。

プラスα
減歩されると、各自が所有する宅地の面積は減少しますが、街区が整備されるため、施行後の宅地の総額は施行前の総額を上回ることになるのが普通です。
そのような「宅地が狭くなっても地価が下がらない」という論理によって、減歩が認められています。

プラスα
減歩と換地による土地区画整理事業は、土地収用を行わないため、土地収用法の適用を受けません。

プラスα
公的機関は、都市計画法の都市計画事業として、土地区画整理事業を行います。

用語解説
土地区画整理審議会：公的機関の施行する土地区画整理事業ごとに設けられる**諮問機関**で、換地計画・仮換地の指定等について審議する組織のこと。土地所有者・借地権者から選挙される委員と学識経験委員で構成します。

❷ 組合による土地区画整理事業

R2⑽

実際の土地区画整理事業は、**土地区画整理組合**によるものが多いんだよ。
だから、前出表中❸の「組合施行」の場合を前提に、説明するね。

土地区画整理組合（以下「**組合**」）が行う土地区画整理事業の流れは、次のとおりです。

組合の設立等 → 設立の認可等 → 換地計画の策定 → 換地計画の認可 → 仮換地の指定 → 換地処分 → 終了

準備段階　計画段階　実行段階

1　組合設立の認可

H29

組合を設立しようとする者は、**7人以上共同**して、**定款**と**事業計画**を**作成**し、設立について**都道府県知事**の**認可**を受けなければなりません。

認可によって**組合は成立**し、**法人**となります。

事業の終了後に組合が解散するときも、同じように**知事の認可**が必要だよ。

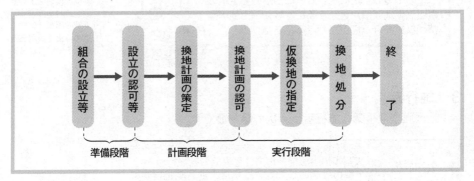

2　所有者の同意等

H29.R2(10).3(12)

① **組合設立の認可**を申請しようとする者は、土地区画整理事業を行う区域（施行地区）内の宅地の所有者・借地権者の**一定数の同意**を得なければなりません。

ただし、申告されていない未登記の借地権は、同意の規定の適用については、「存在しないもの」とみなされます。

② 設立の認可があった後は、施行地区内の宅地の**所有者・借地権者**は、**すべて組合員**となります（強制加入方式）。

重要
「一定数の同意」：
施行地区となるべき区域内の宅地の所有者及び借地権者のそれぞれ2／3以上の同意が必要です。

3　認可の公告

都道府県知事は、**設立の認可**をしたときは遅滞なく、一定の事項を**公告**しなければならず、また、組合は、一定の事項を、管轄登記所に届け出なければなりません。

4　経費の賦課徴収

R2(10)

① 組合は、事業に要する経費に充てるため、**賦課金**として、**参加組合員以外の組合員**に対して、金銭を賦課徴収することができます。

② 組合員は、組合に対して債権を有している場合でも、賦課金について、**相殺**を主張して支払を**拒絶できません**。

用語解説
参加組合員：
都市再生機構や地方住宅供給公社などのように、資金調達の円滑化やノウハウの活用を図るため、宅地に権利を有していなくても事業に参加できる者のこと。

要点整理　土地区画整理組合の設立

- 組合は、7人以上共同して**定款等を作成**し、都道府県知事の**認可**を受けて成立し、法人となる。
- 組合は、設立の認可を受ける場合、施行地区内の**宅地の所有者等の一定数の同意**を得なければならず、認可後の施行地区内の**宅地の所有者等**は、**すべて組合員**となる。
- 組合は、その事業に要する経費に充てるため、賦課金として組合員（**参加組合員以外**）に対して金銭を賦課徴収することができる。
- 組合員は、賦課金の納付について、**相殺**をもって組合に対抗できない。

❸ 建築制限等

H28.30.R3⑽.4

比較整理
都市計画法の「事業地内の制限」とほぼ同じ内容です。

土地区画整理事業が行われている間は、施行者の事業の障害とならないよう、施行地区内において、次の建築行為等の規制が行われます。

（事業の施行の障害となるおそれのある） ❶ 土地の形質の変更 ❷ 建築物・工作物の新築等 ❸ ５トンを超える移動の容易でない物件の設置・堆積	➡	都道府県知事（市の区域内で個人施行者・組合・区画整理会社・市が施行する場合は、市長）の許可が必要

必要なのは「施行者の許可」ではないことに、注意してね！

なお、制限される期間は、具体的には組合設立の「**認可の公告があった日**」後、後出❻の「**換地処分の公告**」がある日までの間となります。

要点整理 建築制限等

設立の認可の公告の日後、換地処分の公告がある日まで、施行地区内で事業の施行の障害となるおそれのある建築物の建築・土地の形質の変更等については、都道府県知事等の許可を受けなければならない。

注意
国土交通大臣が施行する場合は、国土交通大臣の許可を受けなければなりません。

4 換地計画

H25.26.R元.2(12).3(10)

1　換地計画とは

土地区画整理事業は、減歩と換地によって行われますが、それらの具体的な方法を定めるのが**換地計画**です。この換地計画に基づいて、換地処分が行われます。

① 換地計画については、**都道府県知事の認可**を受けなければなりません。ただし、**国土交通大臣・都道府県**が施行者の場合は、この「都道府県知事の認可」は**不要**です。

② 換地を定める場合は、換地と従前の宅地の位置・地積・土質・水利・利用状況・環境などが照応するように定めなければなりません（**換地照応の原則**）。

ただし、**公共施設の用に供している宅地**などに対しては、換地計画において、その位置、地積等に**特別の考慮**を払い、換地を定めることができます。

プラスα
換地計画は、施行地区全体について一度に定めるのが原則ですが、施行地区が工区（実際の工事区域）に分かれている場合は、換地計画を工区ごとに定めることができます。

2　清算金

清算金とは、従前の宅地と換地との価格に不均衡がある場合に、これを**清算**するために徴収・交付される金銭のことで、**換地計画**で定められます。

3　保留地

保留地とは、**換地として定めない土地**で、施行者が処分するために換地計画において確保した土地のことをいい、一般に、**第三者に売却**して土地区画整理事業の費用に充てられるものをいいます。

① 個人・組合・会社施行の場合の保留地

事業の費用に充てるため、または規約や定款等で定める目的（例えば、公共施設の敷地にするなど）のため、任意に保留地を定めることができます。

② **公的機関施行の場合の保留地**

施行後の宅地価額の総額が施行前の**宅地価額の総額を上回る範囲**で、かつ、**事業の費用**に充てる目的で**のみ**、保留地を定めることができます。

5 仮換地

H25.27.28.30.R4.6

重要
従前の宅地に借地権等の使用収益権が存するときは、仮換地にそれらの権利の目的となる部分も定めなければなりません。

1 仮換地とは

換地処分は、原則として、土地区画整理のための工事が**すべて終わった段階**で行われます。しかし、土地区画整理事業は、終了するまでにかなりの期間を要します。

そこで、従前の宅地の所有者に、**工事中に仮に使用するための土地**として提供されるのが、**仮換地**です。

さまざまな工事の施行中に、もし元々の所有者がずっと同じように使用していたら、工事の妨げになってしまうからだね。

プラスα
組合が仮換地を指定しようとするときは、あらかじめ総会等の同意を得なければなりません。

2 仮換地の指定

施行者は、換地処分を行う前において、工事のため、または換地処分を行うため必要があるときは、施行地区内の宅地について仮換地を指定することができます。

注意
仮換地指定の効力は、この通知に記載された効力発生の日から生じます。通知が到達した日からではありません。

3 仮換地の指定の方法

仮換地の指定は、従前の宅地の所有者及び仮換地となる宅地の**所有者**に、指定の効力発生日等を**通知**して行います。

4　仮換地の指定の効果

仮換地が指定されると、**仮換地指定の効力発生日**から**換地処分の公告の日**まで、所有権が**使用収益権**（使用・賃貸ができる権利）と**処分権**（売却できる権利）の２つに**分離**された状態になります。

［具体例］

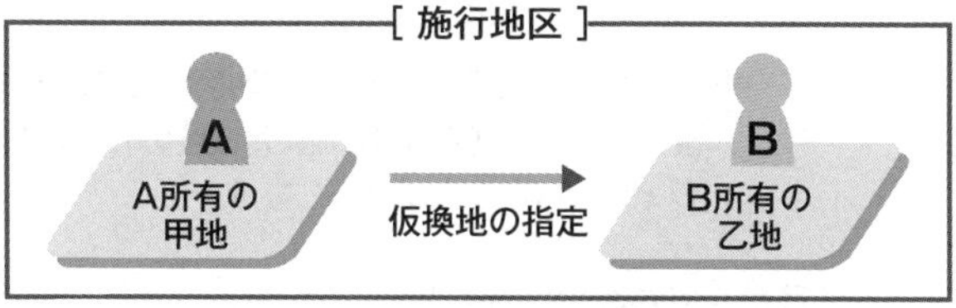

Ａ所有の甲地の仮換地としてＢ所有の乙地が指定されると、所有者Ａ・Ｂ双方の所有権は**使用収益権**と**処分権**に分離されます。つまり、

❶ Ａの所有権のうち、処分権は甲地に残り、**使用収益権は乙地に移転**します。

❷ Ｂの所有権のうち、処分権は乙地に残り、使用収益権は他に移るか、または**権利行使が停止**されます。

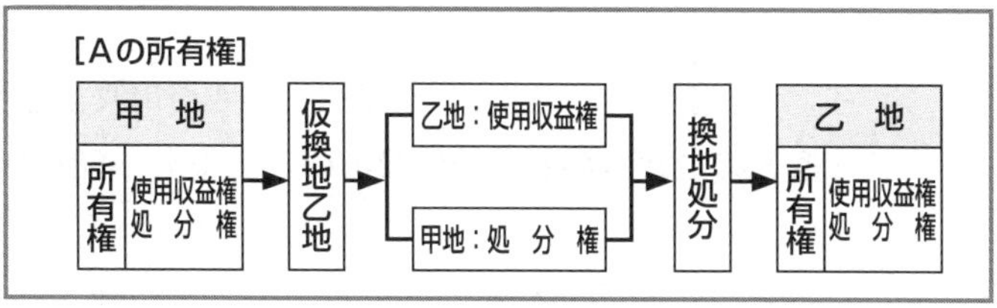

土地に所有権をもっている者は、その土地を❶使う（使用）、❷貸すなどして利益を得る（収益）、❸売却する（処分）、の３つのことができるんだ。

このような所有権が、仮換地の指定を受けると、❸の「処分できる権利」だけを残して、❶❷の「使用収益できる権利」は仮換地に移るんだよ。

以上の流れを、**条文**は次のように表現します（一部要約）。

［具体例の❶について］

仮換地の指定により、「従前の宅地について権原に基づき使用収益できる者」は、**仮換地の指定の効力の発生日から換地処分の公告がある日まで、仮換地を使用収益することができるとともに、従前の宅地について使用収益することができない。**

➡「従前の宅地について**権原に基づき使用収益できる者**」とは、**従前の宅地の本来の所有者**のことで、前の図ではAのことを指します。

［具体例の❷について］

「仮換地について権原に基づき使用収益できる者」は、仮換地の指定の効力の発生日から換地処分の公告がある日まで、当該**仮換地を使用収益することができない。**

➡「仮換地について**権原に基づき使用収益できる者**」とは、**仮換地の本来の所有者**で、前の図ではBのことを指します。

このように、いったん分離していた使用収益権と処分権が、**もとのひとつの所有権に戻る**のが、後出「❻ **換地処分**」です。

したがって、乙地をAの換地として換地処分が行われると、最終的に、Aの所有権は、**乙地に完全な状態で成立**することになります。

●仮換地の指定により、Aは乙地を使用できるけれど、売却できるのは甲地のままなんだ。

●Aの仮換地として指定されたことによって、Bは、乙地を使えなくなるけれど、乙地を売却することはできるんだよ。

用語解説

「**権原**」は「けんげん」と読みますが、同じ読み方をする「権限」とは意味が違います。

●権限：権利が及ぶ範囲という意味

●権原：本来の権利という意味

5　仮換地に指定されなかった従前の宅地の管理

仮換地の指定等により、使用・収益できる者がいなくなった従前の宅地については、その時から**換地処分の公告**のある日まで、**施行者**が**管理**します。

6　使用・収益の開始日を別に定める場合

仮換地の指定の効力が発生した時点で、従前の宅地から仮換地に、使用収益権が移動します。

ただし、仮換地の工事がまだ終わっていない場合など、まだ仮換地を使用しては困る場合があります。そこで、仮換地の指定の効力発生の日のほかに、「仮換地の使用・収益を開始できる日」を**別に定める**ことができます。

この使用・収益を開始できる日を定める旨の**通知**を受けた者は、仮換地の指定の効力発生日から従前の宅地を使えなくなり、仮換地を使えるのは、別に定められた**使用・収益の開始日からのみ**となります。

逆にいえば、仮換地指定の効力発生日から使用収益開始日までは、原則として、どちらの土地も使えない、ということなんだね。

プラスα
前出［具体例の❶❷］のように、乙地を仮換地として指定されたことにより、甲地所有者Aが甲地の使用収益権を失った場合、甲地について誰の仮換地にも指定されないときは、使用収益できる者が存在しなくなるため、**施行者が管理**することになるのです。
この点は、仮換地を定めないことによって使用・収益ができなくなった土地も同様です。

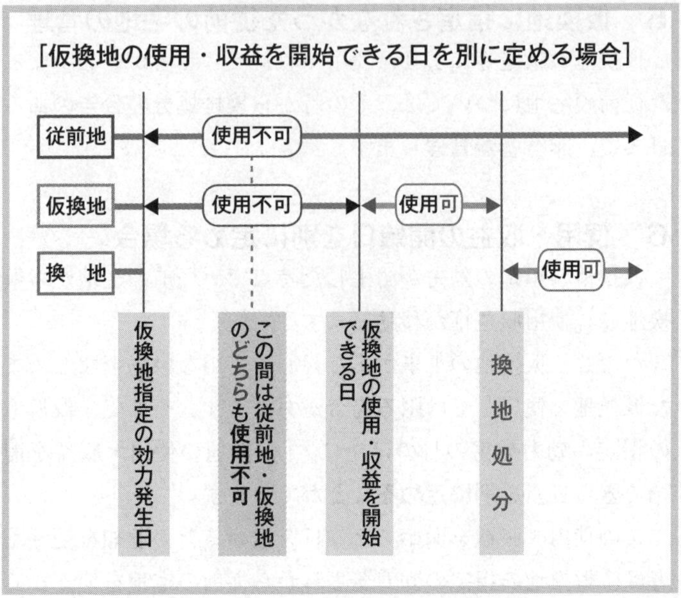

要点整理　仮換地

●仮換地の指定は、指定の効力発生日などを通知して行う。

●「従前の宅地について権原に基づき使用・収益できる者」は、**仮換地の指定の効力の発生日から換地処分の公告がある日まで**、仮換地を使用・収益できるとともに、従前の宅地については使用・収益できない。

●「仮換地について権原に基づき使用・収益できる者」は、**仮換地の指定の効力発生の日から換地処分の公告がある日まで**、当該仮換地を使用・収益できない。

●施行者は、一定の事情があるときは、仮換地の使用・収益を開始できる日を、仮換地の指定の効力発生の日とは別に定めることができる。

6 換地処分

H25.26.27.R元.2⑿.3⑽⑿.4.5.6

1　換地処分とは

換地処分とは、従前の宅地の所有者に対して施行後の宅地を割り当てる、確定的な処分をいいます。

換地処分は、原則として、全部の区域の工事が完了した後に、換地計画に定められた事項を**関係権利者に通知**して行われます。

ただし、定款等に特別の定めがあれば、例外的に区域の全部について工事が完了する前でも、換地処分をすることができます。

> 例えば、大規模な区画整理の場合に、一定の区域に区切って段階的に換地処分をすることなどもできるんだよ。

ニャカ先生のひとこと

施行者は、**換地処分**をしたときは、遅滞なく、その旨を**都道府県知事に届け出**なければなりません。

そして、**都道府県知事**は、**換地処分の届出**があった場合は、その旨の**公告**をしなければなりません。

2　換地処分の効果

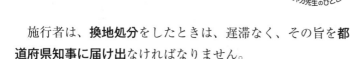

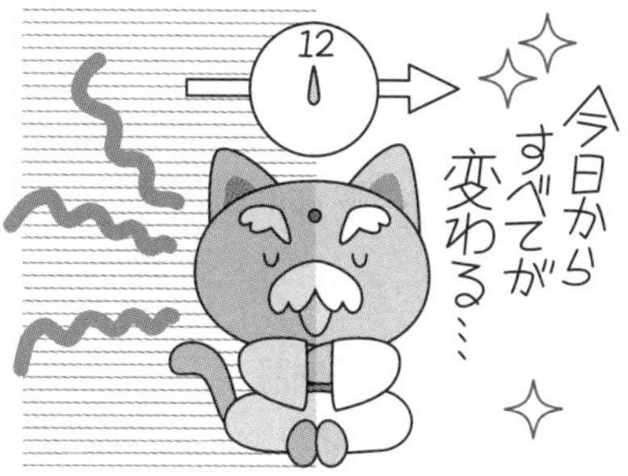
12
今日からすべてが変わる…

換地処分の公告の日の翌日から、権利関係が一新されます。

仮換地の段階で分離していた処分権と使用収益権は、**換地処分の公告**によって、換地の上に、次のように1つにまとまります。

プラスα
換地処分の効果に関して、従来の権利関係は「**公告があった日が終了した時に消滅**し、新たな権利関係は**公告の日の翌日**に生じる」というイメージです。

① **従前の宅地上の権利関係**

ア 換地計画において定められた**換地**は、公告のあった日の翌日から従前の宅地とみなされます。

イ 換地計画で換地を定めなかった**従前の宅地**に存する権利は、換地処分の公告があった日が終了した時に、消滅します。

ウ 従前の宅地にあった**地役権**は、従前の宅地の上にそのまま残るのが原則ですが、事業の施行により行使する利益のなくなった地役権は、例外的に消滅します。

従来は、公道に出るために通行地役権を設定していたような場合、区画整理によって他人の土地を通行しなくても公道に出られるようになれば、その通行地役権は、「行使する利益がなくなった」として、消滅するんだ。

② **清算金の確定**

清算金は、換地処分の**公告の日の翌日**において、**確定**します。また、その帰属先は、換地処分の公告当時の土地の**所有者等**です。

プラスα
保留地は、これ以後は、自由に譲渡することができます。

③ **保留地の帰属**

保留地は、換地処分の公告の日の翌日において、**施行者が取得**します。

④ **事業の施行により設置された公共施設**

ア 管理

換地処分の公告の日の翌日において、原則として、その公共施設の存する**市町村の管理**に属します。

イ 用地の帰属

事業の施行により生じた公共施設の用に供する土地は、換地処分の公告の日の翌日において、原則として、その公共施設の**管理者**（市町村等）に**帰属**します。

⑤　**変動の登記**

ア　換地処分の公告があった場合、施行者は、直ちにその旨を、管轄登記所に通知しなければなりません。また、**施行者**は、事業の実施により施行地区内の土地等について変動があったときは、遅滞なく、**変動に係る登記**を申請しなければなりません。

イ　換地処分の公告があった後は、**変動の登記**がされるまで、原則として、それ以外の登記をすることはできません。

要点整理　換地処分の効果

換地処分の公告の日において消滅する権利	❶　換地を定めなかった従前の宅地に存する権利 ❷　事業により行使する利益がなくなった地役権 ⚠注意　行使する利益がある地役権は、なお従前の宅地に存する
換地処分の公告の日の翌日に発生する効果	❶　換地計画で定められた換地は、従前の宅地とみなされる ❷　この日の所有者を対象に、清算金が確定する ❸　保留地は、施行者が取得する ❹　公共施設は、原則として市町村の管理に属する ❺　公共施設用地は、原則として公共施設の管理者に帰属する

第7章　農　地　法

重要ランク S

食料自給率をアップさせるため、農地の売買や宅地化を規制しているんだ。

1 農地法の規制の対象（用語の定義）　H25.26.30.R2(12).3(12)

農地法は、農地の転用の規制や権利移動の制限などにより、耕作者の地位の安定と農業生産の増大を図り、食糧の安定供給の確保に資することを目的としています。

そして、農地法によって規制されるのは、**農地**と**採草放牧地**の2つです。

やっぱり農地は
大切にしなきゃね！

1　農地

農地とは、田や畑などのように、耕作の目的に供される土地をいいます。

①　農地であるかどうかは、**客観的な事実状態で判断**し、登記簿上の地目等とは関係がありません（**現況主義**）。

②　一時的に休耕していても、「農地として耕作しようとすればいつでも耕作が可能」な状態である土地は、農地にあたります。

重要
現に作物が栽培されている土地であっても、サラリーマン等が一時的に家庭菜園として使用しているだけであるような場合は、農地に該当しません。

2　採草放牧地

採草放牧地とは、農地以外の土地で、主として耕作または牧畜（ぼくちく）の事業のための採草、または家畜の放牧の目的に供されるものをいいます。

プラスα
牧場をイメージすればよいでしょう。

要点整理　農　地

●農地であるか否かは、客観的な事実状態（現況）で判断する。

② 3条許可（農地・採草放牧地の権利移動の制限）

H26〜R3⑽⑿.5.6

農地を、農地としてそのまま耕作したり、採草放牧地を採草放牧地または農地として利用したりするため、**売買などの権利移動**をする場合、契約の**両当事者**は、**農業委員会の許可**（**3条許可**）を受けなければなりません。

「耕作する目的がないのに農地を取得する」といった、好ましくない農地の権利移動を制限することによって、農業生産力の低下を防止し、農地の効率利用を図ることが目的です。

重要
農地を**採草放牧地**とするために**権利移動**する場合は、後述の「5条**許可**」の対象になります。
農地法では、採草放牧地より農地を重要視しているので、農地を採草放牧地にする行為は、**農地を宅地等に転用する行為と同等**に扱っているのです。

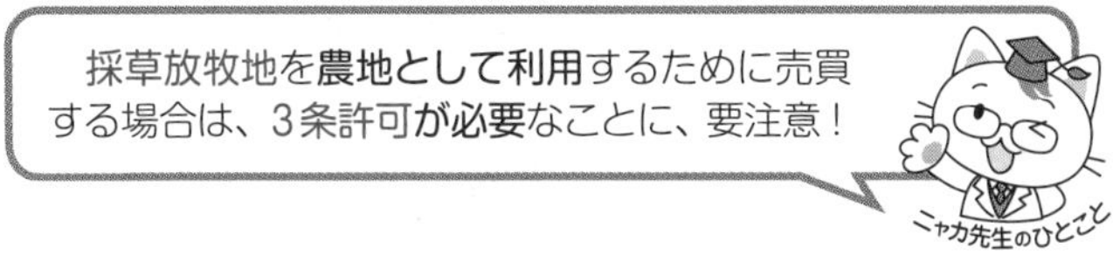
採草放牧地を**農地として利用**するために売買する場合は、3条許可**が必要**なことに、要注意！
ニャカ先生のひとこと

1　「権利移動」とは

H26.27.29.R元.2(10)(12).4.6

3条許可が必要となる「権利移動」とは、所有権の移転（売買・交換・贈与）、及び地上権・永小作権・**賃借権**、質権等の**使用収益権を移転・設定する行為**をいいます。

なお、**抵当権**を設定する行為は、「権利移動」には**含まれません**。農地を耕作する人自体は変わらないからです。

> 農地法3条は、農地等の耕作者が変わることを規制するものだから、「権利移動」にあたるかどうかを考える際も、「農地等を使う人が変わるかどうか」を基準に考えればいいんだね。

注意
国土利用計画法の「届出対象となる取引」と異なり、農地法では無償の行為も**含みます**。

重要
抵当権の設定について**許可は**不要ですが、**抵当権の実行**（競売）により農地等の所有権が移転する際には、**許可が必**要です（5条許可も同様です）。

2　許可権者

農業委員会の許可が必要となります。

注意
後出❸2の「市街化区域内の農地の特例」は、3条許可にはありません。

3　適用除外

H28.29.30.R2(10).5

次の場合は、そもそも**3条許可**は**不要**です。

❶国または都道府県が、権利を取得する場合
❷民事調停法による農事調停による場合
❸土地収用法等により収用または使用される場合
❹相続・遺産分割・財産分与・包括遺贈・**相続人に対する特定遺贈**により権利が取得される場合

なお、❹の**相続・遺産分割・財産分与・包括遺贈・相続人に対する特定遺贈**により、農地の権利を取得した者は、その旨を**農業委員会に届け出**なければなりません。

注意
市町村が農地等を取得する場合は、原則、許可が必要です。

プラスα
農地所有適格法人以外の法人でも、使用借権・賃借権の設定については、3条の許可を受けることが可能です。

注意
「届出制」となる相続等の場合には注意しましょう。

4　許可の申請

許可は、権利移動の**両当事者**が受けなければなりません。許可を受けないで行った契約等は**効力を生じません**。

また、**罰則**（3年以下の懲役または300万円以下の罰金）も設けられています。

③ 4条許可（農地の転用の制限）　H25.27.28.R元.2(10)(12).3(12).4.5

農地の権利者が、自分の農地を農地以外の土地に**転用**する場合は、原則として、都道府県知事等の許可を受けなければなりません。

農地がなくなることによって、生産力が低下することを防止するためだよ。

プラスα
4条許可は、農地**だけが対象**になり、**採草放牧地**は規制の対象外です。
なお、農地を宅地等に転用する場合だけでなく、採草放牧地に転用する場合も、4条許可が必要となります。

1　許可権者

① 許可権者は、原則、**都道府県知事等**です。

② **農林水産大臣が指定**する市町村の区域内では、**指定市町村の長**です。

2　市街化区域内の農地の特則

市街化区域内の農地を転用する場合、**あらかじめ農業委員会に届出**をすれば、**4条許可は不要**となります。

市街化区域は市街化を進めるべき区域だから、農地をなくすことは、むしろ区域の特性に合致するといえるんだ。だから、届出をすれば、**許可を受けなくてもよい**ことになっているんだよ。

重要
「市街化区域内の農地の特則」は、4条許可と5条許可にだけ認められ、3条許可にはこの特則はありません。

3　適用除外

次の場合は、そもそも**4条許可は不要**です。

- **国または都道府県等**（都道府県と指定市町村をいいます）が道路・農業用用排水施設その他の地域振興上または農業振興上の**必要性が高い**と認められる一定の施設の用に供するため、農地を**転用**する場合
- **土地収用法**等によって収用または使用した農地を、**その目的に転用**する場合
- 耕作事業者が、その農地（2アール（200㎡）未満**に限る**）を「農業用施設」に**転用**する場合

4　許可の申請

重要
一時使用の目的で農地を転用する場合でも、**4条許可が必要**です。

許可は、転用する前に受けなければなりません。許可を受けないで転用した場合は、行為の停止・**原状回復**等の措置を命じられるほか、**罰則**（3年以下の懲役または300万円以下の罰金＊）も設けられています。

罰則
＊：法人の場合は、1億円以下の罰金になります。

4 5条許可（農地・採草放牧地の転用を目的とした権利移動の制限）

H25.27～R元.3⑽.4.5.6

農地や採草放牧地を、宅地などの用途に**転用するために権利移動**をする場合、権利移動の両当事者は、原則として、**都道府県知事等の許可**を受けなければなりません。

農地を**採草放牧地**として利用するために**売買**する場合、5条許可**が必要**なことに注意しよう。

重要
一時使用**の目的**で農地の転用目的による権利移動をする場合でも、5条**許可が必要**となります。

1　許可権者

許可権者は、**都道府県知事等**です。なお、農林水産大臣が指定する市町村の区域内では、指定市町村の長となります。

2　市街化区域内の農地の特則

市街化区域内の農地または採草放牧地を、転用目的で権利移動する場合、あらかじめ**農業委員会に届出**をすれば、**5条許可は不要**となります。

重要
「市街化区域内の農地の特則」は、4条許可と5条許可にだけ認められ、3条許可にはこの特則はありません。

農地を**いったん転用する目的**で4条許可を受けた後、その転用工事に着手する前に、**同一の転用目的**でほかの人に対して**権利移動**する場合は、あらためて「5条許可」を受ける必要があることに注意してね。

3　適用除外

次の場合は、そもそも**5条許可は不要**です。

- **国または都道府県等**が、道路・農業用用排水施設等の一定の施設の用に供するため、権利を取得する場合
- **土地収用法**等により収用・使用される場合

4　許可の申請

① 許可は、**権利移動の両当事者**が受けなければなりません。

② 許可を受けないで行った契約等は、**効力を生じません**。無許可で転用した場合、**原状回復命令**等を受けることがあるほか、**罰則**（3年以下の懲役または300万円以下の罰金*）も設けられています。

罰則
＊：法人の場合は、1億円以下の罰金になります。

プラスα
4条許可と5条許可には、国・都道府県等が行う場合に、国等と知事等との間に協議が成立することで**許可があった**とみなされる「**みなし許可制**」があります。

5 農地・採草放牧地の賃貸借

H25.R3⑿.4.6

1　農地・採草放牧地の賃貸借の対抗力

農地・採草放牧地の賃貸借は、その登記がなくても、農地または採草放牧地の「**引渡し**」があったときは、**第三者に対抗**することができます。

2　農地・採草放牧地の賃貸借の存続期間

農地·採草放牧地の賃貸借の存続期間は、民法の賃貸借の規定どおり、「**50年**」を超えることが**できません**。

3　農地・採草放牧地の賃貸借の解約等の制限

農地・採草放牧地の賃貸借契約の**当事者**は、原則として**都道府県知事の許可**を受けなければ、次のことをしてはなりません。

① 賃貸借の解除や解約の申入れ

② 合意による解約

③ 賃貸借の更新をしない旨の通知

要点整理　3条許可・4条許可・5条許可のまとめ

許可の内容	適用場面	許可権者	市街化区域内の特則	違反行為	罰則
3条許可 (権利移動)	㊐農➡㊐農 ㊐採➡㊐採 ㊐採➡㊐農	農業委員会 ＊1	なし	効力を生じない	3年以下の懲役 または 300万円以下の罰金 ＊2
4条許可 (転用)	㊐農 ⬇ ㊐農以外	都道府県知事等	農業委員会へ届出	工事停止・原状回復	
5条許可 (転用目的の権利移動)	㊐農➡㊐宅 ㊐農➡㊐採 ㊐採➡㊐宅	都道府県知事等	農業委員会へ届出	効力を生じない 工事停止・原状回復	

＊1：相続等で3条許可が不要な場合 ➡ **農業委員会への届出**が必要
＊2：4条許可・5条許可で「法人の場合」➡ 1億円以下の罰金

第8章 国土利用計画法

重要ランク A

地価の高騰や不適切な土地利用が起きないよう、土地の取引をばっちりチェックしているんだよ。

1 事後届出制

プラスα
届出は、土地所在地の市町村長を経由して知事に行いますが、指定都市（札幌市、横浜市、福岡市などいわゆる政令指定都市のこと）の場合は、その市長が届出先となります。

重要
●届出は権利取得者が単独で行えばよく、契約当事者双方が共同で行う必要はありません。
●届出期間の「2週間」という数字は、必ず暗記しましょう。

まずは、土地を手に入れてから届出をするんだよ！

1　土地の取引の届出　H27.28.30.R2(10)(12).3(10)(12).5

土地の適正な価格の維持と利用目的を確保するためには、土地の**取引自体の事実関係を把握**することが有効です。

そこで、国土利用計画法は、全国どこでも、一定規模以上の土地について、土地売買等の契約を締結した場合、**権利取得者**は、**単独**で、**契約締結後２週間以内**に、都道府県知事に対して、一定の事項を届け出なければならないとする「**事後届出制**」を定めています。

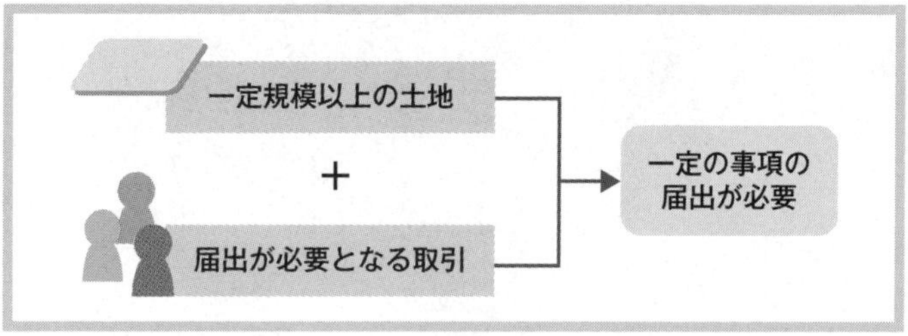

2　事後届出が必要な土地の面積　H28.30.R元.2(10).3(10)(12).4.6

取引する**土地の面積**が、次のどれかに該当する場合は、届

出が必要です。

市街化区域	2,000㎡以上
市街化区域を除く都市計画区域	5,000㎡以上
都市計画区域外（準都市計画区域を含む）	10,000㎡以上

共有持分を取引する場合は、全体の面積に持分割合を掛けた面積で判断するんだ。
例えば、5,000㎡の土地を**AとBが1／2ずつの持分で共有**している場合で、Aが自分の持分を単独で取引しようとしたとき、その面積は「5,000㎡×1／2＝2,500㎡」ということだよ。

①　買いの一団

個々の取引が届出対象面積に達していない場合でも、隣接する一体性のある土地をまとめて取得しようとするときは、**買主が取得した一団の土地の合計面積**で、その届出の必要性を判断します。

次の場合、権利取得者A（買主）は、合計で市街化区域内の2,000㎡の土地を取得したことになりますから、B・C・Dと締結した個々の契約単体では届出対象面積に満たなくても、**それぞれの契約**について**事後届出が必要**です。

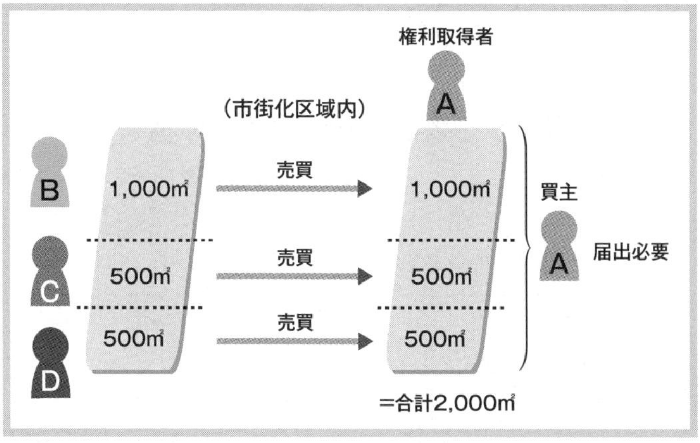

プラスα
届出が必要な土地の面積の数字は、この順で必ず覚えましょう。「2×5＝10」です！

プラスα
「**市街化区域を除く都市計画区域**」とは、結局、**市街化調整区域と区域区分の定めのない都市計画区域**を指します。

プラスα
「**一団の土地**」とは、その土地を利用するうえでひとつのものとして構成されており、また、当事者同士が一連の計画のもとに取引しようとする「ひとかたまりの土地」という概念です。

プラスα
①②の場合とも、事後届出の場合は、「権利取得者」である**買主を基準**に、届出面積に達しているかどうかを考えればOKです。

② **売りの一団**

届出の対象となる面積以上の土地を分割して売買等する場合は、**分割後の面積**で事後届出の必要性を**判断**します。したがって、次のケースでは、権利取得者（買主）B・C・Dは、いずれも**事後届出が不要**です。

⚠注意
事前届出では、売主と買主の双方をチェックするため、売りの一団の取引も、届出の対象となります。ですから、図の例でいえば、AB・AC・ADの間の契約のいずれも、事前の届出が必要となります。

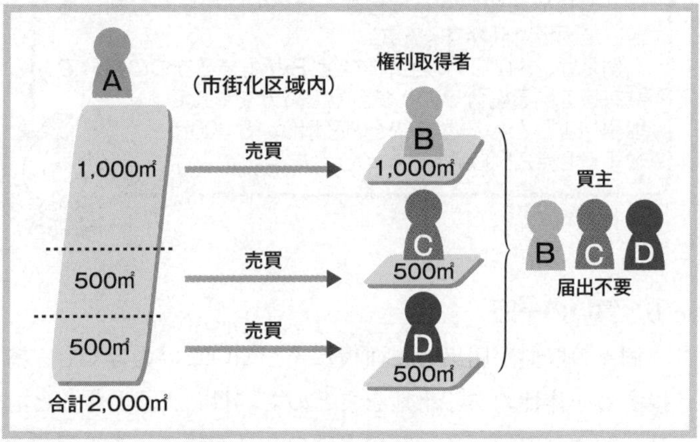

指が足りない……。

⚠注意
地上権または賃借権を設定する場合の「対価性」とは、賃料または地代の支払ではなく、権利金（権利設定の対価として支払われる金銭で、返還されないもの）の支払を意味することに注意してください。

3 事後届出が必要となる土地取引の種類

H27.29.R元.2(10)(12).3(12).5.6

届出が必要となる取引に該当するかどうかは、①**権利性**、②**対価性**、③**契約性**の３要件によって、具体的に判断します。

①	権利性	所有権・地上権・賃借権が移転・設定されること
②	対価性	権利の移転・設定に対価が支払われること
③	契約性	契約（当事者の合意）によって行われることで、予約を含む

この3つの要件を**すべて満たす取引**は**届出が必要**となりますが、逆に、**どれかが欠ける場合**は、**届出不要**となります。

例えば、**土地の贈与契約**は、「土地の所有権（①）をあげる契約（③）」（**所有権の移転**と当事者の合意による**契約の成立**）だから、①権利性と③契約性は満たすけれど、「タダ（無償）＝②対価性を満たさない」ので、届出が不要となるんだ。

「土地取引」に該当するもの	「土地取引」に該当しないもの
●売買・交換	●贈与
●売買の予約	●抵当権の設定
●地上権・賃借権の移転・設定（移転・設定の**対価**がある場合）	●相続・合併・遺贈
	●遺産分割
●予約完結権の譲渡＊1	●予約完結権の行使＊1
●引受けをした信託財産の譲渡＊2	●信託の引受け＊2
●代物弁済	●土地収用

注意
まずは、よく出題される重要なもの（表の上半分）から押さえましょう。

第8章　国土利用計画法

上の表の下段について、補足説明するね。

●**予約完結権**（表中「＊1」）：
予約の状態から実際の契約（**本契約**）に移行させる権利のことだよ。
例えば、AB間で、A所有の土地の売買予約が締結され、Bが予約完結権を有している場合、Bの意思表示により予約を本契約に移行させることが「予約完結権の行使」なんだ。
また、Bが予約完結権を第三者に売却等することを「予約完結権の譲渡」というんだよ。

●**信託の引受け**（同「＊2」）：
他人の財産の管理・処分などを任されることだよ。
信託契約によって土地の所有権が移転されたとしても、それは土地の管理や処分の都合で行われるものであって、対価は支払われないので、届出の対象にはならないんだ。ただし、「引き受けた信託財産である土地を有償で譲渡すること」は、届出の対象になるんだよ。
その違いに注意してね。

⚠注意
届出が不要になるのは、土地の値上がりの可能性に乏しい農地法「3条」の許可を受ける場合であり、土地の値上がりの可能性が高い農地法5条の許可を受けることを要する場合は、原則どおり、届出が必要となります（「**第7章　農地法**」を参照）。

4　届出が不要となる例外

H25.27.30.R元.2(12).3(10).4.5

次の①～③の場合は、地価の上昇の危険性が考えられないため、そもそも**届出が不要**となります。

① **民事調停法による調停**

② **当事者の一方または双方が国・地方公共団体等である場合**

③ **農地法3条許可を受けることを要する場合**

重要
届出事項の全部を丸暗記する必要はありませんが、⑤と⑥は出題頻度が高いので、必ず覚えておきましょう。

5　届出をすべき事項

H26.R4

届出をしなければならない事項は、次のとおりです。

① **当事者双方の氏名・住所**

② **契約締結年月日**

③ **契約に係る土地の所在及び面積**

④ **契約に係る土地に関する権利の種類・内容**

⑤ **取得後の土地の利用目的**

⑥ **対価の額（金銭以外の場合は時価で見積もった額）**

⚠注意
「対価の額」については、変更するよう、勧告することはできません。

6　知事の勧告

H30.R2(12).3(12).4

都道府県知事は、届出のあった土地の「取得後の利用目的」のみを審査し、不適当と思われる場合は、届出があった日から**3週間以内**に、**利用目的の変更**を勧告することができます。

① 勧告には強制力がなく、これに従わない場合でも、契約は有効であり、また、罰則の適用もありません。

　しかし、勧告に従わない者について、**都道府県知事**は、その旨及び勧告の内容を**公表**できます。

② 都道府県知事は、権利取得者が勧告に従って利用目的を変更した場合で**必要がある**と認めるときは、当該土地に関する**権利の処分のあっせん**その他の措置を講ずるよう努めなければなりません。

要点整理　**事後届出の手続の流れ**

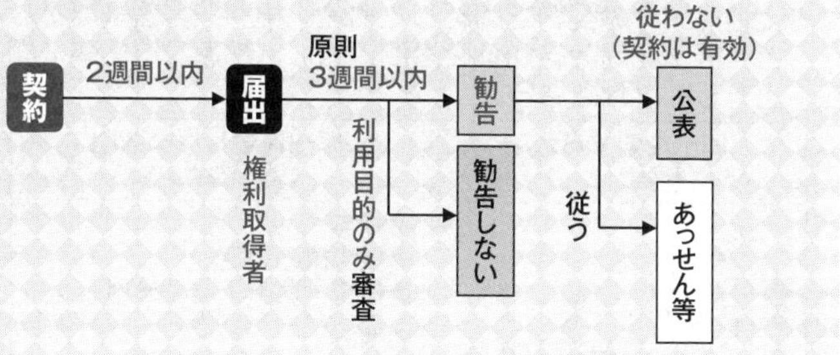

プラスα
勧告できない合理的な理由があるときは、さらに3週間内で勧告期間を延長することができます。

7　助言

R3(10)

都道府県知事は、届出をした者に対し、土地の利用目的について、当該土地を含む周辺の地域の適正かつ合理的な土地利用を図るために**必要な助言**ができます。

8　届出義務に違反した場合

R2(12).3(10).6

届出義務に違反すると、罰則が科せられ、6ヵ月以下の懲役または100万円以下の罰金に処せられます。

ただし、締結された**契約自体の効力**は**有効**です。

注 意
届出義務に違反しても、都道府県知事から勧告を受けることはありません。

要点整理 事後届出の原則

●土地売買等の契約を締結した場合、権利取得者（買主など）は、契約締結から２週間以内に、都道府県知事に届出をしなければならない。

届出を要する取引（重要なもの）	届出を要しない取引（重要なもの）
●売買・交換 ●売買の予約 ●地上権・賃借権の移転・設定（移転・設定の対価＝権利金がある場合）	●贈与 ●抵当権の設定 ●相続・遺贈・遺産分割 ●調停 ●国・地方公共団体等 ●農地法３条許可の場合 （注：農地法５条許可の場合は、届出が必要）

●取引する面積が下記のいずれかに該当する場合は、届出が必要。

市街化区域	2,000㎡以上
市街化調整区域	5,000㎡以上
区域区分の定めのない都市計画区域	5,000㎡以上
都市計画区域外（準都市計画区域を含む）	10,000㎡以上

●届出義務に違反した場合、締結された契約自体の効力は有効だが、懲役または罰金に処せられることがある。

2 事前届出制－注視区域・監視区域 発展 H28.R6

重要
「事前届出制」や実務上の例がない「許可制」については、宅建試験では出題可能性が低いので、まずは、実務上重要で宅建試験でもよく出題される「事後届出制」をキッチリ攻略しましょう。

前出❶のとおり、土地取引の届出は、売買契約等を締結した後に行うのが原則です。

しかし、地価の高騰のおそれが著しい場合などは、より強力な規制をかける必要があります。

そこで、「**注視区域**」または「**監視区域**」を指定して、その区域内の土地については、**取引の前**に**届出**をすることを義務づけ、事前に行政によるチェックが及ぶようにしたのです。これが「**事前届出制**」です。

取引の前に
「届出」が必要な場合も
あるんだよ！

1　注視区域と監視区域

H28

注視区域と監視区域を指定するのは、**都道府県知事**です。どちらの区域も、都市計画区域の内外を問わず指定することができます。その指定の期間は**5年以内**です。

プラスα
注視区域は、地価が一定の期間内に社会的経済的事情の変動に照らして「相当な程度を超えて」上昇し、または上昇するおそれがある区域について指定され、**監視区域**は、地価が「急激に」上昇し、または上昇するおそれがある区域について指定されます。つまり、監視区域のほうが、より地価の上昇は激しいと考えられているのです。

2　事前届出制

R6

注視区域・監視区域内における一定規模以上の一団の土地について、土地売買等の契約を締結しようとする売主・買主等の**当事者双方**は、契約の締結前に、その土地が所在する市町村長を経由して、都道府県知事に一定の事項を**届け出**なければなりません。

3　届出の対象となる土地の面積

注視区域において届出対象となる土地の面積は、「事後届出制」の場合と同じです。これに対し、監視区域では、都道府県知事が**都道府県の規則**で、具体的な面積を定めます。

事前届出制の手続については、事後届出制と異なる点を押さえることがポイントなんだよ。

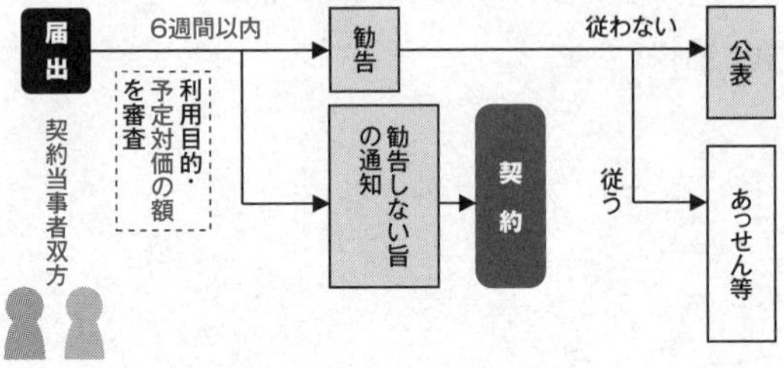

事後届出は、権利取得者が単独で届出をするけれど、事前届出は、契約締結前に、契約当事者の双方が連名でするんだよ。

そして、届出をした日から６週間は、その届出に係る売買等の契約を締結することができないんだ。ただし、勧告または勧告しない旨の通知を受けた場合は、６週間以内であっても契約を締結できて、６週間経過してなんらの通知もない場合も同様に、契約が可能となるんだ。

なお、届出をしないで土地売買等の契約を締結した者は、６ヵ月以下の懲役または100万円以下の罰金に処せられることは「事後届出制」と同じだよ。

③ 土地取引の許可制 発展

プラスα
規制区域は、都道府県知事が指定しますが、現在までに、実際に指定されたことはありません。

1　規制区域

地価の高騰のおそれが非常に激しい場合は、土地取引に関して、事前届出制よりさらに厳しい「規制区域」という制度があります。規制区域が指定されると、その規制区域内における土地取引については、その面積の大小を問わず、当事者は、契約締結前に、都道府県知事の許可を受けなければなりません。

2　許可を受けずに行われた契約の効力

規制区域内の土地について、許可を受けずに行われた契約の効力は「無効」です。また、罰則（３年以下の懲役または200万円以下の罰金）もあります。

要点整理　「届出制」の手続の流れの比較

土地取引を行う区域	届出・許可
指定のない区域における土地取引	事後届出制（原則）
注視区域・監視区域	事前届出制
規制区域	許可制

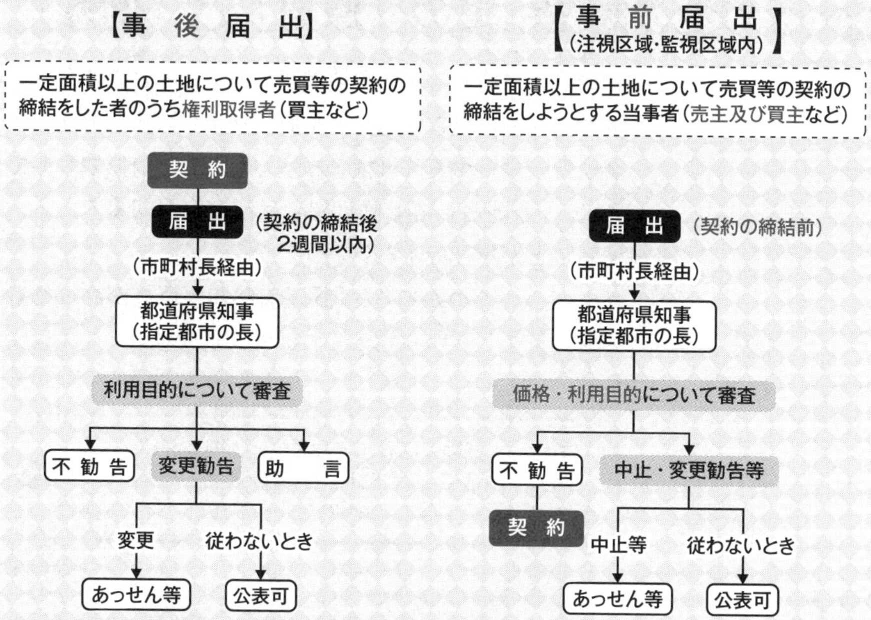

- 注視区域・監視区域内における一定規模以上の一団の土地について、土地売買等の契約を締結しようとする者は、当該土地が所在する市町村長を経由して都道府県知事に、一定の事項を届け出なければならない。
- 事後届出では、権利取得者だけが届出をすれば足りるのに対して、事前届出では、当事者双方が届出を行わなければならない。
- 事前届出をした後、その日から6週間は、その届出に係る売買等の契約を締結することはできない。ただし、勧告または勧告しない旨の通知を受けた場合は、6週間以内であっても契約を締結でき、また、6週間経過後になんらの通知もない場合も契約可能となる。

第8章　国土利用計画法

第9章 その他の諸法令

重要ランク C

不動産に関する「法令上の制限」はまだまだたくさんあるんだよ。最後に全体像をざっと見ておこう！

1 その他の諸法令での「原則」と「例外」

この科目に関する本試験の問題は、それぞれの法令によって異なる「**許可権者は誰か**」を問うタイプの出題方法です。

各法令が規定する許可権者の多くは「都道府県知事」であるため、「**原則として**」許可権者は**都道府県知事**である、と覚えることが第一です。

そして、いくつかある、「**都道府県知事以外**が許可権者となる**例外**」をしっかり覚えておけば、試験対策としては十分です。

もし、本試験でこれまで見たことがない法令に関して同様に出題されても、「原則として都道府県知事」と考えればOKだからなんだ。

2 覚えるべき「例外」

H25.26.29

「都道府県知事の許可」ではない「例外」としては、以下のように「**1　知事「以外」の者が許可する場合**」と、知事の許可ではなく「**2　知事への「届出」となる場合**」の2つがあるよ。

1　知事「以外」の者が許可する場合

「**法令名**」と「**許可権者**」（**知事以外**）を押さえましょう。

法　令	制限される内容・適用区域等	許可権者
自然公園法	国立公園の特別地域内の建築行為等	環境大臣
文化財保護法	重要文化財、史跡名勝天然記念物等の現状変更行為等	文化庁長官
道路法	道路予定地等における建築行為等	道路管理者
河川法	河川区域内の工作物の新築、土石の採取等	河川管理者
海岸法	海岸保全区域の工作物の新設、土石の採取等	海岸管理者
港湾法	港湾区域内の水域または公共空地における土砂の採取等	港湾管理者
津波防災地域づくりに関する法律	津波防護施設区域内の工作物の新築、土地の掘削等	津波防護施設管理者
生産緑地法	生産緑地地区内の建築物の建築等	市町村長

2　知事への「届出」となる場合

知事の許可ではなく、**知事への「届出」**となる場合で、本試験で**出題される可能性が高い**ものは、次の①～④です。

① **都市緑地法に基づき、緑地保全地域内の建築物等の新築等、宅地の造成、木竹の伐採等をするとき**

② **土壌汚染対策法に基づき、形質変更時要届出区域内で土地の掘削その他、土地の形質の変更をするとき**

③ **公有地拡大推進法に基づき、都市計画区域内の一定の土地を有償で譲渡しようとするとき**

④ **自然公園法に基づき、国定公園内の普通地域**で**工作物の建設等をするとき**

注意
自然公園法により、**国定公園**の特別地域内の建築行為等は、**知事の許可**が必要とされています。「国立公園」との違いに注意しましょう。

注意
都市緑地法に基づき「特別緑地保全地区内」で建築物の新築等を行う場合は、原則に戻り、知事の許可となります。

プラスα
①③について、「市の区域内」で行う場合は、市長に届け出ます。

要点整理 「その他の諸法令」での許可権者等

原　則	都道府県知事の許可
例　外	自然公園法 {国立公園…環境大臣の許可 国定公園…都道府県知事の許可}
	文化財保護法…文化庁長官の許可
	道路法・河川法・海岸法・港湾法…管理者の許可 津波防災地域づくりに関する法律…管理者の許可
	生産緑地法…市町村長の許可
	土壌汚染対策法…都道府県知事への届出

第4編

税・鑑定

税・鑑定は、実は最も“毎日の生活”に役立つ科目です。
不動産は、買った場合も、保有している場合も、売った場合も、すべて税金がかかります。こうした税金や不動産の価格に関する知識は、実生活を有利にしてくれるのです。
しっかり学習して、おまけに“トク”しちゃいましょう！

第4編　税・鑑定

❶ 本試験の傾向分析と対策

■12年間（H25～R6・計14回）の出題実績

平成25年度～令和６年度・12年間の本試験の出題内容を、本編に沿って分類すると、次のようになります。

なお、複合問題など、分類するうえで判断が分かれるような出題については、関連性や重要性がより高いテーマの中に含めています。

（★の数は出題数です）

章 ＼ 出題年度		H25	H26	H27	H28	H29	H30	R元	R2(10月)	R2(12月)	R3(10月)	R3(12月)	R4	R5	R6
地方税	1　不動産取得税		★		★		★		★		★			★	★
地方税	2　固定資産税	★		★		★		★		★		★	★		
国税	3　所得税					★		★			★				★
国税	4　印紙税	★			★				★				★	★	
国税	5　登録免許税		★				★			★		★			
国税	6　贈与税			★											
7	地価公示法	★	★	★		★		★		★		★	★		
7	不動産の鑑定評価				★		★		★		★			★	★

■出題の傾向分析・得点目標

税法は、近年は、**地方税から1問、国税から1問**出題されるのが通例となっています。

このうち、**地方税**は、不動産取得税と固定資産税がほぼ互いに1年おきに出題されています。これに対して、**国税**は、対象となる税法のうち、どれが出題されるのかわからないため、対策が困難といえる科目です。

また、**地価公示法**と**不動産の鑑定評価**は、どちらかが**1問**出題されるというパターンがメインであり、今後もこの傾向が続く可能性が高いと考えられます。

日建学院独自の調査データによると、過去12年間の本試験における「**税・鑑定**」分野・出題全体の**平均正答率**は「**約50%**」でした。

この分野では、時折難問が出題されることもあり、全体の正答率の低さからも、受験生が学習対策に苦しんでいることがわかります。しかし、各出題の「難易度別」に分析すると、**基本的な出題**と判断できる問題については、かなり高い数値となっています。

これらのことから、この分野では、**基本事項を絶対に落とさない**よう、**確実に押さえておく**ことが**最も重要**といえるでしょう。

ここでの得点目標は、3問中2問以上です。

それでは、各テーマの「**攻略のポイント**」を見てみましょう。

●税法

宅建試験では、**地方税**・**国税**のいずれも、**住宅に関して税を軽減する各種の特例**に関する知識が**出題の中心**になっています。

ですから、各種の税の基本概念・全体像をひととおり理解したら、これらの**特例の内容に絞って学習**することも、方策の1つです。

●地価公示法・不動産の鑑定評価

地価公示法・**不動産の鑑定評価**ともに、過去に出題されている事項を理解することが、何よりの対策です。

したがって、早めに過去問に取り組むことが、効果的といえます。

❷ 総論・全体構造と学習法

「税」と「担税力」

税は、**税を担う力**を有する者に課すのが原則です。この力を「**担税力**」といい、一般的に「**利益＝もうけ**」が生じるものには担税力がある、と考えられます。

このようなことから、不動産という財産については担税力が認識され、「取引・所有」の流れにおける各段階ごとに、さまざまな税が課されています。

隠し財産はダメよ！
財産に見合う税金を
納めてネ!!

❶ 基本的な用語を確認しよう

税を学ぶときの基本的な視点は、「**誰が**」「どんな**場合**に」「何を**基準**に」「**誰に対して**」「どの**種類の税**を課すのか」ということです。

❶ 課税主体（誰が）	税を徴収する国や地方公共団体のこと
❷ 課税客体（どんな場合に）	税を徴収する原因となる事実 （例えば、マイホームの取得、親族からの財産の相続など）
❸ 課税標準（何を基準に）	課税客体を数値で示したもの。これに税率をかけて税額を算出する
❹ 納税義務者（誰に対して）	税を納める義務を負う者

❷ 税の「基本算定式」と「特例」

税額を計算する基本となる算定式は、次のとおりです。

住宅や宅地などについて、いろいろな減税措置がありますが、減税の方法は、「基本算定式」に対応して、次の❶〜❸の３つのタイプに分かれます。

（基本算定式）

課税標準	×	税　率	＝	税　額
⬇		⬇		⬇
課税標準の特例		軽減税率の特例		税額控除の特例
（❶課税標準から一定額を控除するタイプ）		（❷税率を軽減するタイプ）		（❸算出された税額を控除するタイプ）

❸ 不動産取引に関する税の全体像

不動産の売買に関して、取引の具体的な流れに沿ってみると、代表的なものとして、次の種類の税金があります。

不動産の購入時	印紙税	売買契約書の作成
	不動産取得税	所有権の取得
	登録免許税	登記の申請

⬇

その保有期間中	固定資産税
	都市計画税

⬇

売　却　時	印紙税	売買契約書の作成
	所得税	代金の受領
	登録免許税	登記の申請

❹ 国税と地方税

課税主体が**国**である税を**国税**といい、課税主体が**地方公共団体**である税を**地方税**といいます。これらの税を分類すると、次のとおりです。

国　　税	（譲渡）所得税、登録免許税、印紙税、贈与税	
地　方　税	都道府県税	不動産取得税
	市町村税	固定資産税、都市計画税

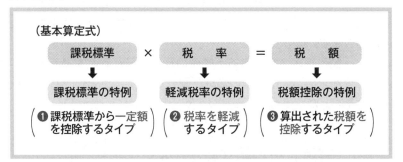

地価公示法・不動産の鑑定評価

毎年１回「**標準地**」の「**正常な価格**」を一般に公開するのが「**地価公示**」です。

その目的は、一般の土地取引価格に指標を与え、公共事業等の用に供するための土地の適正な補償金等の額の算定の規準となる適正な地価の形成にあります。

一方、不動産鑑定士が、ある不動産の経済価値を判定することが、不動産の価格を求める「**不動産の鑑定評価**」であり、その際には、「不動産鑑定評価基準」がよりどころとなります。

「税」「鑑定」を攻略するために

❶ 「税」について

税を学習する際のポイントは、住宅や住宅用の土地（宅地）に関する**特例**です。

「課税標準の特例」「軽減税率の特例」「税額控除の特例」について、それぞれ数字を取り違えないようにして暗記しておく必要があります。

また、各種の特例については、その内容とともに、主要な適用要件をしっかりと押さえるようにしましょう。

❷「鑑定」について

「地価公示法」が出題された場合は必ず得点できるように、テキスト・過去問ともに、まんべんなく学習しておくことがよいでしょう。

一方、「不動産の鑑定評価」での出題のポイントはほぼ決まっており、①**求める価格の定義**（「正常価格とは」等）、②**価格を求める３手法**の概要を、まずはしっかり押さえておくことが肝要です。

その上で、過去問をひととおりおさらいしておきましょう。

第1章 地　方　税

重要ランク A

ほぼ1年交代で出題される「不動産取得税」と「固定資産税」では、「優遇される特例」がキーポイントだよ！

1 不動産取得税

土地や家屋（不動産）を取得したときに、一度だけ納めるのが、**不動産取得税**です。不動産の取得者は、その**不動産が所在**する**都道府県**に納税します。

1　課税主体と徴収方法

H26.30.R3(10).5

不動産取得税は、取得した不動産が所在する**都道府県**が課税します。都道府県は、不動産の取得者に対して納税通知書を送付し、納税義務者である不動産を取得した個人・法人が、**普通徴収**によって納税します。

用語解説
普通徴収：
公的機関から納税通知書が送られてきて、それによって税を納める方法のこと。

用語解説
固定資産課税台帳：
土地の場合は土地課税台帳・土地補充課税台帳、家屋の場合は家屋課税台帳・家屋補充課税台帳等のこと。

プラスα
家屋が新築された日から6ヵ月（宅建業者の場合は1年）を経過して、なお、当該家屋について最初の使用・譲渡が行われない場合は、家屋が新築された日から6ヵ月（宅建業者の場合は1年）を**経過した日**に**家屋の取得**が行われたとみなし、その家屋の所有者を取得者として、不動産取得税を課します。

2　課税客体と課税標準

H26.28.30.R2(10).3(10).6

(1)　税額を**算定する基礎**となる**課税標準**は、**固定資産課税台帳価格**です。

①　不動産取得税は、売買・交換・贈与などの**取引**によって不動産を取得した場合のほか、**家屋の建築・増改築**といった**事実に基づいて不動産を取得**した場合も、課税されます。なお、**登記の有無**には**関係ありません**。

②　**改築**の場合、改築によって**増加した価格**の部分が**課税標準**となります。なお、**転売目的による住宅の取得**も、課税の対象となります。

③　贈与によって取得した場合は、贈与税と不動産取得税の両方が課税されますが、**相続や法人の合併、共有物の分割**（持分の割合を超えないもの）によって取得した場合には、不動産取得税は課税されません。

(2)　課税標準の額が次の金額に**満たないとき**は、課税されません。これを**免税点**といいます。

土地の取得	10万円
建築（新築・増改築等）による家屋の取得	23万円
その他（売買・交換・贈与等）による家屋の取得	12万円

3　税率の特例

H28.R2⑽.3⑽.6

不動産取得税は、課税標準である**固定資産課税台帳価格**に税率を掛けて、納税額を算出します。

課税標準 × **税　率** ＝ **納税額**

税率は、**住宅と土地**については、**3／100**、それ以外のもの（例えば、店舗・事務所など）については、原則どおり**4／100**となっています。

標準税率	4／100	住宅以外の家屋 （例：オフィスビル）
標準税率の特例措置	3／100	住宅・土地

土地は、「住宅用地」でなくても3／100になることに注意してね。

プラスα
国・**非課税独立行政法人**（例えば、造幣局）、国立大学法人・都道府県・**市町村**・**特別区**（東京23区）・**地方独立行政法人**（例えば、公立大学法人大阪）等に対しては、「国等に対する非課税」に該当するとして、不動産取得税は課税されません。

プラスα
「4／100」は制限税率（税率の上限）ではないため、地方自治体の条例によって「4／100以上の税率」とすることもできます。

4　課税標準の特例

①　住宅の課税標準の特例

H28.R3(10)

★プラスα
新築住宅の特例は法人にも適用がありますが、既存住宅については、個人が取得した場合のみ適用され、法人には適用がありません。

一定の新築住宅または既存住宅（家屋）を取得した場合は、特例として、次のように**課税標準が軽減**されます。

新築住宅	価格から1,200万円を控除
既存住宅 （中古住宅）	価格から、築年数により1,200万円を上限に控除

この特例は、取得した家屋が、次の要件を満たした場合に適用されます。

- 住宅の床面積が50㎡以上240㎡以下であること
- 既存住宅は、新耐震基準等に適合するものであること等

★プラスα
不動産を取得した者が**登記の申請**をした場合は、**特例の適用の申告**は不要です。登記の申請先である登記所から、都道府県に対してその旨の通知が行われるからです。

なお、**都道府県**は、住宅の取得の場合は、特例の適用の申告がなくても、**要件に該当**すると認められるときは、この特例を**適用**できます。

②　宅地の課税標準の特例

宅地を取得した場合は、特例として、課税標準が、その宅地の**価格の１／２**の額に軽減されます。

> 例えば、固定資産課税台帳価格が建物1,500万円、土地1,200万円の新築マイホームを購入した場合を考えてみようね。
>
> 特例で計算すると、課税標準は、建物は1,200万円が控除されて300万円に、土地は1,200万円の１／２の600万円に、それぞれ軽減されて、合計900万円になるんだ。
>
> これに税率の３％を掛けた27万円が、納税額になるんだよ。

2　固定資産税

土地・家屋などの**固定資産**を所有している者が、固定資産が所在している**市町村**に納めるのが、**固定資産税**です。

固定資産税は、原則として、**毎年１月１日現在**の土地・家屋等の**所有者**として登記・登録されている者に課税されます。

用語解説
固定資産：
土地・家屋・償却資産（例えば、工場の機械）のこと。

1　課税主体と徴収方法　　H29.R元.2(12).3(12).4

固定資産税は、固定資産が所在する**市町村**が課税します。

市町村は、形式的に、毎年**１月１日現在**に**所有者として登記・登録されている者**（納税義務者）に対して納税通知書を送付し、その者が、**普通徴収**によって納税します。

固定資産税の納期は、**４月・７月・12月・２月**中において、市町村の**条例**で定めますが、**特別の事情**がある場合には、これと**異なる納期**を定めることもできます。

重要
賦課期日（１月１日）における納税義務者に対して、形式的に課税されます。
「年」の途中に**所有者が変更**しても、法律上の納税義務者は変わりません。

なお、固定資産税の納税義務者には、次の**例外**があります。

[固定資産税の納税義務者の例外]

❶ 質権または100年より永い地上権が設定されている場合	質権者または地上権者
❷ ア 登記名義人が災害等で不明の場合 イ 一定の調査をしても、所有者が1人も明らかにならない場合	使用者を所有者とみなして課税
❸ 登記名義人が死亡している場合等	1月1日現在で、現に所有している者

プラスα
固定資産税の納税義務者は、固定資産課税台帳に登録された価格について**不服**がある場合、一定期間内に、文書をもって、**固定資産評価審査委員会**に審査の申出ができます。

プラスα
市町村長は、毎年4月1日から、4月20日または当該年度の最初の納期限の日のいずれか遅い日以後の日までの間、価格等縦覧帳簿またはその写しを、固定資産税の納税義務者の縦覧に供しなければなりません。

2 課税客体と課税標準

H29.R3(12).4

固定資産税は、固定資産の保有を課税客体とし、**固定資産課税台帳価格**を**課税標準**とします。

課税標準となる固定資産課税台帳価格は、**3年に1度**、見直されます。ただし、例えば、農地から宅地に地目が変わったり、家屋を増改築したことで価格据置が不適当となったときは、その時点で見直しが行われます。

なお、納税義務者や土地・家屋の賃借権者などは、自分に関係する固定資産に関する事項が記載されている部分について、**固定資産課税台帳**の**閲覧**や、**証明書**の**交付**を請求できます。

3 固定資産税の免税点と税率

H27.R2(12)

固定資産税は、同一市町村内に同一人が所有する土地・家屋・償却資産のそれぞれの課税標準の合計が次の金額に満たないときは（**免税点**）、原則として課税されません。

土　地	30万円
家　屋	20万円
償却資産	150万円

固定資産税の標準税率は、**1.4／100**です。

なお、特に必要があるときには、地方自治体によって、標準税率と異なる税率を定めることもできます。

プラスα
制限税率の定めはありません。

4　課税標準と税額の特例

H25.27.R元.2(12).3(12)

固定資産税も、不動産取得税と同様に、課税標準である**固定資産課税台帳価格**に税率を掛けて、納税額を算出します。

課税標準 × 税　率 ＝ 納税額

①　課税標準の特例

固定資産税の課税標準は、**住宅用地**（土地）の場合、「**❶200㎡以下の部分**」は「小規模住宅用地」、「**❷200㎡を超える部分**」は「その他の住宅用地」として、面積によって次の２つに区分され、軽減されます。

❶　200㎡以下の部分（小規模住宅用地）	1／6
❷　200㎡を超える部分（その他の住宅用地）	1／3

②　税額の特例

固定資産税の税額は、**床面積が50㎡以上280㎡以下**、かつ、居住部分の割合が全体の**1／2以上の新築住宅**（家屋）について、次のように**❶一定期間**、**❷一定の範囲内**で、**1／2に減額**されます。

[税額の特例]

❶　減額される期間	3年間 （3階以上の中高層耐火建築物は5年間）
❷　範　囲	床面積120㎡以下の部分のみ

プラスα
貸家の場合は、床面積の要件が「40㎡」以上280㎡以下となります。

プラスα
区分建物・その敷地の固定資産税は、原則として持分割合に按分して課税されます。ただし、タワーマンションの場合は、高層階の市場価格が高いことに鑑みて「階層別の補正率」で補正されます。

敷地面積が300㎡の**土地**と、床面積が200㎡の**新築住宅**の例で考えてみようね。

❶
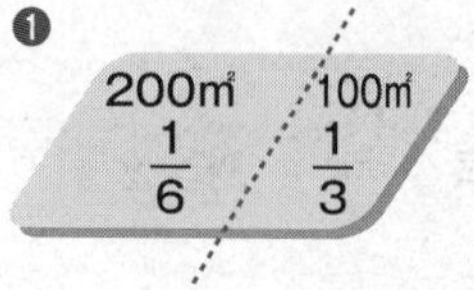

[土地]

まず、敷地面積300㎡のうちの200㎡以下の部分については、課税標準が1／6に軽減される。これが課税標準の「小規模住宅用地の特例」なんだ。

そのうえで、さらに200㎡を超えた残りの敷地100㎡については、「その他の住宅用地」に該当するとして、課税標準が1／3に軽減されることになるんだよ。

❷
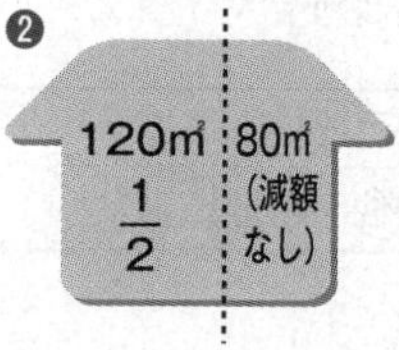

[新築住宅]

床面積200㎡のうち、120㎡までの部分については、3年間または5年間、税額が1／2に減額されるよ。

なお、残り80㎡については、特例の適用はなく、減額されないんだ。

要点整理　地方税

[不動産取得税と固定資産税の比較]

	不動産取得税	固定資産税
課税主体	都道府県	市町村
納税義務者	不動産を現実に取得した者	1月1日現在の登記・登録名義人＊
課税標準	固定資産課税台帳価格	固定資産課税台帳価格
税　率	標準税率　4／100 (住宅・土地は3／100)	標準税率　1.4／100
免税点	●土地………10万円 ●建築による家屋取得………23万円 ●建築以外の家屋取得………12万円	●土地………30万円 ●家屋………20万円
徴収方法	普通徴収	普通徴収

＊：固定資産税の「納税義務者」の例外

●質権、100年より永い地上権が設定	質権者、地上権者
●登記名義人が災害等で不明 ●一定の調査をしても、所有者が1人も明らかにならない	使用者を所有者とみなして課税
●登記名義人が死亡	1月1日現在の「現実の所有者」

[不動産取得税と固定資産税の特例]

			課　税　標　準	税　　率	税　　額
不動産取得税	宅地		1／2	3／100に軽減(住宅・土地)＊2	一定の税額控除あり
不動産取得税	住宅＊1	新　築	1,200万円控除	3／100に軽減(住宅・土地)＊2	——
不動産取得税	住宅＊1	中　古	一定額控除	3／100に軽減(住宅・土地)＊2	——
固　定資産税	宅地	200㎡以下	1／6	——	——
固　定資産税	宅地	200㎡超	1／3	——	——
固　定資産税	住宅		——	——	新築住宅 1／2　＊3

＊ 1：特例が適用される床面積の要件は、50㎡以上 240㎡以下
＊ 2：住宅と土地に限り、標準税率が3／100となる
＊ 3：床面積が 50㎡以上 280㎡以下の新築住宅で、そのうちの 120㎡までの部分について、税額が1／2に減額される

国税 ①

第２章　印紙税・登録免許税・贈与税

印紙税と登録免許税は、ポイントが少なくて簡単だよ。
贈与税は「住宅取得等資金贈与の特例」に絞り込もう！

1 印紙税

H25.28.R2⑽.4.5

プラスα
１つの課税文書を２人以上の者が共同して作成したときは、**連帯して納付**する義務を負います。

注意
代理人が本人を代理して金銭を受領した場合、受取書の作成者は代理人となるため、その**代理人**が、印紙税の納税義務者となります。

本　人
↓ 依頼
代理人（受領者）＝納税義務者

1　印紙税の概要

土地・住宅を購入するときの売買契約書や、建物の賃貸借をする場合の敷金の受取書などの**課税文書**に対して課せられるのが、**印紙税**です。

印紙税の納税義務者は、課税文書の「**作成者**」です。作成者が**国・地方公共団体**の場合は、**非課税**となります。

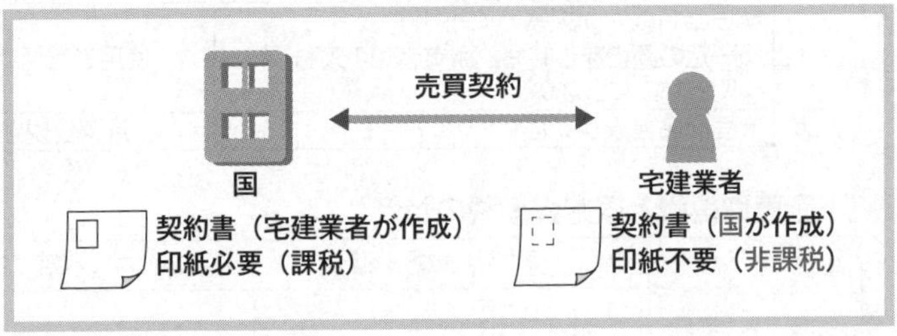

例えば、国と民間の宅建業者が不動産売買契約をし、契約書を２通作成して各自１通保存する場合、**国**が作成した契約書（民間業者が保存するもの）**のみ**が**非課税**となります。

プラスα
消印は課税文書の作成者・その代理人・従業者等の印章または署名で行います。

2　課税文書と記載金額

印紙税は、原則として課税文書に収入印紙を貼り付けることにより納付し、課税文書と印紙の彩紋にかけ、判明に印紙を消さなければなりません（「**消印**する」といいます）。

●仮契約書や仲介人が保存する契約書などにも、課税されるよ。
●覚書のように、メインとなる契約書の金額・期間などの重要な事項を「変更・補充するサブ的な文書」に対しても、課税されるんだ。

契約書の内容や「**記載金額**」（契約金額、受取金額等）によって、次のように印紙税額が定められています。

［課税文書と印紙税額］

主な課税文書	記　載　金　額　等
売買契約書	●**売買金額**が記載金額となる ●**増額**する変更契約書は、増額**部分**が記載金額となる ●**減額**する変更契約書は、「記載金額がないもの」として200円が課税される
交換契約書	●**金額が**高いほうが記載金額となる ●両物件の金額が記載されていない場合で、**交換差金のみが記載**されているときは、交換差金が記載金額となる
土地の 賃貸借契約書	●後日返還されない**権利金等の額**が、記載金額となる **注意**　●敷金・保証金等で後日返還が予定されるものは、記載金額に含まれない ●賃料等も、**記載金額に**含まれない
贈与契約書	「記載金額がないもの」として、200円が課税
請負契約書	不動産売買契約書の記載に準じる
売上代金に係る受取書（領収証）	●記載金額が5**万円未満** ●営業に関しない受取書 → 非課税

★プラスα
印紙税を納付しなかった場合に課される過怠税の額は、「**納税額＋その2倍**」（計3倍）です。

同じ課税文書に**2以上**の同種類の記載金額がある場合は、その**合計額**が記載金額となります。

しかし、例えば、土地の売買契約と建物建築請負契約を**1通の契約書に併記**している場合は、原則として、**売買契約書として課税**されますが、**請負に係る金額のほうが多い場合**は、**請負契約書として課税**されます。結果として、金額の「**高いほう**」が記載金額となります。

なお、**消費税が明記**されている場合、その消費税分には、印紙税は**課税されません**。

主な「**課税されない**」文書は、次のとおりです。

- 建物賃貸借契約書
- 抵当権設定契約書
- 営業に関しない受取書（領収証）
- 委任状
- 媒介契約書　等

プラスα
例えば、記載金額3,000万円の土地の売買契約と、記載金額5,000万円の建築工事請負契約が1通の契約書に記載された場合は、「高いほう」である**建築工事請負契約書**（記載金額5,000万円）として課税されます。

注意
建物賃貸借に伴い敷金や手付金を受領した際に交付する領収証は、「売上代金に係る受取書」として印紙税が課税されます。

要点整理　印紙税

[印紙税の概要]

課税主体	国
課税客体	課税文書
納税義務者	●課税文書の作成者（国等は非課税） ●共同作成の場合は、連帯納付となる

[主な課税文書]

課税文書の種類	記載金額等
不動産の売買契約書	代　金
土地の賃貸借契約書	権利金等の返還しない額
増額契約書	増 額 分
贈与契約書または減額契約書	「記載金額がないもの」として、200円が課税される
交換契約書	**金額の**高いほうを基準とし、交換差金**のみが記載**されているときは、これを基準とする

[主な課税されない文書]

●建物賃貸借契約書　　●抵当権設定契約書
●営業に関しない領収証　　●媒介契約書

2 登録免許税

H26.30.R2(12).3(12)

土地・建物について、**所有権移転登記**や**抵当権設定登記**を受ける場合に納付するのが、**登録免許税**です。

① 納税義務者は、**登記を受ける者**です。登記を受ける者が**2人以上**いるときは、**連帯して納付義務**を負います。

例えば、売買による所有権移転登記の場合、登記権利者である買主と登記義務者である売主の2人が、納税義務者です。

② 登録免許税は、**登記を受ける時までに**、登記を受ける登記所で納付します。

プラスα
原則として、登録免許税は現金納付ですが、税額が3万円以下の場合は、**収入印紙**により納付することができます。
なお、クレジットカードでも納税ができます（オンライン申請・書面申請の両方で可）。

国・地方公共団体等が、登記権利者（不動産を取得した「登記名義人」）となるときは、登録免許税が非課税になるんだけれど、逆に登記義務者となる（不動産を一般人に売却等する）ときは、課税されるんだ。

1 登録免許税の税率

R2(12)

登録免許税の課税標準と税率は、登記の種類により異なりますが、概ね「**不動産の価額**」となります。そして、この「価額」とは、**固定資産課税台帳価格**を指します。

2 「住宅」の場合の軽減税率

H26.30.R2(12).3(12)

次の要件を満たした「**住宅**」については、所有権保存登記・所有権移転登記・抵当権設定登記の税率が、次のように軽減されます。

注意
敷地（土地）には適用されません。

次の表中の「**適用要件**」が一番よく出題されるよ！

<table>
<tr><td rowspan="4">適用要件</td><td colspan="3">❶ 個人が受ける登記（自己が居住する家屋）
注意　法人が受ける登記には適用なし</td></tr>
<tr><td colspan="3">❷ 床面積（登記面積）が50㎡以上の住宅</td></tr>
<tr><td colspan="3">❸ 新築または取得後１年以内にする登記＊1</td></tr>
<tr><td colspan="3">❹ 中古住宅の場合は、上記❶～❸のほか、新耐震基準等に適合すること
注意　S57.1.1以降に建築された家屋は「適合する」とみなされる</td></tr>
<tr><td rowspan="4">特例税率</td><td>登記の種類</td><td>原　則　税　率</td><td>特　例　税　率</td></tr>
<tr><td>所有権保存</td><td>4／1000</td><td>1.5／1000</td></tr>
<tr><td>所有権移転＊2</td><td>20／1000</td><td>3／1000</td></tr>
<tr><td>抵当権設定</td><td>4／1000</td><td>1／1000</td></tr>
</table>

＊1：所有権移転登記・抵当権設定登記の場合は、やむを得ない事情があるときを除く。

＊2：売買または競売の場合に限る。交換・贈与・相続などにより取得した場合には、適用されない。

注意
この特例は、要件を満たせば、同一人であっても、何度でも適用を受けることができます。

要点整理　登録免許税・住宅の軽減税率

[登録免許税の概要]

課税主体	国
課税客体	不動産に関する登記等
納税義務者	●登記を受ける者 ●共同申請の場合は連帯納付
納税地	登記を受ける登記所
課税標準	不動産の価額等

[住宅の軽減税率の適用要件]

<table>
<tr><th>登記の種類</th><th>主　な　要　件</th></tr>
<tr><td>所有権保存</td><td rowspan="3">●個人の居住用住宅であること
注意　社宅は除く
●床面積50㎡以上
●登記は、原則、新築・取得後１年以内にすること
●中古住宅（新耐震基準等に適合）も可</td></tr>
<tr><td>所有権移転＊</td></tr>
<tr><td>抵当権設定</td></tr>
</table>

＊：売買または競売の場合に限る

③ 贈与税

H27

個人が、**個人**から金銭や宅地・建物などの財産をもらった場合に、**もらった側**の**個人**に対して課されるのが、**贈与税**です。

⚠注意
住宅の取得等資金にあてる目的での金銭の贈与が対象であるため、父母または祖父母から家屋の贈与を受けても、この特例は適用されません。

1　住宅取得等資金の贈与を受けた場合の贈与税の「非課税」の特例

1月1日現在で**18歳以上**の者が、父母や祖父母などの直系尊属（年齢は問いません）から「**住宅取得等資金の贈与**」を受けて、一定の期日までに、国内で住宅を新築・取得・増改築等をして居住の用に供した場合、住宅取得等資金のうち一定金額について、贈与税が「非課税」となります。

「**資金の贈与**」だけが**対象**で、その「**住宅自体の贈与**」を受けた場合は**対象外**になることに注意してね！

この特例を受けるための主な要件は、以下のとおりです。

贈与者	直系尊属（父母、祖父母等）　※年齢は問わない	
受贈者	①　1月1日現在、**18歳以上**であること ②　贈与を受けた年の合計所得金額が、**2,000万円以下**であること	
「住宅用家屋」の要件	①　床面積が**50㎡以上240㎡以下**であること＊	
	②　既存住宅は、新耐震基準に適合すること（S57.1.1以降に建築された家屋は「適合する」とみなされる）	
	③　床面積のうち**1／2以上**を**専ら居住の用**に供すること	
増改築の要件	増改築費用が**100万円以上**であること、かつ、増改築後の床面積が**50㎡以上240㎡以下**であること＊	

＊：床面積が「40㎡以上50㎡未満」でも、贈与を受けた年の合計所得金額が1,000万円以下であれば、この特例の適用を受けることができます。

2　相続時精算課税制度　発展

相続時精算課税制度とは、贈与者が行った生前の贈与について、受贈者が贈与税を納税し、その後相続が生じた時に、「生前に贈与を受けた財産と相続した財産を合計した価額を基に計算した相続税額」から、「既に支払った贈与税額」を控除することにより、**贈与税・相続税を通じた納税**を可能とした制度です。

相続税と贈与税を一体化させたもので、経済の活性化のため、資産を、親の世代から消費活動がより活発な子の世代へと**生前贈与**することで円滑に移転させる仕組みなんだ。

この制度の適用を受けるためには、贈与者が60歳以上でなければならないのが原則です。

しかし、**自己の居住用家屋**を**新築・取得**する資金、または**一定の増改築**のための**資金の贈与**を受ける場合には、**60歳未満の親または祖父母**からの贈与であっても、相続時精算課税制度の適用を受けることができます（**相続時精算課税制度―住宅取得等資金に係る特例**）。

この特例の概要は、次のとおりです。

[相続時精算課税制度―住宅取得等資金に係る特例の概要]

贈与者	自己の父母または祖父母 （代襲相続を含む）　注 年齢は問わない
受贈者	18歳以上であること 注 合計所得金額は問わない
「住宅用家屋」の要件	①　床面積40㎡以上の住宅用家屋 ②　既存住宅は、新耐震基準に適合するもの 注 S57.1.1以降に建築された家屋は「適合する」とみなされる ③　床面積のうち1／2以上を専ら居住の用に供すること
増改築の要件	増改築費用が100万円以上であり、かつ、増改築後の床面積が40㎡以上であること 注 床面積の上限はなし

プラスα
相続税の計算時には、財産の額に応じて10～55%の税率を掛けて算出します。

プラスα
「相続時精算課税制度」を適用する場合、年あたり110万円の基礎控除と累計2,500万円の特別控除後の金額に、**一律20%**の税率を掛けて計算します。

注意
受贈者の所得要件はありません。
「住宅取得等資金の非課税の特例」と混同しないよう注意しましょう。

国税 ②

第3章 所得税（譲渡所得）

重要ランク B

「不動産を売って儲けたお金」（譲渡所得）に課される税金を見てみよう。

1 譲渡所得に対する所得税

H29.R3(10)

注意
不動産業者が、「事業」として不動産を譲渡する（営利を目的として継続的に行う）場合は、「事業所得」と扱われるため、譲渡所得とはなりません。

所得税は、1月1日～12月31日の1年間に土地・建物等の資産の譲渡によって得た個人の**所得**に対して課せられる国税です。納税義務者は、**所得を得た個人**です。

例えば、2,000万円で買った土地を5,000万円で売却した場合、ひとまず費用等を考慮しなければ、差し引き「3,000万円の利益」（**譲渡所得**）が生じます。この場合、譲渡所得を得た個人は、**確定申告**により、所得税を納付しなければなりません（**申告納税**）。

譲渡所得に対する所得税は、総収入金額（売却代金）から**取得費**（買った時の価格）と**譲渡費用**を差し引いて純利益を求め、これに一定の税率を掛けて税額を求めます。

総収入金額－（取得費＋譲渡費用）

↓

譲渡所得（純利益） × 税率 ＝ 税額

- **取得費**とは、売却した土地・建物の購入代金や建築代金、登録免許税・不動産取得税等と、設備費・改良費のことだよ。もし、取得費が不明等の場合は、譲渡の際の総収入金額の５％を**取得費**として計算することができるんだ。
- **譲渡費用**とは、売却に直接かかった費用で、不動産業者に対する仲介手数料、立退料や家屋の取壊し費用などのことだよ。

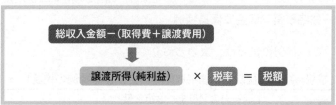

ニャカ先生のひとこと

② 長期譲渡所得と短期譲渡所得

譲渡所得は、譲渡した土地・建物等を**所有していた期間**に応じて、次のように、２つに区分されます。

長期譲渡所得	譲渡した年の１月１日現在で、所有期間が**５年を超える場合**
短期譲渡所得	譲渡した年の１月１日現在で、所有期間が**５年以内の場合**

注意
土地・建物の所有期間は、あくまで『**譲渡した年の１月１日現在**』で判断します。

③ 譲渡所得の特別控除

R元

1　「特別控除」とは

譲渡所得の特別控除は、**税金を軽減**するため、譲渡所得の課税標準から**一定額を差し引く**という特例です。

総収入金額　－（取得費＋譲渡費用）
↓
譲渡所得（譲渡益）　－　特別控除
↓
課税譲渡所得金額　×　税率　＝　税額

プラスα
特別控除後の金額を「**課税譲渡所得金額**」といいます。

特別控除には、①**居住用財産の3,000万円特別控除**や、②**収用等の5,000万円特別控除**などがあります。

①②のどちらも、**所有期間の長期・短期にかかわらず**適用を受けることができますが、**買換え特例**や**優良住宅地の軽減税率の特例**と**併用できません**。

注意
住宅の所有期間が４年、敷地が８年で、これを一括譲渡する場合のように、短期譲渡所得と長期譲渡所得があるときは、特別控除は、まず**短期譲渡所得から控除**されます。

プラスα
「収用等の5,000万円特別控除」とは、個人が**公共事業のために土地を譲渡**（強制収用等）した場合に、受け取った補償金等から最大5,000万円が「特別控除」として差し引かれるという特例です。

2　居住用財産の3,000万円特別控除

「居住用財産」とは、**現に自己が居住する家屋**もしくは**居住していた家屋**、または、それとともに**その敷地**となっている土地等をいいます。このような居住用財産を譲渡した場合、**譲渡益から3,000万円が控除**されます。

プラスα
譲渡者が居住用の財産を２つ以上有するときは、主として居住の用に供している１つの家屋に限って適用されます。

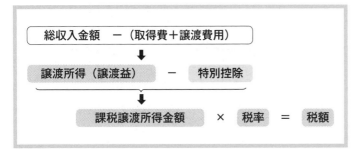

⚠注意
次の❹で学習する「**1 居住用財産の軽減税率」の特例**の適用要件も、これと共通です。

この特例の適用を受けるためには、次の各要件をすべて満たさなければなりません。

① 配偶者・直系血族もしくは生計を一にする親族、または同族会社に対する譲渡ではないこと
② 特例を受ける年とその前年及び前々年に、この特例、居住用財産の買換え特例の適用を受けていないこと
③ 以前居住していた財産を譲渡する場合は、居住しなくなってから3年を経過する日の属する年の12月31日までに、譲渡すること

要点整理　譲渡所得の特別控除

主な特別控除	控除額
居住用財産の3,000万円特別控除	3,000万円
収用等の5,000万円特別控除	5,000万円

居住用財産の3,000万円特別控除の要件

- 親族等に対する譲渡でないこと
- 前年・前々年に、この特例および買換え特例の適用を受けていないこと
- 居住しなくなってから3年を経過する日の属する年の12月31日までの譲渡であること

❹ 軽減税率の特例

1　居住用財産の軽減税率

長期譲渡所得のうち、**所有期間が10年を超える居住用財産**を譲渡した場合の税率は、譲渡所得のうち**6,000万円以下**の部分は**10%に軽減**されます。なお、6,000万円を超える部分は15%（原則税率）です。

2　優良住宅地造成等の軽減税率

長期譲渡所得（**所有期間が5年超**）のうち、国・地方公共

団体等に対する譲渡や収用等による土地等の譲渡など、**優良住宅地造成等**のために**土地を譲渡**した場合の税率は、譲渡所得のうち**2,000万円以下**の部分は**10%に軽減**され、2,000万円を超える部分は15%（原則税率）です。

［譲渡所得の税率区分］

- 所有期間５年超（長期譲渡所得）
  - 原則税率：15%
  - 居住用財産の軽減税率（10年超）
    - 6,000万円以下の部分　10%
    - 6,000万円超の部分　15%
  - 優良住宅地造成等の軽減税率
    - 2,000万円以下の部分　10%
    - 2,000万円超の部分　15%
- 所有期間５年以下（短期譲渡所得）
  - 原則税率：30%

「税の負担」を軽くしてくれる特例を、具体的に見てみよう。

例えば、2,000万円で購入したマイホームを８年後に6,000万円で売却した場合、譲渡費用が100万円かかったとすると、差し引き3,900万円の利益が発生するよね。

① このケースで「居住用財産の3,000万円特別控除」を適用すると、「3,900万円－3,000万円＝900万円」が「利益＝課税譲渡所得金額」となり、これに**原則税率15%**を掛けて、「135万円が納税額」となるんだ。

② もし、所有期間が10年を超えていれば「居住用財産の軽減税率」が適用されて「税率が10%」になるから、この場合は「**90万円が納税額**」となるんだね。

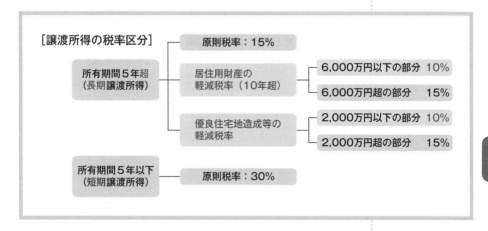

5 居住用財産の買換え特例　発展

マイホームの住み替えのように、①**居住用財産を譲渡**して、②**代わりの居住用財産を取得**する、という場合、譲渡資産の価格（売却代金）が買換資産の**取得価額**（新たな資産の購入費）**以下**であれば、②の場合の譲渡所得については、課

プラスα
例えば、2,000万円で購入したマイホームAを4,000万円で売却し、6,000万円のマイホームBに住み替えた場合、買換え特例を適用すると、将来このマイホームBを売却したときの譲渡所得の計算では、**取得費**は「**当初のマイホームAの2,000万円**」となります。

税されません（つまり、課税が「繰り延べられる（将来に先送りされる）」のです）。

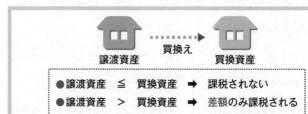

●譲渡資産　≦　買換資産　➡　課税されない
●譲渡資産　＞　買換資産　➡　差額のみ課税される

主な適用要件は、次のとおりです。

譲渡資産の要件	譲渡した日の属する年の1月1日における所有**期間**が10年を超えること	
	居住**期間**が10年以上	
	譲渡金額が1億円以下	
	配偶者や一定の**親族等に対する譲渡**でないこと	
	居住の用に供されなくなった日から3年**を経過する日の属する年の12月31日まで**の間に譲渡されること	
買換資産の要件	譲渡資産の譲渡の前年1月1日から譲渡した年の翌年12月31日までの取得であること	
	家屋の場合	床面積が**50㎡以上**
	土地の場合	面積が**500㎡以下**
	既存住宅の場合は、**新耐震基準等に適合**すること	

要点整理　居住用財産の買換え特例

譲渡資産	●所有期間が10年超で、かつ、居住期間が10年以上のもの ●譲渡金額が1億円以下であること ●居住しなくなった日以降3年経過した年の12月31日までに譲渡したものであること
買換資産	●譲渡資産の譲渡の前年1月1日～譲渡の翌年12月31日の間の取得であること ●家屋の床面積➡50㎡以上 土地の面積　➡500㎡以下

❻ 特例の併用関係

R元

譲渡所得の「各特例の併用関係」は、次のとおりです。

[主な特例の併用関係のまとめ]（○＝併用できる、×＝併用できない）

	居住用財産の軽減税率	優良住宅地のための軽減税率
5,000万円特別控除 3,000万円特別控除	○	×
買換え特例	×	×

プラスα
居住用財産の軽減税率は、「**5,000万円特別控除**」または「**3,000万円特別控除**」とは併用OK、その一方で、「**その他は原則として併用できない**」と覚えておきましょう。

発展コラム　住宅ローン控除

R6

Column

住宅ローン控除とは、個人が**金融機関**で**マイホームの新築・購入・増改築**をするために**ローンを組んだ場合**に、借入金の残高に一定の控除率を掛けた金額を本来の所得税額から控除し、所得税を軽減する制度です。

土地（敷地）の取得や、一定のバリアフリー・省エネ目的で改修工事を行う資金も、対象になります。

[住宅ローン控除の適用要件]

- ローンの返済期間が 10 年以上
- 住宅取得から 6 ヵ月以内に居住すること
- 適用を受ける年度およびその前 2 年・後 3 年の間に、居住用財産の 3,000 万円特別控除・軽減税率の特例・買換え特例の適用を受けていないこと（ただし「譲渡損失の損益通算及び繰越控除」との併用は可能）
- 適用を受ける年の合計所得が 2,000 万円以下
- 取得する住宅の床面積については、①原則 50㎡以上であり、②その 1 ／ 2 以上を「自己の居住用」として使用すること
- 既存住宅の場合は、新耐震基準等に適合すること

第4章 地価公示法・不動産の鑑定評価

どちらも「不動産の価値」を評価するための手続なんだ。過去問メインの学習がおすすめだよ！

1 地価公示法

H25.26.27.29.R元.2(12).3(12).4

1　地価公示の手続

地価公示とは、個別的な事情に左右されやすく、あいまいになりやすい土地の価格について、取引の目安（**指標**）を与え、**適正な地価**を形成しようとするものです。

地価公示では、毎年1回、**標準地を選定**して、「正常な価格」を公示します。その手続は、次のとおりです。

❶標準地の選定 → ❷標準地の鑑定 → ❸評価書の提出 → ❹審査・判定 → ❺公示 →（送付）→ ❻一般の閲覧

- ❶ ↑ 土地鑑定委員会
- ❷❸ ↑ 2人以上の不動産鑑定士
- ❹❺ ↑ 土地鑑定委員会
- ❻ ↑ 市町村長

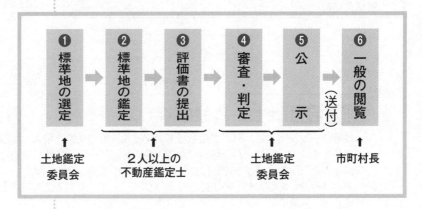

❶　標準地の選定

標準地は、**土地鑑定委員会**が**公示区域内から選定**します。

❷　標準地の鑑定

標準地の鑑定は、**2人以上の不動産鑑定士**が、毎年1回、1月1日を**価格時点**として行います。

その鑑定は、次の3つを**勘案**して行わなければなりません。

- **近傍類地**（きんぼうるいち）**の取引価格**から算定される推定の価格
- **近傍類地の地代等**から算定される推定の価格
- 同等の効用を有する土地の**造成に要する推定の費用**の額

❸　評価書の提出

標準地の鑑定を行った不動産鑑定士は、土地鑑定委員会に対し、鑑定評価額その他の事項を記載した鑑定評価書を提出します。

❹　審査・判定

土地鑑定委員会は、提出を受けた鑑定評価の結果を審査し、必要な調整を行って、「**正常な価格**」を判定します。

「正常な価格」とは、**土地の自由な取引**が行われる場合に**通常成立する価格**をいい、土地に建物や借地権等が存するときは、これらが「**存しないもの**」（＝**更地**（さらち）**価格**）として判定します。

❺　公示

土地鑑定委員会は、標準地の正常な価格を判定したときは、速やかに、**官報**で公示しなければなりません。

用語解説

公示区域：
都市計画区域その他の土地取引が相当程度見込まれるものとして国土交通省令で定める区域（国土法の規制区域を除く）のこと。

注 意

公示区域には、**都市計画区域**外も含まれます。

官報で公示される内容は、次のとおりなんだ。3月下旬の一般紙の朝刊などでも、ほぼ同じ内容が掲載されるから、注目してみてね。

[公示される事項]

❶ 標準地の所在の郡・市・区・町・村・字・地番
❷ 標準地の単位面積あたりの価格・価格判定の基準日
❸ 標準地の地積・形状
❹ 標準地・その周辺の土地の利用の現況
❺ ●標準地の前面道路の状況
●標準地についての水道・ガス供給施設・下水道の整備の状況
●標準地の鉄道その他の主要な交通施設との接近の状況
●標準地に係る法令上の制限で主要なもの　等

⚠注意
送付先は、「都道府県知事」ではありません。

❻ 一般の閲覧

土地鑑定委員会は、公示をしたときは、速やかに、関係**市町村の長**に対して、公示した事項に関する書面、及び図面を送付しなければなりません。

また、関係市町村の長は、それらを**市町村**の事務所において、**一般の閲覧**に供しなければなりません。

2 公示価格の効力

R3(12)

⚠注意
「…努めなければならない」という努力義務にとどまります。

★プラスα
「規準」とは、標準地の公示価格と類似する土地の価格との間に均衡を保たせることをいいます。「指標」は**努力義務**にとどまりますが、「規準」は法的な強制力のある義務です。

土地の取引を行う者は、取引しようとする土地に類似する標準地について公示された価格を「**指標**」として取引を行うよう**努めなければなりません**。

これに対して、次の場合は、公示された価格を「**規準**」としなければなりません。

① 不動産鑑定士が、地価公示が実施されている公示区域内の土地の正常な価格を求めるとき

② 土地収用法等により土地を収用できる事業を行う者が、地価公示が実施されている公示区域内の土地の取得価格を定めるとき

③　地価公示が実施されている公示区域内において、収用する土地の補償金を算定するとき

この場合は、「公示価格を**規準**として算定した土地の価格を考慮しなければならない」とされています。

要点整理　地価公示法

標準地の選定	土地鑑定委員会が、公示区域内で選定する
鑑　　定	2人以上の不動産鑑定士が、1月1日を価格時点として鑑定する
審査・判定	●土地鑑定委員会が、審査・調整のうえ、「正常な価格」を判定する ●建物・借地権等は「存しないもの」として判定する
公　　示	土地鑑定委員会が、標準地の所在・価格などについて官報で公示する
送付・閲覧	●土地鑑定委員会は、市町村長に、公示した事項を送付する ●市町村長は、公示された地価に関する書面等を、市町村の事務所で一般の閲覧に供する
公示価格の効力	●土地取引を行う者は、公示価格を指標として取引をするよう努めなければならない ●不動産鑑定士が公示区域内で鑑定評価をする際に、正常な価格を求めるときは、公示価格を規準としなければならない ●土地収用による補償金等を算定するときは、公示価格を規準として算定した価格を考慮しなければならない ●公共事業等のために公示区域内の土地を取得する際は、公示価格を規準として取得価格を定めなければならない

❷ 不動産鑑定評価基準

H28.30.R2(10).3(10).6

1　不動産鑑定評価基準とは

不動産の経済的価値は、一般的に「価格・賃料」として評価されます。その判定は、不動産鑑定士が行いますが、判定の際に、適正な評価を下すための"よりどころ"が、「**不動産鑑定評価基準**」です。

プラスα
不動産の価格は、その不動産の効用が最高度に発揮される可能性に最も富む使用を前提として把握される価格を標準として形成されます（**最有効使用の原則**）。

2　不動産の価格の種類

H28.30.R2(10)

鑑定評価において求める価格は、基本的には①**正常価格**です。ただし、依頼目的や条件に応じて、②**限定価格**、③**特定価格**、④**特殊価格**を求める場合があります。

本試験では、定義が正しいかどうかを問われることもあるんだ。少し難しいけど、①～④の4つの価格は、定義をきちんと確認しておいてね。

①　正常価格

正常価格とは、"不動産取引の相場からして、売買が成立するならこのくらい"といった価格です。「**市場性を有する不動産**について、**現実の社会経済情勢の下で合理的と考えられる条件を満たす市場**で形成されるであろう市場価値を表示する適正な価格」と定義されます。

プラスα
賃料の鑑定においても、一般には正常賃料や継続賃料を求めますが、依頼に応じて限定賃料を求めることがあります。

②　限定価格

限定価格とは、「**市場性を有する不動産**について、不動

産の**併合または分割**等により、正常価格と同一の市場概念の下において形成されるであろう市場価値と乖離することにより、**市場が相対的に限定**される場合における市場価値を適正に表示する価格」と定義されます。

借地権者が**底地**を買う場合や、**隣接不動産の併合**を目的とする売買などが、これにあたります。

> **注意**
> 不動産の価格形成要因は、**一般的要因・地域要因・個別的要因**に分けられます。

「限定価格」について、少し具体的に見てみようね。

❶ 借地と底地の併合

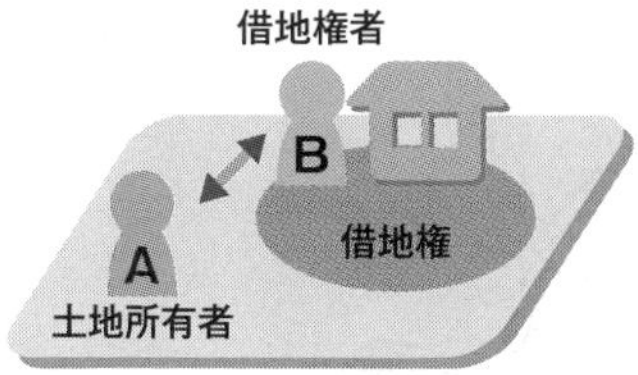

❷ 隣接不動産の併合

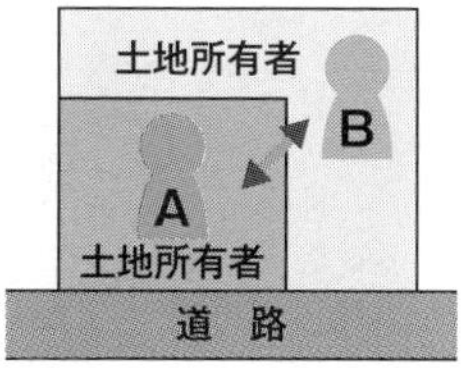

❶は、借地権者Bが、Aが所有する土地を購入する場合だよ。
Aの所有地は、Bの借地権が設定された「底地」なので、通常であれば更地価格の30%程度の価格になってしまうんだ。
ところが、その土地を、借地権者Bが自分で購入すると、借地権が消滅するというメリットが発生する。だから、通常より高く、更地価格に近づいた価格で取引されると想定されるんだね。

一方、❷は、土地所有者Bの土地を、隣人Aが購入する場合なんだ。
Bの土地は不整形なので、㎡あたりの単価が、整形地の購入価格に比べて低くなるのが通常なんだけど、Bの土地がほしい隣人Aが購入するなら、2つの土地が合わさって、全体的に形が整って条件がよい土地になるので、Bの土地の「㎡」あたりの単価が高くなることが想定されるんだよ。

③　特定価格

特定価格は、「**市場性を有する不動産**について、法令等による社会的要請を背景とする鑑定評価目的の下で、**正常価格の前提**となる**諸条件を満たさない**ことにより正常価格と同一の市場概念の下において形成されるであろう市場価値と**乖離**することとなる場合における不動産の経済価値を**適正に表示**する価格」と定義されます。

民事再生法に基づく早期売却・会社更生法に基づく事業の継続を前提とした価格を求める場合や、投資家に示すための投資採算価値を表す価格を求める場合などが該当します。

④　特殊価格

特殊価格とは、例えば、文化財指定建造物、宗教建築物または公共公益施設についての価格です。

「**文化財等**の一般的に**市場性を有しない不動産**について、その**利用現況**等を前提とした不動産の経済価値を**適正に表示**する価格」と定義されます。

プラスα
特殊価格だけは、**市場性**を「有しない」不動産である点がポイントです。

要点整理　価格の種類

正常価格	市場性を有する不動産について、現実の社会経済情勢の下で合理的と考えられる条件を満たす市場で形成されるであろう市場価値を表示する適正な価格
限定価格	市場性を有する不動産について、不動産の併合または分割等により、正常価格と同一の市場概念の下において形成されるであろう市場価値と乖離することにより、市場が相対的に限定される場合における市場価値を適正に表示する価格
特定価格	市場性を有する不動産について、法令等による社会的要請を背景とする鑑定評価目的の下で、正常価格の前提となる諸条件を満たさないことにより正常価格と同一の市場概念の下において形成されるであろう市場価値と乖離することとなる場合における不動産の経済価値を適正に表示する価格
特殊価格	文化財等の一般的に市場性を有しない不動産について、その利用現況等を前提とした不動産の経済価値を適正に表示する価格

3　鑑定評価の手法

H28.30.R2(10).3(10).5.6

鑑定評価の手法には、①**原価法**、②**取引事例比較法**、③**収益還元法**の3手法があります。

鑑定評価にあたり、より適正な価格を導くため、複数の鑑定評価の手法の適用が困難な場合でも、「その考え方をできるだけ参酌するよう努めるべき」とされています。

①　原価法

原価法とは、「もう一度、今あるものとまったく同じ不動産を得ようとしたら、どのくらいのお金がかかるか」、それに**かかる費用に着目**した評価方式です。

価格を知りたい時点において、不動産を新しく調達する場合に必要とされる原価の総額を**再調達原価**といいます。

例えば、新築と築10年の物件では価値に差がありますので、古くなって価値が減った分については修正を行います。

このような原価法は、「**価格時点**における対象不動産の**再調達原価**を求め、これに**減価修正**を行って、**試算価格を求める手法**」と定義されます。

原価法は、再調達原価が把握しやすい建物に適用されますが、**土地**であっても、造成費用等で**再調達原価**を求めることができるときは、原価法を**適用**することができます。

原価法により試算された価格を、**積算価格**といいます。

[原価法]

再調達原価　－　減価修正　＝　積算価格

②　取引事例比較法

取引事例比較法とは、たくさんの取引の「サンプル（事例）」を集めて、価格を知りたい物件と「よく似たサンプル（事例）」を収集して不動産の価値を求めていく、いわば**現実の市場性**に着目した評価方式です。

プラスα
土地の造成直後と価格時点での環境的変化が価格水準に影響を与えている場合は、変化に応じた増加額を熟成度として加算できます。

注意
投機的な取引の事例は用いることができません。

第4章　地価公示法・不動産の鑑定評価

「サンプル（事例）」は、当然、価格を求めたい物件とまったく同一の不動産ではありませんので、売り急ぎ等の事情があった場合には**事情補正**を行ったり、取引相場が変動した場合には**時点修正**を行ったりする必要があります。

このような取引事例比較法は、「**多数の取引事例を収集して適切な事例の選択**を行い、これらに必要に応じて**事情補正及び時点修正**を行い、かつ、**地域要因及び個別的要因の比較**を行って、**対象不動産の試算価格を求める手法**」と定義されます。

取引事例比較法によって試算された価格を、**比準価格**といいます。

なお、取引事例比較法は、近隣地域もしくは同一需給圏内の類似地域等において**対象不動産と類似の不動産の取引**が行われている場合、または**同一需給圏内の代替競争不動産の取引**が行われている場合に**有効**です。

③　収益還元法

収益還元法とは、例えば、戸建て住宅や商業用ビルを、誰かに賃貸するとしたら得られる利益はどのくらいか、その**収益性に着目**した評価方式です。賃貸用、事業用に供する不動産の価格を求める場合に有効なほか、**自用の不動産**等についても賃貸を想定することにより適用できます。

収益還元法は、「対象不動産が**将来生み出すであろうと期待される純収益の現在価値の総和**を求めることにより**対象不動産の試算価格を求める手法**」と定義されます。

収益還元法によって試算された価格を、**収益価格**といいます。

プラスα
比較すべき**取引事例**は、原則として近隣地域または同一需給圏内の類似地域に存する不動産から選択しますが、やむを得ない場合は、近隣地域の周辺地域に存する不動産等から選択します。

プラスα
市場における不動産の取引価格の上昇が著しいときは、取引価格と収益価格との乖離が増大するため、先走りがちな取引価格に対する有力な験証手段として、収益還元法が活用されるべきとされます。

プラスα
収益還元法は、文化財等の一般的に**市場性を有しない不動産**には**適用できません**。

要点整理　併用すべき鑑定評価の3手法

手　法	方　法	試算価格	注意点
原価法	再調達原価を求め、減価修正する	積算価格	土地の造成直後と価格時点での変化に応じた増加額を熟成度として加算できる
取引事例比較法	取引事例を事情補正及び時点修正のうえ、比較考量して求める	比準価格	投機的な取引事例は用いない
収益還元法	将来期待される純収益の現在価値の総和から求める	収益価格	「直接還元法」と「DCF法」の2種類

発展コラム「直接還元法」と「DCF法」

Column

収益還元法で収益価格を求めるには、「❶直接還元法」と「❷DCF法（Discounted Cash Flow 法）」の2つがあります。

❶　**直接還元法**は、**一期間に発生する**純収益を、還元利回り**によって還元**する方法です。例えば、還元利回りが3％で、A建物の1年間の純収益（賃料総額－総費用）が30万円の場合、次の計算式によって、A建物の収益価格は1,000万円となります。

30万円	÷	3％	＝	1,000万円
純収益		還元利回り		収益価格

❷　**DCF法**は、「連続する**複数の期間**に発生する純収益」＊1及び「復帰価格」＊2を、その発生時期に応じて現在価値に割り引き、それぞれを合計する方法で、「証券化不動産」の評価で用いられます。

＊1：**「連続する複数の期間に発生する純収益」**
例えば、A期、B期、C期…Z期と、連続する複数の各期間ごとに変動する各期間ごとの純収益（A期の純収益、B期の純収益、C期の純収益…Z期の純収益）の合計のこと

＊2：**「復帰価格」**
一定の期間保有していた不動産を売却する時点における価格のこと

第5編

5問免除科目

5問免除科目は、最も要領よく学習したい科目です。

たとえば、**景品表示法**や**土地・建物**は、自分の常識に照らして違和感のある部分を学習すればＯＫですし、**住宅金融支援機構**でいえば「機構の業務」のマスターが、すべてです。**統計**は、出題される資料がおおむね限られています。

それでは、手早く学習を進めていきましょう！

1　住宅金融支援機構
2　景品表示法
3　土　地
4　建　物
5　統　計

第5編　5問免除科目

❶ 本試験の傾向分析と対策

■12年間（H25 ～ R6・計14回）の出題実績

平成25年度～令和6年度の12年間の本試験の出題内容を、本編に沿って分類すると、次のようになります。

（★の数は出題数です）

章＼出題年度	H25	H26	H27	H28	H29	H30	R元	R2(10月)	R2(12月)	R3(10月)	R3(12月)	R4	R5	R6
1　住宅金融支援機構	★	★	★	★	★	★	★	★	★	★	★	★	★	★
2　景品表示法	★	★	★	★	★	★	★	★	★	★	★	★	★	★
3　土　地	★	★	★	★	★	★	★	★	★	★	★	★	★	★
4　建　物	★	★	★	★	★	★	★	★	★	★	★	★	★	★
5　統　計 ＊	★	★	★	★	★	★	★	★	★	★	★	★	★	★

＊：令和７年度本試験で出題される可能性の高い統計データ等を、「追録」として公開します（令和７年８月末日頃ご案内予定）。詳細は、ホームページ（https://www.kskpub.com ➡ **訂正・追録**）をご覧ください。

■出題の傾向分析・得点目標

日建学院独自の調査データによると、**過去12年間**の本試験における「**5問免除科目**」分野・出題全体の**正答率**は「**75％前後**」と、他の４分野に比べてだいぶ高い数値となっています。

ここでの各テーマの傾向を、それぞれ検討してみましょう。

まず、**住宅金融支援機構**は、実務に直結したやや細かい出題がされることもありますが、**過去問の類似出題も多い**のが特徴です。

これに対して、**景品表示法**・**土地**は、**それぞれのポイント**さえ押さえておけば、比較的得点が見込めます。

統計は、**最新の統計資料**を入手して、きちんと準備しさえすれば、通常はほぼ確実に得点できるところです。

土地・建物は、過去問にも出題されていない細かな知識から出題されることがあり、**割り切った合理的な学習**が必要です。

「5問免除」の受験者に大差をつけられないようにするために、ここでの**得点目標**は5問中**3問**、できれば**4問以上**を目指しましょう。

以下、各テーマの“**攻略ポイント**”を見てみましょう。

●住宅金融支援機構

機構の業務の特徴を把握することが重要です。押さえるべきメインとなる「**証券化支援事業**」はもちろんのこと、過去によく出ている「**直接融資**」についても、きちんと整理しておくことが重要です。

●景品表示法

直近で改正が行われた科目です。**景品表示法**については、**表示に関する公正競争規約**からの出題が圧倒的ですので、これにマトを絞って、少しでも多くの知識を蓄えましょう。

●統計

出題される**統計**の種類は、おおむね決まっていますので、傾向さえ把握すれば比較的得点しやすい科目です。

そのことは、**平均正答率**は「**85%前後**」と、**他の分野や科目と比較**して、**高い数値**になっていることからも明らかです。しかしながら、「情報の集約がしづらい」イメージからか、苦手意識が強い受験生が多いことは事実です。

学習対策としては、「統計」に関する**当年度の最新の情報**を、本試験の**直前期**近くになったら**入手**して、その年（または年度）の“**大まかな動向**”（増・減等）を把握することが、最も重要です。

●土地・建物

土地・建物のどちらとも、何よりも「過去問重視」です。また、**建物**では、専門的な知識を問うものが多く出題されていますので、無理をしない範囲で学習することで十分でしょう。

第5編　5問免除科目

❷ 総論・全体構造と学習法

「5問免除科目」とは

宅建業の従事者は、「**登録講習＊**」を修了すれば、以下の「**住宅金融支援機構**」「**景品表示法**」「**統計**」「**土地**」「**建物**」の**5つの科目**（5問分）について、**試験が免除**されます。

＊：国土交通大臣の登録を受けた登録講習機関が行うもので、日建学院も登録講習機関のひとつです。

❶　住宅金融支援機構

機構は、一般の金融機関が融資した貸付債権を譲り受けるなどの「証券化支援事業」をメインとして行います。なお、例外的に個人への直接融資も行っています。

❷　景品表示法（公正競争規約）

「景品表示法」は、過剰な顧客の誘引を引き起こすような景品や広告を制限することによって、一般の消費者を保護することを、その目的としています。

そして、**不動産の取引に特化**した具体的な規制は、**業界の自主ルール**である「不動産の表示に関する公正競争規約」（**表示規約**）等に定められています。

❸　統　計

近年よく出題されている統計は、地価公示・建築着工統計・土地白書（以上、国土交通省）、法人企業統計（財務省）等が挙げられます。

いずれも、白書や国土交通省などが公表した「コメント」などが、**その表現をほとんど変えずに出題**されるのが特徴です。

❹　土地

土地では、実務的な知識を問われる反面、ある程度「常識」でも対応できるような出題が多く見られます。

要は、その土地の**地盤は強固**かどうか、**周りの地形**はどうか、それらによる危険はないのかなど、常識的な判断ができる知識を身につけていれば、試験対策上は問題ないといえるでしょう。

❺　建物

「**建物**」に関しては、法令に沿った出題にとどまらず、しかも、過去に出題されたことのない専門的な知識からの出題も多く見られ、対策が難しい科目といえます。そのため、細部まで学習が行き届かないのが実情ですので、**深入りしすぎないこと**を心がけましょう。

「５問免除科目」を攻略するために

❶　住宅金融支援機構

機構の主たる業務である「**証券化支援事業**」の内容を理解しておくことと、「その他の業務の種類」、特に**例外**として「**直接融資**」ができる場合を必ず押さえておいてください。

❷　景品表示法（公正競争規約）

「公正競争規約」のうち、自分の常識と異なるものと、数字等の暗記が必要なものを選んで、覚えていくようにしましょう。

❸　統　計

出題される統計の種類は、ほぼ限られています。

合格するためには、**出題可能性が高い項目**に絞り込んで学習することが大切です。細かな数値よりも「対前年比の増減」というような**大局的な傾向**をつかむように心がけましょう。

❹　土地　　❺　建物

どちらのテーマについても、学習にあたり、あまり幅を広げても効果が上がるとはいえません。**本書の記述を中心**に、**過去の出題例**をしっかりと理解しておくことが、得点するための**最も効率的**な方法です。

第1章 住宅金融支援機構

重要ランク A

「証券化支援事業」が出題の中心。用語は難しいけど実は内容は簡単だから、安心してね！

1 証券化支援業務

H25 ～ R6

独立行政法人 住宅金融支援機構（以下「**機構**」）は、銀行等の**民間の金融機関**による**長期固定金利型住宅ローンの供給をサポート**（支援）する「**証券化支援事業**」によって、銀行等によるスムーズな貸付けを、**側面から支援**しています。

プラスα

機構の業務として、**自己所有のための新築住宅の融資**など、**個人**に対する**直接融資**は、原則として、行われません。

注意

- 「金融機関」は、銀行に限られません。
- 貸付けの金利については、**各金融機関**がそれぞれ設定することができます。

機構の業務内容をイメージするために、機構のホームページ（https://www.jhf.go.jp/）を、ぜひ一度確認してみてね！

1 証券化支援事業

証券化支援事業とは、機構が、金融機関が顧客に対して有する「住宅ローン債権」を買い取り、それを**証券化**（MBS〔**資産担保証券**〕という債権を発行）して**市場に流通**させる仕組みです。

比較整理

証券化支援事業の手法としては、「**買取型**」のほかに「保証型」があります。

保証型の仕組みも、証券を発行して資金調達を行うことに変わりありませんが、買取型とは異なり、民間の信託会社等が、証券の発行等の一連の流れをすべて行い、**機構**が行うのは、一種の債務保証のみという方式です。

機構が行う**証券化支援事業**のメリットは、次のとおりです。

① 金融機関は、公的機関である機構の信用力を背景にして行う証券化により資金調達を行いますので、誰でも安心して利用できる、低金利で**長期・固定金利**の住宅ローンを提供できます。

② 金融機関は、住宅ローンの貸倒れ等のリスクを負いません。

③ **不動産の証券化**という、**高額な不動産を小口の証券に変換する仕組み**によって、資金を集めやすくし、金利変動などについてのリスクを投資家に分散させることができます。

【証券化支援事業（買取型）】

証券化支援事業（買取型）とは、民間金融機関の住宅ローン債権を、機構がいったん買い取った上で証券化し、投資家に発行して資金を集める仕組みです。

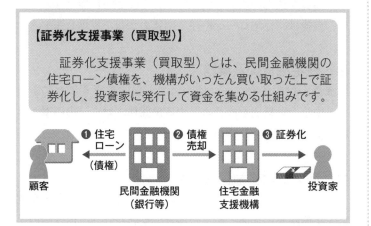

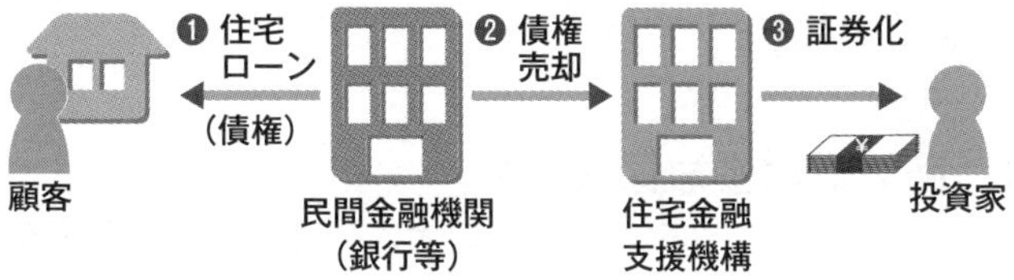

2　貸付債権の譲受け

貸付債権の譲受けの対象となるのは、**住宅**の**建設・購入**、または**改良**（**高齢者**その他の居住の安定の確保を図ることが特に必要と認められる一定の者が**居住性能・居住環境の確保・向上**を主たる目的として行うものに限る）に必要な資金の**貸付け**です。

貸付けに関する要件は、次のとおりです。

プラスα
機構は、証券化支援事業において、ＺＥＨ住宅（ネット・ゼロ・エネルギーハウス）および省エネルギー性・耐震性・バリアフリー性・耐久性・可変性に優れた住宅を取得する場合に、**貸付金の利率を一定期間引き下げる**制度を実施しています（優良住宅取得支援制度：【フラット35】S）。

プラスα
証券化支援事業（買取型）において、機構による譲受けの対象となる貸付債権の償還方法には、元利均等・元金均等の**両方**があります。

① 自ら居住するか、親族が居住する住宅に限ります。
② 新築住宅だけでなく、中古（既存）住宅も含みます。
③ 建設・購入または改良に付随する土地・借地権の取得を含みます。

② その他の業務

H25.29.30.R2⑽.4.6

プラスα
機構の行う業務として、次のものも挙げられます。ひととおり目を通しておきましょう。
①高齢者の居住の安定確保に関する法律の規定により住宅融資保険法の保険関係が成立するとみなされる貸付けについて保険を行うことや、貸付債権の譲受け・債務の保証を行うこと
②空家等対策の推進に関する特別措置法の規定による情報の提供その他の援助を行うこと
③住宅確保要配慮者に対する賃貸住宅の供給の促進に関する法律の規定による保険を行うこと　等

機構は、主要な業務として行う「証券化支援事業」のほか、次の各業務を行います。

1　住まいに関する情報の提供業務

一般の住宅購入者などが、より良い住宅ローンを選択したり、良質な住宅の設計・建設等を行うことが可能となるように、機構は、住宅ローンや住宅関連の情報を提供します。

2　住宅融資保険業務

機構が民間住宅ローンについての保険を行うことによって、中小金融機関をはじめとする民間住宅ローンの円滑な供給を促進します。

3　団体信用生命保険

機構は「証券化支援事業」に関する貸付けを受けた者が**死亡・重度障害**の状態となった場合に支払われる生命保険の保険金等を、その貸付けに係る債務の弁済に充当するという「**団体信用生命保険**」を行っています。

③ 直接融資業務

H25～R3⑽⑿.5.6

注意
災害等により元利金の返済が困難となった場合、貸付条件の変更または支払方法

機構は、住宅資金等の直接融資は、原則として行っていません。しかし、災害関連・都市居住再生等、リスクが高く一般の銀行などの金融機関では融資が困難な分野について、例

外的に、次のような**直接融資**を行っています。

❶	災害復興建築物**の建設・購入**（購入等に付随する改良も含む）、被災建築物の補修に必要な資金の貸付け
❷	災害予防代替建築物**の建設・購入**（購入等に付随する改良も含む）もしくは災害予防移転建築物**の移転**に必要な資金、災害予防関連工事に必要な資金、地震に対する安全性の向上を主たる目的とする住宅の改良に必要な資金の貸付け
❸	合理的土地利用建築物**の建設**もしくは合理的土地利用建築物で**人の居住の用その他その本来の用途に供したことのないものの購入**に必要な資金、マンションの共用部分の改良に必要な資金の貸付け
❹	子どもを育成する家庭・高齢者の家庭に適した良好な居住性能・居住環境を有する**賃貸住宅・賃貸の用**に供する住宅部分が大部分を占める建築物の建設に必要な資金、当該賃貸住宅の改良に必要な資金の貸付け
❺	高齢者の家庭に適した良好な居住性能・居住環境を有する住宅とすることを主たる目的とする住宅の改良に必要な資金、または高齢者**の居住の安定確保に関する法律**７条に規定する**登録住宅**（**賃貸住宅**であるものに限る）とすることを主たる目的とする人の居住の用に供したことのある住宅の購入に必要な資金の貸付け
❻	住宅のエネルギー消費性能の向上を主たる目的とする**住宅の改良**に必要な資金の貸付け
❼	**阪神・淡路大震災、東日本大震災に対処**するための特別の財政援助及び助成に関する両法律、**福島復興再生特別措置法**の規定による貸付け
❽	**住宅確保要配慮者**に対する**賃貸住宅**の供給の促進に関する法律の規定による**貸付け**
❾	勤労者財産形成促進法の規定による貸付け（財形住宅貸付業務）

① 機構が行う貸付金の償還は、原則として**割賦償還**の方法によります。

② ただし、上記❺のうち、高齢者が自ら居住する住宅について行う改良（バリアフリー工事・耐震改修工事や住

の変更を行うことができます。

プラスα
❶❷の貸付けについては、**元本の返済が猶予**される「据置期間」を設定できます。

注意
なお、❺のような**「死亡時一括返済制度」**は、**証券化支援事業**にはありません。

第1章 住宅金融支援機構

宅のエネルギー消費性能の向上を主たる目的とするもの）に関する貸付けなどについては、**債務者本人の死亡時に一括して借入金の元金を返済**（一括償還）する「**高齢者向け返済特例制度**」を設けています。

❹ 業務の委託 発展

H27

機構の業務内容は多岐にわたるうえ、一般の顧客と広く相対する業務もあるため、それらすべてを機構独自に行うのは効率的ではありません。

そこで、機構には、民間の金融機関や地方公共団体といった所定の組織に、一定の業務を委託することが認められています。

なお、「**貸付けの決定**」を**委託**することは、**認められていない**ことに注意しましょう。

委託できる業務の内容は、委託先に応じて、次の表のように定められています。

[委託することのできる業務] （○＝委託できる、×＝委託できない）

	貸付債権の元利金回収業務	直接融資業務	団体信用生命保険に関する弁済業務	建築物の工事・規模・規格の審査	建築物の構造計算の審査
❶主務省令で定める金融機関	○	○	○	×	×
❷債権回収会社	○	×	×	×	×
❸地方公共団体・指定確認検査機関・登録住宅性能評価機関	×	×	×	○	×
❹指定構造計算適合性判定機関	×	×	×	×	○

要点整理　住宅金融支援機構の主な業務

業務の種類	業　務　の　内　容
証券化 支援事業	●民間の金融機関の住宅ローン債権を証券化し、市場から資金調達をして長期固定金利の住宅ローンを可能としたもの ●「買取型」と「保証型」の２種類がある
住情報提供 業務	住宅ローンや住宅関連の情報を提供すること
住宅融資保険 業務	民間の住宅ローンについて、機構が保険を行うこと
団体信用 生命保険業務	貸付けを受けた者が死亡した・重度障害となった場合に、その者にかかる保険金を債務の弁済に充当する業務を行うこと
直接融資業務	次のような、一般の金融機関が融資業務を行うにはリスクをともなう場合に、直接融資をすること ❶災害関連 ❷合理的土地利用関連 ❸子供・高齢者の家庭関連　　等

第2章 景品表示法

重要ランク **S**

どんな広告がOKかNGか、イメージしながら何度も読んでみよう！

1 景品表示法とは

不動産などを購入しようとする消費者がだまされないように、誤った内容の広告から守るためのルールが、**景品表示法**及びそれに基づく**公正競争規約**です。

> 宅建試験で直接出題されるのは、ほとんどが「**不動産の表示に関する公正競争規約**」の規定からだよ。
>
> ニャカ先生のひとこと

2 広告表示のルール

重要
違法・不当な表示は、**実際の被害発生の有無を問わず**、表示**すること**自体が禁止されています。

宅建業者は、**広告をするときの表示**について、以下のルールを守らなければなりません。

> 全部を細かく暗記しなくても大丈夫だけど、「**太字**」と「**赤字**」の部分だけは十分注意して覚えておいてね。
>
> ニャカ先生のひとこと

1　用語の使用基準

H25.27.R元.5.6

新　　築	建築工事完了後1年未満であって、居住の用に供されたことがないもの
新 発 売	新たに造成された宅地または新築の住宅（造成工事または建築工事完了前のものを含む）または一棟リノベーションマンションについて、**初めて**購入の申込みの**勧誘**を行うこと
ダイニング・キッチン（DK）	台所と食堂の機能が1室に併存している部屋をいい、住宅（住戸）の居室（寝室）数に応じ、その用途に従って使用するために必要な広さ・形状・機能を有するもの
リビング・ダイニング・キッチン（LDK）	居間と台所と食堂の機能が1室に併存している部屋をいい、住宅（住戸）の居室（寝室）数に応じ、その用途に従って使用するために必要な広さ・形状・機能を有するもの

用語解説
一棟リノベーションマンション：
共同住宅等の**一棟の建物全体**（内装・外装を含む）を改装・改修し、マンションとして**住戸ごとに取引**するもので、工事の完了前、もしくは完了後1年未満で、かつ、工事完了後に居住の用に供されていないもののこと。

2　宅建業者が表示をする際、注意が必要なこと

H25～R6

① 誤解を与えるような表示に関すること

- 新聞・雑誌・チラシ・パンフレット・インターネットなどにより**物件の表示**をするときは、広告主・物件の所在地・価格・交通の利便・環境などをわかりやすく表示しなければなりません。
- **合理的な根拠を示す資料を現に有することなく、「完全」「完売（かんばい）」「万全（ばんぜん）」などの用語を使用してはなりません。**
また、「最高」「買得（かいどく）」などの用語は、表示内容の**根拠となる事実**を**併せて表示**する場合に**限り**、使用することができます。
- **二重価格表示**は、原則として禁止されますが、次の要件の**全てを満たし**、かつ、実際に、当該期間・当該価格で販売していたことを**資料により客観的に明らか**にすることができる場合は、**例外**として**認められます。**
  ①　過去の販売価格の**公表日・値下げした日**を明示すること
  ②　比較対照価格は、値下げの**直前の価格**であり、かつ、**値下げ前2か月以上**にわたり実際に販売のために公表していた価格であること
  ③　**値下げの日から6か月以内**の表示であること

プラスα
宅建業者は、インターネット広告など継続して物件の広告表示をする場合、すでに売買契約が成立したなど表示内容に変更があったときは、情報を更新しなければなりません。

用語解説
二重価格表示：
実際に販売する価格（実売価格）にこれよりも高い価格（比較対照価格）を併記すること。

④　過去の販売価格の公表日から二重価格表示を実施する日まで、物件の価値に**同一性**が認められること

⑤　**土地**（現況有姿分譲地を除く）または**建物**（共有制リゾートクラブ会員権を除く）について行う表示であること

② 住宅・マンションに関すること

注意
宅地にも、同様の規定があります。

用語解説
最多価格帯：
次のどちらかのものをいう。
①売買物件の価格を100万円刻みでみたときに最も物件数が多い価格帯
②価格が著しく高額である等これによることが適当でないと認められる場合に、任意に区分した価格帯でみたときに**最も物件数が多い価格帯**

●**住宅の価格**：

①　１戸あたりの価格を表示します。

②　取引する全ての住戸の価格を表示しますが、新築分譲住宅・新築分譲マンション及び一棟リノベーションマンションの価格は、パンフレット等の媒体を除き、１戸あたりの**最低価格・最高価格・最多価格帯**と、その価格帯に属する**住宅の戸数のみ**で表示することができます。なお、この場合で販売戸数が**10戸未満**のときは、**最多価格帯の表示**を**省略**することができます。

●**賃料**：

1住戸あたりの**最低賃料**及び**最高賃料のみ**の表示とすることができます。

●**管理費**：

①　１戸あたりの月額を表示します。

②　ただし、住戸により管理費の額が異なる場合で、全ての住宅の管理費を示すことが困難なときは、**最低額**及び**最高額**のみで表示することができます。

●**修繕積立金**：

①　１戸あたりの月額を表示します。

②　ただし、住戸により修繕積立金の額が異なる場合で、全ての住宅の修繕積立金を示すことが困難であるときは、**最低額**及び**最高額**のみで表示することができます。

●**住宅ローン**：

金融機関の名称・種類、利率・利息の方式（固定金利・変動金利など）または返済例を明示して表示しなければなりません。

●**建築工事に着手した後に、同工事を相当の期間にわたって中断していた新築住宅または新築分譲マンション**：

建築工事に**着手した時期**及び**中断していた期間**を明示しなければなりません。

●**建物の面積**（マンションにあっては、その専有面積）：
① 延べ面積を表示し、これに車庫・地下室等の面積を含むときは、その旨及びその面積を表示しなければなりません。
② 取引する全ての建物の面積を表示する必要がありますが、新築分譲住宅等の場合は、パンフレット等の媒体を除き、**最小建物面積**及び**最大建物面積のみ**で表示できます。

★プラスα
住宅の居室等の広さを「畳数」で表示する場合は、畳1枚当たりの広さは「1.62㎡」（各室の壁心面積を畳数で除した数値）以上の広さがあるという意味で用いなければなりません。

③ 未完成物件に関すること

●**写真・動画**：
① 原則として、取引するものを表示しなければなりません。
② ただし、工事完了前の建物など写真・動画を使うことができない事情がある場合は、取引する建物を施工する者が過去に施工した建物であって、かつ、次のものに限り、他の建物の写真・動画を用いることができます。

ア　建物の外観：
構造・階数・仕様が同一であって、規模・形状・色等が類似するもの

イ　建物の内部：
規模・仕様・形状等が同一のもの

この場合は、写真・動画が他の建物である旨等を、写真の場合は写真に接する位置に、動画の場合は画像中に、明示しなければなりません。

●**宅地または建物のコンピューターグラフィックス・見取図・完成図または完成予想図**：
① **その旨を明示**して用いなければなりません。
② 物件の周囲の状況について表示するときは、**現況に反する表示**をしてはなりません。

●宅建業者は、宅地の造成・建物の建築に関する**工事の完了前**においては、宅建業法33条に規定する**許可等の処分があった後**でなければ、**広告表示**をしてはなりません。

④ 制約・不都合のある物件に関すること

●**市街化調整区域に所在する土地（開発許可を受けているもの等を除く）**：
「**市街化調整区域。宅地の造成及び建物の建築はでき**

第2章　景品表示法

ません。」と明示しなければなりません（新聞折込チラシ等及びパンフレット等の場合には、16ポイント以上の大きさの文字を用いること）。

●**土地上に古家（ふるや）・廃屋（はいおく）等が存在するとき**：
　その旨を明示しなければなりません。

●**土地の全部または一部が高圧電線路下にあるとき**：
　その旨及びそのおおむねの面積を表示し、この場合で、建物その他の工作物の建築が**禁止**されているときは、**併せてその旨を明示**しなければなりません。

●**傾斜地を含む土地であって、傾斜地の割合が当該土地面積のおおむね30%以上を占める場合（マンション及び別荘地等を除く）**：
① **傾斜地を含む旨**及び**傾斜地の割合または面積**を明示しなければなりません。
② ただし、面積割合にかかわらず、**傾斜地を含むことにより、当該土地の有効な利用が著しく阻害される場合**（マンションを除く）は、**その旨**及び**傾斜地の割合**または**面積を明示**しなければなりません。

●**路地（ろじ）状部分のみで道路に接する土地であって、その路地状部分の面積が当該土地面積のおおむね30%以上を占めるとき**：
　路地状部分を含む旨及び路地状部分の**割合**または**面積を明示**しなければなりません。

●**道路法による道路区域または都市計画法による都市計画施設の区域に係る土地**：
　その旨を明示しなければなりません。

●**建築条件付きの土地の取引**：
　取引の対象が土地である旨並びに条件の内容及び条件が成就しなかったときの措置の内容を明示しなければなりません。

⑤ 交通・距離に関すること

●**徒歩による所要時間**：
　「**道路距離**」**80mにつき1分間**として、表示しなければなりません。

●**新設予定の鉄道、都市モノレールの駅もしくは路面電車の停留場（駅等）またはバスの停留所**：
　当該路線の**運行主体が公表**したものに限り、その**新設**

⚠注意
1分未満の端数が生じたときは、「1分」として算出します。

⚠注意
電車・バス等の交通機関の**所要時間**については、朝の通勤ラッシュ時の**所要時間を明示**しなければなりません（この場合、平常時の**所要時間**をその旨を明示して**併記可**）。また、この所要時間には、**乗換えにおおむね要する時間**を含めなければなりません。

予定時期を明示して表示することができます。

- 電車、バス等の交通機関の所要時間：
  起点及び着点とする駅等またはバスの停留所の名称、乗換えを要するときはその旨などを明示しなければなりません。
- 学校・病院・官公署・公園その他の公共・公益施設：
  現に利用できるものについて、物件までの道路距離または徒歩所要時間を明示したうえで、表示しなければなりません。
- デパート・スーパーマーケット・コンビニエンスストア・商店等の商業施設：
  ①　現に利用できるものを、物件までの道路距離または徒歩所要時間を明示して表示しなければなりません。
  ②　ただし、工事中である等その施設が将来確実に利用できると認められるものについては、その整備予定時期を明示して表示することができます。
- 近くの公園・庭園・旧跡・海（海岸）等その他の施設の名称：
  それらを用いることができるのは、直線距離で300m以内に所在している場合に限られます。
- 物件から直線距離で50m以内に所在する街道その他の道路の名称（坂名を含む）：
  これを、物件の名称として用いることができます。

⑥ 取引の態様に関すること

- 取引態様：
  「売主」「貸主」「代理」「媒介（仲介）」の別を、これらの用語を用いて表示しなければなりません。

3　宅建業者がしてはならない表示　H28.R2⑿.5

- 宅建業者は、物件に関する情報などについて、事実に相違する表示または実際のもの、もしくは競争事業者に係るものよりも優良もしくは有利であると誤認されるおそれのある広告表示をしてはなりません。

注意
団地（一団の宅地・建物）と駅その他の施設との間の道路距離または所要時間は、取引する区画のうち、それぞれの施設ごとにその施設から最も近い区画を起点として算出した数値と、最も遠い区画を起点として算出した数値を表示しなければなりません。

注意
例えば、インターネット上に掲載している賃貸物件が、掲載後に契約済みとなり実際には取引不能となっていた場合、物件について**消費者からの問合せがなく、故意に掲載を継続していたのでなくても**、おとり広告として不当表示に問われる可能性があります。

●宅建業者は、次の物件について、**おとり広告の表示をしてはなりません。**
① **物件が存在しない**ため、実際には**取引することができない物件**
② 物件は存在するが、実際には**取引の対象**となり得ない物件
③ 物件は存在するが、実際には**取引する**意思がない物件

3 景品のルール・違反に対する措置 発展

1 景品類の提供についての制限

高額な景品による不当な競争を防止するため、景品の価額については、次のように制限が設けられています。

ア 懸賞により景品類を提供する場合、原則として、最高額は取引価額の20倍と10万円とを比べて、その低いほうの額を超えてはなりません。
また、その総額は取引の予定総額の2／100を超えてはなりません。

イ 懸賞以外の方法により景品類を提供する場合、原則として、最高額は取引価額の**1／10**と**100万円**とを比べて、**その低いほう**の額を超えてはなりません。

懸賞とは、応募者の中から該当する人を抽選する方法のことで、**懸賞「以外」**の方法とは、参加者全員プレゼントのことなんだ。
その2つの扱いの違いを確認しておこうね。

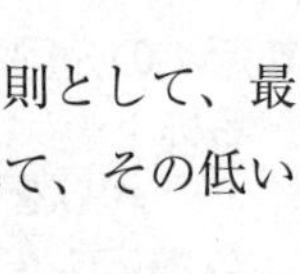

2　措置命令

消費者庁長官（内閣総理大臣から委任）は、不当な景品類の提供や不当表示の禁止に違反する行為があったときは、あらかじめ資料の提出を求めたうえ、**措置命令**をすることができます。

なお、違反行為が既になくなっている場合でも、命令することができます。

要点整理　公正競争規約

新築	建築工事完了後1年未満で、かつ、居住の用に供されたことがないという意味で用いること
徒歩所要時間	道路距離80mを1分とし、1分未満は1分として計算すること
特定用語	●合理的な根拠がなく「完全」「完売」「万全」等の用語を使用してはならない ●「最高」「買得」等の用語は、表示内容の根拠となる事実を併せて表示する場合に限り使用することができる
物件価格	パンフレット等の媒体を除き、最低価格・最高価格・最多価格帯とそれらの数を表示することができる（10未満の場合、最多価格帯は省略可）
未完成時等の写真・動画	同一の者が過去に施工した建物で、かつ、次のものに限り、写真に接する位置や動画中に明示して、使用できる ●外観➡構造・階数・仕様が同一で、規模・形状・色等が類似するもの ●内部➡規模・仕様・形状等が同一のもの
高圧電線路下の土地	土地が高圧電線路下にあるとき、その旨及びそのおおむねの面積を表示しなければならない
急傾斜地	傾斜地の割合が面積の30%以上を占める場合（マンション及び別荘地等を除く）は、傾斜地を含む旨及び傾斜地の割合または面積を明示すること。ただし、傾斜地の割合が30%以上を占めるか否かにかかわらず、傾斜地を含むことにより、当該土地の有効な利用が著しく阻害される場合（マンションを除く）は、その旨及び傾斜地の割合または面積を明示すること
新設予定の駅等	路線運行主体が公表したものに限り、新設予定時期を明示して表示すること
市街化調整区域の土地	「市街化調整区域。宅地の造成及び建物の建築はできません。」と明示すること

第3章 土地

重要ランク A

おウチを建てるなら安全な場所がいいけど、安全な場所ってどんなとこだろう？

1 等高線

プラスα
等高線が山頂に向かって高いほうに弧を描いている部分は「谷」で、山頂から見て低いほうに等高線が張り出している部分は「尾根」です。

地形図で見ると、地表面の**傾斜が急な**土地では、等高線の間隔は**密**（等高線の間隔が狭い）になっているのに対して、**傾斜が緩やか**な土地では等高線の間隔は**疎**（等高線の間隔が広い）となっています。

なお、地形図の上で、斜面の等高線の間隔が不ぞろいで大きく乱れているような場所では、**過去に崩壊が発生した可能性**があることに注意が必要です。

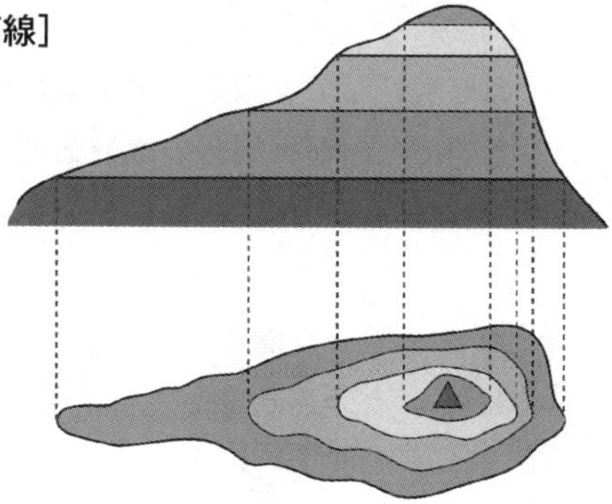

プラスα
等高線の間隔の大きい河口付近では、河川の氾濫により河川より離れた場所でも浸水する可能性が高くなります。

❷ 盛土・切土

R5

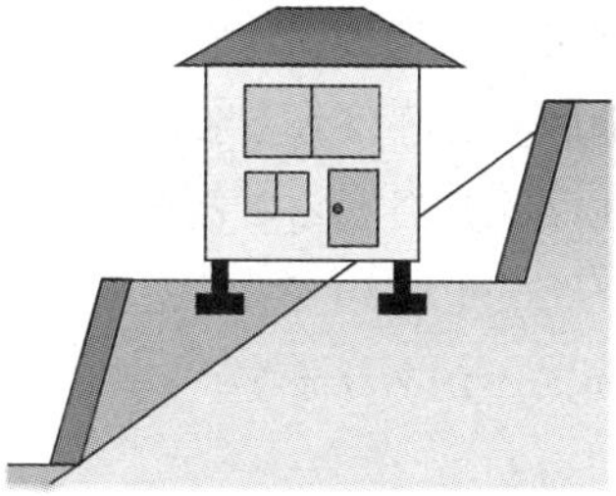

宅地に適した平らな土地をつくるため、凸凹(でこぼこ)な地盤に土を盛ることを**盛土**、山などを切り取ることを**切土**、盛土や切土によって人工的に形成された斜面のことを**のり面**といいます。

盛土は、十分に地盤が固まるまで沈下していく量が大きいのに対して、**切土**は、もともと固まっていた土地の表層を削り取ったものなので、沈下していく量は盛土部分に比べて小さくなります。

そのため、**盛土部と切土部にまたがる区域**では、地盤強度が異なるため、沈下量の違いにより、**不同沈下(ふどうちんか)を生じやすく**なります。

プラスα
著しく傾斜している谷に盛土して宅地を造成する場合、盛土前の地盤と盛土が接する面がすべり面となって崩壊するおそれがあるので、原地盤に繁茂している樹木を残したままの盛土を行うべきではなく、斜面を削り取るなどをして斜面の崩壊を防ぐ必要があります。

重要
建物や構造物の不同沈下が起こりやすいのは、一般に切土部よりも、**地盤が弱い盛土部**のほうです。

3 断　層

断層は、ある面を境にして、地層が上下または水平方向にくい違っているもので、断層面周辺の地盤強度が低下しているため、**断層に沿った崩壊**や**地すべり**が発生する危険性が高くなります。

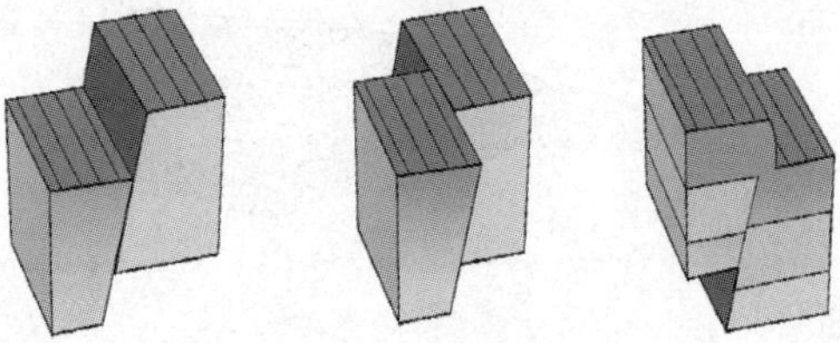

4 地すべり地

H30

★プラスα
宅地予定地周辺の擁壁や側溝、道路等にひび割れが見られる場合、地すべりが起きている可能性が高いので、注意が必要です。

★プラスα
地すべり地の多くでは、上部は急斜面、中部は緩やかな斜面、下部には末端部に相当する急斜面があり、**等高線は乱れて表れます**。

地すべり地の多くは、過去に地すべりが起こった経歴があり、「**地すべり地形**」と呼ばれる独特の地形を呈しており、棚田等の水田として利用されることがあります。

地すべり地は、安定していても、盛土をするとバランスを崩し、**再びすべる**ことがあります。

5 がけ崩れ・崩壊跡地・土石流

H28.R3(10)

① **がけ崩れ**は、梅雨の時期や台風時の豪雨によって発生することが多く、がけに近接する住宅では、日頃から降雨に対する注意が必要です。

② **崩壊跡地**は、微地形的に馬蹄形状の凹地形を示すことが多く、また地下水位が高いため周辺と異なる植生を示し、竹などの好湿性の植物が繁茂しています。

③ **土石流**は、急勾配の渓流に多量の不安定な砂礫の堆積がある所や、流域内で豪雨に伴う斜面崩壊の危険性の大きい場合に、起こりやすくなります。

プラスα
樹木が生育する斜面地では、その根が土層と堅く結合していますが、根より深い位置の斜面崩壊に対しては、樹木による安定効果を期待することはできません。

プラスα
岩石を含む土層は不安定で、落石のおそれや、豪雨や地震等で、再び崩壊する危険があります。

6 崖錐 発展

R3(10)

崖錐とは、崖や急斜面が崩れて、その崩れ落ちたものが堆積した地形のことで、傾斜の緩い**扁平な円錐形状の地形**を形成しています。

崖錐での堆積物は、一般的に透水性が高いため、基盤との境付近が水の通り道となって、そこをすべり面とした**地すべり**が生じやすく、また、**切土によって崩壊や地すべり**を起こしやすくなっています。

7 扇状地

H29

扇状地とは、山地から河川により運ばれてきた**土砂・砂礫**等が**堆積**した地盤です。山地から平野部の出口で、勾配(こうばい)が急に緩やかになる所に見られ、**等高線**は、**谷の出口を頂点とする同心円状**(どうしんえんじょう)になる、**扇状**(おうぎじょう)**の地形**です。

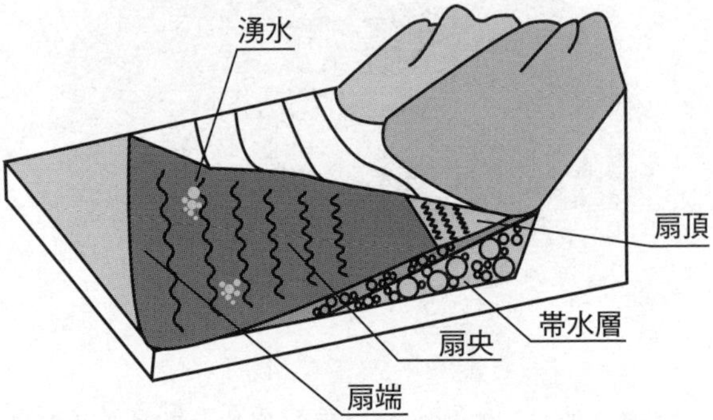

扇状地は、水はけがよく支持力もあるため、建築物の基礎として適切な地盤となり得ますが、もともと土石流の流出口にあたり、その災害の危険がある点に、注意を払う必要があります。

8 丘陵(きゅうりょう)・段丘・台地

H25～27.29.30.R元.2(12).3(12).4

① **丘陵・段丘**は、地表面が比較的平坦であり、よく締まった砂礫・硬粘土(こうねんど)からなり、**地下水位が比較的深い地盤**となっています。また、段丘は、水はけが良く、**地盤が安定**している場合が多く見られます。

② **台地**は、一般に水はけが良く**地盤が安定**しているので、宅地に適しています。

ただし、集中豪雨の際、台地の**縁辺部**(えんぺんぶ)は、**がけ崩れによる被害**を受けることが多くなります。また、台地上の**浅い谷**は**一時的に浸水**する危険もあり、注意が必要です。

9 谷底平野（たにぞこへいや） 発展

R5

谷底平野は、傾斜がかなり急な山にその周辺を囲まれている場合が多く、また、小川や水路が多く見られます。そのため、長期の雨や豪雨によって、洪水災害を受ける可能性が高くなっています。

10 自然堤防・後背低地（こうはいていち）（後背湿地（こうはいしっち））

H25～27.30.R元.2(12).3(12).4.5

① **自然堤防**は、河川が繰り返し氾濫（はんらん）することによって上流から運搬されてきた土砂などが河川に沿って堆積してできた微高地（びこうち）で、主に砂や小礫から成り、**排水性がよく地盤の支持力**もあり、**宅地として良好**な土地です。

② **後背低地**（**後背湿地**）は、河川からあふれ出した水が、自然堤防によって妨げられて滞留（たいりゅう）し、できあがった**湿地**のことです。自然堤防や砂丘の背後に形成される**軟弱な地盤**であり、水田に利用されることが多く、洪水などの水害や地盤沈下などの危険も高くなっています。

プラスα
旧河道は、泥土が堆積し、周囲よりも低い湿地となっていることが多く、排水も悪いため、地震や洪水の被害のおそれがあります。

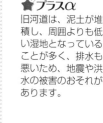

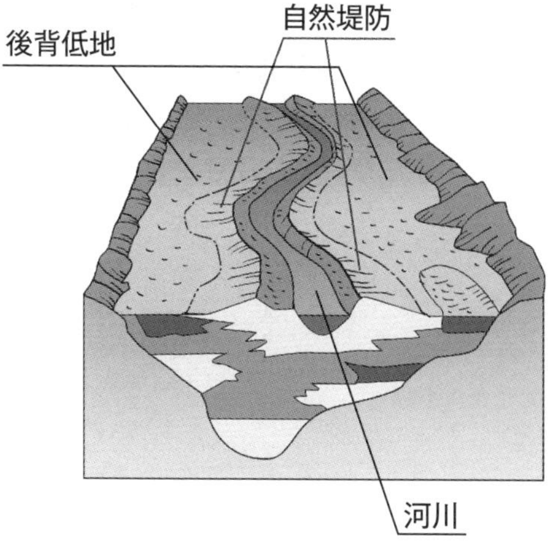

⑪ 埋立地・干拓地

H29.R2(12).4

① **埋立地**は、一般に海面に対して数mの比高を持つため、**干拓地より**災害に対して**安全**といえます。

② 一方、**干拓地**は、海や湖沼などを干拓して造成した土地で、地盤が軟弱で排水も悪いため、**地盤沈下**や**液状化**を起こしやすくなっています。

⑫ 低地

H27.30.R2(12).3(12).5

低地は、一般に、**洪水・津波**や**地震**に対して**弱く**、防災的見地から、住宅地として好ましいとはいえません。

特に谷底にある低地（**谷底低地**）は、周辺が山に囲まれ、傾斜が急な地形であるため、長期の雨・豪雨により**洪水などの災害を受ける危険が大きい**です。

⑬ 液状化現象

H25.26.R元.2(10)

液状化現象は、比較的粒径がそろった砂地盤で、**地下水位の高い**、地表から**浅い**地域で発生しやすくなっています。また、丘陵地帯で地下水位が浅く、固結した砂質土で形成された地盤の場合、地震時は液状化する可能性が高くなります。

旧河道や**低湿地**、海浜の**埋立地**、**三角州**などでは、**地震時**の液状化現象の発生には、特に注意が必要です。

[平常時]

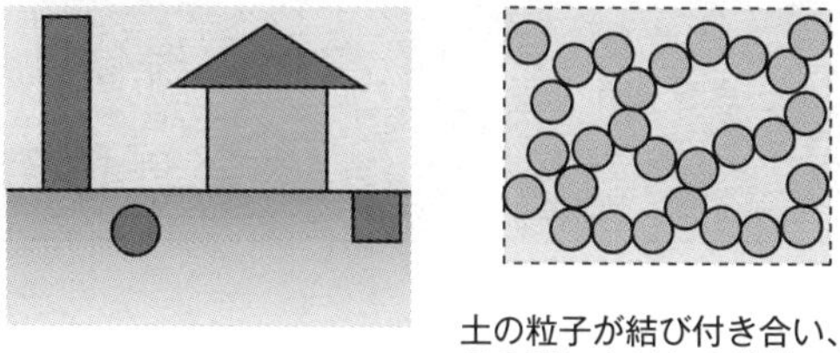

土の粒子が結び付き合い、
その間に水がある状態です。

[地震時]

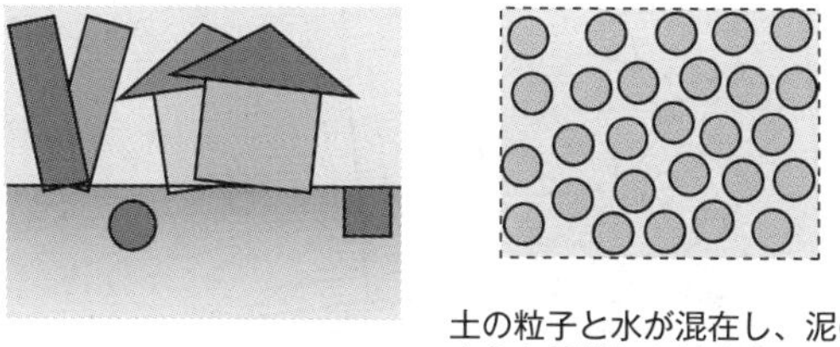

土の粒子と水が混在し、泥の
ような状態になります。

[地震後]

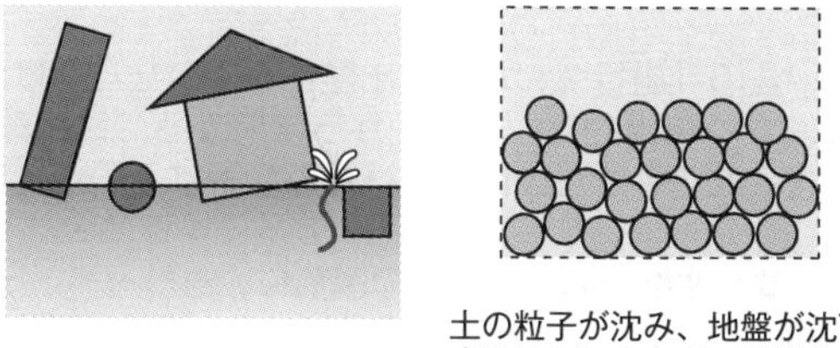

土の粒子が沈み、地盤が沈下
することによって、建築物が
被害を受けます。地中の水が
地表に噴き出る場合が、多く
見られます。

第4章　建　　物

重要ランク B

おウチを安全に建てるには、守らなければならない決まりがいろいろあるんだよ！

本試験の「建物」の科目では、かなり専門的な知識を必要とする出題がされる場合もあったりするけど、万全な対策を取ろうと時間をかけすぎるのは効率的じゃないんだ。

過去には建築基準法の「施行令」からも出題されていたんだけど、施行令の規定は相当に細かく技術的で、真正面から学習するのは困難だから、**過去の本試験で出題された箇所だけに絞り込んで学習するのが合理的**といえるんだ。

特に、この「**第4章　建物**」は、本試験の直前に、もう一度読み返して試験場に入ることがおススメだよ！

1 木質構造

1　木材の特徴と構造

H27.29.30.R2(12)

木造住宅は高温・多湿な環境に適合した、**機能的な住まい**といえますが、その反面、**地震や火災には弱い**という欠点があります。

木材の**長所**と**短所**、その**特性**をまとめると、次のとおりです。

①　木材の長所

- 軽量で加工や組立てが容易
- 軽量なわりに強度が大きい
- 熱伝導率が小さい

②　木材の短所

- 燃えやすい
- 腐りやすく、白アリにおかされやすい
- 含有水分の量によって強度が変化する
  乾燥しているほうが強度は大きい
- 力を加える方向によって強度が異なる
  繊維(せんい)方向に対して加圧したときが、強度は最も大きい

③　木材の部分的特性

木材は、**心材**(しんざい)のほうが腐りにくく、乾燥収縮や白アリ被害といった点でも、**辺材**(へんざい)**より心材が優れて**います。

［心材と辺材の主な相違点］

項　目	心　材	辺　材
耐腐朽性	大	小
乾燥収縮	小	大
蟻　　害	小	大

［樹木の横断面］

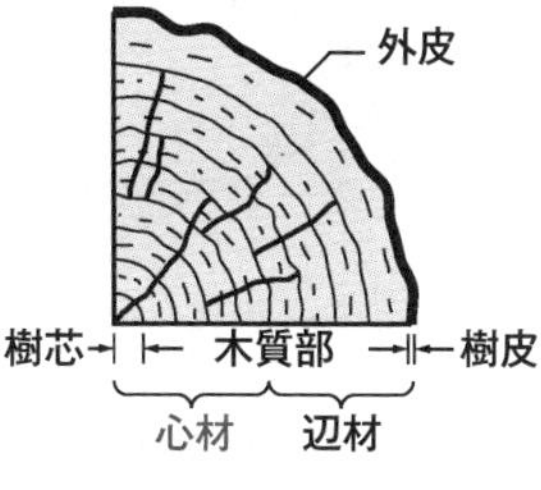

プラスα　そのほかの主な出題例

❶　木材の膨張量・収縮量は、繊維方向より繊維に直角方向のほうが大きい。

❷　集成材は、単板などを積層したもので、大規模な木造建築物にも用いられる。

2　木質工法

R6

木質工法としては、「在来工法」といわれる① **軸組工法**と、「ツーバイフォー」と呼ばれる② **枠組壁工法**の２つが、その代表です。

用語解説
同一方向の木材をつなぐのが「継手」、異なる方向の木材をつなぐのが「仕口」です。

①　軸組工法

軸組工法とは、柱と横架材（けたやはりなど）で構造体を組み立てる工法のことで、伝統工法から引き継がれた**継手**（つぎて）・**仕口**（しぐち）といった接合方法を基本とし、各種ボルトやプレートなどの補強金物を使用しています。

【軸組工法】

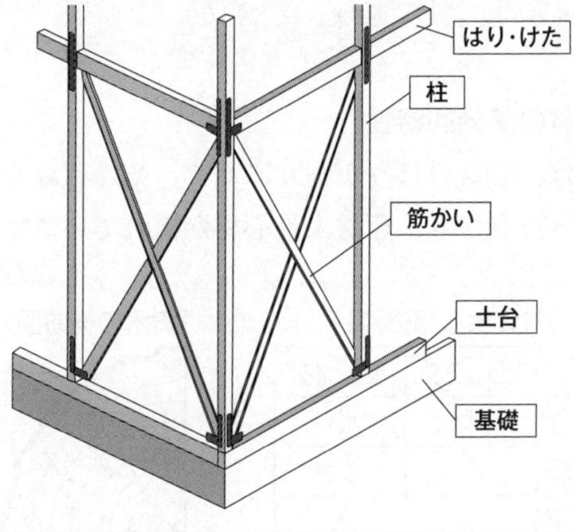

ア　木材の接合部

長さを増すために２つの部材を継いだ部分を**継手**といい、２つ以上の部材を直角あるいは角度をつけて接合する部分を**仕口**といいます。

これらの接合部は、ほぞ穴を設けて接合し、ボルト締めやかすがい打ち等の補強により、その部分の存在応力を伝えるよう強固に緊結（きんけつ）しなければなりません。

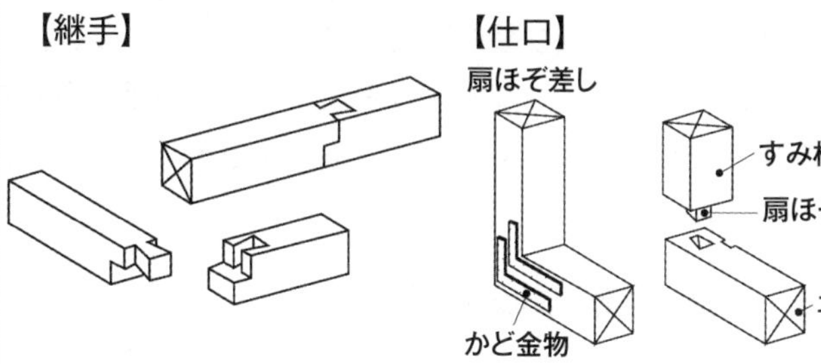

イ　筋かい

筋かいとは、柱と柱の間に斜めに入れて建物等の構造を補強する部材です。筋かいには、**欠込みをしてはなりません**。ただし、たすき掛けにする場合で**補強したものはその限りではありません**。また、間柱との交差部は、間柱を欠込みします。

ウ　横架材

はり・けた等の横架材には、その中央部付近の下側に**構造耐力上支障がある欠込み**をしてはなりません。

【筋かい・構架材の欠込み】

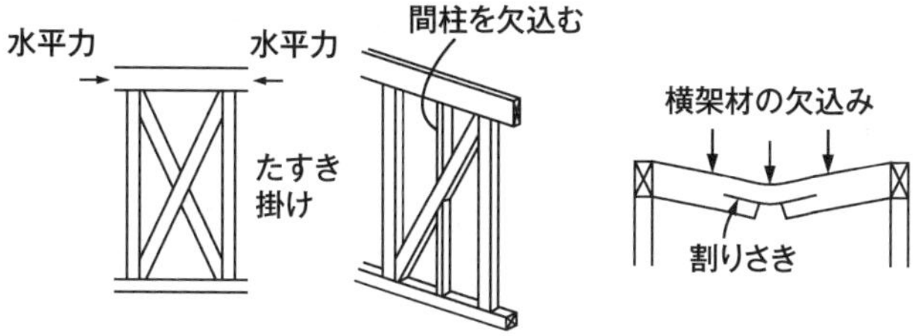

エ　柱

柱には、主に**通し柱**と**管柱**（くだばしら）（途中でけたなどで区切られた柱のこと）があります。階数が２以上の建築物のすみ柱（またはこれにあたる柱）は、原則として、通し柱でなければなりません。

オ　外壁内部等の防腐措置等

木造の外壁のうち、鉄網モルタル塗その他軸組が腐りやすい構造である部分の下地には、**防水紙**その他これに類するものを使用しなければなりません。

また、構造耐力上主要な部分である柱、筋かい及び土台のうち、地面から１m以内の部分には、**有効な防腐措置**を講ずるとともに、必要に応じて、白アリ等の虫害を防ぐための措置を講じなければなりません。

②　枠組壁工法（ツーバイフォー工法）

枠組壁工法（ツーバイフォー工法）とは、材料として２インチ×４インチ等の木材と構造用合板を主に用い、釘と接合金物で組み立てる工法です。

荷重（かじゅう）に対して**壁全体で抵抗**する工法であり、壁は、立て枠材に合板等のボード類を釘で密（みつ）に打ちつけた耐力壁となります。

枠組壁工法の特徴は、次のとおりです。

- 通し柱が不要
- 剛性が高く、耐震性が比較的大きい
- はり等、大断面の部材は不要だが、部材数の関係で木材の節約にはならない
- 水平力にはボードを張った壁で耐えるので、十分な壁量があれば筋かい等は不要

プラスα

壁式構造は、日本の従来の**軸組工法**とは異なり、柱とはりではなく、壁板により構成する構造です。

【枠組壁工法】

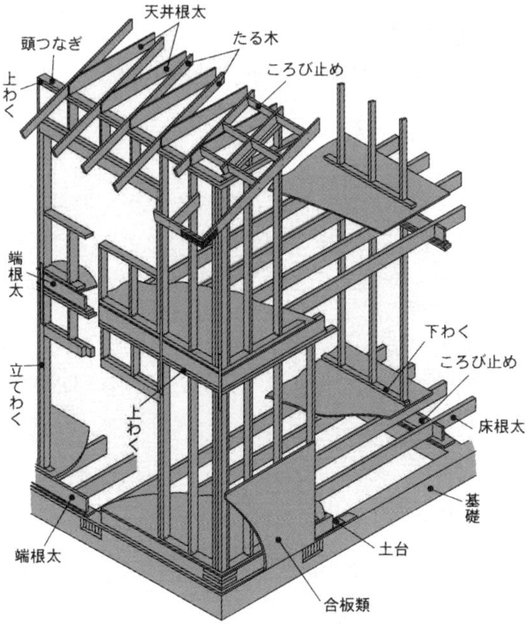
天井根太
頭つなぎ
たる木
ころび止め
上わく
端根太
立てわく
上わく
下わく
ころび止め
床根太
基礎
土台
端根太
合板類

2 鉄骨構造

H28～30.R2(12).3(10)

1　鋼材の性質

鋼材の持つ長所・短所は、以下のとおりです。

①　鋼材の長所

- 強度が大きいので、部材の断面を小さくできる
- 引張り・曲げ・圧縮のいずれの耐力も、ほぼ同程度
- 品質が均一で製品ごとの強度のばらつきが少なく、切断や接合等の加工性が良く、寸法精度が高い
- 変形能力が大きいため、変形しても破壊しにくい
- 接合部分の強度を大きくできるため、各部材を一体にできる

②　鋼材の短所

- 高温で強度が小さくなる ＊1
- 低温でもろくなる ＊2
- 圧縮力に対しては座屈(ざくつ)を起こす
- 錆びやすく、薬品にもおかされやすい ＊3

プラスα

＊1：500℃で強度半分、1,000℃で強度がゼロとなります。

＊2：変形能力が小さくなり、変形すると破壊しやすくなります。

＊3：塗装等の防錆(ぼうせい)処理が必要です。

【鋼材の短所】

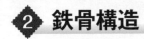

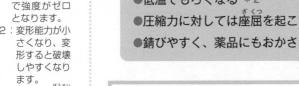

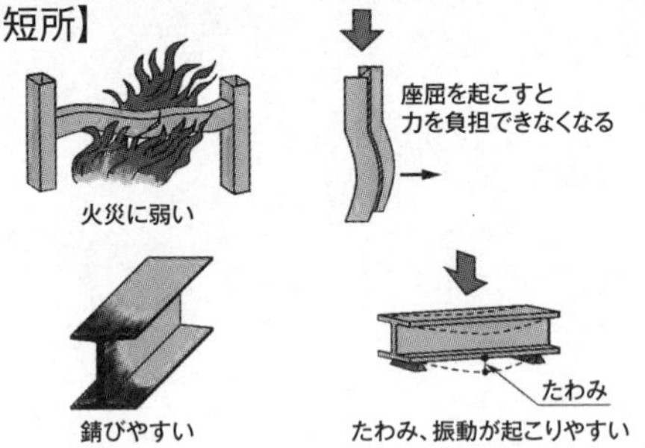

2　構造の特徴

鋼材の性質から、鉄骨構造の特徴は次のとおりです。

- 構造部材が鉄筋コンクリート造よりも軽く（自重が軽い）、ねばり強く、寸法精度も高くできるので、大スパンの建物（工場・倉庫等）や高層建築が可能
- 不燃材料だが、高温で強度が低下するため、耐火被覆をしなければ耐火構造にはならない

用語解説
大スパン：
張り間方向（講堂でいえば演台に向かって左右の方向）が広いこと（無柱の大空間をイメージしてください）。

【鉄骨造の特徴】

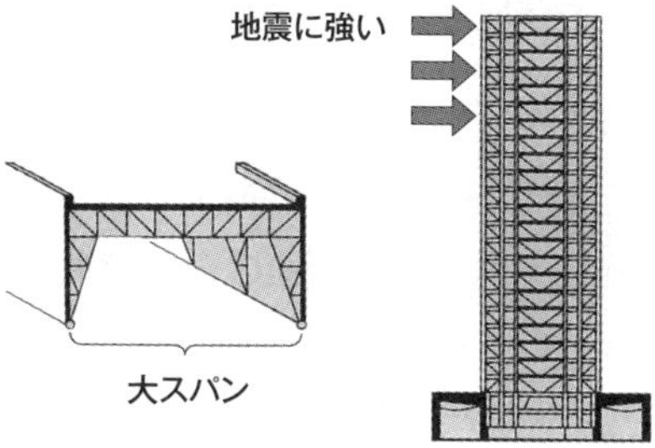

【鉄骨造の変形能力】

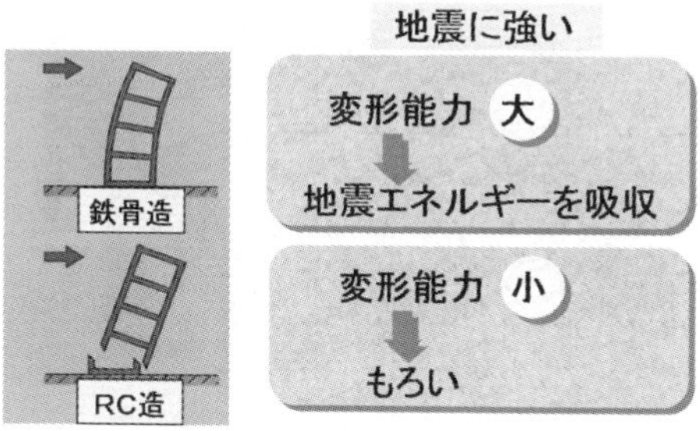

鉄骨造は、鉄筋コンクリート造よりねばり強い（靭（じん）性が高い）

3　構造形式の種類

R3(12).6

鉄骨構造形式の種類の代表的なものとして、次の３つがあります。

用語解説
ブレース：
鉄骨造の建物の強度を高めるため、たすき掛け状に設ける斜材のこと。

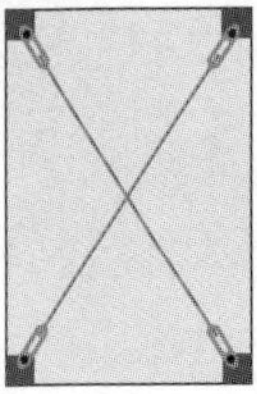

①　ブレース構造

ブレース構造とは、木質の「軸組工法」と同様に、柱とはりの接合部は多少動くようにして、筋かいのような斜め材（ブレース）によって、横からの力に耐える構造のことです。後出「**③ラーメン構造**」に比べて、柱等の材料を小さくでき、**施工が比較的簡単**である点が特徴です。

②　トラス構造

トラス構造とは、各部材が負担する力を軸方向となるように組んだ構造です。**細い断面の部材で大スパンを支える**ことができるという利点を持っています。

【トラス構造】

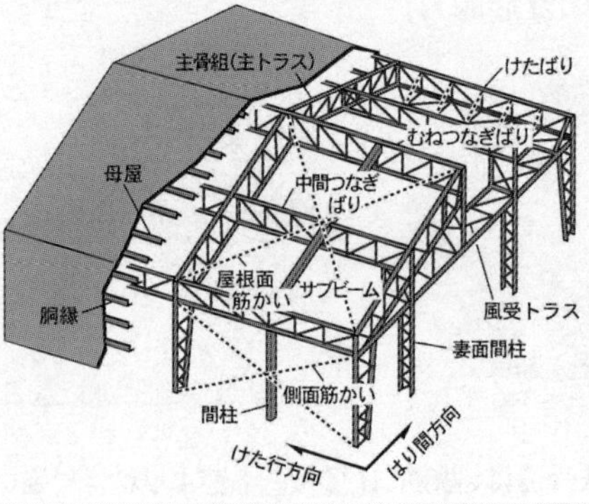

③　ラーメン構造

ラーメン構造とは、部材接合部（節点）を**強剛に接合**し、柱やはり等が**一体化**するように構成された構造です。

特に、山形ラーメン構造は、大スパンの空間が必要な工場や体育館に適し、トラス構造に比べて設計施工が簡単なため、**大空間の建築**に多く用いられています。

【ラーメン構造】

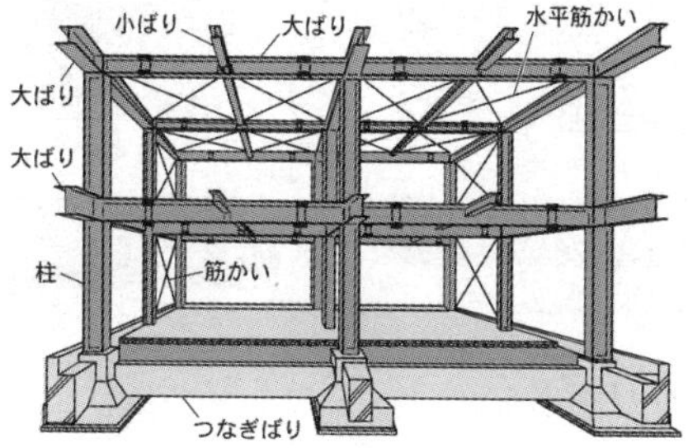

【山形ラーメン構造】

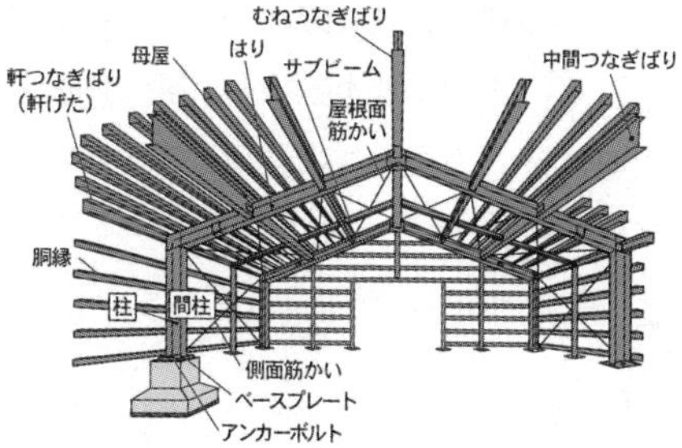

③ 鉄筋コンクリート構造

H25.26.28〜30.R元.2⑿.5

プラスα
コンクリートの材料には、鉄筋を錆びさせるような酸、塩または有機物や泥土を含んではなりません。

用語解説
- ●セメント＋水＋空気＝「セメントペースト」
- ●セメントペースト＋砂（細骨材）＝「モルタル」
- ●モルタル＋砂利（粗骨材）＝「コンクリート」

1　鉄筋コンクリート構造の材料の性質

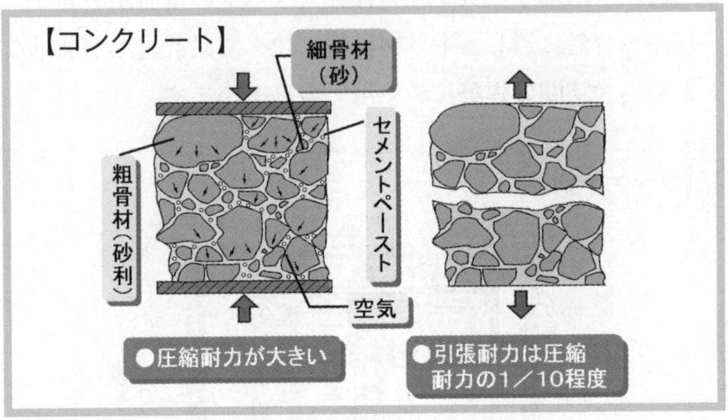

①　コンクリート

コンクリートは、砂利（じゃり）や砂が硬化したセメントによって接合されることでできています。

圧縮力には、砂利や砂の耐力とセメントが、砂利や砂の動きを固定している力で抵抗する一方、引張力には、硬化したモルタルの接合力だけで抵抗しているので弱い、という性質があります。

②　鉄　筋

鉄筋は、「ふし」のついた形のものが多く用いられ、次のような性質があります。

- ●引張力に強い
- ●熱に弱い（500℃で強度が半分に低下する）
- ●錆びやすい

鉄筋コンクリート造の柱は、**主筋４本以上**とし、**主筋と帯筋は緊結しなければなりません。**

【鉄筋】

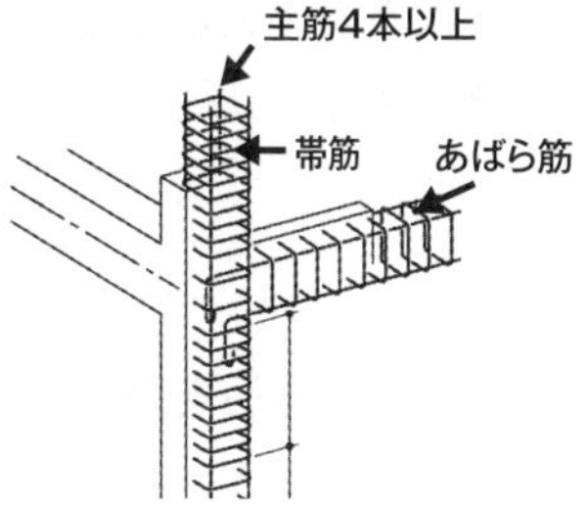

2　鉄筋コンクリート部材と構造

鉄筋コンクリートは、コンクリートと鉄筋を組み合わせることで、それぞれの欠点を補っています。

①　鉄筋がコンクリートの引張強度不足を補う

鉄筋は引張力に強く、コンクリートは圧縮力に強い性質があるので、鉄筋がコンクリートの引張強度不足を補う効果があります。

したがって、鉄筋は**部材の引張応力**が加わる部分に設ける必要があります。

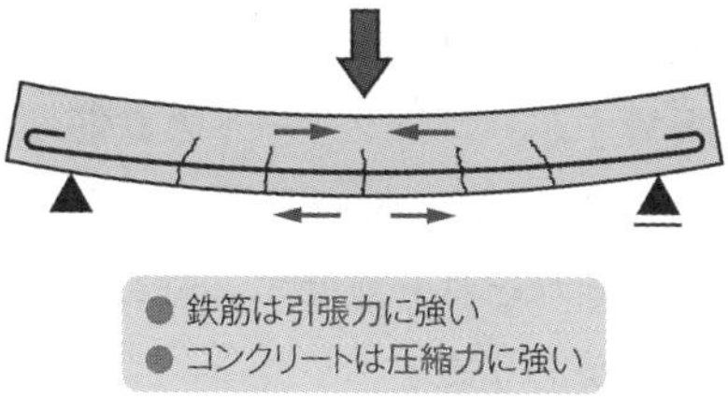

プラスα
鉄筋コンクリート構造上、断面が円形で引っかかりのない棒鋼である「丸鋼」より、表面に突起をつけた「**異形棒鋼**」のほうが、鉄筋とコンクリートを一体化するにあたり優れています。

プラスα
コンクリートの引張強度は、圧縮強度の1／10程度です。

② コンクリートが鉄筋の錆を防ぐ

コンクリートは弱アルカリ性なので、鉄筋を錆から守ります。

③ コンクリートが鉄筋を火災から守る

コンクリートは熱に強く、鉄筋は熱に弱いので、適切な**かぶり厚さを確保**することで、鉄筋を**火災**から守ります。

④ コンクリートが鉄筋の座屈を防ぐ

コンクリートの**強度**が、鉄筋が折れるのを防ぎます。

[必要なかぶり厚さ]

構造部分	かぶり厚さ
耐力壁以外の壁・床	2㎝以上
耐力壁・柱・はり	3㎝以上

●コンクリートが耐熱の役目をする
●コンクリートは弱アルカリ性であるため鉄筋の酸化（錆）を予防する

[コンクリートのかぶり厚さ]

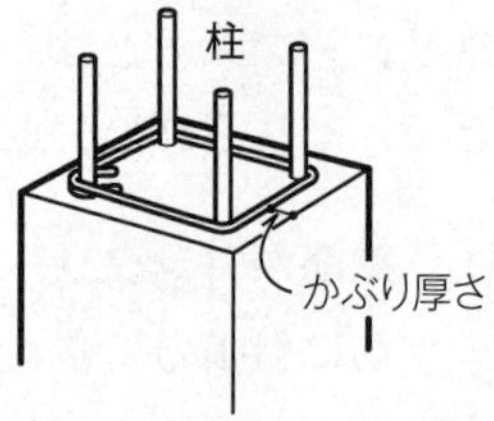

上記①～④のような構造は、**コンクリートと鉄筋が一体**となって**応力に抵抗**することで成り立っています。

一体とするためには、コンクリートと鉄筋とが十分に付着することが必要ですが、コンクリートと鉄筋は、気温の変化によって伸び縮みする割合（線膨張係数）がほぼ同じなので、気温が変化してもそれぞれ分離せず、**付着状態を保つ**ことができるという利点があります。

3 鉄筋コンクリート構造の特徴

鉄筋コンクリート構造の**長所**と**短所**をまとめると、次のとおりです。

①　鉄筋コンクリート構造の長所

- 耐火、耐久性、耐風性が大きい
- 適切な設計施工により、耐震性を高くすることができる
- 型枠（かたわく）の造り方でいろいろな形ができるので、設計の自由度が高い

②　鉄筋コンクリート構造の短所

- 部材断面が大きくなるので、自重が大きい
- 施工の良否が強度に影響し、工期が長い
- 解体・移築が困難

プラスα　そのほかの出題例

❶　コンクリートの圧縮強度は、一般に、セメント水比（コンクリートの水の質量に対するセメントの質量の割合）が大きいものほど大きい。

❷　鉄筋の末端は、原則として、かぎ状に折り曲げて、コンクリートから抜け出ないように定着しなければならない。

❸　建築物の設計においては、クリープ(一定荷重のもとで時間の経過とともに歪みが増大する現象)を考慮する必要がある。

❹　地震に対する建物の安全確保においては、耐震、制震、免震という考え方がある。

❺　免震建築物の免震層には、積層ゴムやオイルダンパー（油の粘性を利用して振動や衝撃を和らげる装置）が使用される。

❻　制震とは、制振ダンパーなどの制振装置を設置し、地震等の周期に建物が共振することで起きる大きな揺れを制御する技術である。

❼　高さが 60 mを超える建築物は、安全上必要な構造方法に関して技術的基準に適合しなければならず、その構造方法は、国土交通大臣の認定を受けたものでなければならない。

4 その他

H27.R2(10)

1 基　礎

建築物の基礎は、建築物に作用する荷重及び外力を安全に地盤に伝え、かつ、地盤の沈下または変形に対して構造耐力上安全なものとしなければなりません。

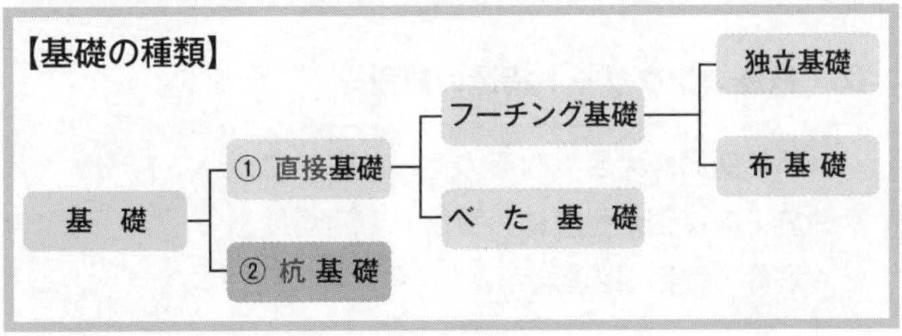

用語解説

- フーチング：基礎の根元の広がりの部分のこと（下の図中の「＊」部分）。
- 独立基礎：柱の下に設ける基礎のこと。
- 布基礎（連続基礎）：壁体等の下に設ける基礎のこと。
- べた基礎：建物の底部全体に設ける基礎のこと。

① 直接基礎

直接基礎とは、比較的浅い部分に良好な地盤があるとき、荷重を良好な支持地盤で直接支持する形式の基礎で、「フーチング基礎」と「べた基礎」の２種類に分けることができます。フーチング基礎は、さらに「独立基礎」または「布(ぬの)基礎」の場合に用いられます。

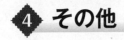

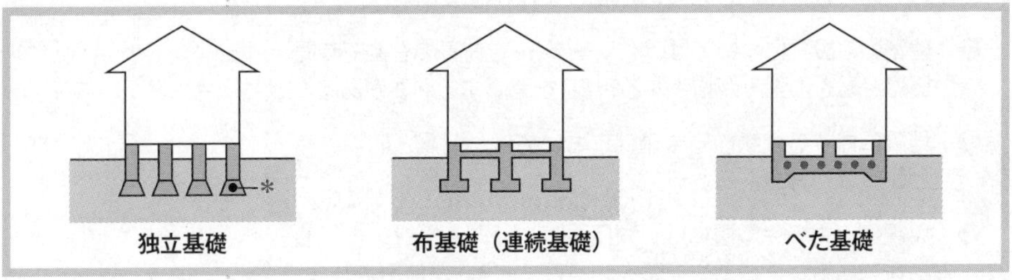

直接基礎の中では、**べた基礎が最も支持力が強く**、また、鉄筋コンクリートの床スラブによって白アリ防止等にも役立ちますが、支持力の異なる地盤等においては強度のバランスの崩れから床スラブが破壊されることがあります。

通常は、建物の種類と地盤の強度によって、いずれかの基礎が選択されます。

②　杭基礎

杭基礎は、基礎を支持する地盤の支持力が不足する場合などに、基礎スラブからの荷重を地盤（支持層）に伝えるために、基礎スラブ下の地盤に設けられた**柱状の杭**です。

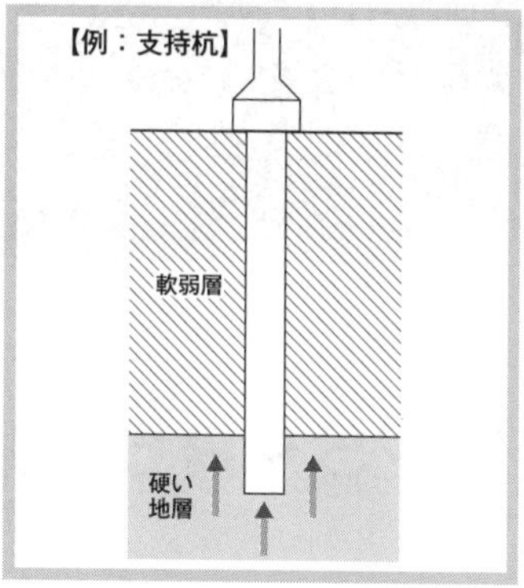

プラスα　そのほかの出題例

❶　建築物には、原則として、異なる構造方法による基礎を併用してはならない。

❷　建築物の基礎について国土交通大臣が定める基準に従った構造計算によって構造耐力上安全であることが確かめられた場合、異なる構造方法による基礎を併用することができる。

❸　杭基礎は、建築物**自体の重量**が大きく、**浅い地盤の地耐力では建築物が支えられない場合**に用いられる。

❹　杭基礎には、木杭、既製コンクリート杭、鋼杭等がある。

2　補強コンクリートブロック造　発展　R3(12)

補強コンクリートブロック造とは、**コンクリートブロック**を積み、**鉄筋を挿入して補強**したものをいいます。補強コンクリートブロック造の建物、及び補強コンクリートブロック造を併用した建物や塀については、**建築基準法**で**構造規定**が設けられています。

ブロックの中の空洞に、鉄筋が錆びるのを保護する役目を果たすモルタルを充てんし、鉄筋とブロックを一体として強固な塀を構成します。

注意
鉄筋の周辺部にモルタルが密実に充てんされないと、塀の強度低下や劣化が早まります。

第5章　統　計

重要ランク **S**

細かい数字を覚えていなくても大体の傾向を押さえれば大丈夫！　実は“出るもの”は決まっているんだ。

❶ 12年間（H25～R６）の出題項目一覧

項目＼年度	H25	H26	H27	H28	H29	H30	R元	R２(10月)	R２(12月)	R３(10月)	R３(12月)	R4	R5	R6
地価公示	●	●		●	●	●	●	●		●	●	●	●	●
土地白書	●	●	●	●	●	●		●	●	●	●	●		
住宅着工統計	●	●	●	●	●	●	●	●	●	●	●	●	●	●
法人企業統計	●	●	●		●	●	●	●	●	●			●	
国土交通白書・宅地建物取引業法の施行状況調査				●			●		●		●		●	●
その他			●※1									●※1		●※2

※１：「不動産価格指数」（国土交通省）からの出題
※２：「住宅・土地統計調査」（総務省）からの出題

最新の統計は、ホームページ内で公開するので、**必ずチェック**してね（2025年８月末日予定）。

https://www.kskpub.com ➡ お知らせ（訂正・追録）

② 学習のポイント

統計の種類	学習のポイント
地価公示 （国土交通省）	●例年３月中旬～下旬に公表されます。 ●出題の選択肢は、国土交通省発表の「**コメント**」から、ほぼ作成されます。なかでも、地価公示の「**概括**」「**特徴**」といった大きな傾向に関する記述から出題されますので、「○.○%」といった細かな数字は、たとえ問題文に含まれていても、「それを完全に暗記していなければ選択肢の正誤の判断ができない」ということは、あまりないといえます。 ●出題ポイントは、**地価**は「下落」しているのか「上昇」しているのか、もし「下落（上昇）」しているのであれば、下落（上昇）率は「拡大」しているのか「縮小」しているのか、という傾向です。 ●「住宅地」と「商業地」、「三大都市圏」と「地方圏」は、よく**対比して出題**されるので、しっかり確認しておきましょう。
土地白書 （国土交通省）	●例年５～６月頃に、土地基本法に基づき「○○年度土地に関する動向」及び「○○年度土地に関する基本的施策」として公表されます。 ●なかでも「土地取引件数（**売買による所有権の移転登記の件数**）」が最もよく出題されています。出題ポイントは、その「総数」と、「**対前年比の増減率**」「**何年連続**（何年ぶり）**の増加**（**減少・横ばい**）」という傾向です。
住宅着工統計 （国土交通省）	●出題ポイントは、**新設住宅着工戸数**の「総数」と、「対前年（度）比の増減率」「何年連続（何年ぶり）の増加（減少）」という傾向です。また、**持家・分譲住宅・貸家**といった利用関係別の傾向（それぞれの増・減）について出題されることもあるので、注意が必要です。 ●なお、「新設着工床面積」が出題されることもありますが、出題頻度は低いです。

法人企業統計 （財務省）	●例年、宅建本試験に近い時期である９～10月頃に公表されます。したがって、この統計のみは、公表時期との関係で、**試験実施の前年に公表されたデータから**出題されます。 ●試験の性質として、当然「**不動産業**」に関するものから出題されますが、なかでも、出題ポイントは、「売上高」と「経常利益」に関して、それぞれの「値（**金額**）」と、「**対前年度比の増減率**」「**何年連続**（何年ぶり）の**増加**（**減少**）」という傾向です。 ●近年は、「**売上高経常利益率**」からの出題も増えています。なかなか手が回りづらいテーマですが、おおよその数値や、「**上昇**」「**下落**」といった傾向を把握するとともに、「**全産業**」の**数値との比較**という視点でも理解しておきましょう。 ●ほかに、「売上高営業利益率」「営業利益」についても出題されることがありますが、出題頻度は低いため、学習優先度を下げても問題ありません。
国土交通白書・宅地建物取引業法の施行状況調査 （国土交通省）	●国土交通白書は、例年６～７月頃に公表されます。 ●出題ポイントは、「宅建業者数」の「総数」（**おおよその数値を把握すれば十分**）と「**増・減の傾向**」です。近年は、「２年に１回」程度のペースで出題されています。 ●「宅建業者数」などについては、「国土交通白書」より前の時点で公表される「宅地建物取引業法の施行状況調査」から出題されることもあります。

MEMO

索　引

さ行

た行

な 行

は 行

ま行

や 行

ら 行

わ 行

宅地建物取引士講座コース

日建学院では様々なコースを用意しています。ご自分のペース、スタイルに合った最適なコースをお選びくだ

2024年 10月中旬〜 ／ 2025年 1月 ／ 2月 ／ 3月 ／ 4月 ／ 5月 ／ 6月

スーパー本科コース

通学 Web 教育訓練給付制度※

早めのスタートを切り万全の準備をする方へ

本科コースに「早期対策講座」「要点解説講義」「ズバリ解説」のオプションをセットに。
早めのスタートを切って万全の準備を整えられるプレミアムなコースです。

※教育訓練給付制度の対象にセットオプションは含まれません。

4月下旬〜 本講

セットオプション

本科コース

通学 Web 教育訓練給付制度

基礎からじっくり学びたい方へ

6ヵ月で基礎から応用まで段階的に学習ができるスタンダードコースです。
合格に必要な知識を着実にインプットし、合格力を身につけます。

4月下旬〜 本講

短期集中コース

通学 Web 教育訓練給付制度

重要ポイントを集中的に学びたい方へ

受験対策に欠かすことのできない科目ごとの重要ポイントを集約した
短期コースです。本試験に挑む万全の態勢を整えます。

6月中旬

直前対策コース

通学 Web

演習で実践力を身につけたい方へ

本試験直前の対策として、答案演習により確実な知識を身につけるコースです。
インプットとアウトプットの繰り返しで、実践力を養います。

直前攻略コース

通学 Web

試験直前の総仕上げをしたい方へ

本試験直前3週間のラストスパートコースです。
模擬試験と解説講義の繰り返しによって、本試験への総仕上げを行います。

重点Webコース

Web 教育訓練給付制度

自分のペース、理解度に合わせて学習したい方へ

基礎から実践的な答案演習まで、動画を中心に構成されたWeb講義。
自分の理解度に合わせ、いつでも、何度でも反復が可能です。

1月下旬〜当年度講義

入門民法① 前年度版

入門民法② 1月下旬〜
アプローチ主要科目 3月上旬〜

本講義

通信合格コース

通信 教育訓練給付制度

自宅学習で時間を有効利用したい方へ

メイン教材は日建学院通学生と同じ。
どうしても通学が難しい方、限られた時間を有効活用したい方におすすめです。

2月中旬 第一回目教材 5月中旬

スーパー本科コース セットオプション内容

2024年 10月中旬 ／ 2025年 1月 ／ 2月 ／ 4月

入門民法①（前年度版）

1月下旬〜 早期対策講座

入門民法②（新年度版）

3月上旬〜 アプローチ主要科目配信開始

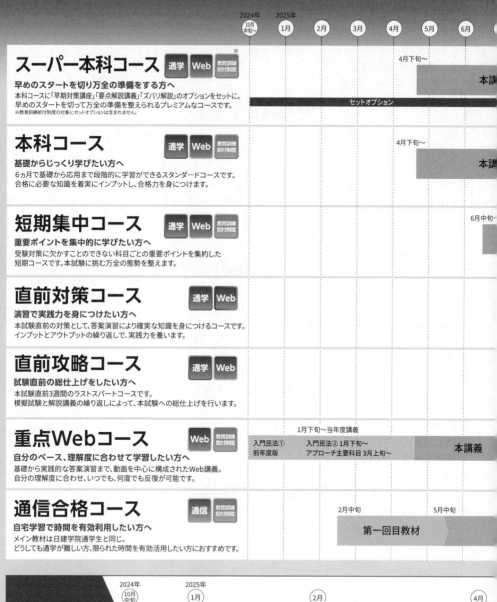

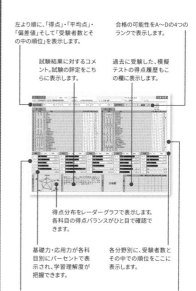

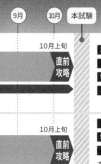

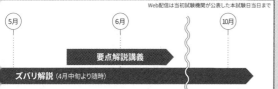

■**正誤等に関するお問合せについて**

本書の記載内容に万一、誤り等が疑われる箇所がございましたら、**郵送・FAX・メール等の書面**にて以下の連絡先までお問合せください。その際には、お問合せされる方のお名前・連絡先等を必ず明記してください。また、お問合せの受付け後、回答には時間を要しますので、あらかじめご了承いただきますよう、お願い申し上げます。

お電話によるお問合せは、お受けできません。

正誤等に関するお問合せ以外のご質問、**受験指導**および**相談等**は**お受けできません**。そのようなお問合せにはご回答いたしかねますので、あらかじめご了承ください。

[郵送先]
〒171-0014
東京都豊島区池袋2-38-1　日建学院ビル3F
建築資料研究社 出版部
「2025年度版 どこでも！学ぶ宅建士 基本テキスト」正誤問合せ係
[FAX]
03-3987-3256
[メールアドレス]
seigo@mx1.ksknet.co.jp

メールの「件名」には、書籍名の明記をお願いいたします。

■**本書の法改正・正誤等について**

本書の発行後に発生しました令和７年度試験に関係する法改正・正誤等についての情報は、下記ホームページ内でご案内いたします。

なお、ホームページへの掲載は、対象試験終了時ないし、本書の改訂版が発行されるまでとなりますので、あらかじめご了承ください。

https://www.kskpub.com ➡ お知らせ（訂正・追録）

＊装　　丁／広田　正康
＊イラスト／株式会社アット
（イラスト工房　http://www. illust-factory. com）
＊組　　版／朝日メディアインターナショナル株式会社

日建学院 「宅建士 一発合格！」シリーズ

2025年度版　どこでも！学ぶ宅建士　基本テキスト

2024年11月26日　初版第１刷発行

編　著　日建学院
発行人　馬場 栄一
発行所　株式会社建築資料研究社
〒171-0014　東京都豊島区池袋２-38-1
日建学院ビル３F
TEL：03-3986-3239
FAX：03-3987-3256

印刷所　株式会社ワコー

ISBN978-4-86358-963-6 C0032